Konrad Beikircher
Bohème Suprême
Der neue Opernführer

Kiepenheuer & Witsch

1. Auflage 2007

© 2007 by Verlag Kiepenheuer & Witsch, Köln
Alle Rechte vorbehalten. Kein Teil des Werkes darf in irgendeiner Form
(durch Fotografie, Mikrofilm oder ein anderes Verfahren) ohne schriftliche
Genehmigung des Verlages reproduziert oder unter Verwendung
elektronischer Systeme verarbeitet, vervielfältigt oder verbreitet werden.
Lektorat: Dr. Andreas Graf, Köln
Umschlaggestaltung: Linn-Design, Köln
Umschlagmotiv: © Achim Kröpsch, Düsseldorf
Gesetzt aus der Scala
Satz: Pinkuin Satz und Datentechnik, Berlin
Druck und Bindearbeiten: GGP Media GmbH, Pößneck
ISBN 978-3-462-03678-7

Vorwort und Gebrauchsanweisung

Aha, Gluck, ja, Weber, Donizetti, Lortzing, Wagner, gut, dann Bizet, klar, Mussorgsky, Dvorak, Boito, na gut, Janáček, Humperdinck, Puccini, gut, und dann, äh, da war doch noch, na Moment mal, ach ja, klar: Richard Strauss! Na, warum denn kein Richard Strauss?! Na, weil, ich meine, gucken Sie mal: Da denkt man, dass man für Wagner etwa 100 Seiten brauchen wird, dann ist der Fisch gegessen. Du sitzt aber auf gut 400 Seiten dann und stehst vor der Frage: Was kommt weg? Und bei Wagner ist vieles so witzig und neckisch, über das ich gerne geschrieben hätte, etwa was er den weiblichen Dienstboten in Bayreuth für erotische Anweisungen gegeben hat, wenn er mal ohne Cosima von Venedig nach Hause kam. Hochprozentiges Material, kann ich Ihnen sagen: welche Unterwäsche sie etwa wie zu tragen hätten. Alles zu viel, geht nicht. Kürzen. Immer noch zu viel. Weiter kürzen. Und plötzlich stehst du vor dem Problem: Wenn ich Wagner weiter kürze, geht gar nix mehr, also muss was raus. Und das war Richard Strauss und »Elektra«, eine meiner Lieblingsopern. Ich sehe heute noch meinen geliebten Violinlehrer Leo Petroni bei uns zu Hause mit geschlossenen Augen auf der Couch liegen und »Elektra« anhören. Er hatte die Oper noch nie gehört. Dann kam die Stelle, in der das Orchester spielt, wie Orest im Off seine Mutter erschlägt: Er hielt diese spannende Musik nicht mehr aus, sprang mit seinen siebzig Jahren von der Couch hoch und rief: »Das darf nicht sein! Das darf nicht sein!« Er meinte, Orest darf seine Mutter nicht erschlagen – so sehr hatte ihn das mitgenommen. Richard Strauss also, und viele andere Opern, kommen dann in einem möglichen dritten Band.
Jetzt aber wünsche ich Ihnen viel Vergnügen mit »Bohème Suprême«. Ich kann Ihnen nur sagen: Als ich mir vier Wochen den ganzen Wagner mit Partitur anhörte – und zwar zweimal, weil: Man könnte ja was überhört haben –, da war ich platt, fertig, alle, fix und foxi, aber – selig! Man hätte mich in Bayreuth unter den Orchesterdeckel schieben können, ich hätte es nicht mal gemerkt. Zum Glück gibt's Puccini, der hat mich da wieder rausgeholt.
Ich hoffe, dass ich Ihnen mit diesem Buch ein bisschen Lust auf

Oper machen kann, und Ihnen vielleicht hier und da auch Dinge erzähle, die Sie noch nicht wussten. Das wäre eine große Freude für Ihren

[Unterschrift]

PS: Hier nochmal zur Erinnerung die Gebrauchsanweisung auch für diesen Band ...

1. Knappe biographische Notizen, die vor allem auch die sonst oft stiefmütterlich behandelten Librettisten zu ihrem Recht kommen lassen.

2. ENTSTEHUNG UND URAUFFÜHRUNG
   Hier ist zusammengetragen, was man wissen sollte, wenn man sich intensiver für eine Oper interessiert.

3. PERSONEN
   Natürlich die handelnden Personen mit ihren Rollen-Namen!

4. ORCHESTERBESETZUNG
   Natürlich die Instrumente ohne die Namen der sie bedienenden Musiker!

5. BESONDERHEITEN
   Ob Ballett oder nicht, deutsch oder tschechisch etc. pp., erfahren Sie in dieser Rubrik.

6. DAUER
   Die Zeitangaben sind allenfalls Näherungswerte. Informieren Sie sich vieleicht lieber bei »Ihrem« Opernhaus: Die können Ihnen sicherlich die genaue Dauer in Ortszeit nennen.

7. HANDLUNG
   Ich habe mich bemüht, die Handlung seriös wiederzugeben. Konnte aber nicht immer gelingen!

8. HITS
   Hier, wie schon im Konzertführer, die bewährten Hinweise auf die wesentlichen Momente. Wichtig!

9. FLOPS
   Dasselbe mit Daumen nach unten!

10. OBACHT
Dasselbe in Bezug auf Stolpersteine, gefährliche Kurven etc.

11. DIVERSES
Kuriositäten, die man kennen kann, aber nicht können muss, Besonderheiten, Merk-Würdigkeiten, schöne Kritiken, evtl. paar Anekdötchen.

12. DER KLEINE OPERNTÄUSCHER
Wenn Sie, was hier steht, auswendig lernen und in der Pause loslassen, dann wird Sie jeder für einen Opernexperten allerersten Ranges halten. Auch wenn Sie eine Bassklarinette nicht von einem Schuhlöffel unterscheiden können oder Alt für ein Verfallsdatum (oder sogar ein Bier) halten.

13. BEWERTUNGEN
Hier werden die Werke unter verschiedenen Gesichtspunkten klassifiziert (jeweils von 1 bis 5, wobei 5 natürlich die höchste Benotung ist).

MAGIE
Wie stark entführt uns die Oper in ihre Welt, wie mächtig verzaubert sie uns?

EROTIK
Damit ist nicht nur Sex gemeint!

FAZZOLETTO
Hier gibt's Taschentücher dafür, ob und wie stark wir von der Oper zu Tränen gerührt werden (zugegeben: Das ist mehr was für die italienische Abteilung!).

GEWALT
Da gibt's 1 bis 5 Paar Handschellen für die menschlichen Abgründe, die sich in der Opernwelt immer wieder gerne auftun.

GÄHN
Hier gibt's 1 bis 5 ›Gähns‹ für den Faktor Langeweile. Schwer zu vergeben, weil das ja sehr unterschiedlich empfunden wird. Ich hab's trotzdem versucht.

MORAL
Hier gibt's Bischofsmützen für die Antwort auf die Fragen: Wie

jugendfrei ist die Oper? Wird sie unseren Moralvorstellungen, etwa bei Bestrafung der Bösewichte, gerecht oder nicht?

EWIGKEIT
Wie zeitbeständig ist die Oper? Hat sie ein Verfallsdatum oder nicht?

GOURMET
Damit meine ich: Ist die Oper für die wahren Feinschmecker ein Leckerbissen oder eher Kantinenkost? Geht mehr die Kenner an!

GESAMTWERTUNG
Wie wertvoll ist die Oper als Gesamtwerk? Das muss man wissen, um entscheiden zu können, ob man überhaupt hingehen soll oder nicht.

Christoph Willibald Gluck
1714–1787

Orfeo ed Euridice
Azione teatrale per musica
Text: Ranieri Simone Francesco Maria Calzabigi

»Im J. 1738 besuchte er zum ersten Male Italien, wo er zu Mailand, in dem Hause des Prinzen Melzi, als Tonkünstler Engagement fand. Nach verschiedenen abgelegten Beweisen seiner musikalischen Talente trug man ihm die Komposition einer großen Oper für das dasige Theater auf [wohl ›Artaserse‹, Mailand 1741]. Gluck überließ sich bey dieser Arbeit seinem Genie ganz, ohne jemanden dabey zu Rathe zu ziehen; entfernte sich aber eben deswegen um so mehr von der gewöhnlichen Bahn der übrigen Komponisten, und fing schon damals an, alles, was Herkommen und Mode forderten, dem Ausdrucke aufzuopfern. Bey der ersten Probe, welcher eine Menge Neugieriger beywohnte, fehlte noch eine Arie, wozu die Worte erst umgeändert werden sollten. Gluck bemerkte indessen, dass man sich über seine Musik aufhielt; schwieg aber u. schrieb nun die neue Arie ganz nach dem gewöhnlichen italiänischen Leisten, bloß dem Ohre zu schmeicheln, ohne die geringste Rücksicht auf ihren Charakter und ihre Beziehung auf das Ganze des Stücks zu nehmen. Bey der nächsten Generalprobe that nun diese Arie Wunder auf die Zuhörer, so dass man sich einander zuraunte, diese Arie sey nicht von Gluck, sondern von dem beliebten Sanmartini. Noch immer schwieg Gluck, bis man sich, bey der Vorstellung selbst, von der Vortrefflichkeit der Musik des Ganzen, so wie von der faden u. unpassenden Manier in der einzelnen Arie, allgemein überzeugt hielt. Da man nun schrie: diese Arie entstelle die ganze Oper! So rächte sich Gluck an den Klüglingen,

indem er sie selbst für des Sanmartini Arbeit
ausgab.«
Ernst Ludwig Gerber: »Neues historisch-biographisches Lexikon der Tonkünstler«, Leipzig 1812

Christoph Willibald Ritter von Gluck: geboren am 2. Juli 1714 in Erasbach oder Weidenwangen in der Oberpfalz, gestorben mit 73 Jahren am 15. November 1787 in seinem Haus in der Wiedener Hauptstraße 32 in Wien. Weil der Papa nicht wollte, dass er Musiker wird (Papa war Forstmeister beim Fürsten Lobkowitz, lebte in Böhmen und wusste von daher, wie ein böhmisches Musikerleben normalerweise aussieht!), floh der junge Mann von zu Hause. Er bestritt nun mit einer Maultrommel und mit Orgelspiel seinen Lebensunterhalt, studierte in Prag und in Wien Musik und erfand mit dem »Orfeo« die Oper neu – und zwar so, dass Rousseau schreiben konnte: »Mir scheint, dass Ludwig XVI. und Gluck ein neues Zeitalter heraufführen werden.« Der zweite Teil des Satzes stimmte! Gluck ärgerte mit seiner Reizbarkeit und Unerbittlichkeit, mit seiner spitzen Zunge und Tyrannei als Dirigent zeitlebens alle Künstler, die mit ihm zu tun hatten. Er lebte in seiner zweiten Lebenshälfte als wandelnde Legende seiner selbst und starb, als er – trotz strikten Alkoholverbots wegen zweier Schlaganfälle – beim Besuch von Freunden nach dem Mittagessen, kaum war seine Frau aus dem Raum, sich zwei doppelte Weinbrände genehmigte. Er muss ein großer Feinschmecker gewesen sein!

Ranieri Simone Francesco Maria Calzabigi: geboren am 23. Dezember 1714 in Livorno, gestorben mit 81 Jahren im Juli 1795 in Neapel. Er war vielen Sätteln gerecht, was ihm ein abenteuerliches Leben garantierte. Über Livorno und Pisa kam er nach Neapel, das er wegen familiär-finanzieller Turbulenzen verlassen musste. Mit seinem jüngeren Bruder ging er nach Paris, woselbst die beiden gemeinsam mit Giacomo Casanova ein staatlich genehmigtes einträgliches Lotterieunternehmen führten. Außerdem war der literarisch versierte Opernthoeretiker dann auch noch Geheimrat an der niederländischen Rechnungskammer und kam als Finanzsachverständiger und Diplomat nach Wien, wo er sehr schnell die Gunst des Kanzlers Fürst Kaunitz erlangte – und Gluck kennenlernte. Das war die Geburtsstunde der »neuen« Oper: endlich kein mythologischer Krempel mehr, sondern große menschliche Gefühle! »Orfeo ed Euridice« wurde das Fanal dieses Leitspruchs, und Gluck selbst hat seinem Textpartner das schönste Denkmal hierfür gesetzt: »Peinliche Vorwürfe würde ich mir machen, wollte ich zulassen, dass er [Calzabigi] mir die Erfindung des neuen italienischen Opernstils zuschreibt, dessen Erfolg den Versuch rechtfertigte; denn daran kommt Herrn Calzabigi das Hauptverdienst zu. Wenn meine Musik einiges Aufsehen erregte, so glaube ich doch sagen zu müssen, dass er es war, der mir die Möglichkeit gab, die Mittel meiner Kunst voll zu entfalten.« Nach und mit diesen schönen Worten ist der Texter, Theoretiker und abenteuerliche Tausendsassa in den himmlischen Schnürboden aufgefahren – nicht ohne kurz vor seinem Tod den Misserfolg seiner eigenen Oper »Elvira« (in Töne gesetzt von Paisiello) erleben zu müssen. Bedauern wir ihn und feiern wir die schönen Opern, die er uns als Texter hinterließ.

ENTSTEHUNG UND URAUFFÜHRUNG

Giacomo Graf Durazzo war Intendant des Hoftheaters in Wien. Er dachte in Kunstdingen international und war gegen eine National-Oper. Er brachte Calzabigi und Gluck zusammen – und es muss zwischen diesen zwei »Revolutionären« gleich gefunkt haben. Beide hatten das starre Korsett der *opera seria*, der klassischen ernsten Oper, satt; sie wollten Neues. Calzabigi hatte in seiner »Dissertazione sulle poesie dramatiche del sig. Abate Pietro Metastasio« (Dissertation über die dramatischen Werke des Herrn Abts Pietro Metastasio) – der war als großer Dichter 50 Jahre lang der absolute Beherrscher der italienischen Opernszene – seine Anschauungen über eine neue Ästhetik der Oper recht überzeugend dargelegt und sich damit Gluck, der ebenfalls neue Formen suchte, empfohlen. Vielleicht verstanden sich der brummige deutsche Waldschrat und der italienische Abenteurer nicht auf allen Ebenen prima, als Opernerneuerer hatten sie jedenfalls dasselbe Ziel: Sie wollten die Oper dem großen antiken Drama wieder näherbringen, indem sie italienische und französische Stilelemente miteinander mischten. Erstarrte Formen sollten neu belebt und eine Operngattung geschaffen werden, die nationale Grenzen hinter sich ließ, indem sie die großen menschlichen Gefühle (noch nicht so individuell wie bei Mozart, eher allgemein, aber eben menschliche Gefühle – und nicht Göttergedöns und Olympgequase) auf die Bühne und in Musik stellte. Man probierte sich aus, und das erste Ergebnis war »Don Juan ou Le Festin de Pierre«, ein Ballett oder Tanzdrama. Ein Signor Angiolini hat die Choreographie gemacht, er sollte dies auch bei »Orfeo ed Euridice« tun. Calzabigi hatte den Stoff zum Orfeo schon im Koffer, er überarbeitete ihn und gab ihn Gluck. Den entzückte ihre lapidare Einfachheit und spartanische Schlichtheit, und die »einfachen« Texte fanden grandios »einfache« Umsetzungen in Musik. »Einfach« heißt hier: schnörkellos, ohne die bis dahin üblichen unendlichen Trillerketten, die nicht enden wollenden Verzierungen und all die anderen klanglichen Manierismen, die sich in der Oper breitgemacht hatten. Dafür musste man allerdings kooperationsbereite Sänger finden, die sich trauten zu singen, wie man in der Oper bis dahin nicht hatte singen dürfen: schlicht, gerade und ›aufrichtig‹. Mit dem Kastraten Gaetano Guadagni fand man genau den Richtigen: Er hatte in England bei Garrick gelernt, sich auf der Bühne zu bewegen, ohne ständig an sich zu denken; er konnte sich dem Werk unterordnen, weil er nicht zu denen gehörte, die das Theater nur als Chance zur Selbstdarstellung sahen – und er konnte auf der Bühne echte Gefühle, echte Leidenschaft ausdrücken. All dies erscheint uns heute selbstverständlich, aber vergessen wir nicht: Damals war genau das die Revolution!

Am 5. Oktober 1762, dem Namenstag von Kaiser Franz I. – Sie wissen schon: Der war bei seiner Frau Maria Theresia hauptberuflich als Begatter angestellt, ich bitte Sie: 16 Kinder! –, wurde »Orfeo ed Euridice« uraufgeführt. Vielleicht war das der Grund für das *lieto fine*, das heitere Ende. Wir erinnern uns: In der Antike geht das Ganze ja reichlich tragisch aus, Vergil spart in seinen »Georgica« nicht mit tragischen Seufzern und lässt die Frauen beim Bacchus-Fest den ärmsten Orpheus zerstückeln – als Strafe dafür, dass er zurückgeblickt hat. Und hier bei Gluck? Amor taucht wieder auf, erweckt die zweimal Gestorbene zum dritten Leben, und alles wird gut. Calzabigi schrieb dazu: »Ho dovuto cambiar la catastrofe.« (Ich musste die Katastrophe ändern.) Warum? Vielleicht tatsächlich wegen des Kaisers Namenstag, vielleicht war Maria Theresia auch schon wieder schwanger, wir wissen es nicht. Sei's drum: Ist doch schön, wenn zwei sich bekommen, oder?! Eine Kritik der Uraufführung schreibt dazu: »Der tragische Ausgang der Fabel ist in einen freudigen verwandelt worden. Alle Zuschauer, die sonst von Mitleiden betrübt nach Hause gegangen seyn würden, sind dem Textdichter für diese glückliche Veränderung sehr verbunden, Und hat nicht der tugendhafte Orpheus ... selbst ein vergnügliches Schicksal verdienet?« Na also!

Die Uraufführung traf auf geteilte Meinungen: Kenner diskutierten sich die Köpfe heiß, das Publikum zuckte die Schultern. Zwar bekam Gluck von der Kaiserin eine dukatengefüllte Tabatière, aber das war's auch schon. Erst die dritte Fassung, die Pariser, die am 2. August 1774 in Paris uraufgeführt wurde – mit so vielen Änderungen, dass man fast von einer neuen Oper sprechen könnte –, bedeutete dann den Weltdurchbruch. Ein Kritiker der Uraufführung in Wien schrieb aber schon: »Die Musik ist von unserem berühmten Hrn.

Cav. Christoph Gluck, der sich darin gleichsam selbst übertroffen hat. Es herrschet in selbiger durchgängig eine vollkommene Harmonie: die Charaktere sowohl als die Leidenschaften sind deutlich und fühlbar ausgedrückt; die Empfindung der Zuhörer wird durch eine vernünftige Abwechslung des Zeitmaßes und durch eine gute Wahl und Veränderung der Instrumente beständig unterhalten.« Stimmt, kann man dazu nur sagen. Schön, dass es schon die Zeitgenossen erkannt haben.

Übrigens ist »Orfeo ed Euridice« kein Auftragswerk. Die Oper ist damit, soweit man weiß, die erste, die zwei Künstler aus eigenem Antrieb heraus geschrieben haben!

PERSONEN

Orfeo, Poet und Musiker: Alt
Euridice, seine Frau: Sopran
Amore: Sopran

Chor: Schäfer, Schäferinnen, Nymphen, Dämonen, Furien, selige Geister, Heroen, Heroinen

ORCHESTERBESETZUNG

2 Flöten
2 Oboen
2 Englischhörner
2 Chalumeaux (Vorläufer der Klarinette)
2 Fagotte
2 Hörner
2 Trompeten
2 Kornetts
2 Posaunen
Bassposaune
Harfe
Pauken
Streicher
Cembalo

BESONDERHEITEN

Harfe, Streicher und Cembalo können hinter der Bühne postiert werden.

DAUER

ca. 1 Stunde 30 Minuten

HANDLUNG
Am Lago d'Averno (nicht Averna!), in mythischer Zeit

ERSTER AKT

»Anmutiges, jedoch abgeschiedenes Wäldchen mit Lorbeerbäumen und Zypressen, das auf einer eigens von Menschenhand gelichteten kleinen Erhöhung Euridices Grabmal umschließt«

Szene 1

Schäfer und Nymphen trauern mit Orfeo um seine geliebte Euridice an deren Grabmal. Der Chor beschwört ihren Schatten, der das Grabmal umweht, auf dass er das Klagen höre. Orfeo bittet den Chor, ihn allein zu lassen mit seiner Trauer, der Chor tanzt ein bisschen. und geht. In grandiosen Rezitativen und Arien breitet Gluck nun Orfeos Trauer auf der Bühne aus. Da kommt Orfeo der Gedanke, in die Unterwelt hinabzusteigen, um seine Geliebte der finsteren Welt des Todes zu entreißen.

Szene 2

Just in diesem Moment taucht Eros (oder Amor, je nachdem, ob Sie die griechische oder die römische Götterwelt bevorzugen) auf und teilt dem Trauernden mit, dass sich Zeus seiner erbarme und beschlossen habe, ihn in die Unterwelt gehen zu lassen. Dazu muss man wissen, dass Orfeo mit einer Stimme gesegnet war, die die Götter erweichen konnte – hoffentlich klappt das bei der Aufführung in Ihrem Opernhause auch! Wenn Orfeo mit seinem Gesang die Furien der Unterwelt besänftigt habe, dürfe er seine Euridice bei der Hand nehmen und sie aus dem Hades nach Hause führen, vorausgesetzt, er drehe sich dabei nicht zu ihr um und sage ihr nicht, warum. Bestehe er diese Prüfung, schenke der Olymp ihr ein neues Leben und ihm damit ein neues Glück. Bevor Sie jetzt sagen: Ach Du lieber Himmel, die Ehe soll *das* Glück sein?, bedenken Sie, dass es hier um die Liebe als solche geht – und die ist bekanntlich nur der erste Teil dieser lebenslangen Prüfung. Der zweite Teil besteht in der Frage, ob die Liebe auch nachhaltig ist – aber das wusste Gluck damals wohl nicht, und die Götter hätten es ihm auch niemals verraten. Eros darf noch eine schöne Arie singen: »Gli sguardi trattieni, affrena gli accenti« (Die Blicke verhalte, zügele die Zunge), dann schwirrt er ab. Orfeo wiederholt nochmal seine Aufgabe, fleht die Götter um Hilfe an und entschwindet in einem Blitz. Vorhang.

ZWEITER AKT

»Eine schaurige, mit Höhlen durchzogene Schlucht jenseits des Flusses Kokytos, in der Ferne von dunklem Rauch verfinstert, der durch Flammen erleuchtet wird«

Szene 1

Die Furien tanzen, kaum ist der Vorhang hoch, einen schaurigen Tanz, wie man ihn nur in der Unterwelt erleben kann (oder in einer Ü-20-Party, wenn Sie mich fragen), dem begnadeten Orfeo gelingt es aber peu à peu, die grauslichen Damen zu beruhigen und den Weg freizugeben. Der Satz »Ho con me l'inferno mio, me lo sento in mezzo al cor« (Ich trage mit mir meine eig'ne Hölle und fühle sie mitten im Herzen) rührt auch ihre Herzen, und sie beginnen die Bühne freizugeben für die

Szene 2: *»Die Gefilde der Seligen: Wäldchen, Wiesen, Flüsse, Bäche«*

Orfeo ist hingerissen von der lieblichen Landschaft, in der die Seligen ihre Ewigkeiten verbringen können. Er fragt die Heroen und Heroinen des Elysiums, die sich ihm nähern, wo Euridice sei. Da bringen sie sie ihm. Ohne sie anzusehen, nimmt er sie bei der Hand und führt sie davon. Weil das ein langer Weg ist, senkt sich schon mal der Vorhang, damit man ein Päuschen machen und sich erfrischen kann, während die Helden durch die Unterwelt ziehen ...

DRITTER AKT

»Dunkle Höhle in Form eines gewundenen Labyrinths aus Steinmassen, die sich von den Felsen losgelöst haben und mit Gestrüpp und wildem Strauchwerk bedeckt sind.«

Szene 1

Man flieht. Orfeo möchte zügig die Unterwelt verlassen (wir wissen: Männer und das Tunnelsyndrom – Augen zu und durch!), sie allerdings stellt bange Fragen und ist gekränkt, dass er ihr seine Liebe nicht zeigt (wir wissen: Frauen und ihre Fragen!). Sie fragt nach der Liebe, die ja nicht sein könne, wenn er sich noch nicht mal umdrehe, er will weiter. Sie kommt mit dem Klassiker: »Umarmst du mich nicht? Sprichst du nicht mit mir? *Sieh mich wenigstens an!*«, um dann noch einen draufzusetzen: »Sag' mir, bin ich noch so schön, wie ich es einmal war?« Ab da ist der Wurm, den wir alle kennen, drin, und es steuert der sicheren Katastrophe entgegen. Er darf nix erklären (wir wissen: Männer schweigen und handeln!), was sie über alle Maßen misstrauisch macht: Nein, singt sie, so ein Leben will sie nicht, was sei denn das für ein Geheimnis, das ihr der Liebende nicht mitteilen könne? Darf es überhaupt ein Geheimnis geben, wenn man liebt? Natürlich nicht (wir wissen: Man teilt sich das Wichtige mit, der Rest bleibt Schweigen!). »Welch bittrer Augenblick, welch grausames Schicksal: dem Tod zu entfliehen, nur um so viel Schmerz wiederzufinden«, singt sie, und wir sehen, was für Granaten sie da auffährt, die kein Gras mehr wachsen lassen. Es passiert, was passieren muss: Er dreht sich um, und sie – »mir schwinden die Sinne« – stirbt. Das alles natürlich nur mit dem einen Ziel: dass Orfeo jetzt endlich den MegaGigaWeltHitAllerZeiten singen kann, das außerirdisch schöne »Che faró senza Euridice« (Ach, ich habe sie verloren). Nachdem er das für uns gesungen hat, setzt er sich hin und will aus dem Leben scheiden – kein weiter Weg, wenn man eh im Hades sitzt.

Szene 2

Eros bzw. Amor taucht auf. Er teilt dem Verzweifelten mit, dass nun Schluss sei mit der Quälerei: »Ich gebe dir Euridice, deine Geliebte, zurück.«

Szene 3: »Prunkvoller, dem Eros geweihter Tempel«

Man tanzt und freut sich und besingt den Gott der Liebe. Auch der Vorhang kann sich nicht mehr halten und tut das Einzige, was ihm bleibt: Er fällt.

HITS

Natürlich warten wir alle auf »Che faró senza Euridice« (Ach, ich habe sie verloren), doch gemach, gemach, das kommt noch nicht. Erst einmal möchte ich als Hit bezeichnen, dass Gluck sich tatsächlich am Namenstag von Kaiser Franz I. traut, eine gute halbe Stunde Trauermusik aufführen zu lassen – der ganze erste Akt. Also ich weiß nicht: Wenn ich Maria Theresia gewesen wär', a bisserl beklagt hätt' ich mich schon beim Komponisten, dass da so goar nix Fröhliches, net wahr ... Andererseits liebt das Wiener Gemüt a schöne Trauermusik über alles, also wird es schon recht gewesen sein. Dann finde ich einen grandiosen Hit, dass es kein Secco-Rezitativ gibt, also dieses klassische mit Cembalo und *basso continuo*, kein einziges, in der ganzen Oper. Es gibt nur, was man Accompagnato-Rezitativ nennt, wo das ganze Orchester die Stimme begleitet. Das muss damals als spektakulär empfunden worden sein.
Zum dritten finde ich einen Megahit, dass Gluck sich tatsächlich konsequent von der bisherigen Opernpraxis abgewandt hat und

etwas wirklich Neues macht: keine Verzierungs-Eitelkeiten der Sänger, keine endlosen Koloraturen ohne Zusammenhang mit dem Inhalt, kein öder Ablauf (Rezitativ-Arie-Rezitativ-Arie), stattdessen »Einfachheit«, Wahrheit, »zurück zur Natur«, wie Rousseau (ungefähr zur gleichen Zeit) gefordert hat. Bravo, ein großer Schritt mit weitreichenden Folgen. Und die Zeitgenossen haben ihn honoriert.

Dass die Oper mit einer feinen, geradezu mozartesken (oder, um präziser zu sein, Johann Christian Bach'schen) Sinfonia losgeht, ist kaum des Heraushebens wert; von einem wie Gluck kann man das erwarten. Dann geht der Vorhang hoch, und Gluck präsentiert uns eine tolle Idee: Die wunderbare Trauermusik, zu der die Hirten und Nymphen singen, wird vom Kornett angeführt. Dieses Instrument hat die Melodieführung – und das ist umwerfend, weil es ja von Natur aus eher in die Schmetter-Abteilung gehört, wenn auch mit einer gewissen Weichheit begabt. Hier darf es mal diese Wärme ganz ausspielen, und wenn der Musiker da unten im Graben dafür die richtigen Lippen hat, geht eine so sanfte warme Sonne auf, dass man gleich selbst gestorben sein möchte, so schön wird man betrauert. Eine Melodie, auf die Gluck stolz sein kann. Wie diese Oper sich überhaupt durch einen exorbitanten Melodienreichtum auszeichnet. Und wie der Chor – nach 41 Takten – wunderschön in wiegenden Halbtonschritten weinen darf: Nee, wat is dat schön! Und wie erst der Orfeo trauern darf! »Chiamo il mio ben così« (Klagend gedenk ich Dein) singt er, und ein sanftes Echo der Bühnenmusik klagt mit ihm. Dreimal variiert Gluck diese Trauerarie, immer wieder von Rezitativen unterbrochen, und zeigt sich dabei als Instrumentierungsmeister: Im ersten Durchgang trauern die Flöten mit Orfeo, im zweiten die beiden Chalumeaux (Schalmeien ...) und das Horn und im dritten die beiden Englischhörner und das Fagott. Man räkelt sich wohlig in dieser Melodie, die in unterschiedlichen Farben und Gewändern dreimal auftaucht. Sehr gelungen, Ritter Gluck!

Ein weiterer Hit ist der Text der Arie des Liebesgotts Eros (oder Amor): »Gli sguardi trattieni« (Der Augen Verlangen halt standhaft zurück), weil Calzabigi hier wirklich schlichte und wahre Worte gefunden hat. So was hat sonst erst Da Ponte zustande gebracht: »Non sai che talora smarriti, tremanti con chi gl'innamora son ciechi gli amanti, non sanno parlar?« (Weißt du nicht, wie verloren und zitternd die Liebenden zuweilen blind vor denen stehen, in die sie verliebt sind, und kein Wort herausbekommen?)

Schmucklosere Worte hatte es (im Italienischen jedenfalls) in der Oper bis dahin nicht gegeben. Hier haben wir sie, jene Schlichtheit, die erst möglich gemacht hat, dass die Libretti der Opern und damit

auch die Musik näher an die wirklich menschlichen Gefühle, näher an das Individuum, näher an den Menschen selbst herankommen. Das hat den Weg zu Mozart geebnet – Glückwunsch, Ranieri Simone Francesca Maria Calzabigi!
Den nächsten Hit finden wir im zweiten Akt im Chor der Furien. Kennt jeder, hat jeder schon mal gehört und hat auch jeden beeindruckt. Mit dramatischer Wucht stellen sich die Furien dem Eindringling entgegen, wobei Gluck – um die Eindringlichkeit zu erhöhen – zum gleichen Mittel greift wie Mozart in der »Zauberflöte« beim Gesang der geharnischten Männer: Er lässt den Chor einstimmig singen. Das macht immer den Eindruck der Masse, das hat Energie ohne Ende und das hat Unerbittlichkeit! Großartig. Natürlich darf das Orchester da auch mal ein bisschen die Muskeln zeigen, macht auch Spaß. Dem gegenüber steht – und das ist toll – der Gesang von Orfeo: Die Harfe begleitet ihn zu einer Melodie, die zum Feinsten gehört, was unserem bayerisch-böhmischen Gluck eingefallen ist: »Deh placatevi con me« (Ach, erbarmt Euch mein). Dass dann die Furien immer wieder mit einem fast gebrüllten »No!« dazwischengehen, ist ein weiterer glücklicher Einfall. Hier wird das Singspiel zur Oper! Dreimal muss er ansetzen, unser Held, dann hat er die Furien rumgekriegt. Übrigens sind die Melodien, die Orfeo da singt, beim zweiten und dritten Anlauf extrem kurz, beinahe minimalistisch. Das hat eine hochintensive Wirkung – nicht nur auf die Furien! Ihr Chor, mit dem sie zeigen, dass sie nun überzeugt sind, ist ebenfalls ein Meisterstück. Da ist Gluck schon ganz nah an Mozart.
In der zweiten Szene des zweiten Akts – Orfeo ist jetzt auf dem Gefilde der Seligen – geschieht musikalisch etwas sehr Raffiniertes. Beim großen Arioso, das dieses Bild einleitet: »Che puro ciel, che chiaro sol« (Welch reiner Himmel, welch klare Sonne), sollten Sie auf ein paar Details im Orchester achten: Die Flöte spielt kleine Melodie-Bögen, denen das Cello jeweils als Echo antwortet. Das zuckert sich über die Triller, die von den zweiten Geigen kommen, so was von drüber, dass es einem ans Herz geht. Diese beiden Stilelemente sind es, die der Musik etwas Flirrend-Klares geben – wie die Luft im Elysium halt zu sein hat. Ein hübscher Einfall, wie überhaupt dieses ganze Arioso zu meinen Lieblingsstellen gehört.
Ab nun fangen wir langsam zu warten an. Worauf? Auf *den* Hit in dieser Oper, die Arie »Ach, ich habe sie verloren«, aber so weit sind wir noch nicht. Denn jetzt muss der Held erst mal seine Schöne aus dem Keller holen, ohne sie anzuschauen, und da ist mittendrin eine sehr schöne Stelle: »Che fiero momento« (O martervoll Geschick) muss Euridice singen und kann damit unser Herz erobern, weil

Gluck eine so schöne Melodie eingefallen ist. Auch die Stelle, wo sie stirbt, nein: ihr eben gewonnenes Leben wieder aushaucht, ist eine, wo man sich sagt: Na also, geht doch! Dann aber, ja dann ist es endlich so weit: »Che farò senza Euridice« (Ach, ich habe sie verloren), der OberMegaGigaundsoweiterHit dieser Oper, ein ewiger Schlager der Klassik. Vielen Zuschauern war er damals zu heiter, und sie mokierten sich darüber. Kann man kaum mehr nachvollziehen, wenn man diese schlichte, herzergreifende Melodie hört, oder?! Der Rest ist schnell erzählt: Das positive Ende im dritten Akt mündet in eine wirklich schöne Ballettmusik und diese in den Schlusschor – das alles klingt schon eher nach Namenstag des Kaisers, und Maria Theresia wird's wohl zufrieden gewesen sein. Man hat allerdings ein bisschen den Eindruck, dass Gluck selbst dieses Happy End nicht recht geheuer war, weil er es gar so schnell herunterspult. Aber vielleicht hat er auch nur auf den letzten Drücker komponieren müssen, das kommt ja schon mal vor bei Komponistens.

FLOPS

Also da möchte ich mal sagen: »Orfeo ed Euridice« *muss* Gustav Mahlers Lieblingsoper gewesen sein – bei so viel Trauermusik! Ich finde, der ganze erste Akt voll sämiger Trauer ist Hit und Flop zugleich. Ich habe Tage, da könnte ich mich in diese Musik so was von reinlegen ... Und dann gibt es Tage, da können Sie mich damit jagen. Bei einer Novembersoirée wäre der erste Akt das Subtilste, was man an Seelennebel zu sich nehmen kann. Wenn das dann noch in Venedig wäre ...

Flops im Einzelnen: Es ist sehr unhöflich, eine Dame so lange auf ihren ersten Auftritt warten zu lassen! Euridice darf sich am Ende des zweiten Akts zwar an der Hand nehmen lassen, aber noch nichts singen – das kann sie erst im dritten Akt. Lieber Herr Gluck, kennen Sie nicht die Operngarderoben? Haben Sie schon mal so lange hinter der Bühne auf Ihren Auftritt gewartet? So was heißt doch, Sängerinnen reihenweise in den Alkoholismus, die Spielsucht, den Nikotinabusus oder den Gameboy-Wahnsinn zu treiben. Ungalant, lieber Ritter, äußerst ungalant! Was heißt hier: Die ist doch in der Unterwelt? Dann hätte sie ja schon mal als Geist im ersten Akt auftauchen können, ein paar tröstende Bögen singend oder den Orfeo beweinend. Geht doch alles, ist ja Oper. Also bitte!

Dann ein Flop, den er sich so nicht hätte leisten dürfen: Am Ende des ersten Aktes erscheinen der Blitz und der Donner, in denen Orfeo verschwindet – das ist ein reichlich lindes Gewitterchen, mein lieber Herr Gesangsverein. Da hatte doch Vivaldi schon ganz andere Maßstäbe gesetzt, und Gluck kannte dessen Musik. Kurz danach dasselbe: So beeindruckend der Chor der Furien ist, so floppig kommt die Ballettmusik daher. Wenn die wirklichen Furien zu so einer Musik tanzen, dann ist die Hölle noch langweiliger als der Protestantenhimmel! Also im Fach »stürmische Naturereignisse« hätte Gluck bei mir keine Eins bekommen. Ähnliches gilt für den Beginn des dritten Akts: Wo Orfeo seine Angebetete doch jetzt an der Hand hält und ins Leben zurückführen will, könnte man schon eine etwas dramatischere, intensivere Musik komponieren, oder? Mir plätschert das etwas zu gewohnt dahin. Immerhin holt er sie aus dem Reich der Toten zurück, das hat es bis dahin ja noch nie gegeben, das muss doch auch in der Musik ... Na gut, ist 1762, ist Namenstag des Kaisers, ist eine Zeit, in der man seine Gefühle noch unter Kontrolle ... Trotzdem. Angesichts der intensiven Trauermusik im ersten Akt ...!

Genauso hätte Gluck etwas mehr aus der zweiten Erweckung zum Leben machen können, auch das geht mir dann doch etwas schnell: Es müssen ja nicht fünf, sechs Stunden sein, die sich Wagner sicherlich dafür genommen hätte, aber ein bisschen mehr ... Na gut, ich sagte ja schon: Vielleicht war er unter Zeitdruck.

OBACHT
Nein, keine Tücken nirgends und für keinen. Wenn es Spitzenkräfte sind, die die Oper zu singen haben, wünsche ich ihnen dieselbe Haltung, die auch Gluck von ihnen verlangt hat: Persönliche Eitelkeiten zurückzunehmen und die Arien und Rezitative so zierlos wie möglich zu singen, dann wird das ein großer Abend.

DIVERSES
Die revolutionären Ideen Glucks als Opernmacher gehen sehr schön aus den Erinnerungen an ihn von Johann Christian von Mannlich hervor, der die Proben zu »Orphée et Euridice«, der französischen Fassung, die 1774 in Paris uraufgeführt wurde, beobachtet hat:
»Bei den Proben zum Orpheus kam es von neuem zu lärmenden Auftritten. Gluck forderte von den Tänzern, die das Ballett der Furien und Dämonen aufführten, dass sie in den Gesang des Orpheus einfach Nein verschiedenstimmig in wilder Raserei dazwischensprechen sollten, während sie ihn an seinem Eintritt in die Unterwelt zu hindern suchten. Sie weigerten sich jedoch, dieser unerhörten, den unumstößlichen geheiligten Statuten ... zuwiderlaufenden Neuerung Folge zu leisten ... Man stritt lange hin und her. Gluck war

unerbittlich. Endlich schrien die Teufel ihr Nein, während sie ihre Schlangen schüttelten und den Sohn Apolls leichtfüßig und kunstgerecht umtanzten. Die Szene, die schließlich die Darsteller selbst vergnügte, erzielte die herrlichste Wirkung: Durch die heiseren und erbarmungslosen Rufe, die von Zeit zu Zeit die harmonischen und süßen Laute des Flehenden und seines Saitenspiels übertönten, erschienen diese noch klagender und ergreifender ...«

DER KLEINE OPERNTÄUSCHER
Wenn Sie die folgenden Sätze, die fachlich alle absolut korrekt sind – stammen Sie doch von einem der wirklichen Experten auf diesem Gebiet, Prof. Ulrich Schreiber –, auswendig lernen und in der Pause aufsagen, wird man Sie aus dem Stand zum neuen Intendanten Ihres örtlichen Opernhauses wählen:
»Der zweite Akt, die Furienszene, nimmt das anfängliche c-Moll wieder auf, dem Orpheus in der parallelen Dur-Tonart zu begegnen versucht. Tatsächlich gelingt es ihm, mit seinem weltlichen Es-Dur-Gebet und dessen allmählicher Intensivierung, den starren Rhythmus des Furiengesangs zu brechen. Das geschieht in einer aufregenden Modulation, indem c-Moll zur Dominante von f-Moll wird, in das sogar als Vorahnung der Elysium-Szene dessen Dur-Dominante hineinwirkt: Auch darin folgen die Furien dem orphischen Sänger willenlos. Orpheus betritt das Elysium: Geblendet von dem in Streichern und zwei Flöten vorgetragenen Reigen seliger Geister in F-Dur, bewundert er den plötzlich rein gewordenen Himmel (Che puro ciel). Die getragene Oboenmelodie über dem Gemurmel der Violinen sowie den vogelrufartigen Wechselspielen von Flöten und Violoncello neben den gehaltenen Dialogtönen von Fagott und Horn formen die wohl bewegendste Elysium-Szene der gesamten Opernliteratur. Und wenn Orpheus seine Arie mit einem D-Dur-Dreiklang in Sextakkordlage beginnt, bemerken wir im Vergleich mit dem Dominant-Sekundakkord von As-Dur, der am Beginn seines ersten Rezitativs stand, welchen Weg er zurückgelegt hat: Sechs Vorzeichen markieren die Länge der Strecke. Der Chorblock der seligen Geister rundet in lichtem F-Dur die Verheißung Euridices ab.«

BEWERTUNGEN

Magie

Wer näher an der Barockmusik dran ist, wird sich sicher mehr verzaubern lassen, weil er das

	Neue stärker spürt als unsereins. »Ach, ich habe sie verloren« ist aber gut für 5 Hütchen!
Erotik 👠	Erstens kommt sie erst spät auf die Bühne und das auch noch als Geist, also da habe ich mich wieder nüchtern gewartet!
Fazzoletto 💧💧	Es sind schon eine ganze Reihe rührender Stellen drin. Na ja, und dann »Ach, ich habe sie verloren« ... Seufz!
Gewalt ⛓	Und auch die nur, weil er sie etwas hart an die Hand nehmen muss.
Gähn 💤💤💤	... weil nicht jeder die gebremsten Emotionen des Barock als aufwühlend empfindet.
Moral 🥚🥚🥚🥚🥚	Weil erstens die Götter alles in der Hand haben, weil zweitens Orfeo die göttlichen Gebote befolgt, na ja, zumindest versucht er es, weil drittens seine Gebete erhört werden und viertens, weil Euridice ja nicht irgendeine Geliebte des Sängers ist, sondern seine Ehefrau – also moralischer geht's nicht!
Ewigkeit ✨ ✨	»Ach, ich habe sie verloren«, der Chor der Furien und das Arioso im zweiten Akt, »Che puro ciel«, werden bleiben – egal welcher Konfession der Himmel angehören mag.
Gourmet ✡✡✡✡	Aber man muss Extrem-Gourmet sein – mit Tentakeln bis Händel

oder sogar Hasse –, um die Feinheiten der Gluck'schen Opernreform goutieren zu können. Wobei der fünfte Stern dafür wäre, dass Gluck das alles obendrein in einem scheinbar sooo schlichten Gewande auf die Bühne stellt.

GESAMTWERTUNG

Reform und Erneuerung hin oder her: Die Oper ist kurz und hat dennoch nur drei wirklich herausragende Höhepunkte. Schade, ich persönlich hätte gerne fünf Gläser verliehen, aber was mache ich dann mit Mozart?!

Carl Maria von Weber
1786–1826

Der Freischütz
Romantische Oper in drei Aufzügen
Text: Johann Friedrich Kind
Nach der Novelle »Der Freischütz. Eine Volkssage« von Johann August Apel

»Im Freischütz spielt der deutsche Wald die Hauptrolle.«
(Hans Pfitzner)

»Das sonst weiche Männel, ich hätt's ihm nimmermehr zugetraut. Nun muss der Weber gerade Opern schreiben, eine über die andere, und ohne viel daran zu knaupeln! Der Kaspar, das Untier, steht da wie ein Haus; überall, wo der Teufel die Tatzen hineinsteckt, da fühlt man sie auch!«
(Ludwig van Beethoven)

Carl Maria Friedrich Ernst von Weber: getauft am 20. November 1786 in der Stadtkirche von Eutin, gestorben mit 39 ½ Jahren in der Nacht vom 4. auf den 5. Juni in London. Nachdem er zeitlebens sich mehr mit Krankheit als mit Musik beschäftigen musste, sollte man zuvörderst einen Blick auf sein Krankenblatt werfen: Nicht nur, dass er von seiner tuberkulosekranken Mutter so angesteckt wurde, dass er den Primärinfekt nie abheilen lassen konnte, ihn durchs ganze Leben schleppte und schließlich an seinen Folgen starb, nicht nur, dass er ein schmächtiger kleiner Junge war, der wegen einer angeborenen Hüftluxation erst mit vier Jahren laufen lernte und sein Leben lang hinkte, nicht nur, dass er sich 1806, mit knapp zwanzig Jahren, Mund und Speiseröhre verätzte, weil sein Papa, der als Kupferstecher dilettierte, zwischen den Weinflaschen eine Flasche Salpetersäure auf dem Tisch stehen ließ, zu der der junge Komponist abends im Halbdunkel griff, während er gerade am »Rübezahl« komponierte und einen Schluck Wein trinken wollte, nein, zu allem Überfluss kam noch dazu, dass er mit

38 sich auch noch einer Phimosenoperation unterziehen musste. Ein Leben geprägt von Hustenreiz und Auswurf, Fieberschüben, Schweißausbrüchen, Atemnot, Abgeschlagenheit und Depressionen – und dann dirigierte er ein paar Wochen vor seinem Tod die Uraufführung seines »Oberon« in London, die geschwollenen Füße in Pantoffeln, aber mit einem Schwung, wie ihn »Solisten, Orchester und Chor« nie zuvor erlebt hatten, wie ein Zeitgenosse schreibt (John Edmond Cox). Er dirigierte sogar noch zwölf weitere Aufführungen, die ihn schließlich so entkräfteten, dass er daran starb. Die Ärzte, die seine Leiche obduzierten, stellten, wie sein Sohn Max Maria schreibt, »zwei fast gleichförmig entwickelte unheilbare Leiden« fest, »jedes genügend, den Tod herbeizuführen, die es als ein Wunder erscheinen ließen, dass der Geschiedene so lange geatmet«. Welch ein Glück für uns alle, dass er diese unerbittliche Schaffensenergie hatte!
PS: Weber war Schwager zweiten Grades von Wolfgang Amadé Mozart – Constanze Weber seine Cousine!

Johann Friedrich Kind: geboren am 4. März 1768 in Leipzig, mit 75 Jahren am 25. Juni 1843 in Dresden. Er hat es also in seinem Leben von Leipzig bis in die Residenz gebracht. Damit wäre so mancher schon zufrieden, er hat aber obendrein das Libretto des »Freischütz« geschrieben. Weil er überhaupt gerne und viel schrieb und das auch ganz gut zu klappen schien, schloss er 1816 seine Anwaltspraxis in Dresden und wollte vom Schreiben leben. Der »Freischütz« machte ihn natürlich über die sächsischen Grenzen hinaus bekannt, diesen Ruhm konnte er aber nicht wirklich nutzen; er packte dies und das an, um es dann doch wieder sein zu lassen, und starb, wie die MGG schreibt, als »halbvergessener Mann«.

ENTSTEHUNG UND URAUFFÜHRUNG
1810 war Weber in Heidelberg. Er saß mit seinem Freund Alexander von Dusch auf Schloss Neuburg herum und war – wie immer – auf der Suche nach guten Opernstoffen. Dusch erinnert sich: »Operntexte waren das große Bedürfnis von Carl Maria.« Man suchte und stieß dabei auf das damals ziemlich erfolgreiche und allseits beliebte »Gespensterbuch«, herausgegeben von Johann August Apel und Friedrich Laun, und in diesem auf die Erzählung »Der Freischütz« von Apel. Begeistert beschlossen die Freunde, daraus ein Libretto und eine Oper zu machen – allein, es blieb bei der Begeisterung. Man lebte sich auseinander, der Stoff blieb liegen. Sieben Jahre später. Weber war gerade als Königlich Sächsischer Hofkapellmeister

an die Oper in Dresden berufen worden, als er Friedrich Kind kennenlernte. Der war gerade der Obervereinsmeier beim »Dresdener Dichterthee« und überhaupt einer, der sich selbst sehr gefiel. Der versierte Schreiber saß am 15. Februar 1817 bei Weber, und die beiden gingen Novellen und Romane auf der Suche nach einem geeigneten Opernstoff durch. Da holte Kind das »Gespensterbuch« heraus und meinte, er habe da was, den »Freischütz« von Apel. Weber kannte die Geschichte natürlich und – erinnert sich Kind: »Wir fielen einander jubelnd in die Arme; wir riefen scheidend: Unser Freischütz hoch!« Weber fächelte das Freudenfeuer, und tatsächlich war zehn Tage später das Libretto fertig – obwohl Kind bis dahin noch nie eine Oper geschrieben hatte. Das Werk hieß »Der Probeschuss«, was aber bald geändert wurde. Vielleicht hatte Weber Erfahrungen mit bissigen Musikkritikern und wollte Schlagzeilen wie: »Die neue Oper Webers: ein Probeschuss!« vorbeugen. Sie hieß jetzt »Die Jägersbraut« und das noch bis zu den Proben für die Uraufführung in Berlin. Erst als der Intendant der Königlichen Schauspiele, Graf Carl von Brühl, dringend darum bat, die Oper »Der Freischütz« zu nennen, erhielt sie diesen Namen. Weber zahlte Kind 20 Golddukaten und hatte damit für fünf Jahre, »exklusiv« würde man heute sagen, das Buch erworben.

Der Stoff geht übrigens auf einen Fall aus den Gerichtsakten der böhmischen Stadt Taus zurück, denenzufolge 1710 ein 18-jähriger Schreiber mit einem Jäger, der die magische Kunst, Freikugeln zu gießen, beherrscht haben will, in der Nacht zum 31. Juli (das ist die Nacht des Heiligen Abdons) im Wald solche Kugeln gegossen haben soll. Dabei soll es zu allerlei teuflischem Spuk gekommen sein, das Ende vom Lied: Der Schreiber lag halb bewusstlos im Wald, der Jäger lief ins nächste Dorf, meldete, dass da einer hilflos im Wald läge, und ward nicht mehr gesehen. Der arme junge Schreiber kam in die Fänge der Inquisition, sollte wegen Umgangs mit dem Teufel hingerichtet werden, wurde aber wegen seiner Jugend zu sechs Jahren Gefängnis begnadigt. Weiß der Himmel, was den jungen Mann bewegt haben mag, den Richtern diese Schauergeschichte zu erzählen, wahrscheinlich um etwas Harmloseres zu verbergen – falls es diese Gerichtsakte wirklich gab. Nachlesen kann man aber den Unsinn über Freikugeln und Frei- oder Treffschützen im »Malleus maleficarum«, dem berüchtigten Hexenhammer. Wer mag, kann dort sich schlaumachen, der Malleus widmet dem Thema ein eigenes drastisches Kapitel. Als Verehrer des Friedrich Spee von Langenfeld und seiner »Cautio Criminalis« habe ich ihn gelesen, aber ein zweites Mal muss das jetzt nicht sein.

Unabhängig vom Aberglauben bleibt jedoch, dass den Romantiker Weber dieses Thema natürlich brennend interessierte. Er machte sich direkt an die Arbeit und hatte dabei ein ehrgeiziges Ziel. Er wollte nicht nur irgendeine Oper schreiben, also schöne Chöre, schöne Melodien und fertig. Ihm schwebte mehr vor: etwas Ganzheitliches. Er schrieb: »Es versteht sich von selbst, dass ich von der Oper spreche, die der Deutsche will. Ein in sich abgeschlossenes Kunstwerk, wo alle Teile und Beiträge der verwandten und benutzten Künste ineinander verschmelzend verschwinden und auf gewisse Weise untergehend eine neue Welt bilden.« Da sind wir doch schon beinahe bei den Visionen Richard Wagners! Und der war genau aus diesem Grunde ein großer Verehrer Webers: Er sah, dass Weber, wie ihm auch, das große Gesamtkunstwerk vorschwebte. Deshalb zog sich das mit dem Komponieren ein bisschen. Aus Webers Tagebüchern wissen wir ziemlich genau, wann er was komponiert hat. Ich stelle die Daten hier vor. Weber komponierte am »Freischütz«:
1817: Juli und August (insgesamt 7 Tage)
1818: April (am 17., 21. und 22.)
1819: 13. März, September (2 Tage), November (6 Tage), Dezember (6 Tage)
1820: 22. Februar, März (6 Tage), April (3 Tage), Mai (5 Tage)
1821: 25. März, 28. Mai, 17. Juni.
Die Aufstellungen sind insgesamt so penibel, dass man denken könnte, Weber hätte schon mit einem Textcomputer gearbeitet! Insgesamt zog es sich also; wenn man allerdings genauer hinguckt, staunt man darüber, in welch kurzer Zeit er sein Meisterwerk hat schreiben können. Des Rätsels Lösung liegt in seiner Kompositionstechnik: Er hatte alles im Kopf, und erst wenn es im Geiste fertig war, schrieb er es nieder – fast ohne Korrektur. Darin ist Weber vergleichbar mit Mozart, dem Mann seiner Cousine, der genauso komponierte. (»Im Kopf hab ich es fertig, ich muss es nur noch hinschreiben!«) Sein Sohn Max Maria schreibt: »Es ist kein Musikstück daran, das er nicht zehnfach im Geiste umgestaltet hat, bis es ihm so klang, dass er sich selbst zuriefe: ›Das ist's!‹ Und dann schrieb er es, fast ohne eine Note zu ändern, schnell, sicher und sauber nieder.«
Nun ging es um die Uraufführung: Ende 1819 schrieb er dem Grafen Brühl nach Berlin, dass der »Die Jägersbraut« im Februar 1820 haben, die Uraufführung also im März stattfinden könne. Nun war das in Berlin aber nicht ganz so einfach: Brühl und seine Freunde wollten die Oper, die bis dahin italienisch war, verändern, ein Deutscher sollte an die Spitze der Oper in Berlin. Dort aber hatte 1819 gerade Gaspare Spontini das Amt des Kapellmeisters angetreten.

Sofort entflammte der Kampf zwischen der »deutschen« Fraktion und der »italienischen« – und im Intrigieren waren die Deutschen wahre Tölpel gegenüber den raffinierten Italienern. Spontini bereitete die Aufführung seiner Oper »Olympia« vor, in der auch ein Elefant auftreten sollte, was natürlich in Berlin für viel Spott sorgte. Nur: Das band alle Kräfte des Opernhauses derart, dass an eine Uraufführung des Was? Wie soll die Oper heißen? Freischütz? Igittigitt! ausgeschlossen war. Also: Es zog sich. Erst als Weber um Eile bat, weil sonst die Oper in Braunschweig erscheinen würde, kam Schwung in die Angelegenheit. Man wolle den »Freischütz« aufführen, Weber solle Ende April nach Berlin kommen. Er kam auch, am 2. Mai mit Frau und seinem Lieblingshund Ali, und landete in einem Hexenkessel. Spontini wollte am 14. Mai seine »Olympia« aus der Taufe heben, tat es auch, und das Werk war ein Riesenerfolg – auf dem Papier, nur sehen wollte die gigantische Oper keiner. Spontini schmollte und Weber durfte vom 20. Mai an täglich proben, und zwar 16-mal (Spontini hatte 42 Probetage gehabt!). Weber war bei den Proben dabei, legte großen Wert darauf, dass die Inszenierung, vor allen Dingen die Wolfsschlucht, möglichst realistisch wurde, und erwartete mit großer Gelassenheit den entscheidenden Tag. Und es kam, wie es kommen soll, wenn ein Werk gelungen ist: Es wurde ein Triumph. Lassen wir es Weber selber sagen; er schrieb am Premierenabend, dem 18. Juni 1821, in sein Tagebuch: »Abends als erste Oper im neuen Schauspielhaus: *Der Freischütz*. Wurde mit dem unglaublichsten Enthusiasmus aufgenommen. Ouvertüre und Volkslied da-capo verlangt, überhaupt von 17 Musikstücken 14 lärmend applaudiert, alles ging aber auch vortrefflich und sang mit Liebe. Ich wurde herausgerufen und nahm Mad. Seidler und Mlle. Eunicke mit heraus, da ich der anderen nicht habhaft werden konnte. Gedichte und Kränze flogen. Soli Deo Gloria.«
Na, da hat er sich doch gefreut!

PERSONEN

Ottokar, regierender Graf:	Bass
Kuno, gräflicher Erbförster:	Bass
Agathe, seine Tochter:	Sopran
Ännchen, eine junge Verwandte:	Sopran
Kaspar, erster Jägerbursch:	Bass
Max, zweiter Jägerbursch:	Tenor
Ein Eremit:	Bass
Kilian, ein reicher Bauer:	Bariton
4 Brautjungfern:	Sopran
Samiel:	Sprechrolle

Jäger und Gefolge
Brautjungfern
Landleute und Musikanten
Erscheinungen

ORCHESTERBESETZUNG
2 Pikkolos
2 Flöten
2 Oboen
2 Klarinetten
2 Fagotte
4 Hörner
2 Trompeten
3 Posaunen
Pauken
Streicher

BESONDERHEITEN
Bühnenmusik: Klarinette
2 Hörner
Trompete
Streicher

DAUER
ca. 2 ½ Stunden

HANDLUNG
In Böhmen, kurz nach der Beendigung des Dreißigjährigen Krieges

ERSTER AUFZUG

Platz vor einer Waldschenke. Gegen Abend

Preisschießen. Der reiche Bauer Kilian holt den Vogel und wird bejubelt, Max, der Jäger, also: der Profi, hat dagegen nichts getroffen. Kilian verspottet ihn nach Strich und Faden. Na ja, da sollte man eher sagen: nach Kimme und Korn, und alle machen mit: »Gleich zieh Er den Hut, Mosjeh!/Wird Er, frag' ich, he, he, he?« Bevor aber die klassische Schützenfestkeilerei losgehen kann, erscheinen Kuno, der Erbförster des Fürsten Ottokar, und seine Mannen. Der wundert sich natürlich darüber, dass sein bester Schütze, Max, schon seit vier Wochen nicht trifft. Kaspar, der Bösewicht, vermutet, dass man Maxens Gewehr verhext hat, und empfiehlt, am Freitag nachts in den Wald zu gehen und dreimal den großen Jäger, Samiel, den Teufel, zu rufen. Kuno weist ihn zurecht und Max darauf hin, dass er morgen nicht versagen darf. Da geht es nämlich darum, dass er um die Hand von Kunos Tochter, Agathe, schießen muss. Trifft er, wird seine große Liebe Agathe seine Frau. Trifft er nicht ... Das nennt sich Probeschuss und sei eine alte Tradition bei Erbförsters. (Wir hören, psychoanalytisch betrachtet, die Nachtigallen trapsen ...) Wer den Probeschuss aber bestehe, wird noch am selben Tag getraut, vorausgesetzt, dass seine Schöne »unbescholten sei und im jungfräulichen Ehrenkränzlein« erscheine. Max ist natürlich absolut deprimiert, zumal Kuno das Problem ganz auf den Punkt bringt: »Leid oder Wonne,/beides ruht in deinem Rohr!« (Wie das halt so ist bei echten Männern.) Er versucht aber auch ihn aufzurichten: »Nur Mut! Wer Gott vertraut, baut gut!«, aber das bringt den guten Max auch nicht wirklich hoch. Die Jäger preisen das Jägerleben und gehen ab.

Kilian versucht vergebens, Max aufzumuntern, dann geht die Wald-Party mit einem böhmischen Walzer los: man tanzt. Max ist nun allein – und was macht ein Tenor, wenn er allein ist? Er singt. Und zwar die schöne Arie »Durch die Wälder, durch die Auen«, in der er sich daran erinnert, wie schön es früher war, als er noch traf. Sein Selbstwertgefühl ist mit der Treffsicherheit seines Kolbens futsch, Zweifel an allem erschüttern seine Seele, sogar daran, ob es Gott überhaupt gibt. Das freut Samiel, der sich in »beinahe übermenschlicher Größe, dunkelgrün und feuerfarb mit Gold gekleidet«, wie es das Libretto vorschreibt, im Hintergrund zeigt – für den Fall, dass er gebraucht wird. Kaspar kommt zurück und zwingt Max, mit ihm einen zu kippen, dabei träufelt er ihm heimlich (»Samiel, hilf!«, und als der seinen Kopf aus dem Gebüsch reckt, erschrickt er: »Du da?«, woraufhin Samiel sich wieder zurückzieht – eine Kleinigkeit, bei der ich immer lachen muss!) ein paar Tropfen ins Weinglas – was genau, werden wir nie erfahren. Nun beginnt er, Max weichzuklopfen.

Kaspars Problem ist nämlich: Er hat seine Seele Samiel versprochen und im Gegenzug dafür Freikugeln bekommen. Wenn er jetzt dem Teufel eine neue Seele zuspielt, wäre seine Seele gerettet. Zunächst singt er eine Hymne auf den Gott des Weins (»Hier im ird'schen Jammertal«), was Max aber eher irritiert. Max will schon weg, da deutet Kaspar an, dass er ihm zu seiner Agathe verhelfen könne,

und gibt ihm sein Gewehr. (Die Bösewichte verfügen immer über die bessere Ausstattung.) Er soll auf einen kaum auszumachenden Adler schießen. Max sieht nix, wir auch nicht, weil wir nicht in den Schnürboden gucken können, er schießt aber trotzdem und dä! fällt ein riesiger Steinadler aus der Kulisse, äh, vom Himmel. Als Kaspar Max erklärt, dass das eine Freikugel war, die alles trifft, was man will, auch morgen beim Probeschuss um Agathes Hand, ist der schon halb überzeugt. Als Kaspar dann sagt, dass das leider seine letzte gewesen sei, man also heute Nacht neue gießen müsse, willigt Max ein, geht es ihm doch um alles. Samiel verfolgt aus dem Gebüsch vergnügt das Geschehen, und Kaspar darf, als Max gegangen ist, eine der berühmten »Das-Böse-wird-siegen«-Triumph-Arien singen: »Schweig, schweig, damit dich niemand warnt! – Triumph! Triumph! Triumph! Die Rache gelingt!«
Voll banger Ahnung senkt sich der Vorhang, damit wenigstens wir etwas verschnaufen können.

ZWEITER AUFZUG

Vorsaal mit Seiteneingängen im Forsthaus

Kuno I. ist wieder mal von der Wand gefallen, d. h. sein Bild, und zwar Agathen direkt auf den Kopf. Während Ännchen, die heitere Verwandte von Agathe, mit den Worten »Schelm! Halt fest« den Uropa wieder zurechtnagelt, sieht Agathe in dem kleinen Vorfall ein düsteres Vorzeichen: Sie sorgt sich um Max und fragt sich, wo er bleibt. Ännchen versucht, gute Laune zu verbreiten, und singt eine feine, lockere Ariette über die Männer, in die Agathe schließlich einstimmt. Das hält aber nicht lange. Am Morgen war sie beim Eremiten gewesen, der sie vor einer dunklen Gefahr gewarnt hatte, womit er wohl das Bild gemeint haben müsse. Ännchen ist beruhigt und lässt Agathe allein. Die öffnet schon mal das Fenster, schaut in die mondhelle Nacht, wartet auf Max und singt einen der großen Hits: »Leise, leise, fromme Weise«, die Arie, die bei der Uraufführung auch die Weber-Gegner für die Oper einnahm – von dieser Stelle an wurde sie zum Triumph! Da kommt endlich Max, hat aber nicht die Siegestrophäe vom Schützenfest – mit der Agathe gerechnet hatte –, sondern ein paar Adlerfedern am Hut. Als sich herausstellt, dass Kuno just in dem Moment von der Wand fiel, als Max den Adler mit der Teufelskugel schoss, wird ihm etwas mulmig. Er sagt, er müsse fort. Wir wissen: Er ist mit Kaspar in der Wolfsschlucht verabredet. Weshalb, fragen die Mädels. Er habe ein zweites Mal Glück gehabt und einen Sechzehnender geschossen, den müsse er jetzt holen. Wo denn? In der Wolfsschlucht. »Wie? Was? Entsetzen! Dort in der

Schreckensschlucht?« lautet die dazugehörende klassische Stelle. Das haben wir Jungs zu Hause immer gesungen, wenn Mama uns unangenehme Aufträge erteilte, z. B. aus dem dunklen Keller ein Dutzend gekälkter Eier zu holen. So beginnt auch das Terzett, das zur Einstimmung in die Wolfsschlucht schon mal zeigt, worum es sich dabei handelt und warum man davor als guter Christenmensch Angst haben muss. Max stürzt dennoch davon, wir freuen uns auf die Verwandlung und sind natürlich gespannt, was dem Auge gleich geboten werden wird. Das Libretto beschreibt höchst schwarz-romantisch, wie das auszusehen hat:
»Furchtbare Waldschlucht, größtenteils mit Schwarzholz bewachsen, von hohen Gebirgen rings umgeben. Von einem derselben stürzt ein Wasserfall. Der Vollmond scheint bleich. Zwei Gewitter von entgegengesetzter Richtung sind im Anzug. Weiter vorwärts ein vom Blitz zerschmetterter, ganz verdorrter Baum, inwendig faul, sodass er zu glimmen scheint. Auf der anderen Seite, auf einem knorrigen Ast, eine große Eule mit feurig rädernden Augen. Auf anderen Bäumen Raben und anderes Waldgevögel.«
Furcht und Schrecken noch heutiger Scary Movies haben ihre Wurzeln – man sieht's hier sehr genau – in der deutschen Schauerromantik.»Gothic« (altdeutsch) lautet das grausliche Stichwort. Die Waldgeister singen schaurigst, und Kaspar breitet schon mal das komplette satanische Besteck der Rituale aus: stößt den Hirschfänger in den mitgebrachten Totenkopf (Hamlet für Arme), hebt ihn hoch empor, dreht sich dreimal im Kreis, ruft: »Samiel! Samiel! Erschein'!/Bei des Zaubrers Hirngebein!/Samiel! Samiel! Erschein!«
So beschworen, kann Samiel natürlich nicht anders und kommt vorbei. Kaspar, der morgen seine Seele abgeben müsste, bittet um Fristaufschub, was Samiel ablehnt. Und wenn er ihm einen neuen »Kunden« bringe? Was der wolle? Freikugeln. Sechse treffen, sieben äffen! Dann solle er, Samiel, morgen die siebte Kugel auf Agathe lenken. Und was mit dem Fristaufschub sei? Es sei – morgen aber: »Er oder du!« Nachdem das geklärt ist, taucht Max auf. Während er in die Schlucht steigt, erscheint ihm seine Mutter und dann auch noch Agathe, er steigt dennoch weiter hinab in den Schlund, um an die Freikugeln zu kommen, die Kaspar eben gießt. Eine nach der anderen wird gegossen, das Echo wiederholt die Zahl, und jede Kugel ist von wüsten Erscheinungen begleitet: Da kommen Vögel geflogen, da rasen Sauen vorbei, da kommt schließlich das wilde Heer persönlich, wunderbar! Um eins ist der Spuk zu Ende, die Protagonisten liegen auf dem Waldboden herum, Samiel geht nach Hause – und der Vorhang fällt, damit die Bühnenarbeiter aufräumen können.

DRITTER AUFZUG

Kurze Waldszene. Tag

Zwei Jäger unterhalten sich über den nächtlichen Lärm in der Wolfsschlucht, da tauchen Max und Kaspar auf. Die Jäger haben Respekt vor Max, der am Morgen schon dreimal erfolgreich getroffen hat: »Läuft's so fort, kann er noch Landjägermeister werden« – die Betonung auf »Land« ist Wurst, auf »Jäger« Schnaps und auf »Meister« rheinisch. Bitte wählen!
Als die Jäger weg sind, bittet Max Kaspar um weitere Kugeln. Aber man habe doch brüderlich geteilt: vier für Max und drei für ihn, und von seinen habe er schon zwei verschossen. Nach zwei Elstern! Kurzum, Kaspar rückt seine letzte Kugel nicht heraus, und als Max erbost gehen muss, brennt er sie einem Fuchs auf den Pelz. Damit ist klar: die Kugel, mit der Max gleich den Probeschuss machen muss, ist die verteufelte siebte, die Samiel auf Agathe lenken soll.
In ihrem Zimmerchen betet diese derweil (»Und ob die Wolke sich verhülle«), kann dabei alle lyrischen Sopran-Qualitäten ausfahren. Sie erzählt Ännchen von einem nächtlichen Traum, in dem sie selbst eine weiße Taube war. Max habe nach ihr gezielt, da sei sie gestürzt, wieder in Agathe verwandelt worden und habe vor sich einen schwarzen Raubvogel gesehen, der sich in seinem eigenen Blute wälze. Da kann Ännchen aber gut trösten: Die Taube ist das weiße Brautkleid, an dem sie den ganzen Abend lang arbeitete, und der schwarze Raubvogel, das sind die Adlerfedern, die Max gestern mitbrachte und vor denen sie sich fürchtete. Und sie erzählt Agathe die hübsche Geschichte von ihrer Cousine (»Einst träumte meiner sel'gen Base«), die von einem schrecklichen Geist träumte, der sich zum Schluss als Nero, der Kettenhund, entpuppte. Die Brautjungfern kommen, und es ertönt das entzückende »Wir winden dir den Jungfernkranz mit veilchenblauer Seide«. Ännchen erzählt, dass der alte Kuno in der Nacht schon wieder von der Wand gefallen sei, und gibt Agathe das Schächtelchen mit dem Brautkranz. Als diese es öffnet, liegt eine silberne Totenkrone darin. Flugs windet Ännchen aus den Rosen, die der heilige Eremit Agathe schenkte, einen Brautkranz. Die Jungfern singen weiter, wenn auch etwas gedämpfterer Stimmung.
Auf der Waldlichtung sitzt Fürst Ottokar mit seinem ganzen Gefolge. Man stimmt den Jägerchor an: »Was gleicht wohl auf Erden« – hoffentlich besser als Ihr örtlicher Männergesangsverein –, da gibt der Fürst das Zeichen für den Probeschuss: Max soll eine weiße Taube vom Ast holen. Er will schon abdrücken, da kommt Agathe und ruft: »Schieß nicht! Ich bin die Taube!« Er schießt natürlich trotzdem, und wir sehen: Die Taube fliegt fort, Kaspar stürzt vom Baum, und

Agathe fällt um. Aufregung allenthalben. Man denkt, Max habe seine Agathe erschossen. Dann wird aber klar, dass Kaspar das Opfer ist. Die letzten Worte Kaspars, der Samiel vor sich stehen sieht, lauten: »Dem Himmel Fluch! – Fluch Dir!«, und Ende. Der Fürst befiehlt, das Scheusal in die Wolfsschlucht zu werfen, und will nun von Max wissen, was passiert ist. Max erzählt von der Wolfsschlucht, woraufhin der Fürst ihn auf Lebenszeit verbannt. Das nun ist die Stunde des Eremiten. Er setzt sich für Max ein: »Ihm – Herr – der schwer gesündigt hat,/doch sonst stets rein und bieder war,/vergönnt dafür ein Probejahr!/Und bleibt er dann, wie ich ihn stets erfand,/so werde sein Agathens Hand!«
Alle sind einverstanden, auch der Fürst, und mit einem Dankeschön an den Himmel, den Eremiten, den Fürsten und den Vorhang fällt Letzterer.

HITS
Die Hörner! Die Chöre! Der Wald!
Wenn einen auch das Libretto nicht wirklich vom Hocker reißt, so macht die Musik alles wett: Das Drama in dieser Oper spielt sich nicht in der Handlung ab, es spielt in der Musik. Und wenn die Ausübenden keine Angst haben, die Musik ernst zu nehmen, dann geht dieser »Freischütz« aber so was von nach vorne los, dass es einen einfach packt. Sie brauchen nur die Ouvertüre, gespielt von der Staatskapelle Dresden unter Carlos Kleiber, anzuhören, dann wissen Sie, was ich meine! Diesen Weber muss man unverzagt so spielen und singen, wie es in der Partitur steht, dann geht die Sonne auf. Er zerbröselt aber gnadenlos, wenn man beispielsweise glaubt, ihn ironisieren zu müssen. Nach dem Motto: könne man ja heute nicht mehr machen, so'n Quatsch mit Beelzebub, Freikugeln und singenden Jägerchören. Nein, liebes Regietheater, das Gegenteil ist richtig: Diese Oper versteht man nur, wenn man keine künstlichen Zweifel draufsetzt. Dann wird einem plötzlich klar, warum Wagner hin und weg war. Nein, da muss ich schon sagen: Dann versteht man, warum der »Freischütz« die erste Wagner-Oper, sozusagen der Ur-Ring ist. Hier haben wir bereits alle Ingredienzen, die Wagner dann großgemacht hat bzw. haben: Leitmotive, wundervolle Klangmalereien, großartige Instrumentierungseinfälle, tiefwurzelnde Mythen, große Bühnenmaschinerie, perfekt gewählte Tonarten – um nur die wichtigsten Elemente zu nennen.
Dass dann im satten Bürgertum, in der wilhelminisch-preußischen guten Stube, in den Gedichten von Hermann Löns, überhaupt im ganzen deutschen Männer-Vereins-Gewese, das alles zum Zerrbild

verkam und wir heute dieses »Ur-Deutsche« kaum mehr ertragen können, dafür kann Weber schließlich nix. Aber, bitte schön, so naive Figuren wie der Max sind ja ewig existierende Figuren. Das drückt Attila Csampai in einem meiner Lieblingsbücher zu diesem Thema (»Sarastros stille Liebe – ein Opernlesebuch«) so aus: »Wenn heute junge Devisenmakler sich mit Aufputschmitteln fit halten, Hochleistungssportler sich dopen lassen und eine ganze Industrie – der Naturheilmittel etwa – vom Aberglauben weiter Teile der Gesellschaft sich nährt, dann ist das alles nicht so weit entfernt von der Freischütz-Thematik, wie man annehmen möchte, und garantiert dem Schicksal der nicht mehr taufrischen Opernfigur des Jägerburschen Max weiterhin aktuelle Relevanz.« Meine ich auch. Man muss, finde ich, wenn man den »Freischütz« aufführt, die Zweifel an dem ganzen deutschen Gewese, die später entstanden sind, beiseiteräumen und zum ursprünglichen romantischen Gefühl (Schrecken, Zauber, Liebe) durchstoßen, dann funktioniert es wieder. Und die Schlussfolgerungen ziehen wir Zuhörer dann schon selber! Wie gesagt: Die Aufnahme der Leipziger mit Carlos Kleiber zeigt, wie es geht.
Ein weiterer Hit, neben dem »Freischütz« als Gesamtkunstwerk sozusagen, ist das positive Ende der Geschichte. Ursprünglich endete sie so: Agathe stirbt, bald darauf auch ihre Eltern, und Max landet im Irrenhaus – wie hätte wohl einer wie Weber das vertonen sollen?
Hit: die Ouvertüre. Sie läuft gerade mal zehn Takte, da kommen schon die vier Hörner, und du stehst mitten im Wald, strahlend. Direkt im Anschluss daran das Leitmotiv des Bösen: zwei Klarinetten, ganz tief, und Bratschen und Zupfen im Kontrabass, Klänge, bei denen jeder direkt spürt: auweia, das Böse. Und dann das aufjubelnde Hauptthema der Ouvertüre: Klingt wie Rossini, wären da nicht die Geigen, die mit ihren Synkopen das Thema nach vorne schieben, dass es eine wahre Lust ist. Wenn Sie mal im Geiste die klassischen Rossini-Bässe dazu summen und sich die Geigen wegdenken, könnte das auch aus dem »Barbiere di Siviglia« stammen! Und dann der Mega-Hit: Kurz vor dem Ende kommt nochmal das Samiel-Thema – ein Moment Pause –, und dann knallen die Geigen einen C-Dur-Akkord nach oben, dass man fast erschrickt, und das Hauptthema jubelt dem Ende entgegen – das, meine Damen und Herren, ist die reine Lust! Nebenbei: Das ist eine der wuchtigsten Geigenstellen der gesamten Opernliteratur.
Der Vorhang geht hoch, und ohne Verzögerung ziehen uns die Geigen direkt ins Bühnengeschehen. Und der Chor ist auch nicht von Pappe.
Dann der Walzer, den die Bauern tanzen: No, is das ein Behmischer?!

Und wie Weber von diesem Walzer mit vier, fünf Takten in das Innenleben vom Max zurückführt, hat ebenfalls Größe. Auch die Überleitung von dieser Depri-Stimmung zur heiteren Erinnerung »Durch die Wälder, durch die Auen« ist eine der großen Klarinetten-Stellen der Opernwelt.
Kleiner Gag am Rande: Der Max ist ja Tenor. Der klassische Ton für den Tenor ist nicht etwa das hohe C, das ist mehr Zäpfchen-Climbing, nein, der klassische Ton ist das a. Und genau dieses a lässt beim Max auf sich warten: Es kommt erst gegen Ende dieser Arie, und zwar an der Stelle, wo er zweifelt: »Lebt denn kein Gott«. Hier muss er ausgerechnet auf ein o sein a singen, was nicht leicht ist; und ein paar Takte später erneut auf das Wort »Spott«. Ha, da hat's der Weber den Tenören aber so was von gegeben!
Schön ist auch die böse Arie, die Kaspar singt, sobald er allein ist: »Der Hölle Netz hat dich umgarnt«, unter den großen Bösewichts-Arien sicher eine auf den vorderen Plätzen. Weber'sche Ironie: Den Satz »Nichts kann vom tiefen Fall dich retten« kleidet er in eine konsequent nach oben kletternde Melodie, als wollte er sagen: Das denkst du – es geht gut aus, wirst schon sehen.
Im zweiten Aufzug Ännchen und Agathe, wunderbar. Das passt fein zusammen: die ernst-melancholische Agathe und das vor Lebenslust sprühende Ännchen. »Kommt ein schlanker Bursch gegangen« ist der perfekte Kontrast zum überwältigend schlichten »Leise, leise« Agathes. Dieses ist der »Abendstern« Webers! Ich schwöre Ihnen, Wagner hat beim »O! Du mein holder Abendstern« im »Tannhäuser« diese Stelle Webers im Kopf gehabt, es ist haargenau dieselbe Stimmung.
Mega-Hit ist dann natürlich die Wolfsschlucht, obendrein in der »schwarzen« Tonart fis-Moll. Da hat er sich schon was bei gedacht, der Weber, und es klappt ja auch: Wenn die Klarinetten in den tiefen Lagen spielen und das Pizzicato vom Bass kommt, das ist enorm spannend. Die Geister dürfen »U-Hu-i!« singen und das i nach oben spritzen lassen – da haben wir schon wieder Wagner im Kopf: Dieses Geister-U-Hu-i ist die Urform des Hojo-to-ho von Wagners Brünnhildchen. Bin ich ganz sicher.
Ein weiterer Hit: Dass sich Weber nach diesen Schrecken der Wolfsschlucht vor dem dritten Aufzug quasi nochmal eine Ouvertüre leistet, jetzt in D-Dur, mit Hörnern, die den Jägerchor ankündigen etc. pp.
Der ganz große Hit kommt dann mit Agathes »Und ob die Wolke sie verhülle« – da ist erreicht, was Humperdinck immer wollte, aber nie geschafft hat, trotz allen Abendsegens. Das ist eine der zeitlosen Arien, die bleiben wird. Da hat Weber sich aber auch eine

schöne Farbe einfallen lassen: Fagotte und Hörner und Violoncello solo, und dann über allem der lyrische Sopran – das geht runter wie Crème Bavaroise, oder?!
Und darauf die Stelle, auf die ich mich immer besonders freue: die Solo-Bratsche bei der Romanze, die Ännchen singt, diese ironische Geschichte von Kettenhund Nero. Die Bratsche ist ja ein ernstes Instrument mit Menschenstimme, dazu aber diese Tiergeschichte, das hat schon Komik!
Natürlich ist der Mädchenchor »Wir winden dir den Jungfernkranz« eine Charts-Stelle, schön finde ich da den Bratschen-Einwurf, wenn die Mädels bedröppelt abziehen, weil der die Tragik andeutet.
Dann Jägerchor, grandioses Finale in strahlendem C-Dur (das hat Haydn in seiner Schöpfung auch schon genutzt: die Stelle »Und es ward Licht« lässt er in dieser Tonart hinausschmettern, und das ist einfach – Verzeihung – geil!). Und dann nochmal am Schluss das Hauptthema aus der Ouvertüre, ja!
Und dann muss man raus und sofort ein Bier trinken, Wein passt nicht zu dieser Oper. Oder erst nach dem Bier und dann sollte es ein einheimischer Roter sein.

FLOPS

Viele sehen das Libretto von Herrn Kind als Flop, E.T.A. Hoffmann etwa meckert über den »hinkenden, schleppenden Schluss« und weiter: »Ein Gutmütiger, eine Naive, eine fromme Liebende, ein wilder Taugenichts usw. bewegen sich da nebeneinander hin, ohne dass man Grund hätte, eine nähere Bekanntschaft mit einem von ihnen zu wünschen.« Zelter, der Freund Goethes, bemerkt, dass noch nicht mal die letzte Freikugel wirklich trifft, Goethe aber, der alte Theaterhase, war milder mit seinem Urteil. Er sagte am 9. Oktober 1828 zu Eckermann: »Wäre der Freischütz nicht ein so gutes Sujet, so hätte die Musik zu tun gehabt, der Oper den Zulauf der Menge zu verschaffen, wie es nun der Fall ist, und man sollte daher dem Herrn Kind auch einige Ehre erweisen.« Da schließen wir uns doch gerne an.
Die Suche nach Flops ist bei dieser Oper nicht unabhängig von der eigenen Einstellung zu diesem Sujet zu sehen, wie überhaupt zur »deutschen Seele«. Wer den Satz unterschreiben kann, der bei uns um die Ecke auf einer Waldbank steht: »Jäger sind perverse Lustmörder«, der wird dem Freischütz wenig abgewinnen können, weil ihm beim ersten Hornquartett in der Ouvertüre schon die Haare zu Berge stehen. Und für Wagner-Jünger ist Weber auf halbem Wege stehen geblieben, dem Weltbürger andererseits ist das alles zu nahe an der deutschen Scholle.

Für mich ist ein kleiner Flop, dass nach der großartigen Ouvertüre und dem brillanten Anfang des ersten Aufzugs mit der Arie »Schau der Herr mich an als König!« und dem anschließenden Terzett eine eher mediokre Passage kommt. Da hätten unserem Carl Maria etwas fulminantere Einfälle kommen können. Der anschließende Chor bringt dann zwar wieder Schwung auf die Bühne, aber, wie gesagt: Wenn Kilian singt, können Sie ruhig gucken, ob eine SMS gekommen ist, und gegebenenfalls drauf antworten – und ausschalten immer dann, wenn die Hörner dran sind, dann hört keiner die Handy-Töne!

Natürlich ist es insgesamt ein Flop, dass Max keine brillanten hohen Stellen hat. A und das war's. Kein strahlendes hohes C'', nirgends – da hat Weber das Feld kampflos den Italienern und Franzosen überlassen. Das schaut grad so aus, als hätte er kein Zutrauen zu den deutschen Tenören gehabt. Schade! Und nicht gut, Herr Weber, gar nicht gut!

Ein Flop ist natürlich die kleine Passage: »Wie? Was? Entsetzen! Dort in der Schreckensschlucht!« – das ist eine derart klassische Melodramen-Passage, dass er unbedingt etwas Originelleres hätte draus machen müssen – hat Weber aber nicht. Das steht da, als hätte es irgendein Männergesangsvereinskomponist geschrieben für das kleine Faschings-Divertissementchen mit Damen. An der Stelle kommen mir fast immer die Lachtränen, so unfreiwillig komisch ist dieser Einbruch des Trivialen. Ausnahme: wenn eine Sängerin diese Stelle ernst nimmt. Gundula Janowitz etwa in der Aufnahme mit Carlos Kleiber. Sie nimmt diese Stelle voller Kraft und mit bedenkenfreiem Ernst und siehe da: Es läuft einem kalter Schauer den Rücken runter.

Ein Flop voller Komik ist an derselben Stelle allerdings der Text, den Max zu singen hat: »Ich bin vertraut mit jenem Grausen,/das Mitternacht im Walde webt,/wenn sturmbewegt die Eichen sausen,/der Häher krächzt, die Eule schwebt.«

Das ist eine Textpassage wie aus der Feder der verehrten Frau Dr. Erika Fuchs, Sie wissen schon: die wundervolle Wortgeberin von Donald, Tick, Trick und Track und überhaupt Entenhausens deutsche Sprachschöpferin! Spätestens jetzt wissen wir auch, woher Wagner sein »Waldweben« hat, wie man überhaupt, ich habe es schon ein paar Mal angedeutet, den »Freischütz« mal unter dem Aspekt als Steinbruch für Wagner angucken sollte – um Wagner wieder etwas auf den Boden zu holen.

Ein Flop ist auch, dass Agathe, kaum dass sie aus der Ohnmacht aufgewacht ist (am Schluss der Oper), direkt kleine Koloraturen singt. Lieber Carl Maria, wir wissen aus Deinem Leben, dass Du ein gro-

ßer Womanizer warst, aber man lässt den Damen doch ein bisschen Luft, wenn sie erwachen, egal aus welchem Koma, tz tz tz!
Und ein letzter Flop ist – zumindest für mich als Bach-Verehrer –, dass er die Solisten den Tod vom Kaspar mit einem Fugato kommentieren lässt – wie in der Matthäuspassion! Das ist eindeutig zu viel der musikalischen Ehre für diesen Freikugel-Gießer.

OBACHT
Hörner! Hörner! Hörner! Dann der Chor, dann die schlichten Stellen (»Leise, leise« etc.). Im Grunde ist bei dieser Oper das größte Obacht die Gefahr der Zaghaftigkeit: Wenn wie gesagt die beteiligten Künstler der Oper misstrauen wg. Inhalt, Deutschtümelei etc. pp., dann sollten sie lieber eine andere Oper spielen. Denn der »Freischütz« lebt von dem Mut, ihn trotz all dieser Bedenken (die ja durchaus ihre Berechtigung haben) aufzuführen.

DIVERSES
München. Opernhaus. Zehn Minuten vor der Aufführung ist der Schauspieler, der in der Wolfsschlucht das Echo sprechen soll, immer noch nicht da (Sie wissen schon: Kaspar gießt die Kugeln und zählt, das Echo antwortet. Eins – eins. Zwei – zwei etc., bis sieben – sieben, dann ist Schluss mit Echo). Der Verantwortliche für den Abend ist verzweifelt, da kommt ein Mitarbeiter und sagt, er habe jetzt schon drei- bis vierhundert Vorstellungen miterleben dürfen, er könne das blind. Der Verantwortliche ist erleichtert und stimmt zu: »Gut, dann mach du das Echo!«. Der zweite Aufzug kommt, die Wolfsschlucht, der Mitarbeiter geht in Position, es kann losgehen. Kaspar gießt die erste Kugel:
»Eins!«
Echo: »Oans!«
Orchester spielt die Landung der Waldvögel.
Kaspar gießt die zweite Kugel: »Zwei!«
Echo: »Zwoa!«
Orchester spielt den wilden Keiler.
Kaspar gießt die dritte Kugel:
»Drei!«
Echo: »Drei!« (Nee, nee, das heißt nicht droa im Bayerischen!)
Die vierte: »Vier!«
Echo: »Fiari!« und so gnadenlos weiter, bis
Kaspar: »Sieben«
Echo: »Simmi!«

Und – so erzählte mir mein Gewährsmann – es hat keiner etwas gemerkt! Nur hinter der Bühne sind sie vor Lachen fast gestorben.

DER KLEINE OPERNTÄUSCHER

Sie können sich in der Pause als sattelfester Weber-Experte erweisen, wenn Sie von einem Brief erzählen, den Weber an den Grafen von Brühl, den Chef des Königlichen Schauspielhauses in Berlin, geschrieben hat, nachdem er von diesem anlässlich der 50. Aufführung seiner Oper 100 Reichsthaler geschickt bekommen hatte. Der ob eines solchen Hungerlohns gekränkte Weber schrieb:
»Werden Sie nun aber nicht zürnen und mich wohl gar dünkelhaft schelten, wenn ich Sie bitte, die Summe von 100 Thrn. ablehnen zu dürfen? ... Offenherzig bekenne ich daher, dass mich dieses Anerbieten tief geschmerzt hat ... Denken Sie sich einen Artikel folgenden Inhalts: ‚Die in 18 Monaten stattgefundene 50-malige Wiederholung des Freischütz wurde von unsrer geehrten General-Intendantur oeffentlich bezeichnet. Dieser in den Annalen des Theaters so seltene Fall verdiente auch eine besondere Auszeichnung, zumal, da dem Vernehmen nach, diese 50 vollen Häuser der Kasse einen Ertrag von 30 000 Thlrn. gebracht haben sollen (Laut amtlicher Quelle belief sich derselbe für die ersten 51 Vorstellungen auf 38 018 Thlr.). Man hat daher dem Komponisten ein ›Geschenk von 100 Thlrn. angewiesen‹. Dies also ist der Lohn – würde man sagen – die Auszeichnung, die ein deutscher Komponist, der Kapellmeister eines benachbarten Königshauses ... von der ersten deutschen Kunstanstalt ... erlangen kann, wenn er einen bisher unerhörten Erfolg erreicht hat.« Na, da hat er es den Berlinern aber gezeigt, was?! Damals gab es leider noch keine GEMA. Lortzing etwa ist über den durchschlagenden Erfolg seiner Opern fast verhungert.

BEWERTUNGEN

Magie 🎩🎩🎩🎩 Wenn man sich nur drauf einlässt, entführt es einen in überirdische Gefilde.

Erotik 👠 Liebe im Waldweben: So ganz prickelt es da nicht – es sei denn, man säße auf einem Ameisenhaufen.

Der Freischütz 41

Fazzoletto	Wenn die Agathe eine richtige Agathe ist, bleibt (bei mir jedenfalls) kein Auge trocken.
Gewalt	Gewalt gegen Frauen, Gewalt gegen Freunde, Gewalt gegen Tiere, Gewalt gegen arme Seelen (Kaspar hätte ja auch geläutert werden können, oder?) und Gewalt gegen den Wald – dieses Herumgeballere ist das Allerletzte!
Gähn	Ich wüsste nicht, wann man da schlafen könnte.
Moral	Ein Ende, das absolut vatikankompatibel ist, selbst die Sacra Rota (= Vatikanbehörde für Eheannullierung) fände da nichts auszusetzen.
Ewigkeit	Wäre der Himmel in deutscher Hand, gäbe es fünf Heiligenscheine für diese deutscheste aller Opern. So aber …
Gourmet	Man muss schon Kassler, Leberkäs und Wildschweinrücken mögen – dann gibt man fünf Sterne. Wem aber das Olivenöl, die Trüffel und die Stopfleber fehlen …

GESAMTWERTUNG

Unabhängig davon, dass der Freischütz die deutscheste aller Opern ist, ist sie eine Oper voller Feinheiten, voller musikalischer und dramatischer Höhepunkte – ein furioses Meisterwerk.

Gaetano Donizetti
1797–1848

Lucia di Lammermoor
Dramma tragico in due parti
Text: Salvatore Cammarano
Nach dem historischen Roman »The Bride of Lammermoor«
von Sir Walter Scott

»So abgeschmackt das Koloratursingen als Mittel ist, das dem Zwecke zu dienen hat: die Virtuosität des Sängers glänzen zu lassen, so wirkungsvoll kann sie vom Opernkomponisten im Dienste der dramatischen Situation verwendet werden. Die Wahnsinnsszene im 3. Akte der ›Lucia‹ bietet uns ein Beispiel hiefür. Dieses sinnlose Auf- und Abgleiten der Stimme auf dem Vokal a, gleicht es nicht dem zusammenhängenden Faseln und Stottern des Wahnsinnigen?«
(*Hugo Wolf, 1911*)

Gaetano Domenico Maria Donizetti: geboren am 29. November 1797 in Borgo Canale, Bergamo, gestorben mit 50 ½ Jahren am 8. April 1848 in Bergamo. Am Liceo musicale in Bologna drückte er, wie ein paar Jahre vor ihm Gioacchino Rossini, die Schulbank und zeigte sich – wie Rossini auch – als Meister der schnellen Noten: »Fatta in un'ora e un quarto« (geschrieben in eineinviertel Stunden) schrieb er am 19. November 1816 unter eine Sinfonie. Nach großen Erfolgen in Neapel und überhaupt in Italien empfahl ihn Rossini nach Paris und eröffnete damit dem »bergamasco« (was im heutigen Italien übrigens ein Schimpfwort ist und so viel wie Hinterwäldler oder Ostfriese bedeutet!) die Europa-Karriere. Er schrieb insgesamt 71 Opern und konnte am Ende seines Lebens auf ein reiches Theaterleben, nicht nur als Komponist, zurückblicken: Er war ein legendärer Dirigent (er dirigierte die Uraufführung des »Stabat Mater« von Rossini in dessen Anwesenheit und zu dessen höchster

Zufriedenheit 1842 in Bologna), er reformierte die Orchesteraufstellung in der Oper, er war darüber hinaus ein gesuchter Regisseur, Repetitor und Theaterdirektor. Zu seinen Höhenflügen gehörte auch ein ausgedehntes Liebesleben, an dessen Folgen – Syphilisinfektion in jungen Jahren – er erbärmlich starb. Danken wollen wir heute noch der Familie Basoni in Bergamo, die den hoffnungslosen Pflegefall am 19. September 1847 zu sich aufnahm und bis zu seinem Tod begleitete.

Savatore Cammarano: geboren am 19. März 1801 in Neapel, gestorben daselbst am 17. Juli 1852 im Alter von 51 Jahren. Der in einer Schauspielerfamilie aufgewachsene Jüngling wurde zunächst mit einigem Erfolg Maler und Bildhauer. Ein Erfolg, den er dann mit einer Reihe kleinerer Stücke für neapolitanische Theater hatte, machte den großen Impresario Barbaja auf ihn aufmerksam, der ihn an die Oper holte. Mit »Lucia di Lammermoor« begann die Zusammenarbeit mit Donizetti, dem Cammarano kongenial entsprach: Seine Neigung zu melancholischen Akzenten und damit dem romantischen Element, die schnelle Auffassung, der konzentrierte Arbeitsstil und die große Erfahrung mit professioneller Bühnenarbeit führten dazu, dass er bis zu Donizettis Abreise nach Paris dessen einziger Librettist blieb. Er schrieb noch Unmengen von Libretti für unterschiedliche Komponisten, vieles davon ist vergessen. Unvergessen aber bleibt Cammarano als der Librettist der »Lucia di Lammermoor« und des »Trovatore« von Verdi.

ENTSTEHUNG UND URAUFFÜHRUNG

Donizetti hatte in Neapel schon große Erfolge mit Opern wie »Anna Bolena«, »L'elisir d'amore«, »Lucrezia Borgia« und »Maria Stuarda«, als er im März 1835 in Paris »Marin Faliero« herausbrachte – kein großer Erfolg. Zwei Monate vorher hatte Vincenzo Bellinis Oper »I Puritani« im selben Theater bei der Uraufführung für Furore gesorgt. Damit war klar: Von den beiden jungen Italienern in Paris (Rossini war ja eine andere Liga) war Bellini eindeutig die Nummer eins. Donizetti musste wieder nach Neapel, wo ein Stück für die Eröffnung der Frühjahrssaison gesucht wurde. Gerne hätte er in Neapel einen Pariser Triumph aufgetischt, allein, dem war nicht so. Hinzu kam, dass an der Oper in Neapel einiges Durcheinander herrschte: Giuseppina Ronzi, der Sopran-Star (sie sang in fünf Uraufführungen Donizetti'scher Opern die Hauptrollen), vergrätzte die Oper mit hohen Geldforderungen, zudem kam man nach 18-tägiger Debatte immer noch nicht zu einer Entscheidung darüber, welche

Oper denn nun die Saison eröffnen sollte, und obendrein war die
»Società« (eine Art Kommanditgesellschaft, welche die Geschäfte
der Oper leitete) ein unfähiger Haufen kurz vor dem Bankrott. Man
entschied sich dann für »Gemma di Vergy« von Donizetti, obwohl
die schon in der vorangehenden Spielzeit nicht gerade der Brüller
gewesen war.

Man machte Donizetti mit Cammarano bekannt, die beiden gefielen einander, machten sich an die Arbeit. Donizetti hatte mit der Società einen Vertrag, der im Kern Folgendes beinhaltete: Er hatte vier Opern pro Jahr zu schreiben, dafür bekam er vier Monate vor der Uraufführung ein von der Zensur bereits genehmigtes Libretto, konnte also wirklich drauflos komponieren, ohne sich um bürokratische Hürden scheren zu müssen. Wenn einer schnell komponieren konnte wie Donizetti, war das ein durchaus angenehmer Vertrag. Donizetti wartete Anfang Mai offiziell immer noch auf das Libretto (die Uraufführung sollte im Juli sein), hatte jedoch insgeheim schon mit Cammarano an der »Lucia« zu arbeiten begonnen. Das wurde ihm von der Società als Vertragsbruch ausgelegt. Tatsächlich hatte er sich wegen des Stoffs der »Lucia« schon selbst mit der Zensur in Verbindung gesetzt, und diese Herren waren ausgesprochen kooperationsbereit. Im Handumdrehen – jedenfalls schneller, als Donizetti erwartet hatte – war das Libretto genehmigt, am 6. Juli 1835 die letzte Note komponiert. Der Meister hatte für die Komposition der Oper satte sechs Wochen gebraucht! Nun konnte sie zwar nicht am selben 6. Juli – wie ursprünglich geplant – aufgeführt werden, aber es war doch alles fertig.

Da ging das Durcheinander erst richtig los. Es war praktisch kein Geld mehr da, es wurden keine Gagen bezahlt, die Sängerinnen und Sänger hörten auf zu proben, und ganz Neapel verfolgte genüsslich das Desaster. Donizetti selbst verhandelte während der Arbeit an der »Lucia« mit dem Ausland (Turin, Venedig) über neue Opern – heimlich natürlich, wehe wenn das in Neapel einer erfahren hätte –, er erleidet einen der Syphilis zu dankenden Fieberschub, der dazu führt, dass er ausgerechnet diese Oper mehr oder minder in eben dem Zustand, den die Wahnsinns-Arie zeigt, komponiert, und dann droht zu allem Überfluss auch noch der Vesuv auszubrechen! Er selbst beschreibt das in einem Brief so: »Die Krise ist nahe, das Publikum hat es satt, die Società teatrale ist in Auflösung begriffen, der Vesuv raucht, und der Ausbruch ist nahe.« Na, dann Prosit! Wozu mir ein Ausspruch meines Onkels Franz einfällt: »Auf die ein oder andere Weise geht's immer – auf keine ist es noch nie gegangen!« Und so war es auch: Donizetti selber bekam kein Geld, aber die Sängerinnen und Sänger beruhigten sich, und der König sprach ein Machtwort: Die »Lucia« ist aufzuführen, basta. Am 26. September 1835 wurde die »Lucia« uraufgeführt, es war – wie das in Neapel bei Erfolg nicht anders zu erwarten ist – ein *terremoto*, ein Erdbeben, ein Triumph. Tatsächlich erwies sich diese Aufführung als einer der größten Triumphe der neapolitanischen Oper – und zwar überhaupt, wie die Rheinländer gerne steigern.

PERSONEN

Lord Enrico Asthon:	Bariton
Lucia, seine Schwester:	Sopran
Sir Edgardo di Ravenswood:	Tenor
Lord Arturo Bucklaw:	Tenor
Raimondo Bidebent, Erzieher und Vertrauter Lucias:	Bass
Alisa, Kammerdame Lucias:	Mezzosopran
Normanno, Hauptmann der Reisigen von Ravenswood:	Tenor

Chor: Damen, Edelleute, Verbündete Ashtons, Bewohner von Lammermoor, Pagen, Reisige, Bedienstete bei Asthon

ORCHESTERBESETZUNG
Pikkoloflöte
2 Flöten
2 Oboen
2 Klarinetten
2 Fagotte
4 Hörner
2 Trompeten
3 Posaunen
Pauken
Große Trommel
Becken
Triangel
Glocke in g'
Harfe
Streicher

BESONDERHEITEN
Bühnenmusik: banda

DAUER

ca. 2½ Stunden

HANDLUNG

Schottland. Teils im Schloss von Ravenswood, teils im verfallenen Turm von Wolferag. Gegen Ende des 16. Jahrhunderts

ERSTER TEIL: »DIE TRENNUNG«

ERSTER AKT

Erstes Bild: Im Park von Schloss Ravenswood

Normanno mit seinen Leuten, Lord Enrico und sein Kaplan Raimondo suchen im Wald nach einem Fremden, der sich hier herumtreiben soll und der möglicherweise der Vorbesitzer des Schlosses ist: Edgardo di Ravenswood. Mit ihm, so teilt Normanno mit, treffe sich Lucia, Enricos Schwester, heimlich hier im Wald, weil sie ihn liebe. Enrico ist außer sich, denn: Er hat Schulden, die er sich nur durch die Heirat seiner Schwester mit Lord Bucklaw vom Hals schaffen kann; sie aber will den nicht heiraten. Außerdem ist Edgardo von Ravenswood der rechtmäßige Erbe des Schlosses, Enrico hat seinerzeit seinem Vater die Herrschaft entrissen. In einer großen Arie »Cruda, funesta smania« bezichtigt er seine Schwester Lucia des Verrates an der eigenen Familie. Da kommen die Jäger zurück und bestätigen, dass der Fremde Edgardo sei, ein Falkner habe ihn erkannt. Der Kaplan bittet um Milde, kommt aber gegen die finsteren Racheschwüre nicht an.

Zweites Bild: Verfallener Brunnen im Park von Schloss Ravenswood, Mondschein

Lucia ist schon bei ihrem ersten Auftritt ziemlich durch den Wind: Im Brunnen ist ihr der Geist jener Frau erschienen, die ein Ravenswood an dieser Stelle aus Eifersucht erdolcht hat – blutrot habe sich das Wasser im Brunnen verfärbt. Das ist natürlich kein gutes Omen, wenn man auf seinen Liebsten Edgardo wartet. Alisa, Lucias Kammerfrau, versucht sie vom Warten abzubringen. Edgardo kommt, er teilt Lucia mit, dass er als Botschafter nach Frankreich gehen müsse und dass er sich vorher mit Enrico versöhnen wolle, um dann um die Hand Lucias anhalten zu können. Aus Angst um sein Leben bittet ihn Lucia, damit noch zu warten, da flippt der Gute völlig aus: Was der denn noch wolle, der Ruchlose? »Er tötete den Vater, raubte mir mein altes Erbe ... was will er noch? Soll noch mein Blut ihn laben, er mag es haben, denn er hasst mich!« Große Opernworte, noch größere Musik – Sie sehen: Hier wird nicht gekleckert. Lucia gelingt es irgendwie, ihn zu beruhigen, was in das gegenseitige Eheversprechen mündet: »Schwör hier mir als Gattin Treue ... Deinem Los verein' ich meines, ich bin dein Gatte!« »Und ich die Deine!« Das wird nochmal beeidet, man tauscht die Ringe, und dann kann er fahren.

ZWEITER TEIL: »DER EHEVERTRAG«

ZWEITER AKT

Erstes Bild: Zimmer in Lord Asthons Gemächern

Man erhöht den Druck auf Lucia: Enrico hat die Hochzeitsgäste (für die Heirat seiner Schwester mit Lord Bucklaw) schon geladen, Lucia aber sagt ihm, sie habe einem anderen treu zu sein. Da zieht der ruchlose Enrico einen – natürlich gefälschten – Brief aus der Tasche, der Edgardos Untreue beweisen soll. »Enrico: Es harret schon das Brautbett für Dich. Lucia: Das Grab, ja das Grab, es harret schon meiner.«
Er lässt nicht locker: Alles hänge von dieser Eheschließung ab, die Familie, die Politik, ja seine, Enricos, Ehre und sein Leben sowieso. Lucia hat dem nun nichts mehr entgegenzusetzen, »Nimm, o Tod, die Qual von mir«, und willigt ein.

Zweites Bild: Große Halle, festlich geschmückt für Arturos Ankunft

Man huldigt Lord Arturo Bucklaw, der seinerseits verspricht, dem Clan wieder zu Ruhm, Ehre und Macht zu verhelfen. Aber wo denn Lucia sei? Die käme gleich, meint Enrico, er solle aber nicht erschrecken, wenn sie ein bisschen traurig aussähe, zu sehr leide sie noch unter Mamas Tod. Was denn, will Arturo wissen, an dem Gerücht dran sei, dass Edgardo und Lucia ... Da wird Lucia hereingebracht, nach kurzem Zögern unterschreibt sie – »Ich gehe nun hin zum Opfer« – den Ehevertrag. Man kommt aber nicht dazu, zu feiern, denn es tritt auf – Edgardo. Alles gerät aus den Fugen. Man zückt den Stahl, man hebt die Hand, da wirft sich der Kaplan dazwischen, um ein Blutbad zu verhindern. Nun sagt Edgardo, dass sie ihm Treue geschworen habe; als er aber sieht, dass Lucia den Ehevertrag unterschrieben hat, ist es damit natürlich aus. Er gibt der Verzweifelten den Ehering zurück und flieht, wozu ihm der Kaplan dringend rät. Die Zeit, die alle Wunden heile, werde schon dafür sorgen, dass irgendwie und irgendwann alles wieder ins Lot käme. Wir wissen: Wenn das so wäre, säßen wir jetzt nicht hier in der Oper.

DRITTER AKT

Erstes Bild: Zimmer im halbverfallenen Turm des Schlosses von Wolferag. Nacht

Edgardo sitzt in der Ruine, da hört er durch den tosenden Sturm ein Pferd, das sich dem Turm naht. Es ist Enrico. Er streut sozusagen Salz in Edgardos Wunden, indem er erzählt, wie auf dem Schloss die Hochzeit gefeiert wird. Er will Rache für die Schmach, die Edgardo ihm angetan habe. Dasselbe will aus denselben Gründen Edgardo. Man einigt sich auf ein Duell, morgen bei den Gräbern von Ravenswood.

Zweites Bild: Galerie im Schloss Ravenswood

Arturo und Lucia haben sich zurückgezogen, die Meute aber feiert weiter. Sie wird allerdings jäh vom Kaplan Raimondo unterbrochen, der entsetzt mitteilt, Lucia sei wahnsinnig geworden und habe Arturo erdolcht (erdolcht ist zu viel der Ehre – sie hat ihn einfach erstochen). Er hat kaum ausgesprochen, da kommt sie auch schon selbst: »Sie scheint vom Tode erstanden« singt der Chor, so wüst sieht sie aus. Faselt ein wirres Kauderwelsch: von Freude über die Hochzeit mit Edgardo und möge der böse Schatten der Erdolchten im Brunnen sie beide nicht stören und wie schön, dass man nun auf ewig miteinander verbunden sei. Alle sind irritiert, Enrico kommt, und der Kaplan sagt dem Bösewicht endlich mal die Meinung. Zu spät nun dessen Gewissensbisse. Alle sind erschüttert: »Wer hier vor Schmerz nicht weinet, ist fühllos sicherlich.«

Drittes Bild: Außerhalb des Schlosses von Ravenswood: Gräber, eine Kapelle, Tagesanbruch

Edgardo wartet zornbebend auf Enrico. Es kommen Bewohner von Lammermoor vorbei – was die um diese Zeit auf einem Friedhof zu suchen haben, fragt natürlich keiner. Aber so ist eben die theatralische Logik der Opernwelt. Von ihnen hört Edgardo, dass Lucia nicht mehr ganz bei sich sei, auf den Tod warte und unaufhörlich seinen, Edgardos, Namen rufe. Die Sterbeglocke ertönt, Kaplan Raimondo kommt, um ihm zu sagen, dass Lucia tot ist. Da kann Edgardo – natürlich – nicht mehr an sich halten, er will zumindest im Tode mit Lucia vereint sein. Er stürzt sich ins Messer und der Vorhang zu Boden.

HITS

Ein Hit ist zweifellos, dass uns der Librettist mit der ganzen Vor- und Drumrum-Geschichte verschont, jenen Auseinandersetzungen zwischen den Whigs (zu denen die Familie des Großsiegelbewahrers Lord Asthon gehört) und den Tories, die an Kompliziertheit noch die Streitgockeleien der Welfen mit den Ghibellinen um einiges überbietet. Es soll schottische Schüler gegeben haben, die den Kilt abgaben, weil sie sich in diesem Geschichts- und Geschehenslabyrinth nicht zurechtfanden. Dass Cammarano die Geschichte auf das Wesentliche um Lucia herum konzentriert, danken wir ihm aufatmend.

Das Preludio ist ein schöner kleiner Hit, wenn die Pauken richtig gestimmt sind und der Pauker weiß, wie man das Fell gefühlvoll zu behandeln hat. Dann ist gleich die richtige Stimmung für diese tragische Oper da. Jetzt wissen wir natürlich alle, dass die Lucia eine klassische Nummern-Oper ist, Arie jagt Arie, und man wartet eigentlich nur auf den nächsten Hit – vor allem in italienischen Opernhäusern. Donizetti wirft der Bestie Publikum, die nur auf Reißer wartet, gleich zu Beginn mit »Cruda, funesta smania« einen satten Köder hin: Streicher in Triolen und ein gezupfter Bass dazu, darüber ein männlicher Bariton und eine heldenhafte Melodie, die dann in ein Terzett (Tenor, Bariton, Bass) mündet, das an Belcanto keine Wünsche offenlässt. Da lehnt sich der Neapolitaner schon mal genüsslich zurück und lässt kommen. Donizetti hat damit die erste Schlacht um die Gunst dieser Bestie schon mal gewonnen. Es geht aber gleich weiter mit dem nächsten Hit, der Arie, die wieder Enrico singt: »La pietade in suo favore«. Da geht einem schon am Beginn das italienische Herz auf, wenn die Pikkolo-Flöte das Thema in den Himmel jubelt – italienischer geht's nimmer.

Ein großer Hit ist die Einführungsdramaturgie der Titelgestalt: Alle warten auf Lucia, man weiß, gleich ist sie dran, aber vor ihrem ersten Ton kommt etwas Sensationelles: das Konzert für Harfe und Orchester am Beginn des zweiten Bildes im ersten Akt! In der klassischen italienischen Oper hat die Harfe ihren festen Platz als Begleitinstrument, kommt dabei aber über das, was die Bayern despektierlich »a Harpfm« nennen, nicht hinaus. Das Instrument wird nicht emanzipiert, es bleibt verdonnert zum Humtata und erledigt mehr oder weniger zart diese variable Aufgabe. Donizetti hatte ein Herz für die Harfe (oder die Harfenistin): Er lässt in der Einleitung von »Regnava nel silenzio« die Harfenistin zeigen, was sie kann. Sie hat wirklich virtuose Konzertpassagen zu spielen, unauffällig begleiten die Streicher, sensibel umspielen die Klarinetten und die Hörner die feine Harfe, und es könnte stundenlang so weitergehen, wenn nicht Lucia so gespannt auf Edgardo warten würde, dass sie uns das unbedingt mitteilen muss. Das ist auch das Ende des Harfenkonzerts.

Natürlich ist »Regnava nel silenzio« die Arie, mit der Lucia schon mal musikalisch und inhaltlich die Dinge klarstellen kann: Wenn sie den Sextbogen gleich zu Beginn (vom a aufs f hinauf und dann langsam zum a zurück) sensibel und verhalten hinbekommt, geht da schon mal definitiv die Sonne auf. Und die Klarinette macht, woran jeder denkt, wenn er Belcanto hört: in gebrochenen Akkorden begleiten. Italiener sind natürlich gläubige Menschen, Katholiken von Grund auf, selbstverständlich, aber wirklich andächtig werden sie nur in der Oper: in solchen Momenten wie hier beim »Regnava nel silenzio«. Ob das ein deutscher Papst jemals verstehen wird: dass man Evangelium sagt, aber Donizetti (oder Bellini oder Verdi oder Puccini) fühlt?

Und der Meister lässt nicht locker: Es geht weiter mit den Hits. »Quando rapito in estasi« ist wieder ein Stück jener *italianità*, die den Stiefel ausmacht. Wundervoll, auch die Koloraturen passen ideal dazu: Neapel lebt und unsere Herzen mit! Die großen Diven machen hier schon mal das erste große Fass auf und geben den Gurgel-Paganini: Manchmal in die Läufe verliebt, manchmal in die hohen Töne – die Callas knallt da ein hohes D''' nach dem anderen raus! Dass die Kronleuchter in Mailand, Rom und Neapel noch hängen, ist ein Wunder. Manchem mag das zu viel sein, und wenn es scheppert, ist das nicht schön. Bei der Callas konnten am Ende ihrer Karriere ja Lkws unter diesen Tönen durchfahren, so groß war ihr Tremolo! Aber wenn eine Sängerin diese Dinge beherrscht, dann bin ich hin und weg – wie beim Paganini auch. Donizetti lässt aber mit den lyrischen Einfällen nicht locker, und Edgardo und Lucia singen schmelzende Melodien, dass es eine wahre Freude ist. Lucias »Verranno a te sull'aure i miei sospiri ardenti« (Zu dir wird meine Seufzer der leise Zephyr tragen) – ist ein großes Stück Italien, *lirica* und Schmelz. Bitte drei Taschentücher!

Eine kleine Instrumentalstelle möchte ich ganz besonders herausheben: zweiter Akt, erstes Bild: Da dürfen italienische Hörner mal zeigen, dass sie auch was können – nicht nur ihre deutschen Kollegen bei Weber oder so. Eine zarte und einfach schöne Stelle gleich zu Beginn. Danke, Gaetano! Dass ausgerechnet die zarte Oboe das Duett von Enrico und Lucia einleitet (und zwar wie!), wo es doch in diesem Duett darum geht, dass der Bruder brutal seine Schwester unter Druck setzt, das finde ich wirklich spannend und raffiniert. Und mit welch drängender Melodie und welchem Druck aus den Streichern er sie beim »Se tradirmi tu potrai« dann dazu bekommt, dem Ehevertrag zuzustimmen – das ist große Oper und einmalig schön. Mit der Szene, als nach der Unterschrift Edgardo auftaucht und die Dinge sich dramatisch zuspitzen, ist Donizetti eine musikalisch-lyrische Dichtheit gelungen, die wir so erst wieder im »Otello« finden. Wie Edgardo fragt: »Son tue cifre« (Ist das deine Unterschrift?), ist das »Otello« vom Feinsten. Ganz hohe Dramatik, super!

Beschwingt von dieser Dynamik, gelingt Donizetti jetzt auch der erste Chor, der diesen Namen wirklich verdient: »Esci, fuggi«. Na endlich, Gaetano, geht doch! Na ja, und jetzt warten natürlich alle auf *den* göttlichen Moment in dieser Oper, den Augenblick, für den die meisten überhaupt hier sitzen: Lucias Wahnsinnsarie. »Ardon gl'incensi« (Schon glimmt der Weihrauch) ist natürlich eine der wenigen wirklich großen Arien der Opernliteratur, virtuos ohne Ende, aber auch von großem, intensivem Gefühl. Ein wuchtiges Meisterwerk. Wenn die Sängerin diese Arie überzeugend meistert, hallt das noch wochenlang in dir nach. Wenn nicht – auch. Das sind die Arien, die einen dazu bringen, vor einer Sängerin hinzuknien und sie »Die Göttliche« zu nennen.

Eigentlich ist jetzt Schluss, aber Edgardo singt noch sein wundervolles »Fra poco a me ricovero«, um damit endlich überzeugend klarzumachen, warum er heute Abend überhaupt dabei war. Der Rest ist routinierter italienischer Opernschluss: eigentlich überflüssig. Aber irgendwie will man ja doch eine Art Ende, und da ist es – und basta!

FLOPS
Es sind halt die Chöre nicht wirklich überzeugend, das war ja schon bei Bellini so. Erst Verdi hat das komponiert, was man wirklich einen italienischen Chor nennen könnte. Donizettis Chöre haben alle so was von »Knapp davor!« – Verzeihung: fast alle, denn der Chor »Esci, fuggi«, mit dem Edgardo aufgefordert wird, aus dem Schloss zu fliehen, ist wirklich klasse.
So grandios das Konzert für Harfe und Orchester ist (vor dem ersten Auftritt Lucias), so sehr ist es auch neben der Mütze, weil: Das haut den Zuschauer und -hörer aus dem Geschehen. Weder braucht eine Figur wie Lucia eine solch lange harfenistische Vorstellung, noch ist es für das Schürzen des Handlungsknotens unabdingbar. Ich verzichte zwar ungern darauf, aber das hätte ich gestrichen.

Dafür muss Lucia gleich im Anschluss einen derartigen Reigen anspruchsvollster Koloraturen hinlegen, das kommt mir einfach zu plötzlich. Und warum das ausgerechnet eine tut, die erzählt, wie schaurig ihre Vision der Toten im Brunnen war, das ist mir nicht ersichtlich, und deshalb stufe ich das gnadenlos als Flop ein. Und wo wir schon von gnadenlosen Flops sprechen: Edgardo! Was für ein Name, das ist ja so was wie Chantalllll oder Kevin oder so. *Grauenhaft!* Enrico finde ich schon grenzwertig, Edgardo schlägt aber alles. Dass ihm da in Neapel keiner Paroli geboten hat, Herrgott, wofür hatten die denn damals eine Zensurbehörde, doch genau für so was, oder?!

Ein leibhaftiger dramaturgischer Flop ist Donizetti mit dem eigentlichen Ehemann Arturo passiert: Auch wenn er sich die Unterschrift unter den Ehevertrag nur mit Druck erkauft hat – er singt im Finale des zweiten Aktes, der Heiratsszene, so hinreißend »Per poco fra le tenebre«, dass man sich wirklich fragt: Ja aber liebe Lucia, bei allem Respekt: Tät der's nicht auch? Donizetti hätte ihn als Figur oder als Sänger schon etwas ins Messer laufen lassen sollen, oder?

Ein Riesenflop: Dass die Oper nach der Wahnsinns-Arie der Lucia weitergeht! Wenn die Sängerin diese Arie nicht packt, ist das Ganze sowieso gelaufen; wenn die Sängerin die Arie aber meistert, ist das Ganze ebenfalls gelaufen, weil man das durch nichts mehr toppen kann. Also: What shall's? Aber Donizetti lässt weitersingen, was das Zeug hält. Und die einzige Arie, die nach dem Höhepunkt wirklich noch was bringt, Edgardos »Fra poco a me ricovero«, mein Gott, da hätte sich doch sicher noch eine passende Stelle vor der Wahnsinns-Arie finden lassen ...

OBACHT
Das größte Obacht ist natürlich, dass diese Oper auf eine Figur, eine Sängerin zugeschnitten ist und alles andere Beiwerk ist. Diese Oper steht und fällt mit der Besetzung der Lucia. Jeder hat die Callas, die Sutherland, die Gruberova und wie die Göttinnen alle heißen im Kopf – wie soll da die Pálmadóttir dagegen ankommen? Geben Sie ihr eine Chance (und jeder anderen jungen Sängerin), lassen Sie sie ausloten, wie weit ihre Stimmen tragen. Es gibt in der Opernwelt kaum etwas Spannenderes, als die Entwicklung von Stimmen beobachten zu können, und tragen Sie sie mit: Das brauchen Stimmen für ihre Reifung. Der Dank wird sein, dass Sie dann sagen können: Ah, die Pálmadóttir, die habe ich damals in Bonn schon als Violetta gesehen und gesagt: Passt auf, aus der wird mal eine grandiose Lucia! Ich meine: Das lohnt sich, oder? Aber unfair ist es doch, dass eine ganze Oper auf eine Stimme zugeschnitten ist und mit ihr steht und fällt. Ich bin für Experimente: Wenn man das einer jungen Sängerin nicht zutraut, dann eben zwei oder dreien. Jede singt sich hinter der

Bühne ein und kommt dann, um jeweils eine Arie in Perfektform zu singen. Eine Herausforderung für das Regietheater, oder?!

DIVERSES

Da war diese Geschichte, dass Vincenzo Bellini drei Tage vor der Uraufführung der »Lucia«, am 24. September 1835, starb. Nun war Bellini durchaus nicht der beste Freund Donizettis, sondern sein ärgster Rivale, er saß mit seinem Ruhm dem fünf Jahre älteren Donizetti so was von im Nacken, dass der schon das Gefühl haben musste: Solange Bellini lebt, bekomme ich keine Schnitte. Nun hat der plötzliche Tod – Bellini starb an der Ruhr – Donizetti sicherlich betroffen gemacht, denn er wusste mehr als andere um das Genie Bellinis. Andererseits wird auch ein Gefühl der Erleichterung dabei gewesen sein, vielleicht ein bisschen so, wie Salieri nach Mozarts Tod gesagt haben soll: »Es ist zwar schade um ein so großes Genie; aber wohl uns, dass er tot ist. Denn, würde er länger gelebt haben, wahrlich!, die Welt hätte uns kein Stück Brot mehr für unsere Kompositionen gegeben« (so Franz Niemetschek, der erste Mozart-Biograph). Donizetti stürzt sich aber sofort nach der Nachricht vom Tod des Kollegen in fieberhafte Aktivitäten – und das, obwohl die Premiere der »Lucia« bevorsteht. Er beginnt, ein »Lamento« für Gesang und Klavier zu komponieren, eine »Sinfonia«, in der er bellinische Themen miteinander potpourriert, und eine abendfüllende »Missa da Requiem« – vielleicht, um als neidloser Kollege vor der Welt dazustehen und allen Gerüchten kleinlicher Konkurrenz entgegenzutreten, bevor sie überhaupt entstanden sind. Ein bisschen viel Energie für wenig Inhalt, oder?

DER KLEINE OPERNTÄUSCHER

Die »Lucia di Lammermoor« zeigt wie keine andere Oper, wie bedauernswert der wissenschaftliche Fortschritt ist. Wenn heute der Wahnsinn über einen stürzt, ist das der Normalzustand, keiner wundert sich drüber. Und dieser Gleichmut kommt aus einer Einsicht, die schon Johann Nestroy im Kometen-Couplet formuliert hat: »Die Welt, die steht eh nimmer lang, lang, lang, lang, lang, die Welt, die steht eh nimmer lang«, und alle wissen: Aus diesem Wahnsinn gibt es kein Erwachen, weil das der Wachzustand ist. Damals aber, Herrschaften, war der Wahnsinn noch eine große Sache: Man hat ihn geistige Umnachtung genannt, man hat ihn respektiert, man ist vor ihm erschauert. Er hatte fast etwas Religiöses. Und genau das macht das Geheimnis der großen Wahnsinns-Opern wie »Lucia di Lammermoor«, »Norma«, »I Puritani« etc. aus: Den Frauen, die am Leben, an der Liebe, an den Männern gescheitert sind, stand immerhin der Weg in den Wahnsinn offen, womit ihre Ehre, ihre Würde und ihre Größe wiederhergestellt waren. Im Moment der Umnachtung bereits waren die Untaten – sollte es welche gegeben haben – verziehen, die ganze Gesellschaft hat sich vor so einer verneigt und ihr damit ein neues, wenn auch eigenwilliges Leben zurückgegeben. Aber heute? Da kann eine Frau doch nur von so was träumen! »Lucia di Lammermoor« stünde vielleicht einen Tag lang in der »Bild« – und das wär's auch schon gewesen. Keiner hätte sie singen lassen. Was für ein Verlust!

BEWERTUNGEN

Magie 🎩🎩 die Oper
🎩🎩🎩🎩🎩 die Wahnsinns-Arie

Wirklich magisch entrückt uns die Oper nicht, aber die Arie der Lucia unbedingt!

Erotik 👠👠👠

Weil sich alles unausgesprochen darum dreht, leider nicht immer rasant genug.

Fazzoletto 💧💧💧💧

Vor allem bei den lyrischen Passagen – und die sind ja Donizettis Stärke – kann es einen schon sehr packen.

Gewalt ⛓⛓⛓

Wie Enrico seine Schwester unter Druck setzt, das ist brutalste Gewalt. Und dann wird Arturo erschlagen, Lucia fällt in geistige Umnachtung, und Edgardo erdolcht sich. Reicht das?

Gähn 💤💤

Die Handlung ist abwechslungsreich, die Musik sowieso, und das Warten auf die große Lucia-Arie lässt einen auch nicht einnicken.

Moral —

Ich bitte Sie: Der Einzige, der überlebt, ist der Böse. Frage ist

Ewigkeit ☉

Gourmet ✦ ✦ ✦

GESAMTWERTUNG
🔭 🔭 🔭

also: Was tut er, nachdem der Vorhang gefallen ist? Und wann erwischt ihn die Gerechtigkeit? Ist alles offen, oder?!
Da es ja für die Diven einen Extra-Himmel gibt – sonst würden wir Normal-Engel das Paradies nicht aushalten –, ist die Lucia-Arie eine goldumrandete große Gewitterwolke, eine Arie für die Ewigkeit.

Dem Feinschmecker bieten sich viele Feinheiten, die Oper ist eine Belcanto-Orgie – Béchamel, wo du auch hinhörst!

»Lucia di Lammermoor« ist große Oper in Vollendung aus der Abteilung »Wahnsinn«. Wenn die Gewichte gleicher verteilt wären, hätte ich vier Operngläser vergeben. So ist das Ensemble Staffage für eine der ganz großen Frauenfiguren – und das ist ja auch grandios. Ich liebe vor allem die großartigen melodischen Einfälle dieser Oper.

Gaetano Donizetti
1797–1848

Don Pasquale
Dramma buffo in tre atti
Text: *Giovanni Domenico Ruffini und Gaetano Donizetti*
Nach dem Libretto von Angelo Anelli zu dem dramma giocoso
»Ser Mercantonio« (Paris 1808) von Stefano Pavesi

»Gestern Abend war Don Pasquale. Ein sehr großer Erfolg! Wiederholt wurde das Adagio am Ende des 2. Aktes. Wiederholt wurde auch der Schluss des Duetts zwischen Lablache und der Grisi. Nach dem 2. und 3. Akt wurde ich auf die Bühne gerufen. Von der Ouverture angefangen, kein Stück, dem nicht mehr oder weniger Beifall gespendet wurde. Ich bin äußerst zufrieden ...«
(Donizetti am 4. Januar 1843 aus Paris an Matteo Salvi)

Giovanni Ruffini: geboren in Genua am 20. September 1807, gestorben ebendaselbst am 3. November 1881 im Alter von 74 Jahren. Als junger Literat ging er mit Giuseppe Mazzini, dem Vorkämpfer für die politische Einigung Italiens, ins Exil, 1841 nach Paris, wo sein alter Freund und Kollege Michele Accursi, der Donizettis Agent war, ihn bekniete, das alte Libretto »Ser Mercantonio« für Donizetti als »Don Pasquale« aufzufrischen. 1848 ging er erneut ins Exil (die Befreiung Italiens von der Fremdherrschaft ließ ja noch etwas auf sich warten) nach London und Edinburgh, erst nach der Einigung Italiens kam er wieder zurück.

Angelo Anelli: geboren am 1. November 1761 in Desenzano am Gardasee, gestorben am 9. April 1820 in Pavia, 59 ½ Jahre alt. Wie viele Librettisten war er Jurist, allerdings auf hoher Ebene: als Professor in Pavia. Er hat gerne reale Lebenssituationen in seine Libretti aufgenommen, vielleicht war das eines der Geheimnisse seines Erfolges. Er war der Librettist mit den meisten Pseudonymen. Ich führe sie hier auf, damit Sie ihn identifizieren können: Er hat als Lauro Fifferi, Marco Landi, P. Latanzio, Nicolò Liprandi, Tommaso Menucci, Giovanni Scannamusa (= der »Musenschröpfer«!) und Gasparo Scopabirba (= »Gaunerficker«) gewirkt. Er muss ein humorvoller Mensch gewesen sein!

ENTSTEHUNG UND URAUFFÜHRUNG

1842 hatte Donizetti mit dem Pariser Théâtre-Italien einen Vertrag geschlossen, der ihn verpflichtete, für dieses Haus eine noch nicht näher definierte Oper zu schreiben. Er arbeitete gerade an einer Oper für Wien, »Regina di Cipro«, was er aber sein ließ, als er hörte, dass Franz Lachner eine Oper zum selben Thema für die gleiche Saison in Arbeit hatte. Ein bisschen erinnert einen das Opernleben des 19. Jahrhunderts an das Film- und Fernsehgeschäft von heute: Ach, RTL macht gerade eine Serie über Frauen im Knast, nee, dann müssen wir was anderes machen, Comedy am besten. So auch Donizetti. Er schreibt an Antonio Vasselli: »Danach gehe ich mit einer neuen *opera buffa* in die Proben, geschrieben für die Grisi, für Mario, Lablache und Tamburini, die mich mehr als zehn Tage Arbeit gekostet hat. Titel: Don Pasquale. Es ist der alte Mercantonio (aber sag es nicht weiter!).«

Weil in der Partitur stand: »Libretto: M.A.«, dachte man lange Zeit, Michele Accursi habe es geschrieben, es war aber doch Giovanni Ruffini. Wieso dann »M.A.«? Das bedeutet üblicherweise »Maestro Anonimo« (anonymer Meister) und meinte auch genau das. Ruffini und Donizetti waren sich nämlich bei der kurzen Zusammenarbeit – Donizetti hat die Oper in elf Tagen komponiert – derart in die Haare geraten, dass Ruffini meinte, das sei nicht mehr sein Libretto, und seinen Namen nicht hergab. Tatsächlich hat das Libretto einen starken Textanteil von Donizetti: Er war ein alter Bühnenhase und wusste genau, was auf der Bühne und in einer *opera buffa* komisch wirkt und was nicht. Er wollte aus den klassischen eher schemenhaften Figuren (der geile Alte, sein auf Eigennutz bedachter »Freund« etc.) Menschen aus Fleisch und Blut machen. Das führt dazu, dass sie nun alle jeweils positive und negative Seiten haben, dass sie abgefeimte Akteure sind und nicht mehr Schachfiguren einer Musik-Comedy. Er scheute sich einerseits nicht, abgeschmackte Rituale der Komik des 18. Jahrhunderts wieder aufzufrischen (der Ehekontrakt vor dem falschen Notar beispielsweise), bestand aber andererseits darauf, dass die Akteure in bürgerlicher Kleidung, also zeitgenössisch aufzutreten hatten. Er wollte mit voller Absicht Leute seiner Gegenwart zeigen – das war etwas wirklich Neues.

Dass Donizetti die Szenen, die Ruffini weggeworfen hatte, wieder aufnahm und intensiv vertonte, störte Ruffini sehr. Allerdings war der ein ungeübter Librettist und konnte den klaren Vorstellungen des Komponisten nichts entgegensetzen – außer dem Libretto seinen Namen zu entziehen. War nicht schlimm, wir haben ja alles herausbekommen! Donizetti entschied alle diese kleinen Streitereien für sich, komponierte in – wie gesagt – luxuriösen elf Tagen die Oper, und dann gingen die Proben los. Instrumentiert, also entschieden und geschrieben, welches Instrument wann was zu spielen hat, wurde üblicherweise während der Proben, so auch in diesem Fall. Donizetti hat übrigens beim Komponieren wenig Skizzen gemacht: Er hat kaum radiert, hat eher durchgestrichen. Das allerdings in militärischen Ausmaßen: Seine Handschriften sehen aus wie ein Schlachtfeld.

Am 3. Januar 1843 war am Théâtre-Italien in Paris die Uraufführung, und zwar in einer Besetzung, die man heutzutage als Jahrhundertbesetzung bezeichnen würde. Es sangen die vier Superstars ihrer Zeit:

Norina: Giulia Grisi (1811–1869). Sie war einer der Superstars des 19. Jahrhunderts. Opern von Bellini, Rossini, Donizetti (und auch jeweils die Uraufführungen) waren ihre Standards, sie sang aber Partien bis hin zum frühen Wagner. Ein Jahr nach der Uraufführung des »Don Pasquale« heiratete sie Giovanni Mario, den Sänger des Ernesto. Sie starb an den Folgen einer Lungenentzündung und – natürlich – zu früh.

Don Pasquale: Luigi Lablache (1794–1858). Er war von hünenhafter Gestalt (als Leporello im »Don Giovanni« pflegte er den Masetto unter den Arm zu nehmen und so zum Gaudium des Publikums von der Bühne zu tragen) und einer der großen Bässe des 19. Jahrhunderts. Er wirkte bei den Begräbnisfeierlichkeiten für Ludwig van Beethoven in Wien mit, was er schon gewöhnt war, denn als Knabe hatte er anlässlich des Todes von Josef Haydn die Alt-Solopartie im Mozart-Requiem gesungen. Franz Schubert widmete ihm op. 83, die italienischen Lieder auf Texte von Metastasio, und er gab der Queen Viktoria von 1836 bis 1837 Gesangsunterricht! Der gefeierte Bass hat zehn Donizetti-Opern uraufgeführt, unter anderem in der Titel-Rolle den »Don Pasquale«. Sein Sohn Frederick Lablache sang da übrigens den Notar.

Metastasio: Antonio Tamburini (1800–1876). Dass auch er als gefeierter europäischer Bariton eine Reihe von Uraufführungen mitgestaltete, ist natürlich klar, lag aber auch an der Zeit: Es wurden in der Zeit einfach mehr Opern geschrieben als heutzutage, und es gab ja auch noch kein Hollywood. Seine Starrolle war der Don Giovanni, schade dass ihn mein größter Don Giovanni, Ezio Pinza, nie hören konnte. Seine Stimme hat gut zwei Oktaven umfasst und wird beschrieben als eine von großer musikalischer Schönheit.

Ernesto: Giovanni Mario (1810–1883). Er war adlig und hieß eigentlich Giovanni Matteo, Cavaliere di Candia. Trotzdem wurde er Sänger. Seine Laufbahn startete 1838 in Paris mit »Robert le Diable« von Meyerbeer (eine halsbrecherische Partie!). Er lernte in London 1839 Giulia Grisi kennen, mit der er den »Don Pasquale« aus der Taufe hob und die er 1844 heiratete. Kutsch und Riemens schreiben in ihrem großen Sängerlexikon:»Er war der vom Publikum vergötterte Tenor des viktorianischen London, das Idol für eine ganze Generation von Opernliebhabern der englischen Metropole.« Seine Stimme gilt nach wie vor als eine der schönsten Tenorstimmen aller Zeiten. Er geriet im Alter in drückende Armut, so, dass zu seinen Gunsten 1880 in London ein Benefiz-Konzert veranstaltet wurde. Ein bisschen wird es ihm ja geholfen haben!

Dass bei so einer Besetzung nicht mehr viel schiefgehen kann, wenn die Oper obendrein gelungen ist – wen wundert's!

PERSONEN

Don Pasquale, ein alter Junggeselle, altmodisch, geizig, leichtgläubig, eigensinnig, im Grunde ein guter Kerl:	Bass
Doktor Malatesta, ein findiger Kopf, witzig, unternehmungslustig, Arzt und Freund Don Pasquales und bester Freund Ernestos:	Bariton
Ernesto, Neffe Don Pasquales, ein junger Schwärmer, glücklicher Liebhaber Norinas:	Tenor
Norina, eine junge Witwe, sprunghaftes Naturell, unfähig, Widerspruch zu ertragen, aber aufrichtig und gefühlvoll:	Sopran
Ein Notar:	Bass

Stumme Rollen: ein Haushofmeister, eine Putzmacherin, ein Friseur

Chor: Knechte, Diener

ORCHESTERBERSETZUNG
2 Flöten (die 2. auch Pikkolo)
2 Oboen
2 Klarinetten
2 Fagotte

4 Hörner
2 Trompeten
3 Posaunen
Pauken
Große Trommel
Becken
Streicher

BESONDERHEITEN
Bühnenmusik: Tamburin
2 Gitarren

DAUER
ca. 1 ¾ Stunden

HANDLUNG
Die Handlung spielt in Rom.

ERSTER AKT

Erstes Bild: Salon in Don Pasquales Haus

Don Pasquale wartet ungeduldig auf seinen Freund, Doktor Malatesta. Der kommt mit guten Nachrichten: Ja, er habe eine, eine wie für ihn geboren, schön wie ein holder Engel: »Bella siccome un angelo«, fremd allen bösen Trieben, bescheiden wie ein Veilchen (sagt man ja redensartlich: bescheiden wie ein Veilchen – man meint eigentlich »Maggikraut«, aber weil das einfach blöd klingt, hat man sich auf »Veilchen« geeinigt) und wie die Lilie so keusch und rein. Kurz: die Braut schlechthin für den alten Hagestolz und obendrein aus guter Familie, seiner eigenen nämlich: seine Schwester Sofronia, bis eben noch im Kloster, bald nun Pasquales Frau. Don Pasquale (auf die 70 zugehend) ist vor Freude außer sich, gleich wolle er sie sehen, der Freund solle eilen und sie herbringen. Der will den Alten zwar noch ein bisschen auf die Folter spannen, geht aber dann doch, von Pasquale gedrängt. Nachdem der seiner ungeduldigen Freude Ausdruck verliehen hat: »Un foco insolito mi sento adosso« (Ein ungeahntes Feuer brennt in mir), kommt sein Neffe Ernesto herein. Ob er sich daran erinnere, fragt ihn Pasquale, dass er ihm vor acht Wochen eine schöne, reiche Frau für die Ehe angeboten habe? Ja, meint Ernesto, doch. Und dass er ihn enterbe, wenn er diese Frau nicht heirate? Ja, meint Ernesto, doch, aber das sei ihm unmöglich, er ließe nicht von seiner Norina, auf keinen Fall. Dann solle er sich gleich eine andere Wohnung suchen: »Sorg für dich selber künftig, ich nehme mir eine Frau!« Aber Moment mal, ob er sich denn nicht beraten lassen wolle, von Malatesta vielleicht (in der Hoffnung, dass der beste Freund dem Onkel diese Heirat ausredet). Habe er schon und auch der habe es ihm empfohlen, schließlich gehe es ja um dessen Schwester. Tief enttäuscht von Freund und Onkel geht Ernesto ab.

Zweites Bild: Zimmer in Norinas Haus

Norina tritt ein – »in einem Buche lesend«, steht in der Partitur. Ein göttlicher Einfall, der auf die Commedia dell'Arte zurückgeht. Wenn sie »in einem Buche lesend« eintritt, weiß jeder gleich: Aha, eine belesene Frau von Geschmack und Stil. Da braucht es keinen Text mehr, kein Gefasel, es langt, dass sie »in einem Buche lesend« eintritt. Kennt man ja: Wer gerne liest, tritt »in einem Buche lesend« von einem Zimmer ins nächste, immer, sowieso. Und wenn er dabei die Kellertreppe runterfällt, tut er das auch »in einem Buche lesend«. Ich könnte mich kringeln vor Lachen, wenn ich das lese oder auf der Bühne sehe.

Nun also: Norina tritt ein, liest in einem empfindsamen Liebesroman (Moewig? Bastei? Wir werden es nie erfahren) und stellt sich als eine Frau vor, die weiß, was Leben und Liebe bedeutet, die aber trotzdem auf der heiteren Seite geblieben ist. Ein Diener bringt ihr einen Brief, den sie, kaum geöffnet, Malatesta gibt, der gerade dazukommt. Es ist Ernestos Abschiedsbrief. Die Enterbung führe dazu, dass er sich von ihr trennen müsse, er verlasse Rom jetzt sofort »und nächstens Europa!«. Wenn schon, dann gleich alles! Malatesta tröstet die verschreckte Norina, er bekäme das schon wieder hin, und schlägt ihr folgenden Plan vor: Sie solle als seine Schwester, die im Kloster lebt, Don Pasquale herumkriegen und gleich vor einem falschen Notar den Ehevertrag unterzeichnen. Sei der Kontrakt dann unterschrieben, könne sie ihn so lange quälen, bis der froh sei, sie wieder losgeworden zu sein. Dann sei sie frei für Ernesto, den er in das alles noch einweihen werde. Und jetzt folgt einer der köstlichsten Szenen der gesamten *opera buffa*: Die beiden proben, wie sie Pasquale herumkriegt. Wunderbar. Damit sie unbeobachtet weiterproben können, senkt sich der Vorhang.

ZWEITER AKT

Salon in Don Pasquales Haus

Ernesto darf seine Leiden besingen und mit der ganz großen Kelle ausholen: »Cercherò lontana terra« (Fremde Länder werd' ich suchen), und wie in anderen Opern auch, fallen Donizetti zu solchen Themen immer wunderschöne Melodien ein. Der Onkel naht, Ernesto geht, ein »verwundetes Wild will sich verstecken«! Pasquale tritt auf: in feinstem Zwirn, aufgebrezelt mit allem, was Kleiderschrank, Friseur und Kosmetik hergeben. Er bereitet die Ankunft der Braut vor, da kommt sie auch schon: Zitternd wie ein scheues Reh, »eben erst aus dem Kloster entlassen«, wie Malatesta, der sich versteckt hält, anmerkt. Pasquale checkt noch schnell ein paar praktische Dinge ab: Ob sie denn abends gerne Gesellschaft habe? Nein, im Kloster habe sie gelernt, allein zu sein. Wie es mit Theater wäre? Sie wisse nicht, was das sei, und wolle es auch gar nicht wissen, sie vertreibe sich die Zeit mit Sticken, Nähen und Stricken, in der Küche sei auch immer gut zu tun. Pasquale ist hin und weg. Als er schließlich ihr Gesicht sieht, ist es vollends um ihn geschehen. Er drängt zum Notar. Nicht nötig, sagt Malatesta: »Ich hab' für alle Fälle den meinen mitgebracht«, und holt den falschen Fuffziger herein. Jetzt wird der Ehekontrakt aufgesetzt, der besagt, dass die Hälfte des Vermögens der Frau übertragen wird, die Macht im Hause sowieso. Unterschrift Pasquale, Zeuge: Malatesta, Unterschrift Norina – aber halt! Kein Zeuge da. Zufällig platzt jetzt Ernesto herein, es wird knibbelig, weil Malatesta ihm noch nix gesagt hat. In einigem Durcheinander stellt ihm Pasquale seine neue Frau vor, während Malatesta und Norina ihm signalisieren, dass alles gut werde. Norina unterschreibt, Ernesto ebenfalls, wenn auch zögernd. Pasquale will seine Frau umarmen, da geht es auch schon los: Wie eine Furie verbittet sie sich das, »Vom Leibe mir zwei Schritte!«, und legt den Forderungskatalog vor: Ernesto soll als ihr Gesellschafter im Hause bleiben, was Pasquale natürlich nicht will. Norina: »Ihr *wollt*? Wie dürft Ihr wollen?/*Ich will*! Nach dem Kontrakte soll *ich* nur wollen sollen!«

Ferner sind zu wenig Diener da, es muss aufgestockt werden, die Möbel gefallen ihr nicht, und überhaupt soll heute Abend ein Fest für 50 Gäste gegeben werden. Damit die Peinlichkeit für Don Pasquale nicht gar zu öffentlich wird, senkt sich der Vorhang.

DRITTER AKT

Erstes Bild: Salon in Don Pasquales Haus

Man erkennt das Haus nicht wieder. Alles ist bis ins Detail neu eingerichtet, und zwar vom Feinsten. Die Dienerschaft (Chor) kommentiert belustigt die Ereignisse und verschwindet, Aufträge zu erledigen. Don Pasquale geht die Rechnungen durch und beschließt, seiner Frau energisch entgegenzutreten. Sie will nämlich ausgehen – am ersten Tage einer Ehe, wo gibt es denn so was! Allerdings wird ihm beim Gedanken an ihre Augen schon etwas mulmig. Norina kommt – aufgedonnert bis unter die Haarspitzen. Wohin sie wolle? Ins Theater. Und wenn er das nicht wolle? Gehe sie trotzdem. Und nein! Und doch! Und nein! Da klebt sie ihm eine. Gut, dann solle sie gehen, brauche aber nicht mehr zurückzukommen. Er ist durch diese Szene schon ziemlich am Ende, aber es kömmt noch schlimmer. Kaum ist sie raus, findet er einen Zettel auf dem Boden. Ein Liebhaber freut sich auf das Rendezvous mit ihr heute Nacht im Garten. Das gibt ihm den Rest. Scheidung! Er ruft Malatesta, der soll ihm helfen. Der instruiert Ernesto, sich zu verkleiden und als vermeintlicher Lover sich im Garten erwischen zu lassen. Malatesta geht zu Pasquale, der ihm den Brief zeigt und seinen Plan eröffnet: Er wolle die beiden in flagranti erwischen und dann coram publico mit ihnen zum Bürgermeister eilen. Nein, sagt Malatesta, immerhin handle es sich ja um seine Schwester, er schlage Folgendes vor: Sie beide verstecken sich im Gebüsch und lauschen. Hören sie Sündiges, dann soll sie aus dem Haus gejagt werden. Prima, Pasquale ist's zufrieden.

Zweites Bild: Garten am Hause Don Pasquales. Nacht. Mondschein

Ernesto bringt Norina ein liebliches Ständchen. Weil's so schön ist, singt der Chor gleich mit. Norina kömmt, und im Notturno singt sie mit Ernesto »Tornami a dir che m'ami« (Komm zurück und sag mir, dass du mich liebst). Das hält Pasquale nicht länger aus, er stürzt mit Malatesta aus dem Gebüsch – doch wo ist der Nebenbuhler? Ernesto hat sich natürlich aus dem Staub, äh, aus dem Gebüsch gemacht. »Wen könnt Ihr meinen? Hier war keine Seele«, beteuert Norina (in ihrer Rolle als Sofronia, der Ehefrau Pasquales). Er will sie schon des Hauses verweisen, da geht Malatesta dazwischen. Er raunt Norina zu, sie solle die Erstaunte spielen, dann legt er los: Er wolle ihr, seiner Schwester, eine Schmach ersparen. Morgen nämlich zöge eine neue Frau ins Haus, Norina, Ernestos Braut. »Norina so mit mir unter einem Dache? Niemals! Viel lieber geh' ich!«, kontert Norina, alias Sofronia, zur Freude Pasquales, der sich schon als Sieger sieht. Da zögert Norina: Und wenn das nur eine Finte ist? Richtig, stützt sie

Malatesta, richtig: Erst muss Don Pasquale den beiden seinen Segen geben. Man ruft nach Ernesto. Don Pasquale habe beschlossen, sagt Malatesta nun zu Ernesto, dass er Norina heiraten dürfe und dass er dazu eine Jahresrente von viertausend Talern bekäme. Norina ruft dazwischen, dass sie das nicht wolle, was Pasquale natürlich kommentiert mit: »Ich aber will es!« Pasquale will nun Norina holen lassen. »Nicht nötig«, sagt Malatesta, sie stehe ja hier, und zeigt auf Sofronia/Norina. Er, Malatesta, habe diese Farce nur eingefädelt, um ihn, seinen Freund Pasquale, vor der Torheit der Ehe zu bewahren. Pasquale poltert, ist aber erleichtert. Und die Oper geht zu Ende mit der etwas spießigen Moral: »Weiße Haare sollen nicht freien/um der Jugend Lockenkranz,/sonst gibt's böse Balgereien/und mit allen Teufeln Tanz«.
Erleichtert über das Happy End, aber auch, weil er solche deutschen Übelsetzungen aus dem Italienischen nicht mehr hören kann, sinkt der Vorhang zu Boden.

HITS
Es gibt nicht wenige Leute, die dieser Oper attestieren, die ausgeklügeltste und beste aller *opere buffe* zu sein – vor allen Dingen in musikalischer Hinsicht. Zwar räumt jeder ein, dass sie Mozart'sche Größe nicht erreichen kann, aber gleich danach kommt schon Gaetano. In jedem Fall ist dies eine Oper, die von der ersten bis zur letzten Note ungemein Spaß macht, die nie langweilt und die streckenweise einfach nur grandios ist.
Das geht ja schon mal mit der Sinfonia, der Ouvertüre los: Jeder kennt sie, und in Italien ist sie bei jedem Platzkonzert der örtlichen Banda musicale (was vor allem Blasmusik ist) zu hören. Gut gespielt oder schlecht dahergehupt – immer aber mit dem Impetus der *italianità* und mit großer Begeisterung zelebriert.
»Bella siccome un angelo«, mit diesen Worten beschreibt Malatesta die »Braut«, die er für Don Pasquale gefunden haben will, und sofort hat uns Donizetti gezeigt, was für ein Melodiker er ist, welch ein Gurgel-Charmeur. Wie er Don Pasquale in Begeisterung ausbrechen lässt! Das ganze Orchester haut ihm 32stel um die Ohren, dass es einen nur so freut. Wie wunderbar musikalisch Pasquale den Doktor drängelt, die Braut zu holen! Dann leistet sich Donizetti – als wäre das eine große tragische Oper – einen kleinen Bellini-Scherz: Kurz bevor Malatesta endlich losstürmt und die Worte sagt: »Fra poco qui verrà« (Gleich wird sie hier sein), lässt er die Hörner, Trompeten, Posaunen und Fagotte einen tragischen Akkord spielen, als wolle er sagen: Ja, sie kommt gleich, aber mit ihr die Katastrophe. Das ist

eine kleine Bellini-Parodie, der auch gerne bei der ersten Namensnennung der Titelheldin einen tragischen Vorhalt einschiebt, dass alle wissen: aha, Tragödie!

Die Arie »Un foco insolito« des Don Pasquale ist auch ein feiner Hit für Bass und Orchester. Komisch ist es allemal, wenn einer, der auf die 70 zugeht, von einem ungewöhnlichen Feuer in sich berichtet. Johannistrieb oder was?! Und immer wieder hat Donizetti herrliche Melodie-Einfälle – so viele, dass er oft nur kurz aufblitzen lässt, was andere Komponisten zu minutenlangen Schinken ausklopfen: Nachdem Pasquale seinem Neffen eröffnet hat, dass er selber heiraten will, und der Neffe seine Felle dahinschwimmen sieht, singt er in reinstem lyrischen Tenor »Sogno soave e casto« (Süßer und keuscher Traum) – wundervoll! Umso mehr, als das in komischem Kontrast zum eher polternden Pasquale steht. Auch der erste Auftritt von Norina lässt keine Wünsche offen. Ist schon die Stelle »Quel guardo il cavaliere«, die sie »im Buche lesend« zu singen hat, großartig, stimmt sie dann das große Thema aus der Ouvertüre an, zu dem sie sich vorstellt: Hit sondergleichen! Und wir Stimmakrobatenbewunderer dürfen auf das c''' und das des''' hoffen – na, wenn das nix ist?! Die nächste Abhebe-Stelle ist das Proben-Duett, in dem Norina vor Malatesta die Verführung Pasquales testet: »Mi volete fiera« bis zum Schluss des ersten Aktes. Mehr hat *opera buffa* nicht zu bieten, aber mehr ginge auch nicht. Das hier ist meisterlich.
Beginn zweiter Akt: Ernesto klagt sein Leid. Donizetti lässt da, bevor der Sänger anfängt, die Trompete eine großartig schwermütige Melodie spielen. Das zieht einem das Herz zusammen, das ist »La Strada« und »Una furtiva lacrima« in einem. Wäre es nicht eine Komödie, ich brauchte da schon die erste Packung Taschentücher. Dass er aber die Trompete einsetzt, hat auch etwas leise Ironisches: Denn ein winziges bisschen scheppert es eben doch, und schon sind wir wieder auf dem Boden der Wirklichkeit. Eine Riesen-Arie, im Grunde in dieser komischen Oper völlig deplatziert, würdig einer »Lucia di Lammermoor« oder so. Dass er sie trotzdem in diese Oper stellt, ist umwerfend und zeigt, welch hohes Zutrauen er in seine Kunst der Ohren- und Herzensverführung hatte. Danke, Gaetano, für diesen wundervollen Augenblick. PS: Geschrieben hat er das sicher, weil er bei der Uraufführung in Paris mit Giovanni Mario *den* Pavarotti des 19. Jahrhunderts zur Verfügung hatte.

Ab jetzt hagelt es sowieso einen Hit nach dem anderen. Das geht direkt los mit dem Auftritt Norinas, die ab hier die »Kuh fliegen lassen« darf. Zwar gilt der Grundsatz: »Prima la musica, poi le parole«

(Erst die Musik, dann die Wörter), doch hier kann sie auch schauspielerisch alles geben. Das Terzett Norino, Malatesta, Pasquale und daran anschließend das Quartett und das Finale des zweiten Akts sind ganz große Ensemble-Kunst: Da zeigt sich Donizetti als überragender Meister. Donizetti komponiert da (vor allem, wo Norina Pasquale noch becirct) aus dem Fundus seiner Lebenserfahrung als alter Habitué und Frauenkenner! Hier gibt's keine Details zu besprechen (wie etwa die Klarinetten und Oboen Pasquale auslachen, als der Notar eintritt!), das ist ein Hit im Ganzen.

Der dritte Akt beginnt, alles spitzt sich zu auf die Ohrfeige, die Don Pasquale erhält. An die schließt ein göttliches Larghetto an: »È finita, Don Pasquale« (Es ist aus, D.P.) – ach, zieht einem das wieder das Herz zusammen! Zum Glück lässt Donizetti den Don da nur auf einem Ton singen, was seine Verdattertheit karikiert, sonst wäre die zweite Klinikpackung Fazzoletti fällig. Endlich, wenn auch sehr spät, kommt auch der Chor richtig zum Einsatz: ein komischer Chor, mit schönen musikalischen Einfällen – na bitte, geht doch! Mittendrin ist da auch noch ein Walzer, der sich etwas unbeholfen bizarr nach oben schraubt, wundervoll! Es folgt ein Juwel der *opera buffa*, das Duett »Cheti, cheti« von Malatesta und Don Pasquale, ein ewiges Highlight der komischen Literatur: virtuos, zu Herzen gehend und obendrein auch noch komisch. Im Anschluss an die Serenade das Notturno »Tornami a dir che m'ami« (Kehr zurück, um mir zu sagen, dass du mich liebst) – da geht der Mond auf, so schön ist das.

FLOPS
Keine. Nur: dass der Chor erst im dritten Akt auftaucht, ist ein bisschen eigenartig – aber vielleicht hatten die Gewerkschaften damals andere Verträge. Und dass das Finale so abrupt runtergerotzt wird, ohne dramatische Hinführung und ohne es wirklich auszukosten. Da hatte Donizetti vielleicht Stress, es war schon der elfte Tag, er musste abgeben oder sonst was. Aber sonst? Kein Flop, nirgends!

OBACHT
Da kann ich nur wiederholen, was ich immer bei dieser scheinbar leichten Musik sagen muss: Es ist nix schwieriger, als leicht dahinzumusizieren. Wenn der Bariton und der Bass schwerfällig sind, dann wird das Duett im dritten Akt zur Katastrophe, wenn die Geigen nicht extrem präzise ihre Noten spielen – vergiss es. Dann wird bräsiger Seim daraus – und den kauf ich nicht mal im Reformhaus.

DER KLEINE OPERNTÄUSCHER

Die wirkliche Renaissance von Donizetti hat erst in den 50er Jahren des 20. Jahrhunderts stattgefunden. Im 19. Jahrhundert wurde er – im deutschsprachigen Raum – eher negativ gesehen. Sie gewinnen enorm an Boden bei Ihren Opernfreunden, wenn Sie darauf rekurrieren und beispielsweise meinen Freund Julius Schubert zitieren (aus dem kleinen musikalischen Konversationslexikon von 1865):
»Ein sehr fruchtbarer und beliebter Operncomponist ... ein großes Talent ohne gründliche Tiefe. Der Vorwurf, mit unglaublicher Nachlässigkeit u. Oberflächlichkeit componirt zu haben, ist gerecht ... Anfang 1847 verfiel er in eine Geistesschwäche u. starb am 8. April 1848 in Bergamo, wo ihm ein Denkmal gesetzt ward.« Wie: wegen der Geistesschwäche etwa?
Giuseppe Verdi schreibt zum Thema Geistesschwäche an seine Lebensgefährtin Giuseppina Appiani (wenn Sie das zitieren, ist Ihnen vollends Expertenruhm sicher):
»Sie fragen mich nach Donizetti, und ich will Ihnen die Wahrheit sagen – keinen Trost ... Er sieht körperlich wohl aus, nur hält er den Kopf immer zur Seite geneigt und hat die Augen zu – er isst mit Appetit, schläft gut und spricht fast nie ein Wort; sagt er eines, so versteht man es kaum. Wenn ihn jemand aufsucht, öffnet er ein wenig die Augen; wenn man ihm sagt, dass er jemand die Hand geben soll, so reicht er sie hin. Das soll ein Zeichen sein, dass sein Verstand nicht völlig gelitten hat; aber ein Arzt, der in treuester Freundschaft an ihm hängt, hat mir gesagt, dass dergleichen eher Reflexbewegungen sind und dass es besser wäre, er würde lebhaft sein und sogar toben: Denn dann wäre Hoffnung, während jetzt nur ein Wunder helfen könnte. Übrigens geht es ihm jetzt so wie vor drei Monaten, so wie vor einem Jahr – es wird nicht besser, nicht schlechter. Ich habe Ihnen der Wahrheit gemäß geschildert, wie es um Donizetti bestellt ist: zum Verzweifeln – ach, nur zu sehr!«
Das schrieb Verdi am 22. August 1847. Ein halbes Jahr später starb Donizetti.

BEWERTUNGEN

Magie 🎩🎩🎩🎩🎩   Im Grunde bist du schon bei der Ouvertüre dieser Oper ausgeliefert.

Erotik 👠👠👠   Immer, wenn Norina auftritt, knistert's im Gebälk. Drei High

	Heels gibt's deshalb, weil sie die einzige Frau in dieser Oper ist. Sonst hätten fünf nicht gereicht!
Fazzoletto —	Also da müssen Sie sich schon entscheiden: Lachen oder Weinen? Also bitte!
Gewalt —	Nee, bei aller Demütigung Pasquales: Gewalt? Nein. Nur ganz normales Leben!
Gähn —	Das wüsst ich aber: Wer hier gähnt, der soll zu Stefan Raab gehen!
Moral ⬭⬭⬭⬭⬭	Weil sich alles fügt, weil der Gefoppte verzeiht, weil wir zwar in den Abgrund der Seele gucken, aber nur kurz, und weil alles gut wird. Oder so ...
Ewigkeit ☉ ☉ ☉ ☉	Eine zeitlose Komödie um die kleinen menschlichen Narrheiten. Weil die so kompromisslos gezeigt und so wundervoll vertont sind, wird diese Komödie bleiben. Bin ich sicher.
Gourmet ✩ ✩ ✩ ✩ ✩	Jede Menge Kleinigkeiten für Musik- und Lebensgenießer. Eine Oper für Habitués.

GESAMTWERTUNG
🎼 🎼 🎼 🎼

»Don Pasquale« ist in seiner Gattung *das* Meisterwerk. Die sprühenden musikalischen Einfälle, die Handlungskapriolen, die unglaublich schönen Ensembles stellen den »Don Pasquale« unter die ersten zehn Opern überhaupt. Na gut: fünfzehn!

Albert Lortzing
1803–1851

Zar und Zimmermann
Komische Oper in drei Aufzügen
Text: Albert Lortzing

Nach dem Mélodrame-comique »Le Bourgmestre de Sardam ou Le deux Pierre« (1818; Musik: Nicolaus Albert Schaffner) von Mélesville, Jean-Toussaint Merle und Jean Bernard Eugène Cantiran de Boirie, deutsch von Georg Christian Römer

»Was kann dem Kenner am ›Mittelgut‹ liegen? – Lortzing lächelte etwas seltsam bei dieser Frage, wodurch mir ihre Verfänglichkeit ihm gegenüber zum Bewusstsein kam. Ich fuhr daher schnell fort: Es bedarf wohl der Versicherung nicht, dass ich Ihre Opern – O Freundchen! Keine diplomatischen Finessen zwischen uns! Die Bemerkung, dass meine Sachen unter das Mittelgut gehören, kann mich nicht beleidigen, weil sie wahr ist ... Kenner! O, wie viele hoffen Sie denn in Leipzig zusammenzubringen? Wie viele zu beständigen Theatergängern zu machen? Und wie viele werden in ihren Urtheilen übereinstimmen? Ist Robert Schumann nicht ein Tongeist von den höchsten Fähigkeiten? Lassen Sie ihn eine Oper schreiben bloß für Mendelssohn ... Wie lange, meinen Sie, würde eine Bühne bestehen, auf der nur Erzeugnisse des höchsten Genies gegeben werden dürfen und vor der nur Kenner als Zuhörer sitzen sollten? ... Von der Einnahme, die ein reines Kennerpublikum brächte, würde der Theaterdirektor das Öl für die Lampen nicht beschaffen können! Es wäre charmant, wenn alle Kunstwerke vollkommen und alle Menschen Kenner wären. Unser Herr Gott hat es anders beschlossen. Die Menschen auf diesem Planeten sollen verschiedene Fähigkeiten, verschiedene Neigung, verschiedene Bildung, möglichst alle aber ihre Kunst-

freuden haben. Einige meiner Opern bereiten vielen ehrlichen Seelen angenehme Stunden, damit bin ich zufrieden.«
(Albert Lortzing im Gespräch mit Johann Christian Lobe »in einem Garten bei Leipzig«, eines der frühesten Interviews in heutigem Sinne, geführt um 1840, zitiert nach Jürgen Lodemann: »Lortzing«, Göttingen 2000)

Albert Lortzing: geboren am 23. Oktober 1803 in Berlin, gestorben am 21. Januar 1851 ebendaselbst, im Alter von 47 Jahren. »Ich bin geborener Berliner, verließ aber meine Vaterstadt schon mit dem zehnten Jahre und lebte ... stets im Auslande«, schrieb er Ende 1850 in sein Asylgesuch in Berlin und meinte damit, dass er ein Gaukler- und Wanderleben hinter sich hatte. Mit der Schauspieltruppe seiner Eltern zog er durch die Lande: schauspielerte, sang, spielte Cello (oft sang er auf der Bühne, sprang dann ins Orchester ans Cello, um gleich darauf wieder ›oben‹ zu singen), dirigierte und komponierte. Obwohl er der Komponist der beliebtesten komischen Opern war – ganz Deutschland pfiff seine Melodien –, konnte er davon kaum leben (das Urheberrecht war zwar schon erfunden, aber noch nicht wirklich umgesetzt), musste immer wieder schauspielern, was er ungern tat, und starb fast völlig verarmt. Heutzutage hätte ihn vermutlich eine einzige seiner vielen Melodien schon zum Millionär gemacht. »Um die hinterbliebene Familie vor Nahrungssorgen zu schützen, wurde eine Subscription bei sämmtlichen deutschen Theatern eröffnet, welche durch Aufführung seiner Opern ein Resultat von ca. 15 000 Thaler ergab und von einem Comité zu Gunsten der Witwe verwaltet wird.« Das könnte man frei übersetzen als etwa 300 000 €, eine Summe, von der er zu Lebzeiten nur hat träumen können. Aber dass man seiner geliebten Familie so unter die Arme griff, hätte ihn sicher gefreut.

ENTSTEHUNG UND URAUFFÜHRUNG
Die Geschichte ist historisch und war noch in Lortzings Zeit Allgemeingut: Dass nämlich Zar Peter I. sich 1697 bis 1698 inkognito in Europa aufhielt, um die Machtverhältnisse zu studieren und um sich in der Kunst des Schiffsbaus unterweisen zu lassen. Er kämpfte a) gegen die Türken und hatte b) das große Ziel vor Augen, Russland den Zugang zum Meer zu verschaffen und zu einer Seemacht zu werden. Im Zuge dieser Absichten zog er mit der »Großen Gesandtschaft« unter der Leitung seines Freundes und Beraters

Franz Lefort unerkannt durch Europa und hielt sich von Juli 1697 bis zum 15. Januar 1698 in Zaandam und in Amsterdam auf. In Zaandam blieb er allerdings nur eine Woche, hauptsächlich wohl deshalb, weil der dortige Bürgermeister das Inkognito brach und ein Riesenfass wegen der Anwesenheit des Zaren aufmachte. Peter I. hatte in Zaandam beim Bootsbauer Rogge lernen wollen, wohnte bei Mynheer Kalv und stiftete ihm 1714 ein Ölgemälde, das ihn als Zimmermann zeigt. Von Zaandam ging er nach Amsterdam, wo er auf den Werften der Ostindischen Companie vom 30. August 1697 bis zum 15. Januar 1698 arbeitete. Er bekam sogar vom Schiffszimmermannsmeister Gerrit Claesz Pool ein detailliertes Zeugnis ausgestellt. Den Schiffszimmermannsmeister Pool kennt keiner mehr, aber die Figur des Bürgermeisters von Zaandam ist im kollektiven Gedächtnis hängengeblieben. Der Stoff wurde immer wieder bearbeitet, zu schön ist die Geschichte vom Zaren als Zimmermann und vom dumm-eitlen Bürgermeister.

Am 20. Februar 1837 wurde im Stadttheater Leipzig »Die beiden Schützen« mit großem Erfolg uraufgeführt, es war, nach einer Reihe von Singspielen, die erste veritable Oper Lortzings. Möglicherweise hat er im Rausch dieses Erfolges schon die ersten Überlegungen zu »Zar und Zimmermann« getroffen. Lortzing kannte natürlich einige der Stücke, die dasselbe Thema bearbeitet hatten, so sicherlich auch Gaetano Donizettis »Il borgomastro di Saardam« (19. August 1827 in Rom uraufgeführt). In einigen Theaterstücken zum selben Thema hatte er selbst mitgespielt, beispielsweise in Detmold. In Berlin wurde Römers Lustspiel wieder aufgenommen, als Lortzing mit seiner Opernpartitur fertig war. Er hatte von Römer die beiden ersten Akte übernommen, gestaltete aber den dritten Akt neu (vielleicht unter dem Einfluss Donizettis). Insbesondere die »Chorprobe« im dritten Akt ist zu einem ewigen Hit der komischen Musikliteratur geworden. Die Arie »Sonst spielt ich mit Szepter, mit Krone und Stern« geht auf ein Lied zurück, das der Freimaurer Lortzing für »seine« Detmolder Loge »Zum goldenen Rade« komponiert hat. Den Musikern der Uraufführung war dieses Lied zu trivial, zu simpel, Lortzing musste es erst durchsetzen. Es wurde dann beinah zum Nummer-1-Hit der Oper!

Uraufführung war am 22. Dezember 1837 in Leipzig. Lortzing selbst sang den Iwanow, seine Mama die Witwe Browe. Die Uraufführung war ein nur bescheidener Erfolg. Der Durchbruch kam erst ein gutes Jahr später, mit der Berliner Erstaufführung am 4. Januar 1839. Nun zog die Oper im Triumph durch die deutschen Lande, ab 1843 durch Europa. In Petersburg, wo sie 1845 aufgeführt wurde, musste das Sujet aus Zensurgründen geändert werden: Sie hieß hier »Das flandrische Abenteuer«, und aus dem Zaren wurde Kaiser Maximilian I. – so wurde sie auch dort ein großer Erfolg.

PERSONEN

Peter der Erste, Zar von Russland, unter dem Namen Peter Michaelow als Zimmergeselle:	Bariton
Peter Iwanow, ein junger Russe, Zimmergeselle:	Tenor
Van Bett, Bürgermeister von Saardam:	Bass
Marie, seine Nichte:	Sopran
Admiral Lefort, russischer Gesandter:	Bass
Lord Syndham, englischer Gesandter:	Bass
Marquis von Chateauneuf, französischer Gesandter:	Tenor
Witwe Browe, Zimmermeisterin:	Alt
Ein Offizier:	Sprechpartie
Ein Ratsdiener:	Sprechpartie

Chor, Statisterie: Zimmerleute, Einwohner von Saardam, holländische Offiziere, Magistratspersonen, Matrosen, Wachen
Ballett

ORCHESTERBESETZUNG
2 Flöten (2. auch Pikkolo)
2 Oboen
2 Klarinetten
2 Fagotte
4 Hörner
2 Trompeten
3 Posaunen
Pauken
Große Trommel
Triangel
Glocke
Streicher

BESONDERHEITEN
Bühnenmusik: Pikkolo
2 Klarinetten
2 Fagotte
2 Hörner
kleine Trommel

Ballett
Holzschuhe

DAUER

ca. 2 ½ Stunden

HANDLUNG

Saardam (= Zaandam) im Jahre 1698

ERSTER AUFZUG

Innere Ansicht einer Schiffswerft

Die Zimmerleute arbeiten und singen. Weil das so Spaß macht, fordern sie den Zaren auf, ein Lied zu singen, was der auch prompt tut: »Auf, Gesellen, greift zur Axt«. Alle singen mit, dann geht's wieder an die Arbeit. Iwanow und der Zar plaudern miteinander. Iwanow gesteht, dass ihn die Anwesenheit so vieler Russen in Saardam ängstlich macht, weil er vom russischen Militärdienst desertiert ist und Angst hat, entdeckt zu werden. Beide mokieren sich noch etwas über van Bett, den aufgeblasenen Bürgermeister und Onkel der von Iwanow geliebten Marie, da tritt die auch schon auf. Sie beklagt sich, dass ein Franzose ihr auf Schritt und Tritt folgt, sie schön findet und sie küssen will. Iwanow gerät natürlich außer sich, auch wenn es sich beim Nebenbuhler um den französischen Gesandten handelt. Marie berichtet nun, dass gleich ihr Onkel, der Bürgermeister, aufkreuzen werde, was er seit Jahren nicht mehr getan habe. Sie glaube, er sei hinter die Romanze zwischen ihr und Iwanow gekommen. Iwanow seinerseits glaubt natürlich, dass er als Deserteur, der Zar, dass er als Zar entdeckt worden ist. Marie versichert Iwanow ihrer Liebe, wenn van Bett sie anderweitig verheiraten wolle, springe sie in den Kanal. Vorher aber geht's zum Fest, schließlich ist sie Brautjungfer bei Charlottes Hochzeit. Flugs noch ein Lied über die Eifersucht gesungen, dann geht das Pärchen ab.

Lefort kommt, der Leiter der russischen Gesandtschaft, und teilt dem Zaren mit, dass die Strelitzen von seiner Schwester Sophie aufgehetzt werden und den Aufstand proben. Der Zar bläst zum sofortigen Aufbruch. Das geht aber nicht, weil jetzt der Bürgermeister zur Inspektion kommt. Natürlich nicht, ohne sich vor allen wichtig zu machen, was Platz für die wundervolle Arie »O sancta justitia« schafft. Er hat einen Brief mit, den soll ihm Witwe Browe vorlesen (wir ahnen: van Bett ist Analphabet!), sie kann auch nicht und gibt den Brief an den Zaren weiter, der ihn vorliest. Darin beauftragt ihn jemand aus Moskau, einen gewissen Peter dingfest zu machen, der bei ihm arbeite. Iwanow glaubt sich entdeckt. Van Bett ruft alle zusammen. Auf die Frage, wer denn Peter hieße, melden sich eine ganze Reihe Zimmerleute, genial aber grenzt van Bett den Verdächtigen ein und kommt auf Iwanow. Lord Syndham taucht auf, der englische Gesandte. Der Bürgermeister solle versuchen herauszufinden, was denn dieser Peter mit England vorhabe, aber diskret und bevor es der französische Gesandte spitzbekomme. Dafür bietet er ihm 2000 Pfund Lohn. Iwanow taucht auf, und van Bett verstrickt ihn in ein »Verhör« voller Missverständnisse. Keiner weiß, wer wen wofür halten soll, und als van Bett Iwanow auch noch seine Nichte Marie verspricht, ist das Chaos perfekt. Lediglich der französische Gesandte blickt noch durch, entdeckt den Zaren, behält es aber für sich und verabredet sich heimlich mit ihm.

ZWEITER AUFZUG

Das Innere einer großen Schenke

Hochzeit. Man feiert. Der französische Gesandte tritt auf. Er händigt dem Zaren einen Vertragsentwurf aus, und damit der ihn in Ruhe studieren kann, gibt der Franzose Maries Bitte nach, ihr ein Ständchen zu bringen. Iwanow rast vor Eifersucht, was Marie natürlich ganz gut gefällt. Während der Zar mit dem Marquis Staatsgeschäfte treibt, kommt der englische Lord, der ebenfalls den Zaren sucht. Van Bett bringt ihn zu Iwanow, den er für den Gesuchten hält. Iwanow spielt seine Rolle als vermeintlicher Zar ganz prima, da stimmt Marie das Brautlied an. Alles macht mit, doch wird die Freude jäh unterbrochen: Zum einen kommt Lefort und informiert den Zaren über die Aufstände in Moskau, woraufhin der zum sofortigen Aufbruch ruft. Das aber geht leider nicht, denn es kommen Soldaten. Sie wollen die Personalien überprüfen, um zu verhindern, dass brave holländische Zimmerleute ins Ausland abgeworben werden. Wer sich nicht ausweisen kann, soll verhaftet werden. Van Bett vermasselt alles, die Gesandten müssen sich als Gesandte zu erkennen geben. Als van Bett schließlich die beiden Russen, den Zaren und Iwanow festnehmen lassen will, gerät alles aus den Fugen und endet in einer Massenprügelei.

DRITTER AUFZUG

Große Halle im Stadthaus

Van Bett hat eine Kantate verfasst, die er aufführen lassen will, um Iwanow, den vermeintlichen Herrscher aller Reußen, feierlich zu ehren. »Den hohen Herrscher würdig zu empfangen« – ein Kabinettstück der deutschen komischen Oper. Marie glaubt natürlich ihrem Onkel, dass Iwanow der Zar sei, und fürchtet schon um ihre

Liebe. Der Zar tritt auf, und van Bett befiehlt ihm, in einer Stunde sich zum Verhör einzufinden. Als der Zar allein ist, kommt Marie. Er verspricht der besorgten Marie, sie in die Arme Iwanows zurückzuführen, sie muss diesen aber noch eine Stunde lang so behandeln, als sei er wirklich der Zar. Der echte Zar, wieder allein, beneidet die beiden und singt wehmütig seine schöne Arie »Sonst spielt' ich mit Zepter, mit Krone und Stern« – ein wunderschöner Moment in dieser Oper.

Nun schürzt sich allmählich der Knoten: Der Zar will weg, kann aber nicht, weil der Hafen gesperrt ist. Iwanow hat vom englischen Lord, der ihn für den Zaren hält, eine Jacht, Matrosen, Geld und einen Pass bekommen, der ihm freies Geleit sichert, und gibt das alles dem Zaren. Auf die Frage, was denn mit ihm, Iwanow, werden solle, wenn der Zar weg sei, gibt ihm der Zar ein versiegeltes Schreiben, das Iwanow aber erst in einer Stunde öffnen darf, wenn er, der Zar, auf offener See ist. Im allgemeinen Gedränge – das Volk strömt herbei, um den Zaren zu feiern – entfernen sich der französische Gesandte, Lefort und der Zar. Mitten in die Feierei ertönen Kanonenschüsse vom Hafen her: Alles ist ratlos und durcheinander. Da öffnet Iwanow den Brief, dem zu entnehmen ist, dass Zar Peter I. ihn zum kaiserlichen Oberaufseher ernennt und ihm die Heirat mit Marie erlaubt. Das freut und versöhnt alle, und auch der Vorhang fällt gerührt zu Boden.

HITS
Es fällt mir extrem schwer, bei dieser Oper die Hits aufzustöbern. Natürlich »O sancta justitia«, selbstverständlich »Den hohen Herrscher würdig zu empfangen«, logo der Holzschuhtanz und ohne jeden Zweifel »Sonst spielt' ich mit Zepter, mit Krone und Stern«, und schon auch »Die Eifersucht ist eine Plage«. Alles Lieblinge der Opernkonzerte und Wunschsendungen. Das sind ja auch die Nummern, die Lieder, die den »Zar und Zimmermann« in die Ewigkeit gehoben haben – zumindest in Deutschland.

Denn eines darf man nicht vergessen, und das ist das einschränkende Moment: Hier handelt es sich um typisch deutschen Humor. Schon der Österreicher ist da mehr bei Raimund und Nestroy – und gesungen wird dort ja auch schon mal –, den Italiener aber, Spanier oder Franzosen lockt Lortzing nur höchst begrenzt. Dabei bietet Lortzing deutschen Humor der allerfeinsten Sorte, keine Tümelei oder so, eher schon fast das Gegenteil, denn er war ja auch politisch zeitlebens ein Linker, ein konservativer Linker vielleicht, aber ein Linker, ein durch und durch überzeugter Demokrat. Er war in der 1848er-Revolution mit dabei, ging in Wien auf die Straßen, erkannte die Wichtigkeit der Forderungen klarer als viele seiner Künstlerkollegen. Er war, wie man heute sagen würde, so was wie ein Alt-68er. Seine Revolutionsoper »Regina« ist beredtes Zeugnis davon. Aber – und das ist wahrscheinlich der Punkt – er hat zwar mit einzelnen Nummern oder Liedern immer wieder den Zenit berührt, aber eben halt nur mit einzelnen Nummern. Was bei Donizetti den ganzen Abend über anhält (zumindest bei einem Meisterwerk wie »Don Pasquale«), hängt bei Lortzing immer wieder kräftig durch, weil ihn das Mittelmaß einholt. Dennoch: Jeder Lortzing ist mir lieber als – fast – jede Operette, auf jeden Fall jede deutsche Operette. Bei Lortzing gibt es nie Leutnants-Monokel und Kasino-Humor. Nicht im Text und nicht in der Musik. Seine Musik ist so was von ehrlich, lauter und aufrichtig, da lasse ich nix über ihn kommen.

Dennoch: Lortzing bleibt einfach zu regional. Alles ist recht frisch, der Eingangschor zum Beispiel mit dem Lied vom Zaren, aber es bleibt ein bisschen – vorhersehbar. Erst eine Arie wie »Die Eifersucht ist eine Plage« birgt Überraschungen und hat in ihrer tröstenden Melodie eine Dimension, die zeigt, dass er schon weiß, wovon er da singen lässt. Da sind wir nicht sehr weit von Mozart weg (»Batti batti o bel Masetto« aus dem »Don Giovanni« beispielsweise). Dann aber zieht es sich, bis wir bei der nicht totzuschlagenden »O sancta justitia« sind. Natürlich: ein Meisterwerk. Da spürt man, mit welchem Genuss der Demokrat Lortzing sich über diese unerträglichen Wasserköpfe und grauenhaft selbstverliebten Blödmänner lustig macht, die offenbar immer schon die deutschen Amtsstuben füllten. Die sich für »gepültet« halten und dem Bürger, ihrem Untertan, mit falschen Lateinzitaten kommen. Da sind wir auf einer Ebene mit Wilhelm Busch und den anderen Großen des deutschen satirischen Humors. Lortzing verspottet den Staatsdiener auch musikalisch: »Kein Zug – pferdin – derTat – hatssoschlimm«, lässt er ihn stottern, dass das »Hats so schlimm« wie ein Niesanfall klingt. Und die falschen lateinischen Ausdrücke – »denn ich weiß zu bombardieren, zu rationieren und zu expektorieren« –, ja, das sind die Leute, die immer schon unsere Straßen zugerotzt haben, um uns ihre Verachtung zu zeigen! Und dann das größte, hohlste, lächerlichste »O« der deutschen Operngeschichte: »O ich bin klug und weise, und mich betrügt man nicht« – das ist schon genial. Wer die Quälgeister unter seinen Landsleuten so karikiert, der hat den ewigen Lorbeer

verdient. Dann geht's schön weiter, hübsch, mit netten Wendungen, das Duett Iwanow-van Bett zum Beispiel, ja, möchte man sagen, ja, aber eben nicht »O sancta justitia«. Immer wieder schön sind seine Terzette, Quartette, Sextette. Und die Chöre. Gegen Ende des ersten Aufzugs der Chor »All diese bangen Zweifel« – bitte schön, das ist ein Hit.
»Leb wohl mein flandrisch Mädchen« im zweiten Aufzug: Hit. Und das Sextett, das darauf folgt: wenn nicht Hit, so kurz davor. Schön auf jeden Fall. Schön auch der Melodiefluss im Brautlied »Lieblich röten sich die Wangen« und der Chor im selben Lied – aber kein Hit, tut mir leid. Und im dritten Aufzug ist es die Chorprobe – hittissimo! –, das Lied vom Zepter und der Krone und natürlich der Holzschuhtanz. Also – bei genauerem Hinschauen – doch mehr, als zu erwarten war. Wie gesagt, gemessen an Donizetti, Rossini und Mozart. Gemessen an allem, was sich deutsche Operette oder gar Musical nennt, ist diese Oper allerdings ein einziger Hit! Lortzing ist ein gescheiter Komponist, ein pointensicherer Texter, der immer das Herz auf dem richtigen Fleck hatte. Das allein genügte schon, sein Andenken zu ehren!

FLOPS
Entfällt, weil: s. o.

OBACHT
Wenn man »den« Lortzing schnulzig macht, erstickt er. Diese Gefahr allerdings besteht seit den 1950er Jahren nicht mehr, zumindest an Häusern, die etwas von Kultur verstehen. Wenn die Deutschtümelei sich seiner annimmt, ist Gefahr im Verzug. Wenn man ihn aber einfach flott singt und spielt, seine Späße nicht aufmotzt, sondern so macht, wie er sie geschrieben hat – siehe da, es funktioniert! Und der Abend hat keine Längen, sondern ist kurzweilig und witzig. Und zwischendurch auch richtig lyrisch schön!

DIVERSES
Auf welch freundlich-sympathische Art Albert Lortzing bescheiden war, wird aus vielen Gesprächen (etwa dem mit J. Ch. Lobe, siehe oben) klar. In Bezug auf »Zar und Zimmermann« gibt es einen Brief, den er am 13. Januar 1839 aus Leipzig an seinen Freund Adolf Glassbrenner, den spitzzüngigen Satiriker und Demokraten, geschrieben hat:

»Lieber Bruder! Du beschämst mich in der Tat – so viel Lob, als Du über mich oder mein Opus (›Zar und Zimmermann‹) ausschüttest, verdient es nicht. – Wenn verständige Leute einen so lobhudeln, was soll man denn von unverständigen erwarten? Aber Du bist sehr gütig, und ich danke Dir von Herzen. Ernsthaft: der Erfolg meiner Oper hat mich überrascht. Ich rechnete auf freundliche Nachsicht meiner lieben Landsleute und infolge deren auf eine bescheidene, freundliche Aufnahme, aber diesen brillanten Erfolg hätte ich mir nicht träumen lassen – ist mir übrigens äußerst angenehm. Meine Landsleute haben Geschmack – wie findest Du diese bescheidene Wendung? Gebe der liebe Gott, dass Du wahr redest in Bezug auf das: dass, was die Berliner gut finden, bald durch die Welt kommt ...«

DER KLEINE OPERNTÄUSCHER

In einer Zeit, der Geld alles bedeutet, ist es ganz heilsam, sich mal anzuschauen, was Lortzing mit dieser Oper, deren Melodien damals ganz Europa pfiff, verdient hat. Zum Vergleich können Sie sich ausmalen, was wohl Dieter Bohlen umgesetzt hat – falls Sie genügend Papier vor sich liegen haben. In seinem »Cassa: Buch« hielt er (Lortzing, nicht Bohlen – der wüsste gar nicht, wie man das schreibt, oder?) alle Zahlungen – in Talern – fest, die er für »Zar und Zimmermann« von 1837 bis 1849 erhalten hat (zitiert aus Lodemann, »Lortzing«):

Leipzig:	50
Dresden:	100
Kassel:	113
Schwerin:	68
Berlin:	333
Hamburg	68
Frankfurt:	66
Frankfurt/Oder:	66
München:	74
Mannheim:	55
Braunschweig:	110
Bremen:	31
Neustrelitz:	55
Hannover:	67
Detmold:	32
Wiesbaden:	30
Mainz:	30
Brünn:	32

Rostock:	34
Breslau:	66
Köln:	44
Meiningen:	20
Lübeck:	34
Posen:	27
Potsdam:	36
Karlsruhe:	65
Augsburg:	32
Darmstadt:	58
Kopenhagen:	83
Stuttgart:	106
Gotha:	42
Weimar:	56
Halle:	30
Magdeburg:	27
Danzig:	64
Stettin:	29
Königsberg:	32
Nordhausen:	32
Chemnitz:	33
Salzburg:	34
Bamberg:	14
Riga:	50
Heidelberg:	25
Dessau:	34
Prag:	53
Koblenz:	30
Regensburg:	30
Liegnitz:	30
Wien:	69
Linz:	34
Budapest:	69
Graz:	34
Freiburg:	26
Stockholm:	82
Zürich:	34
Oslo:	54

Das wären 3032 Taler in zwölf Jahren. Es ist zwar immer schwierig, so was zu rechnen, aber man kann über die Faust sagen: 10 Taler sind ca. 200 €. In etwa bitte, weil: Eier waren damals billiger, Kaffee und Zucker um ein Vielfaches teurer als heute. So wären das ca.

60 600 €. Denken Sie jetzt an Dieter Bohlens Millionen und vor allen Dingen, für welchen Schrott er sie bekommen hat: Das Gefühl, das jetzt in Ihnen hochsteigt, ist das richtige.

BEWERTUNGEN

Magie 🎩🎩 maximal	Er entführt uns höchstens für Minuten aus Raum und Zeit, nicht für Stunden.
Erotik —	Wie bitte?
Fazzoletto 💧💧	Eins bei der »Sancta justitia«, eins bei der Chorprobe – vor Lachen.
Gewalt —	Zu keinem Zeitpunkt dräut in dieser Oper irgendjemandem wirklich was!
Gähn 😪😪😪	Zwischen »Justitia« und Chorprobe ist viel Zeit …!
Moral ⭕⭕⭕⭕⭕	Kommt doch alles in die Bahn, oder?!
Ewigkeit 😇 😇	Justitia und Chorprobe: Das wird als deutscher Humor in der Oper wirklich ewig bleiben – zu Recht!
Gourmet ✨✨	Es gibt nicht wirklich Seitenkapellen oder Nischen in dieser Oper, in denen es sich der Ohrenschmecker gemütlich machen könnte, dazu ist alles ein bisschen zu linear.

GESAMTWERTUNG

Der Zar ist eine feine und komische Oper, die vier Gläser bekommen könnte, wenn sie ein bisschen weniger deutsch wäre. So ist sie ein köstlicher Blick in die deutsche Seele, die deshalb so über den van Bett lacht, weil sie eben doch ein bisschen Angst vor ihm hat.
Die schöne Musik aber entschädigt allemal. Sie ist schlicht, geht einem aber ins Gemüt. Wenn man Deutscher ist!

Richard Wagner
1813–1883

Der fliegende Holländer
Romantische Oper in drei Aufzügen
Text: Richard Wagner
Nach Heinrich Heine: »Aus den Memoiren des
Herren von Schnabelewopski«, 1834

»Ich entsinne mich, noch ehe ich zu der eigentlichen Ausführung ... schritt, zuerst die Ballade der Senta im zweiten Akt entworfen und in Vers und Melodie ausgeführt zu haben. In diesem Stücke legte ich unbewusst den thematischen Keim zu der ganzen Musik der Oper nieder: Es war das verdichtete Bild des ganzen Dramas, wie's vor meiner Seele stand. Als ich die fertige Arbeit betiteln sollte, hatte ich nicht übel Lust, sie ›dramatische Ballade‹ zu nennen.«
(Richard Wagner, »Eine Mitteilung an meine Freunde« 1851)

Richard Wagner: geboren am 22. Mai 1813 in Leipzig, gestorben mit knapp 70 Jahren am 13. Februar 1883 in Venedig. Die Geburt seines Sohnes Richard scheint den Vater, den Polizeiamtsactuarius Karl Friedrich, so geschwächt zu haben, dass er kurz danach starb. Und zwar am Flecktyphus, der in der Gefolgschaft der Völkerschlacht bei Leipzig ausgebrochen war. Vielleicht führte der frühe Tod des biologischen Herrn Papa dazu, dass sich hartnäckig die Legende hielt, Richard sei der Sohn Ludwig Geyers, der ein Jahr nach dem Tod des Vaters die Mama heiratete. In einer grandiosen Gesamtschau dieser Dinge kommt die »Musik in Geschichte und Gegenwart« zu dem Schluss, es sei völlig belanglos, wer der wirkliche Vater Richards war, denn es würde »hinsichtlich seiner Erbanlagen keinen wesentlichen Unterschied ausmachen, ob er als Wagner von Generationen von sächsischen Schulmeistern und Kantoren abstammt (beginnend mit Martin Wagner, geb. 1603, Kirchner und Schulmeister in Hohburg), oder als Geyer von Generationen von thüringischen Stadtmusikern und Organisten (beginnend mit Benjamin Geyer, um 1700 Stadtmusikus in Eisleben).« Sie sehen, wie virtuos man Vaterschaftsfragen nicht nur vom Tisch wischen, sondern sie auch nicht klären kann.

Bankmenschen ist Richard Wagner als einer der größten Schuldenmacher aller Zeiten ein Begriff, sportiven Naturen als einer der wirbeligsten Seitenspringer, Raumausstattern als einer der begnadetsten, wenn auch ein wenig dekadenten Innendekorateure, schwulen Königen als einer der gefährlichsten Kassenräuber, Lebenskünstlern als einer der größten Erotiker aller Zeiten, Rezitatoren als ein großer Vorleser (Stellen Sie sich bitte nur »Rheingold« von ihm in sächsischer Färbung gelesen vor – kein Wunder, dass Nietzsche dieser Jüngerschaft abschwor!), Festival-Veranstaltern als größtes Vorbild aller Zeiten, allen anderen aber als ein zwar immer noch etwas umstrittener, zweifellos aber genialer und großer Künstler. Es gebührt ihm das Verdienst, die Oper grandios revolutioniert zu haben: Hundert Jahre vor der Musique concrète hat er Hammer und Amboss ins Orchester integriert und sich damit als erster Heavy Metaler der Musikgeschichte geoutet.

ENTSTEHUNG UND URAUFFÜHRUNG
Das literarische Bild des »Fliegenden Holländers« trägt altehrwürdige Züge: In den »Ignoti Monachi Cisterciensis Sanctae Mariae de Ferraria Chronica« aus dem Jahre 1223 wird erzählt, christliche Pilger seien in Armenien einem Juden begegnet, der als Strafe dafür, dass er dem kreuztragenden Christus auf dem Weg nach Golgatha die Rast auf seiner Hausschwelle verweigert habe, bis zum Jüngsten Gericht nicht sterben dürfe und herumirren müsse. Ein Motiv, das, weil's so schön ins kirchliche Weltbild passt, sofort allenthalben kolportiert und zu einem literarischen Bestseller wurde. Bis heute gibt es immer wieder Erzählungen über Ahasver, wie er überwiegend genannt wird. Dieses Thema war Richard Wagner sicher geläufig. Heinrich Heine gab in den »Memoiren des Herrn von Schnabelewopski« im siebten Kapitel dem Ganzen einen ironischen Akzent, Wilhelm Hauff in seiner »Geschichte vom Gespensterschiff« einen märchenhaften.

Vielleicht gab auch ein eigenes Erlebnis, die etwas abenteuerliche Überfahrt von Pillau nach London – Wagner war 1839 mit Frau Minna und Neufundländer Robber mal wieder auf der Flucht vor seinen Gläubigern –, den Ausschlag: Auf dem Segler »Thetis« war er mit sieben Mann Besatzung unterwegs in die Freiheit, im Skagerrak kamen sie in einen Sturm, man trieb nach Norwegen ab und fand in der Bucht von Sandviken der Insel Boröya nach einer dramatischen Notankerung Zuflucht. Die Matrosen schmetterten Seemannslieder an die Felsen, Wagner fiel die Heine-Erzählung ein, und schon war das großartige Szenario für diese wunderbare Oper in seinem Kopf und in seinem Herzen. Im September 1839 kam er in Paris an und schrieb dort vom 2. bis zum 6. Mai 1840 einen ersten Entwurf. Vom 18. bis 28. Mai 1841 verfasste er schließlich das deutsche Libretto, am 19. November 1841 war die Komposition abgeschlossen. Dem war allerdings eine klassische Abreibung vorausgegangen: Die Franzosen zogen unseren wackeren Sachsen so was von über den Tisch, dass es einem die Schuhe auszieht. Durch Vermittlung von Giacomo Meyerbeer – gebürtiger Berliner, wie die Leser von »Palazzo Bajazzo« wissen – konnte Wagner seinen ersten Entwurf dem Chef der Pariser Oper, Léon Pillet, vorstellen. Pillet meckerte ein bisschen darüber, das sei ja nicht wirklich aufregend neuer Stoff, schien aber nicht abgeneigt, die Geschichte zu kaufen. Als aber Wagner durchblicken ließ, dass er selbst gerne den Stoff vertonen würde, war Ende der Audienz. Es endete damit, dass man Wagner für 500 Francs die Rechte am Libretto abkaufte, das Ganze einem Herrn Paul Foucher – er war der Schwager von Victor Hugo und damit automatisch Dichter – zum Librettieren gab und dieses Libretto dem Kapellmeister der Opéra, Herrn Pierre-Louis Dietsch, zum Vertonen. Der bastelte daraus die Oper »Le Vaisseau fantôme ou Le Maudit des mers«, die nach elf Aufführungen aus dem Spielplan flog. Meines Wissens ist sie auch nie mehr aufgeführt worden. Dietsch erwarb sich übrigens später äußerst zweifelhaften Ruhm durch seine Intrigen gegen Wagner anlässlich der »Tannhäuser«-Aufführung an der Pariser Oper im März 1861. Erst Giuseppe Verdi gelang es 1863, diesen »rückschrittlichen« (schreibt sein Schüler Gabriel Fauré) und extrem intriganten Musiker zu neutralisieren: Nach einem Streit mit Verdi wurde er »par ordre supérieur« aus der Oper geworfen.

Wagner gab trotz alledem nicht auf, übertrug den Entwurf im Mai 1841 in ein eigenes Libretto, und als er die 500 Francs für die Rechte bekam, konnte er sich endlich ein Klavier mieten, an dem er die Oper komponierte. Er führte seinen Holländer selbst urauf: zwar nicht in Paris, so doch in Dresden, am 2. Januar 1843, und das gleich mit einer der großen Sängerinnen ihrer Zeit als Senta: Wilhelmine Schröder-Devrient. Er hatte in arger Geldverlegenheit komponiert, deshalb schrieb er unter die Schlussseite des II. Aufzugs: »Morgen geht die Geldnoth wieder los!!« Und unter den Gesamtentwurf: »in Noth u. Sorgen«. Aber, wie gesagt: hat geklappt. Nun war allerdings die Uraufführung in Dresden trotz erstklassiger Senta nicht der Erfolg, den man dem gefeierten Komponisten des »Rienzi« gegönnt hätte. (Von »Rienzi« sagten boshafte Zungen übrigens, er sei die schlechteste Oper Meyerbeers, womit sie darauf anspielten, dass »Rienzi« durch die Protektion Meyerbeers in Dresden angenommen wurde und dass Wagner gnadenlos bei Meyerbeer geklaut habe.) Viermal wurde der »Holländer« aufgeführt, dann war erst mal Ende. Erst ab den 1870er Jahren wurde die Oper regelmäßig an den wichtigen Häusern aufgeführt und ist seitdem eherner Bestand aller Häuser, die etwas auf sich halten. Die erste Wagner-Oper übrigens, die in London an der Drury-Lane aufgeführt wurde, war ebenfalls der »Fliegende Holländer«, allerdings nicht in deutscher Sprache, sondern in – Italienisch!

PERSONEN

Daland, ein norwegischer Seefahrer:	Bass
Senta, seine Tochter:	Sopran
Erik, ein Jäger:	Tenor
Mary, Sentas Amme:	Mezzo-Sopran
Der Steuermann Dalands:	Tenor
Der Holländer:	Bariton

Matrosen des Norwegers
Die Mannschaft des fliegenden Holländers
Mädchen

ORCHESTERBESETZUNG

Pikkolo
2 Flöten
2 Oboen
Englischhorn
2 Klarinetten
2 Fagotte
4 Hörner
2 Trompeten
3 Posaunen
Ophikleide
Pauken
Harfe
Streicher

BESONDERHEITEN
Bühnenmusik: 3 Pikkolos
6 Hörner
Windmaschine
Tamtam

DAUER
ca. 2 ¼ Stunden

HANDLUNG
An der norwegischen Küste

ERSTER AUFZUG

Steiles Felsenufer

Der Sturm hat das Boot Dalands sieben Meilen abgetrieben, der Kapitän und seine Mannschaft sind in der Bucht von Sandwike gelandet, sie werfen die Anker. Daland schickt die Mannschaft in die Kojen. Der Steuermann soll die erste Wache schieben. Der kämpft mit dem Lied »Mit Gewitter und Sturm aus fernem Meer« gegen die Müdigkeit an, schläft aber schlussendlich ein. Das ist der Moment, wo wir darauf warten, wie der Regisseur wohl das Schiff des Holländers zeigt. Es soll, so die Partitur, »mit schwarzen Masten und blutroten Segeln« ausgestattet sein – schwierig, wenn man etwa die Handlung psychoanalytisch auffasst und alles nur in einem Wohnzimmer spielen lässt. Das Schiff des Holländers also taucht auf, er selbst kommt an Land und erzählt uns, dass er dazu verdammt ist, unsterbbar auf See herumfahren zu müssen. Alle sieben Jahre darf er an Land, um nach der Erlösung zu suchen, allein, er glaubt nicht mehr daran. Er wartet nur noch auf das Jüngste Gericht: »Wann alle Toten auferstehn,/dann werde ich in Nichts vergehn!/Ihr Welten, endet euren Lauf!/Ew'ge Vernichtung, nimm mich auf!«

Damit wären schon mal die grundlegenden Voraussetzungen klar, und wir sind mittendrin.

Als Daland an Deck kommt und den Holländer sieht, bittet ihn dieser, für eine Nacht bei ihm Gast sein zu können, wofür er ihm eine Kiste mit seltensten Edelsteinen anbietet. Dass das ein Angebot ist, das Daland nicht ablehnen kann, ist klar und verständlich. Dass er aber auch zustimmt, als der Holländer – gegen den Rest seiner Reichtümer, versteht sich – um die Hand seiner Tochter bittet, verwundert einen schon – wo doch der Holländer die Tochter noch gar nicht kennt. Kurz: Daland preist sein Glück, und der Holländer schöpft Hoffnung auf Erlösung. Darüber legt sich der Wind, man lichtet die Anker – und weil das Lossegeln auf einer Opernbühne letztlich in der Andeutung steckenbleiben muss, senkt sich rechtzeitig der Vorhang.

ZWEITER AUFZUG

Ein geräumiges Zimmer in Dalands Haus, an der Wand im Hintergrund das Bild eines Mannes mit dunklem Barte und in schwarzer Kleidung

Mary und die Mädels spinnen, eine Tätigkeit, die man in der Zeit, als es noch kein Fernsehen gegeben hat – in der aber dafür das Wünschen noch geholfen hat, wie die Gebrüder Grimm schon mal gerne anmerken –, häuslich nannte. Nur Senta spinnt nicht, sie schaut auf das Bild und spinnt darob ihre eigenen Gedanken. Die Mädels sticheln herum, man dürfe Erik nichts von diesem Bild sagen, »er schießt sonst wutentbrannt den Nebenbuhler von der Wand«. Da fährt Senta aus ihren Träumen auf und bittet die Amme, das Lied vom Fliegenden Holländer zu singen. Als die Amme ablehnt, singt Senta selbst – und das ist dann auch, wenn Sie mich fragen, der dramatische Höhepunkt der ganzen Oper. Nur alle sieben Jahre, singt sie, darf der Unglückliche an Land gehen und nach einer Frau suchen, die ihn liebt. Bleibt sie ihm treu bis in den Tod, wird er von seinem Fluch endlich erlöst. Die Szene endet mit dem ekstatischen Ausbruch Sentas: »Ich sei's, die dich durch ihre Treu erlöset!« Erik, der gerade zur Tür hereingekommen ist, hört diesen Ausbruch und ist erschüttert – was aber in der allgemeinen Aufregung untergeht, die dadurch entsteht, dass er die Rückkehr Dalands ankündigt. Als die Mädels weg sind, fragt Erik Senta, ob er um ihre Hand anhalten dürfe und wie ihrer Meinung nach die Chancen dafür bei ihrem habgierigen Papa stünden. Senta weicht aus, er hakt nach: Ob ihr das Bild näher stünde als er, der sie liebe und darunter leide. Was sein Leiden gegen das des Holländers sei, fragt sie entrüstet. Daraufhin erzählt er ihr seinen Traum: Er habe im Traum ein Schiff gesehen, von dem sich zwei Männer dem Lande näherten, einer der beiden sei ihr Vater gewesen, der andere der Mann auf dem Bild. Sie, Senta, sei diesem zu Füßen gestürzt, habe ihn mit »heißer Lust« geküsst, und beide seien aufs Meer geflohen. Statt aber über diesen Traum zu erschrecken, gerät die Gute völlig außer sich und singt: »Er sucht mich auf! Ich muss ihn sehn;/mit ihm muss ich zugrunde gehen!« Erik weiß Bescheid und stürzt von dannen. Kurz darauf öffnet sich die Tür, der Holländer tritt ein, danach Daland. Wie vom Blitz getroffen schreit Senta auf, sie hat den Holländer erkannt. Dies sei ein Seemann, erklärt ihr nun Daland, der bei ihnen wohnen wolle –

Senta nickt –, er habe wohl nicht zu viel versprochen – der Holländer nickt –, und dieser Seemann sei außerdem der gewünschte Schwiegersohn. Dazu zeigt er Senta etwas von dem Schmuck, geht aber, als er merkt, dass die beiden ausschließlich füreinander Augen haben. Senta und der Holländer spüren die Endgültigkeit dessen, was sie einander und füreinander bedeuten, und drücken dies auch selig und berauscht aus – darin ist Richard Wagner der absolute Meister! Da kommt Daland und fragt nach, ob er mit dem Fest der Rückkehr die Verlobung verbinden könne. Senta sagt daraufhin mit feierlicher Entschlossenheit: »Hier meine Hand! Und ohne Reu/bis in den Tod gelob ich Treu!« Über dieses endgültige Versprechen senkt sich der Vorhang.

DRITTER AUFZUG

Seebucht mit felsigem Gestade; das Haus Dalands zur Seite im Vordergrund. Helle Nacht

Endlich kommt der legendäre Matrosenchor – man feiert die gelungene Rückkehr. Das norwegische Schiff ist hell beleuchtet, während sich über das Schiff des Fliegenden Holländers eine düstere Finsternis gelegt hat. Den Mädchen, die mit Speis und Trank aus ihren Häusern gekommen sind, wird es immer mulmiger: Keine Antwort kommt von dem Schiff, kein Licht ist zu sehen, und als die lebenden Matrosen die Mädels auf den Arm nehmen und sagen, dies sei das Schiff des Fliegenden Holländers, ist es ganz aus. Die Mädels geben den Matrosen die Picknickkörbe und ziehen sich zurück. Als hätten sie nur darauf gewartet, legen jetzt die segelnden Leichen los: Und Johohoe! Und Johohohoe! Und Huih – ssa! Und Hoe! Hoe! Hoe! Kein Wunder, dass den Lebenden angst und bange wird, sie bekreuzigen sich und ergreifen unter dem Hohngelächter der Leichen die Flucht.

Senta kommt aus dem Haus, Erik folgt ihr in größter Erregung, der Holländer steht so, dass er alles mitbekommt: Was denn in sie gefahren sei, den Holländer zu heiraten, wo sie doch ihm, Erik, ew'ge Treue geschworen habe. Da wähnt der Holländer seine Rettung gescheitert und will zurück aufs Schiff. Senta hält ihn auf, will ihm ihre Treue beweisen. Er sagt ihr aber, dass, wer die Treue zu ihm bricht, für ewig verdammt sei, dass er ihr dies aber ersparen könne, weil sie ihm noch nicht vor Gott die Treue geschworen, die Trauung ja noch nicht stattgefunden habe. Deshalb gehe er jetzt zurück aufs Schiff, um wieder die Weltmeere zu durchpflügen, dann sei zumindest sie gerettet. Zuvor aber – hat er ja noch nicht getan – stellt er sich vor: Er sei der Fliegende Holländer, und dann verschwindet er aufs Schiff. Senta, außer sich, klettert nun auf das Felsenriff, sie will ihn retten, und koste es ihr Leben. Mit den großen Worten: »Preis deinen Engel und sein Gebot!/Hier steh ich – treu dir bis zum Tod!«, stürzt sie sich in die Fluten. Im selben Augenblick versinkt das Schiff des Holländers, und laut Partitur passiert dann Folgendes: »Der Holländer und Senta, beide in verklärter Gestalt, entsteigen dem Meere; er hält sie umschlungen.« Der Vorhang fällt, vorsichtig, um keinen nassen Saum zu bekommen.

HITS
Wenn eine Oper Kino ist, dann diese. Vom ersten Ton an geht es in der Ouvertüre so los, dass man mittendrin ist: Es gibt keine Chance, mit dem großen Zeh zu fühlen, wie kalt das Wasser ist. Super! Zwar gibt es immer noch Menschen, die das Holländer-Motiv (Hörner: tataataa – ta taa ta taaaa) für den Walkürenritt halten, aber spätestens beim Matrosenchor merken die dann auch, dass das nicht die Götter sein können. Dafür peitscht Wagner aber dieses Motiv so was von quer durchs Orchester, da kommt auch bei den Wagner-Gegnern Freude auf. Und am Ende nochmal ganz groß, damit es dann auch wirklich keiner mehr aus den Ohren bekommt – und der leise, verklärende Schluss, das ist ebenfalls eine grandiose Idee!
Toll auch, wie Wagner das Echo dem Chor antworten lässt, kaum dass sich der Vorhang gehoben hat. Wir wissen: So muss es sich wirklich angehört haben, als er, seine Frau und sein Neufundländer nach dem Sturm in der Bucht geankert haben und die Matrosen das getan haben, was sie am liebsten tun: Shanties singen!
Bevor der Steuermann sein schönes Lied singt, hat Wagner einen prima Einfall: Daland verschwindet, die See wird ruhiger, aber es grummelt noch ein bisschen nach, das Orchester lässt es uns hören. Das sind Stellen, da muss ich immer an Kino denken und daran, dass auch Wagner die Leute unterhalten wollte und nicht nur große, hehre Kunst schaffen. Er hätte es sich sonst sparen können, so realistisch wie hier zu komponieren. Abgesehen davon ist das Lied vom Steuermann auch ein edler Einfall: eine schöne, typisch wagnereske Melodie auf edlem Orchesterklang, die uns ein wenig einlullen soll, bevor es richtig losgeht: der Holländer kommt. Großer Auftritt des Fliegenden Holländers: Basstuba, Fagotte und Kontrabässe spielen im tiefen Bereich, da weht es kalt aus dem Orchestergraben! Und gleich darauf eine der ganz großen Wagnerpartien – für Wagnerianer tut sich da der Himmel auf, für seine Gegner die Hölle. Für uns aber, die wir uns zwischen diesen beiden Extremen wohlfühlen, ist

diese Arie ein Genuss der besonderen Art. Wohlige Schauer des Mitgefühls spüren vor allem wir Männer und fühlen uns ein bisschen, ein ganz kleines bisschen, ein ganz, ganz kleines bisschen so wie der Holländer: Getrieben von der Sorge um die Unseren, pflügen wir rastlos durch die stürmische See des Lebens ... Verzeihung, hab mich schon wieder im Griff.

Der Rest des ersten Aufzugs kommt nicht an diesen Höhepunkt heran: alles schön und überzeugend, aber wenn wir von Hits reden, müssen wir auf den zweiten Aufzug warten – was sich allerdings wirklich lohnt.

Sollte einer im ersten Aufzug im Laufe des Duetts von Daland und dem Holländer eingeschlafen sein: Keine Angst, Wagner hat auch daran gedacht. Weil in der Regel nach dem ersten Aufzug die Pause ist und man dafür fit sein sollte, lässt er kurz vor Schluss des ersten Aufzugs die Schiffspfeife das Signal zum Losfahren geben – da bleibt kein Auge zu, das verspreche ich Ihnen. Danke, Richard!

Der zweite Aufzug hat nun wirklich einiges an Hits zu bieten. Der Spinnerinnen-Chor »Summ' und brumm', du gutes Rädchen« – auf die Bratschen horchen, die sind das Spinnrädchen! – ist einer der Chöre, die Wagner berühmt machten. Ich habe noch keine Inszenierung gesehen, die den Charme dieses Chors kaputt gekriegt hätte – und das will bei Wagner einiges heißen.

Dann kommt gleich der absolute Mega-Hit: Sentas Ballade. Wenn nicht im dritten Aufzug noch der Matrosen-Chor käme, könnte man nach der Ballade nach Hause gehen. Scherz beiseite: Diese Ballade ist eines der großen Meisterwerke der Opernliteratur und *das* dramatische Highlight in dieser Oper, auch wenn Wagner für den Rest noch genügend großartige Einfälle hatte. Für jeden dramatischen Sopran ist Sentas Ballade *die* Gelegenheit, richtig, aber wirklich richtig aufzudrehen: stimmlich, dynamisch und darstellerisch. Höchste Dramatik wechselt mit innigstem Gefühl – eine gute Sängerin kann aus dieser Ballade eine ganze Welt herausholen. Und wenn das gelingt, ist der Abend, an dem Sie das hören, einer, der noch lange in Ihnen nachklingen wird – ich habe heute noch Leonie Rysanek aus den 1960er Jahren in Wien im Ohr, als hätte ich's eben erst gehört. So was wünsche ich Ihnen von ganzem Herzen!

Und wie Wagner den Chor der Mädels a cappella antworten lässt, das sind die großen Momente, wegen derer wir alle immer wieder in die Oper laufen, oder?!

Ein Hit ist auch, dass Wagner als Librettist auch an eher Triviales denkt: Als Erik die Ankunft des Schiffs verkündet – und damit nach der atemlosen Dramatik der Ballade die Handlung antreibt und Bewegung in die Hütte bringt –, laufen die Mädels durcheinander

und wollen alle an den Strand. Senta aber hält sie auf und sagt: »Ihr bleibet fein im Haus! Das Schiffsvolk kommt mit leerem Magen! In Küch' und Keller, säumet nicht!« Wagner war ja einige Male auf der Flucht vor den Gläubigern und hat oft genug Hunger gelitten, vor allem in Paris. Dass er in einer solchen Situation daran denkt, dass die Männer Kohldampf haben – ist das nicht wunderbar?
Ein Hit sind auch die Hörner, die anfangs den Gesang Eriks begleiten, als er seinen Traum erzählt: Das gibt Atmosphäre und Spannung und erinnert auch ein bisschen an Carl Maria von Weber, den Wagner sehr bewunderte.
Eine große Stelle ist der Moment, als der Holländer eintritt: Wagner hat – der ganze »Tristan« lebt davon – eine Fähigkeit, der Spannung zwischen Liebenden Ausdruck zu verleihen, die einen umhaut. Wie die Musik Daland, den Papa, einfach rumstehen lässt, obwohl er mit dem Holländer und seiner Senta »spricht«, ist einfach unglaublich. Nach der intensiven Spannung der ersten Takte (Pauken und Streicher) lässt er Daland in geradezu mendelssohnsch-naiven Tönen vor sich hin singen, grad, als stünde Daland in einem anderen Film – was der auch tut, weil zwischen dem Holländer und Senta eine Spannung herrscht, die von einem anderen Stern ist und die keinen Platz für einen Dritten lässt. Es ist abgrundtief raffiniert von Wagner, das mit einem solchen musikalischen Mittel auszudrücken. Der Wohlklang kommt einem regelrecht deplatziert vor! Kaum aber ist er draußen, lässt das Orchester keine Sekunde lang Zweifel daran, wo die wahre Handlung spielt. Meisterhaft.
Das Duett der beiden ist natürlich ein weiterer Höhepunkt. Man merkt, dass Wagner schon für den »Tristan« geübt haben muss – zumindest mental! Allerdings ist er hier, wen wundert's, noch ein bisschen der klassischen Duett-Literatur verpflichtet, was man daran hören kann, wie er Sopran und Bariton im ersten Teil des Duetts (vor dem »Wirst du des Vaters Wahl nicht schelten?«) führt.
Dann kommt der dritte Aufzug und der Matrosenchor, Hit, klar, Wunschkonzert, auf der ewigen Hitliste ziemlich weit vorn. Und der Chor der Gespenster ist auch nicht von schlechten Eltern, natürlich nur wegen der Windmaschine!
Schön ist auch die Cavatine, die Erik zu singen hat (»Willst jenes Tag's du nicht dich mehr entsinnen«), ein geradezu italienischer Ruhepunkt, bevor sich das Drama zuspitzt – das Drama aus der Sicht Eriks, denn aus der Sicht des Holländers müsste man sagen: bevor die Erlösung naht. Einsame Spitze ist natürlich das Ende der Oper: Von der Stelle, wo er sich als Holländer zu erkennen gibt, bis zu der Stelle, als Senta sich mit dem hohen H" ins Meer stürzt. Ich finde, hier müsste eigentlich das Ende der Oper sein, der etwas verklärte

Schluss mit den Harfen erinnert mich eher an schlechte Heimatfilme aus den 50er Jahren als an gute Oper. Sei's drum, hier ist eine der ersten großen Cinemascope-Opern zu Ende und man selbst, wenn es denn eine gute Aufführung war, ziemlich fertig mit der Welt.

FLOPS

Also mit Flops kann ich da zunächst nur in kleineren Bereichen aufwarten. Zum Beispiel, wie im ersten Aufzug nach dem grandiosen Auftritt des Holländers die Szene anknüpft, in der Daland aus der Kajüte kommt und das Schiff sieht. Das wirkt, als hätte Wagner diese Szene zehn Jahre früher geschrieben und einfach drangenäht. Brachialer kann man ein Publikum von einer Stimmung (der Holländer singt »Ew'ge Vernichtung, nimm mich auf«, und seine lebenden Toten greifen diesen Satz auf, entsprechend ist auch die Musik) nicht in eine andere (ein paar Takte lang geradezu biedere obendrein) bringen. Das ist, glaube ich, einfach eine Verlegenheitslösung: Irgendwie muss es ja schließlich weitergehen auf der Bühne.

Im ersten Aufzug hätte ich noch was anzumerken: Das Duett Holländer-Daland, insbesondere ab »Wie? Hört' ich recht? Meine Tochter sein Weib?«, ist ja nicht unitalienisch angelegt – aber grad deshalb hört man, dass er an das italienische Melos nicht herankommt. Richard Wagner lynchte mich zwar, läse er diesen Satz, aber, Verzeihung edler Meister, wir wissen schon, dass Sie eine heimliche Liebe zu Rossini und den Italienern hegten, da liegt es schon nahe, sich an ihnen zu versuchen. Allein: nicht so, meine ich.

Ein Flop ist auch, dass, nachdem wir in der Ouvertüre und am Beginn des ersten Aufzugs gehört und gesehen haben, dass es einen Sturm gegeben hat, Daland nochmal alles erzählen muss. Das ist – da meine ich das Libretto, nicht die Musik – ein Verzögerungsmoment, wo es nicht nötig gewesen wäre.
Ein größerer Flop ist aber Erik als Figur. Diese arme Socke hat alle Anlagen zum Heldentenor, darf wunderbare Stellen singen, die Cavatine im dritten Aufzug zum Beispiel – das ist ja geradezu Deutsch-Pavarotti! –, kriegt aber die Schöne nicht in seine Arme. So tragisch hätte man auch einen Bariton enden lassen können, dafür muss man doch einen Tenor nicht leiden lassen! Ein Tenor, der in dieser Partie brilliert und Erfolg hat, kann sich doch in keiner klassischen Tenorrolle mehr hören lassen – und wer in klassischen Tenorrollen brilliert und Erfolg hat, dem wird diese Rolle nicht gefallen. Und das ist das Problem: Für die Jerusalems, Pavarottis und Domingos (der

sie allerdings hinreißend gesungen hat, s. CD-Tipps) ist die Rolle zu unattraktiv, für Provinz-Tenöre zu schwer. Deshalb ist die Rolle nie ganz einfach zu besetzen. Das hätte Wagner als ausgebuffter Theaterprofi berücksichtigen können. Vorschlag: Entweder hört die Oper nach dem Zweiten Aufzug auf, Holländer und Senta haben sich bekommen, Erik hat dann zwar die A...karte gezogen, dafür aber braucht er auch keine Cavatine zu singen, oder er fängt Senta beim Sprung vom Felsen auf, sie wacht aus dem Albtraum auf und heiratet ihren Erik, den Holländer dadurch zu dem degradierend, was er ist: ein unangenehmer Untoter, mit dem keiner was zu tun haben will. Nicht gut? Keine dramatische Handlung mehr? Kein Zauber? Keine Abgründe? Kein Mythos Frau mehr? Kein Hohes Lied der Treue? Vor allem aber: keine Erlösung (was ja *das* Wagner-Thema ist)? Na gut. Aber können Sie mir dann sagen, warum sich keiner darüber wundert, was in dieser Handlung einfach so passiert? Dass ein Untoter in der Tür steht und ein blühendes junges Mädchen plötzlich alles um sich her vergisst, dem nur noch Treue bis in den Tod beweisen will, um ihn zu erlösen? Also dagegen hätte ja die Handlung vom »Trovatore« oder die von der »Forza del destino« den ersten Preis in realistischer Logik zu bekommen!

DIVERSES

Ich persönlich vermisse am Beginn der Ouvertüre schmerzhaft die Orgel, mit der Verdi seinen »Otello« beginnen lässt. 247 Takte lang muss die Orgel dort Sturm spielen mit dem gleichzeitig gedrückten tiefen C, tiefen Cis und tiefen D, um dem Sturm das Fliegen beizubringen. Und beinahe bin ich versucht, Wagner vorzuwerfen, dass er bei Verdi abgekupfert hat, wenn ich nicht wüsste, dass der »Otello« einige Zeit später geschrieben wurde, dass also eher Verdi bei Wagner »nachgeschaut« hat. Dennoch: Verdi hat im Kapitel »Sturm« gut bei Wagner gelernt, vielleicht wäre er ohne den »Holländer« überhaupt nicht auf die Idee mit der Orgel gekommen! Verdi hat aber auch den Auftritt seines Otello beim »Holländer« abgekupfert. Ich meine jetzt nicht Noten, Töne und Text – Otello hat im Sturmgebraus einen der grandiosesten Auftritte der ganzen Opernliteratur, mit typisch italienischem Gespür für Effekt und dann noch das quasi liturgische Jubelwort »Esultate!« –, ich meine die Dramaturgie des Auftretens. Beim Holländer taucht nach der Beruhigung der Szene – selbst der Steuermann ist eingeschlafen – plötzlich das Schiff des Holländers auf, kracht seinen Anker in den Bühnenboden und bereitet so »Con tutta forza« (Mit aller Kraft), wie die Partitur vorschreibt, den Auftritt des tragischen Helden vor; im Otello haben wir den Sturm, die Blitze, den Donner, die Panik bei den Landratten, dann: Schiff, Anker, Vertäuung und »Esultate!«. Na, Giuseppe, hast du dich jemals beim Richard bedankt?

OBACHT
Geiger möchte ich in dieser Oper nicht sein. Die haben sich da dermaßen einen runterzufiedeln, das ist schon gute Solistenliteratur, kann ich Ihnen sagen! Und der Teufel dabei ist: Das klingt ja erst dann alles richtig gut, also der Sturm nach Sturm, der Wind nach Wind und das Drama nach Drama, wenn das perfekt gespielt wird. Wenn die ersten und zweiten Geigen bei den entsprechenden Läufen hudeln, dann verschmiert der ganze Wagner zu einem Technicolor-Brei, der schwindlig macht. Ja, ich weiß, das sind Sätze, die immer stimmen, gut. Nur: Bei den italienischen Opern, wo das Orchester zur Gitarre degradiert wird (auch wenn das seine eigene Schönheit haben kann), ist das kein Problem, das kriegt auch die Feuerwehr hin. Was ich sagen wollte: Mit Wagner sind wir endgültig in den Bereich Musik vorgestoßen, der einem Laienorchester und damit Ihnen und mir nicht mehr erreichbar ist. Und: Man hört es. Selbst wenn einer die Dinge nicht so genau kennt und nicht benennen könnte, dass die Posaunen schleppen oder die Streicher hudeln: Wagners Musikkosmos reagiert empfindlich auf unpräzises Musizieren, er »geht dann um«, wie man im Rheinland sagen würde, er wird einfach unerträglich. Behauptet einer, der schon italienische Opernorchester Wagner hat spielen hören ...

DER KLEINE OPERNTÄUSCHER
Sie können sich in der Pause als Emanzipationsfreund und Wagner-Kenner (oder noch besser: Wagner-Kennerin) gleichzeitig outen, wenn Sie den Meister zitieren können, der in seiner Schrift »Eine Mitteilung an meine Freunde« zu Senta Folgendes schrieb: »Erlösung kann der Holländer aber gewinnen durch – ein Weib, das sich aus Liebe ihm opfert; die Sehnsucht nach dem Tode treibt ihn somit zum Aufsuchen dieses Weibes ... Dies Weib ist aber nicht mehr die heimatlich sorgende ... Penelope des Odysseus, sondern es ist das Weib überhaupt, aber das noch unvorhandene, ersehnte, geahnte, unendlich weibliche Weib – sage ich es mit einem Worte heraus: das Weib der Zukunft.«
Das heißt: Nach Wagner ist die »Mission des Weibes« »Selbstverleugnung und Hingebung«, wie es Franz Liszt, der Schwiegerpapa Richards, ausdrückte – und das nun hielt Wagner für die Zukunft!

Wäre seine Musik nicht so genial, Frau Schwarzer wüsste Aufführungen des Fliegenden Holländers mit Sicherheit zu verhindern! Man könnte natürlich auch unemanzipatorisch der Senta ein massives Helfer-Syndrom unterstellen. Wo er, der Holländer, Liebe sagt, aber Erlösung vom Leid meint, spricht sie von Liebe, meint aber Helfen. Sie stolpert in eine der Trickfallen, die jede Sozialarbeiterin, jede Psychologin, jede Ärztin in Knast, Therapie oder Psychiatrie kennt: Die »Mir-Geht's-Ganz-Schlecht-Und-Ich-Weiß-Nur-Eine-Die-Mir-Helfen-Kann-Und-Das-Bist-Du«-Kiste. Abgegriffen wie sie ist, funktioniert sie immer wieder. Wer das Helfer-Syndrom hat, sucht jemanden, dem es noch dreckiger geht, dem er helfen kann. Da Helfen gut ist, ist man auch selber gut, wenn man hilft. Das weiß der Holländer, nutzt das aus und wird dadurch erlöst. Aber so haben Heine und Wagner noch nicht gedacht, oder?

BEWERTUNGEN

Magie  Gerade weil die Oper so abseits jeder Realität steht, entreißt sie uns auch dank der Musik in jene Zeiten, in denen es noch Fliegende Holländer gab.

Erotik Diese Mischung aus Verlangen, Unterwerfung, Sichanbieten, Hingabe bis zum Äußersten, Verstärkung der Forderung durch Verzicht auf sie und schließlich den Selbstmord als Opfertod – also mehr ist an Erotik in eine Beziehung nicht mehr hineinzupacken.

Fazzoletto Herrschaften, wir sind nicht in der *lirica* bei Bellini. Hier geht es um schicksalhafte Dinge, da ist für Rührung kein Platz, nur für Atemlosigkeit. Ein Taschentuch, um bei den dramatischen leisen Stellen den Husten zu unterdrücken – wir sind immerhin in salzrauer Seeluft.

96 Richard Wagner

Gewalt 👊 👊 👊 👊

Mehr kann man von einer Frau wohl nicht mehr verlangen, oder? Und das tut Wagner auch noch mit so abgefeimten Mitteln, wie z.B. der Zurückweisung des Opfers, damit sie sich auch ja vom Felsen stürzt! Tz tz tz!

Gähn —

Es muss jemand schon ein ausgemachter Anti-Wagnerianer sein, wenn er hier einschlummerte. Nur: Warum sind Sie dann in den »Holländer« gegangen? Ach, Sie haben Ihrem Mann dieses kleine Opfer gebracht? Na, dann nur nicht auf halbem Wege stehen bleiben!!

Moral ⌒⌒⌒⌒⌒

Das müssten aber eigentlich Märtyrerkronen sein, sie hat ihn ja auch erlöst!

Ewigkeit ☀ ☀ ☀

Die Ballade der Senta, der Spinnerinnen-Chor und der Matrosenchor: sicher auch in 500 Jahren noch gern gegeben!

Gourmet ✩ ✩

In späteren Opern hat Wagner mehr Feinschmeckereien zu bieten, das hier ist gourmet-technisch gesehen eher Labskaus an Untoten-Soufflée.

GESAMTWERTUNG
🦴 🦴 🦴 🦴

Ich sehe nicht, dass Wagner hier noch geübt hätte: der »Fliegende Holländer« ist spannende Oper, meisterhaft komponiert, in keiner Phase langweilig und ein Leckerbissen für alle Stimmen-Genießer.

Richard Wagner
1813–1883

Tristan und Isolde
Handlung in drei Aufzügen
Text: Richard Wagner
Nach dem Versroman »Tristan« von Gottfried von Straßburg (um 1210)

»Einziger! – Heiliger! – Wie wonnevoll! – Vollkommen. So angegriffen von Entzücken! – ... Ertrinken ... versinken – unbewusst – höchste Lust. – Göttliches Werk! – Ewig treu – bis über den Tod hinaus! – Kaum kann ich den morgigen Abend erwarten, so sehne ich mich nach der zweiten Vorstellung schon jetzt; Sie schrieben an Pfistermeister, Sie hofften, dass meine Liebe zu Ihrem Werke durch die in der Tat etwas mangelhafte Auffassung der Rolle des Kurwenal von Seiten Mitterwurzers nicht nachlassen möge! – Geliebter! Wie konnten Sie nur diesen Gedanken in sich aufkommen lassen? Ich bin begeistert, ergriffen ... Nicht wahr, mein teurer Freund, der Mut zu neuem Schaffen wird Sie nie verlassen ...«
(Ludwig II. von Bayern am 10. und 12. Juni 1865 an Richard Wagner)

ENTSTEHUNG UND URAUFFÜHRUNG

Den Tristan-Akkord hat nicht Richard Wagner erfunden, den hat Franz Liszt erfunden, und zwar schon 1845 im Lied »Ich möchte hingehen«. Das muss man einfach zu Beginn direkt sagen. Das war übrigens im Jahr der Uraufführung des »Tannhäuser«, er hätte ihn da also schon erfinden können, aber Wagner wartete mit diesem Akkord, bis Liszt sein Schwiegervater war – vielleicht um seinen »Jünger«, den Dirigenten Hans von Bülow, der am 10. Juni 1865 die Uraufführung des »Tristan« dirigierte, ein bisschen zu versöhnen. Hatte Wagner ihm doch die Liszt-Tochter Cosima ausgespannt, und war er doch zum Zeitpunkt der Uraufführung noch nicht mit Bülows Ex-Gattin verheiratet – da war sozusagen noch alles in der Schwebe.

Ist es da nicht charmant, einen so gebildeten Musiker wie von Bülow einen Liszt-Akkord dirigieren zu lassen, der an Raffinesse das meiste, was bis dahin ein Operndirigent zu dirigieren hatte, überbot? Zumal die Rolle des König Marke ja genau dem entsprach, was Hans von Bülow mit Wagner und Cosima erleben musste. Es war also klar, dass dem Dirigenten das schon ein bisschen wehtun würde – na gut, im dritten Aufzug kann er genüsslich den Tod Tristans dirigieren, was ihm sicher entsprechenden Spaß gemacht hat.

Nun aber: Wie ist die Oper entstanden? Zunächst mal so, dass Wagner den Tristan-Stoff kannte. Dieser Stoff ist für alle Mediävisten Zwangs-Literatur. Falls Sie einen kennen (es darf auch ein Germanist sein), fragen Sie ihn, nehmen Sie sich dann aber einen Abend lang Zeit: Tristan ist ein riesiges Thema. Mittlerweile weiß man, dass der Versroman Gottfrieds von Straßburg auf keltische Stoffe zurückgeht – und auf eine ganze Reihe von Autoren, ich sage nur Thomas d'Angleterre und Eilhart von Oberge, weil sie so schöne Namen haben! Die Geschichte des Helden, der sich in die Frau seines Königs (Lehnsherrn o. Ä.) verliebt und vor der Frage steht: Treue zum König oder Liebe?, ist in ganz Europa eines der größten Themen des frühen Mittelalters – und wer es figürlich liebt, soll nach Bozen fahren und sich im Schloss Runkelstein (ohnehin eine Reise wert) die monochromen Wand-Fresken aus dem 13. Jahrhundert angucken: den Tristan-Zyklus im Tristan-Zimmer. Wunderschön in Grün gehalten, vom Kaiser Maximilian I. leider etwas grob restauriert, aber immer noch sehenswert, wie die anderen Fresken im Schloss Runkelstein auch.

Natürlich kannte Wagner alle einschlägige Literatur: primäre und sekundäre. Anders hätte sein Gesamtwerk nie entstehen können. Das Buch »Ritterzeit und Ritterwesen« von Johann Gustav Gottlieb Büsching (1823) ebenso wie drei Ausgaben des Gottfried-Textes hatte er zu Hause herumliegen und in seiner Dresdner Zeit (1842–49) hat er sich damit beschäftigt. 1852 lernten die Wagners in Zürich Otto und Mathilde Wesendonck kennen. Sie war aus Elberfeld und er auch, beide sind übrigens auf dem Alten Friedhof in Bonn begraben – dort liegen sie neben zahlreichen Musikgrößen, etwa Beethovens Geigenlehrer Franz Anton Ries, Clara und Robert Schumann, auch Beethovens Mutter. Während der Arbeit am »Tristan« hat sich folgende allbekannte Geschichte ergeben: Jeden Nachmittag ist unser kleiner Leipziger Casanova rüber zu Mathilde (Wagners hatten dank der Huld der Wesendoncks im Nachbarhause auf gleichem Grundstück wohnen dürfen), um ihr aus »Tristan« vorzulesen und mit ihr Calderon zu lesen – was zeigt, dass man eine Zeit lang mit dem Verbergen eines Seitensprungs ganz gut durchkommt, wenn man eine kulturell hochstehende Ausrede gefunden hat. Wer käme schon auf Calderon, wenn es nicht wirklich stimmte, oder? Am 7. April 1858 aber schlug das Schicksal zu: Minna Wagner, Ehefrau, findet einen Brief an Mathilde und öffnet ihn. Der Brief war in die Bleistift-Skizze des »Tristan«-Vorspiels (wegen der hocherotischen Wirkung des Akkords?) eingewickelt und endete mit den Worten: »Nimm meine ganze Seele zum Morgengruße«. Wagner hat sich gerne auch privat so ausgedrückt wie seine Personen auf der Bühne! Minna ging schnur und stracks zu Mathilde und legte ihr eine vollendete Szene hin. Das Ganze endete dann eher unspektakulär damit, dass die Wesendoncks sich etwas von Wagners zurückzogen – damit war in Zürich der Skandal ausgeblieben und der beleidigten Ehre Genüge getan. Eine eher rheinische Lösung, wen wundert's.

Wagner hatte da schon (am 3. April 1858) die Partitur des ersten Aufzugs fertig, nun musste erst mal Privates geklärt werden ... Wagners ziehen aus, sie löst den Hausstand auf und verkloppt die Möbel, er reist nach Venedig und schreibt dort bis März den zweiten Aufzug. Die österreichischen Behörden warfen den steckbrieflich gesuchten Politischen raus, er ging wieder in die Schweiz, woselbst er am 6. August 1859 im Schweizerhof in Luzern die Arbeit am »Tristan« abschloss. Jetzt ging es an die Uraufführung: ein kleines Hindernisrennen. In Wien, wo das Stück uraufgeführt werden sollte, fing man mit Proben an, probte, probte und probte, um es dann, nach 77 Proben (!!), für unaufführbar zu erklären. Dann kam das »Wunder von Bern, äh, von München«: Ludwig II., der schon als Knabe Wagner verehrte, holte ihn zu sich. Es kam unter der Stabführung von Hans von Bülow am 10. Juni 1865 im Hoftheater in München zur Uraufführung (zwei Monate vorher war – Cosima da immer noch mit dem Dirigenten verheiratet – Richards und Cosimas erstes Kind zur Welt gekommen: Isolde (!) von Bülow. Also da darf man schon mal sagen: Nee, wat für Zustände!). Bei der Uraufführung muss insbesondere der Sänger des Tristan, Ludwig Schnorr von Carolsfeld, herausragend gewesen sein. Allerdings starb der nach der vierten Vorstellung – eine Tatsache, die einiges zur Legendenbildung um diese Oper beigetragen hat.

Wichtig ist: Ob einem der »Tristan« gefällt oder nicht, diese Oper ist einer der Ausgangspunkte der Neuen Musik. Vielleicht, weil Wagner hier kompromisslos neue Wege gegangen ist, dramaturgisch und vor allem auch musikalisch. Und da danken wir doch auch artig dem Schwiegerpapa Franz Liszt, der mit seinem wundervollen »Tristan-Akkord« diese Entwicklung möglich gemacht hat.

PERSONEN
Tristan:	Tenor
König Marke:	Bass
Isolde:	Sopran
Kurwenal:	Bariton
Melot:	Tenor
Brangäne:	Sopran
Ein Hirt:	Tenor
Ein Steuermann:	Bariton
Ein junger Seemann:	Tenor

Chor: Schiffsvolk, Ritter, Knappen

ORCHESTERBESETZUNG
3 Flöten (3. auch Pikkolo)
2 Oboen
1 Englischhorn
2 Klarinetten
1 Bassklarinette
3 Fagotte
4 Hörner
3 Trompeten
3 Posaunen
Basstuba
3 Pauken
Triangel
Becken
Harfe
Streicher

BESONDERHEITEN
Bühnenmusik: Englischhorn
6 Hörner
3 Trompeten
3 Posaunen

DAUER
ca. 3 ¾ Stunden

HANDLUNG

Das Ganze geht so los, dass nix losgeht, wenn man nicht weiß, was losgegangen war, bevor es losgegangen ist. Man sollte die (übrigens vermutlich keltische) Vorgeschichte schon kennen, wenn man durchblicken will, um nicht alles für ein bloßes triviales Liebesgesülze zu halten. Denn für viele gehört »Tristan und Isolde« zum Genre der Ehebruchsgeschichte, die wie gewöhnlich mit dem Tod der Ehebrecher enden muss (seit dem 20. Jahrhundert nicht mehr, aber da begann ja sowieso der Verfall der Sitten, oder?!). Dem muss ich aber mein energisches »Nein, nein, Herr Gesangsverein« entgegenhalten. Denn »Tristan« ist eigentlich der Versuch Wagners, die Geschichte des Gottfried von Straßburg aus einem Mittelalter, das tatsächlich weiter weg von uns ist, als man sich das vorstellen kann, in unsere Nähe zu holen. Denn die Liebe war in der Zeit auch nicht anders als heute, sie hatte nur andere Gegner.

Tristan ist der Sohn des Königs von Lyonesse, Riwalin, und dessen Gemahlin Blanchefleur, welchselbe die Schwester des Königs Marke von Cornwall ist. Riwalin fiel, kurz nachdem er Tristan gezeugt hatte, in einer Schlacht, und zu allem Überfluss starb auch seine Gemahlin Blanchefleur bei der Geburt ihres Sohnes Tristan. Onkel Marke war nun der nächste Verwandte, er holte seinen kleinen Neffen an den Hof Cornwalls und übertrug die Erziehung des Knappen dem bewährten Recken Kurwenal. Wir springen etwa 15 Jahre. Cornwall war in der Zeit – die Älteren werden sich daran erinnern – von Irland abhängig, Tristan aber gefiel dieser irische Herrschaftsanspruch gar nicht. Im Zuge dieser antiirischen Gefühle fordert Tristan den Ritter Morold, als der von Cornwall den Tribut für seinen irischen König eintreiben will, zum Zweikampf und erschlägt ihn. Er krönt diese Aktion dadurch, dass er dem irischen König anstelle des Tributs den Kopf Morolds schickt.

Dummerweise hat es auch Tristan in diesem Kampf erwischt, er ist verwundet, die Wunde will aber nicht heilen, weil Isolde das Schwert ihres Verlobten Morold mit selbstgebrautem Sud vergiftet hatte. Als die Wunde partout nicht heilt, fährt der sieche Tristan unter dem Namen Tantris (Allen Gourmets schlägt hier das Herz bis zum Gaumen!) zu Isolde nach Irland. Isolde allerdings, die ihn erkennt (wodurch, dazu kommen wir später), schont sein Leben, heilt ihn und schickt den Genesenden zurück nach Cornwall. Die Politik war mittlerweile nicht untätig, man handelte neue Verträge aus, in deren Zug Isolde König Marke zur Frau gegeben werden soll. Tristan, der wohl diesen Einfall hatte, erhält den Auftrag, Isolde sicher aus Irland nach Cornwall zu holen und zu Onkel Marke zu bringen.

Hier nun endlich setzt die Handlung ein: Das Vorspiel verklingt, der Vorhang geht hoch, wir befinden uns auf Tristans Schiff während der Überfahrt nach Cornwall. Was wir allerdings nicht wissen: Ob Tristan weiß, dass Isolde seine große Liebe ist oder nicht (und umgekehrt). Das hat aber auch sein Gutes: Es gäbe eine ganze Menge spekulativer Literatur über genau diesen Punkt nicht – und das wäre schade, weil sie überwiegend amüsant ist.

ERSTER AKT

Tristans Schiff

Der Seemann im Ausguck singt ein fröhlich Lied, das mit den Worten »du wilde, minnige Maid« endet. Isolde bezieht das auf sich, findet das nicht wirklich komisch und kommt ab da in eine Stimmung, die man heutzutage als »quengelig« bezeichnen würde. Nie und nimmer wolle sie in Cornwall landen, die Winde sollen sich auftürmen, das Schiff zerstören und alle auf ihm töten. Da ist schon mal klar, woher der Wind weht. Brangäne, Begleiterin und Freundin Isoldes, ahnt, dass hinter diesem Gezeter was Tieferes steckt, und bittet sie, sich ihr anzuvertrauen. Sie sei ja schon von zu Hause weggefahren, ohne sich von Vater und Mutter zu verabschieden, und auch sonst habe sie keinen auch nur eines Blickes gewürdigt. Isolde will jedoch nur Luft. Brangäne solle die Vorhänge (in manchen Inszenierungen: die Teppiche!) öffnen. Brangäne tut dies, und man sieht jetzt Tristan vorne am Schiff herumstehen. »Mir erkoren,/mir verloren,/hehr und heil,/kühn und feig«, singt Isolde etwas rätselhaft mit Blick auf ihn und schickt Brangäne, um Tristan zu holen. Der windet sich ein bisschen, er wolle quasi Onkel Marke nicht vorgreifen, außerdem könne er das Steuer nicht verlassen. Da wird Brangäne überdeutlich und wiederholt Isoldes Befehl wörtlich: »Befehlen ließ'/dem Eigenholde/Furcht der Herrin/Sie, Isolde«.

Zum einen bringt uns das dazu, Wagners pseudo-mittelalterliche Sprache zu bewundern, zum andern bringt das Kurwenal dazu, aufzuspringen und Tristans Ruhm zu besingen, er sei immerhin der große Held, der Morold getötet habe. In diese Verhöhnung des Toten stimmen die Seeleute begeistert ein. Brangäne kommt zu Isolde zurück und zieht erst mal die Vorhänge (die Teppiche) zu. Dann erzählt sie, wie die Herren reagiert haben. Isolde ist außer sich und erzählt nun, wie sie »Tantris« gerettet und gepflegt habe – hier dür-

fen wir übrigens einen der grandios-kuriosen Wagner'schen Imperfekte bewundern: »mit Heilsalben/und Balsamsaft/der Wunde, die ihn plagte,/getreulich *pflag* sie da«!! Diese Form hat sich, lt. Grimms »Deutschem Wörterbuch«, auch nur im Imperfekt erhalten. Wie viel Wagner den Brüdern für diesen Eintrag gezahlt hat, damit sein »pflag« existenzberechtigt ist, weiß keiner!
Und Isolde erzählt weiter, dass sie ihn als Tristan erkannt habe, als sie sah, dass genau der Splitter, den sie aus dem Kopf Morolds entfernt habe, dem Schwert Tristans fehlte. Als sie aber mit gezücktem Stahl vor ihm stand, um Morold zu rächen, habe Tristan die Augen aufgeschlagen und sie derart angesehen, dass sie ihn geheilt und nach Haus geschickt habe. Damit er sie »mit dem Blick nicht mehr beschwere«! Nachdem sie das erzählt hat, beklagt sie sich darüber, dass Tristan nicht selbst um sie geworben hat, sondern für seinen König, und schreit nach Rache, schreit nach Tod. Brangäne blickt nicht durch und tröstet Isolde damit, dass es keinen Mann gebe, der sich nicht in sie verliebe. Sollte der alte Marke sich aber tatsächlich nicht in sie verlieben, gebe es ja immer noch den Liebestrank. War doch Isoldens Mama in diesen Dingen extrem kundig. Das bringt Isolde auf die Idee, nach dem anderen Trank zu greifen, dem Todestrank, wie Brangäne entsetzt feststellt.
Die Matrosen holen die Segel ein, wir und Isolde wissen: aha, Land in Sicht. Kurwenal kommt zu Isolde, um sie zu bitten, sich für die Landung fertig zu machen. Da befiehlt sie ihm, Tristan zu holen, er habe noch eine Schuld bei ihr zu begleichen. Warum er sie so behandelt habe, will sie vom eintretenden Tristan wissen: ohne jeden Blick, ohne jedes Wort, während der langen Überfahrt? Irgendwie Sitte, weicht Tristan aus. Jetzt kommt Isolde mit der Blutschuld: Für den Tod ihres Verlobten Morold habe er bei ihr noch nicht gesühnt. Da reicht er ihr sein Schwert (nach dem Motto: »Bitte, gnädige Frau«), was sie aber empört zurückweist: Was würde König Marke sagen, wenn sie seinen besten Mann erschlüge? Nein, den Versöhnungstrunk solle er trinken, und winkt Brangäne. Diese aber vertauscht heimlich den Todes- mit dem Liebestrank, Tristan trinkt, Isolde reißt ihm den Becher aus der Hand und trinkt auch – der Rest ist Asterix: Wie verzaubert schauen die beiden einander in die Augen und sinken mit den Worten: »Tristan!« »Isolde!« »Treuloser Holder!« »Seligste Frau!« einander an die Brust.

Brangäne ist verzweifelt, ahnt sie doch mit den Worten: »Tör'ger Treue trugvolles Werk/blüht nun jammernd empor«, was passieren wird. Wir ahnen das natürlich auch – aber sicherlich nicht deshalb, weil wir diese dunklen Worte irgendwie verstanden hätten. Großes

Duett Tristan und Isolde. Nun nähert sich König Marke dem Schiff, man hört den Jubel, und es gibt eine kleine Szene, die zu meinen Lieblings-Comic-Momenten in dieser Oper gehört: Tristan, immer noch in Liebes-Trance, hört den Jubel und sagt: »Wer naht?« Kurwenal: »Der König!« Tristan: »Welcher König?« Da freuen sich doch alle Asterix-Freunde, oder?!
In Panik gesteht Brangäne, dass sie den Todes- mit dem Liebestrank vertauscht habe. Mit der verzweifelten Frage »Muss ich leben?« sinkt Isolde an Tristans Brust, und der Vorhang senkt sich über diesem verwirrenden Bild.

ZWEITER AKT

In der königlichen Burg Markes in Cornwall.
Helle, anmutige Sommernacht

Marke und seine Leute gehen auf die Jagd. Endlich eine Gelegenheit für die zwei Liebenden, einander sehen zu können. Isolde kann es kaum erwarten, Brangäne aber rät zur Vorsicht. Ob sie sich noch an Melot erinnere, der beim Aussteigen aus dem Schiff sie und König Marke keines Blickes gewürdigt habe, sondern nur Tristan beobachtete. »Mit böslicher List,/lauerndem Blick/sucht er in seiner Miene/zu finden, was ihm diene .../vor Melot seid gewarnt!« Isolde schlägt diesen Rat in den Wind: Melot doch nicht, der sei doch Tristans bester Freund. Doch, meint Brangäne, der habe die Jagd nur ersonnen, um die beiden reinzulegen. Nein, meint Isolde, im Gegenteil, um seinem Freund Tristan und ihr endlich eine Gelegenheit zu bieten. Isolde bittet Brangäne, endlich die Fackel zu löschen, das verabredete Zeichen für Tristan. Brangäne warnt nochmal, da nimmt Isolde die Fackel und löscht sie mit den Worten: »Die Leuchte,/und wär's meines Lebens Licht –/lachend/sie zu löschen/zag' ich nicht!« Brangäne zieht sich auf die Warte zurück, von wo sie Wache hält. Tristan kommt, und wir können nun eine der ganz großen Liebesszenen genießen und in großen Gefühlen schwelgen – es sei denn, wir gehörten zu den von der Liebe Enttäuschten. Dann allerdings zieht sich dieser zweite Akt ganz gewaltig!
Was die beiden jetzt zu singen haben, ist eigentlich inhaltsfrei und schwerelos: Liebe eben. Man philosophiert ein bisschen über die Tücken des Tages mit seinen Zweideutigkeiten, Gefahren und Intrigen und was er sonst noch alles zwischen Tristan und Isolde schöbe. Tristan singt ein Hohes Lied dem Trank, der ihm das Wonnereich der Nacht erschlossen habe: »O, nun waren wir/Nacht-Geweihte!/Der tückische Tag,/der Neidbereite,/trennen konnt' uns sein Trug,/doch nicht mehr täuschen sein Lug!« Und beide dann, in absoluter

Ekstase: »O sink hernieder,/Nacht der Liebe,/gib Vergessen,/dass ich lebe;/nimm mich auf/in deinen Schoß,/löse von/der Welt mich los!«
Eigentlich sollte man spätestens ab da die beiden alleine lassen, doch während wir dies überlegen, ertönt Brangänes Stimme, die den Tag ankündigt. Isolde brummelt was von »neid'sche Wache«, und beide machen in der Liebesphilosophie weiter, die in der Musik Wagners absolut – was ich nicht scherzhaft meine – überzeugt, in den Worten aber nicht wirklich rüberkommt. Das Wörtchen »und« sei es, erfahren wir, das zwischen Tristen und Isolde das Band flechte und das alles bedeute. Auch die Nähe der Liebe zum Tod: »So stürben wir,/um ungetrennt,/ewig einig,/ohne End',/ohn' Erwachen,/ohn' Erbangen,/namenlos,/in Lieb' umfangen,/ganz uns selbst gegeben,/der Liebe nur zu leben!« Mittendrin erschallt ein Schrei Brangänes, und Kurwenal stürzt mit dem Satz: »Rette dich, Tristan« auf die Bühne. Wir sehen den ganzen Hofstaat auffahren, alle natürlich peinlichst berührt ob der intimen Liebesszene, die sie sehen müssen. Marke ist entsetzt und tief getroffen. Wo noch Treue sei, wenn Tristan, der treueste der Treuen, sie nicht halten könne? Würden jetzt nicht alle treuen Dienste Tristans in ein anderes Licht gerückt, gerate das nicht alles zum Verrat? Warum dies alles?, will er von Tristan wissen. Was dieser nicht beantworten kann. Tristan wendet sich nun Isolden zu: Ob sie ihm dahin, wohin er nun scheide, folgen wolle? Als sie bejaht, küsst er sie vor aller Augen auf den Mund, woraufhin Melot das Schwert zieht. Tristan bezichtigt ihn noch des Verrats aus Eifersucht, dann lässt er sein Schwert fallen und fällt in Melots gezücktem Stahl (Schwert kann ich ja nicht nochmal schreiben). Tristan sinkt verwundet in Kurwenals Arme, Isolde an seine Brust, und Marke fällt in Melots Arm, um zu verhindern, dass er Tristan tötet. In dieses allgemeine Gesinke sinkt auch der Vorhang erschöpft.

DRITTER AKT

Tristans Burg in der Bretagne.
Burggarten, man sieht das Meer im Hintergrund

Die Schalmei bläst eine herzzerreißende Hirtenweise, und der dazugehörige Hirte fragt Kurwenal, wie es Tristan gehe. Tristan schlafe noch, was besser sei, wenn er nämlich erwache, sei das nur, um zu sterben. Man warte auf die Ärztin, ob der Hirte noch kein Schiff gesehen habe? Nein, dann spiele er sicher eine lustige Weise. Das solle er tun und das Meer beobachten. Tristan wacht langsam auf und fragt, wo er ist. Da erzählt ihm Kurwenal, dass er ihn aus Cornwall weggebracht und in sein Stammschloss Kareol in die Bretagne gebracht habe. Da die Wunde aber nicht habe verheilen wollen, habe er Isolde gebeten, aus Cornwall hierhin zu kommen, um ihn zu heilen. Tristan singt von seiner Liebessehnsucht, die ihn verzehrt, von der Todesnacht, aus der ihn der Liebestrank geholt habe, von der Sehnsucht nach Isolde und dem gemeinsamen Tod: »Ach Isolde,/süße Holde!/Wann endlich,/wann, ach wann/löschest du die Zünde,/dass sie mein Glück mir künde?/Das Licht – wann löscht es aus?« Kurwenal antwortet, dass er Isolde, falls sie noch am Leben ist, bald sehen solle. Das bringt Tristan in helle Ekstase, er weiß nicht, wie er Kurwenal danken soll, und wähnt in seinem Delirium schon, das Schiff zu sehen. Die traurige Hirtenweise jedoch belehrt ihn eines Besseren, das Schiff ist noch nicht in Sicht. Nach nochmaliger Liebes- und Todesklage sinkt Tristan ohnmächtig zurück, um aber bald darauf wieder zu erwachen und Kurwenal zu drängen, auf die Warte zu steigen, um nach dem Schiff Ausschau zu halten. Was dieser auch tut, und zwar mit Erfolg. Das Schiff naht, alle sind in Ekstase, noch ein paar Augenblicke, das Schiff ist hinter dem Fels nicht zu sehen, schon ist Tristan außer sich und beschimpft seinen Kurwenal, aber endlich ist es im Hafen, und Isolde springt an Land.

Tristan reißt sich in seiner Ekstase den Verband vom Körper: »Heia, mein Blut, lustig nun fließe«, naht doch seine Retterin – und er stirbt, mit »Isolde« auf den Lippen, in deren Armen. Isolde ist hin- und hergerissen zwischen Wiedersehensfreude und Erschütterung und sinkt erst mal bewusstlos über die frische Leiche hin. Just in diesem Moment ertönt Waffengeklirr, ein zweites Schiff mit Melot, Marke und Kriegern ist Isolde gefolgt. Die Krieger erobern die Burg, Kurwenal zückt sein Schwert und erschlägt Melot. Brangäne versucht das zwar zu verhindern, aber erfolglos. Selbst Marke ist vor dem wütenden Kurwenal nicht sicher:
»Kurwenal: Hier wütet der Tod! Nichts anderes, König, ist hier zu holen!« und sinkt, sterbend, bei Tristans Füßen zusammen. Marke ist erschüttert, seine Gefolgschaft auch. Denn Brangäne hatte ihm alles erzählt, das mit den Zaubertränken und so, und er wollte jetzt eigentlich Isolde Tristan zur Frau geben – und seinem Freunde Tristan, dem »treulos treusten Freund«, verzeihen. Das alles erreicht natürlich Isolde nicht mehr, es sind ja nur noch Reste von ihr in dieser Welt, und sie sinkt, wie verklärt, in Brangänes Armen, sanft als Leiche auf Tristans Leiche. Marke segnet diese, dann senkt sich der Vorhang, und die Sängerinnen und Sänger dürfen endlich erschöpft in ihre Garderoben – nicht ohne sich vorher den verdienten, sicherlich tosenden Applaus abholen zu können!

HITS

Natürlich der Akkord, gleich die ersten Töne, die erklingen! Und ab nach Hause, sowie er erklungen ist? Nein, nein, er kommt ja nochmal, immer wieder und ganz am Ende, verklärt, nochmal! Die Einleitung, das Orchestervorspiel, ist schon ein Hit. Die besteht auch jeden Test im Konzertsaal, so intensive Musik ist das. Ein bisschen Ruhe muss man sich allerdings nehmen, und man sollte dieser Musik auch etwas entgegenkommen. Sich bloß zurücklehnen und gucken, was da passiert, kann man bei anderen Komponisten: Mussorgsky zum Beispiel, aber bei dem darf man sich dann nicht wundern, wenn er einen plötzlich an der Gurgel packt! Dann aber packen einen schon die schönen Celli gleich am Anfang, nach ca. zwei Minuten. Der nächste Hit kommt, wenn der Vorhang oben ist, gleich am Anfang, als Isolde Schiffeversenken spielen will und die Stürme beschwört: Da legt das Orchester aber los, dass es eine Freude ist, und Wagner zeigt, dass das hier kein lyrisches Rumgesumse, sozusagen Ommmmmm-Musik ist, sondern leibhaftige, richtige Oper. Weiter: zweite Szene. Der junge Seemann hebt wieder zu seinem irischen Lied vom Wind, der wehen soll, an, dann kommt Isolde: »Mir erkoren, mir verloren«. Sie schaut das erste Mal auf Tristan, und es wird einem von der Musik her, die das Orchester zu spielen hat, ganz wehmütig-warm ums Herz, soo viel Liebe und soo viel Sehnsucht und gleichzeitig soo traurig – eine meiner Lieblingsstellen in dieser Oper.

Wunderbar auch die große Erzählung Isoldes (zehn Minuten später) von Tristans Heilung (das ist die Stelle mit dem »pflag«!!). Sie erzählt, was passiert ist, die Musik erzählt von der Liebe, die sie durchdrang, als er ihr in die Augen schaute – da darf die Sängerin im »Er sah mir in die Augen« richtig schwelgen (und wenn sie's tut – was für ein Vergnügen!). Auch ein großartiger Augenblick: Als Brangäne tröstet, dass sie als Markes Frau Tristan ja immer haben könne, und Isolde das ganz anders sieht: »Ungeminnt den hehrsten Mann mir nah zu sehen«. Da lässt Wagner sich und der Sängerin alle Zeit der Welt. Wir spüren, wie es sie zerreißt, dann tröstet Brangäne, und wir hören eine derartige Seidentapeten-Musik, das ist wirklich wie Balsam nach dem Sehnsuchtsschmerz. Der nächste Hit kommt in der »Ich-vertausch-schon-mal-die-Becherlein«-Szene, als Brangäne den Todes- mit dem Liebestrank vertauscht. Gucken und hören Sie da in die Tiefe des Orchestergrabens (nicht in Bayreuth, da sehen Sie ja nix, weil das Brett drüber ist!), was Bassklarinette und Fagotte zu spielen haben: toll! Dann, natürlich, die Hörner: Als Tristan trinkt, kommt der Tristan-Akkord zuerst in den heldischen

Hörnern, dann als Oboe, dann in der Bassklarinette und dann erst in den Streichern – da kann man über Wagner sagen, was man will, und man kann ihn mögen oder nicht, aber: Was er da aus ein paar Noten macht, das ist wirklich genial. Vollends genießerisch wird's, wenn Sie sich jetzt zurücklehnen, die Augen zumachen und an das denken, was diese Bechertrinkerei – auch – bedeutet: die Liebe – und das heißt bei Wagner nicht selten, wie eben auch hier, die körperliche Liebe. Also eine solch entspannte »Danach«-Musik gibt's selten, das ist Erotik vom Allerallerfeinsten. Oder halten Sie, meine Herren, immer die Spannung – auch nachher? Also bitte! Und Wagner lässt sich alle Zeit der Welt – auch darin war er ein großer Frauenkenner.

Weiter: Ich freu mich immer schon auf die sechs Hörner auf der Bühne in der ersten Szene des zweiten Aktes, weil das einfach ›geil‹ ist, was sie zu spielen haben. Wie Weber – nur noch ein bisschen schärfer. Ganz abgesehen von der Luxus-Idee, sechs Hörner hinter der Bühne zu verbraten – meistens müssen da teure Aushilfskräfte angemietet werden! Eine hübsche Idee ist es auch, die verklingenden Jagdhörner Markes, nachdem sie immer weiter weg sind, in Klarinetten-Sextolen (das sind sechs statt vier Achtel, muss man zählen, ist aber nicht so schwer) übergehen zu lassen, um das Rauschen des Bächleins anzudeuten. Das ist die klassische Bachidylle. Ab hier nun teilt sich die Welt der Opernfreunde: Für die Liebenden oder die Menschen, die sich gerne in dieses Gefühl hineinfallen lassen, beginnt hier der Himmel. Und wer so einem sagt, dass der Liebes-Akt (der zweite) von »Samson und Dalila« auch wunderschön sei (Sie wissen noch: Camille Saint-Saëns), der spielt mit seinem Leben, da verstehen die Wagnerianer aus dem inneren Kreis keinen Spaß, aber schon gar keinen! Die anderen, prosaischen Naturen, die gerne haben, wenn sich ein bisschen was tut auf der Bühne, sollten jetzt einfach mal Würstchen essen gehen – denn in den nächsten ca. 50 Minuten passiert außer Liebe wirklich nix. Sie tun damit auch den anderen einen großen Gefallen: Die können sich ganz dem Liebesrausch hingeben, dafür brauchen Sie sich nicht vom ständigen Tristan!-Isolde!-Gesülze nerven zu lassen. Für die, die drinbleiben: starke Momente der Liebe. Einer der stärksten: »O sink hernieder, Nacht der Liebe«, das ist Liebe in einsamen Höhen der Musik! Und einige lustvolle Ewigkeiten später: »So stürben wir, um ungetrennt ...« ist auch zweisame Spitze. Danke, Richard!

Dann aber alle wieder rein, weil mit »Rette dich, Tristan«, was Kurwenal in die Arena schmettert, wieder Leben in die Hütte kommt.

Die Bassklarinette holt schon mal kräftig Luft, denn sie darf große Momente spielen, als König Marke anhebt zu singen. Das sind Momente, wo Wagner dermaßen präzise die Gefühle der Figuren auf der Bühne ausdrücken kann, dass es einen umhaut – und ich versichere Ihnen, dass ich kein Wagnerianer des inneren Zirkels bin. Dritter Akt, erste Szene: satteste, tiefe Streicher! Wow! Kurz darauf fragt der Hirte den trauernd wachenden Kurwenal, was denn los sei mit Tristan. Die Antwort: »Lass die Frage, du kannst's doch nie erfahren« – da sollten Sie auf die Geigen hören. Die streichen die tiefe leere G-Saite, und das klingt dann so was von fahl, dass einem ganz »entrisch« wird, wie man im Süddeutschen sagt. Köstlich auch die naive Heldenhaftigkeit von Kurwenal im Gespräch mit Tristan: Seine Begeisterung ist so abseitig, dass ich sie als regelrecht komisch empfinde. Ansonsten aber ist ab der Stelle »Isolde noch im Reich der Sonne!« große Musik angesagt, wundervoll. Eine Stelle mag ich ganz besonders gerne: Als Tristan in seinem Delirium glaubt, Isolden zu sehen, kommt die Stelle: »Wie sie selig, hehr und milde wandelt ...«. Wagner lässt das von vier schmetternden Hörnern begleiten – das haut rein!

Dann ist auf einen kleinen Hitchcock-Effekt hinzuweisen (Wagner war ja ein ausgebuffter Dramatiker!): Als endlich Isoldes Schiff in Sicht kommt, ist natürlich bei Tristan Begeisterung ohne Ende. Die aber erhält einen Dämpfer, als das Schiff nicht mehr zu sehen ist, weil es hinter dem Riff verschwindet. Genüsslich lässt Wagner nun sich, den Helden und uns Zeit, er spannt uns auf die Folter: Klappt es oder klappt es nicht? Schaffen sie es oder schaffen sie es nicht? In einer Oper, in der es ja tatsächlich nur um ernste große Gefühle geht, so einen abgenudelten dramaturgischen Trick einzubauen – das hat Chuzpe! Dass Wagner, nachdem Isolde ohnmächtig über Tristan zusammengesunken ist, nicht etwa den Vorhang fallen lässt, sondern mit der Ankunft Markes und Melots noch richtig *action* in die Sache bringt mit allerlei Toten etc. pp. – klasse! Das weckt auch die größten Schlafmützen aus dem Koma. Das Ganze dann auch noch mit so einem grandiosen Isolde-Ende zu versehen, als hätte diese bis dahin nicht schon genug gesungen (sie darf jetzt nochmal einen Ausflug in extreme Höhen ohne Sauerstoffflasche wagen) – also das hat mich beim ersten Mal, als ich den Tristan sehen konnte, schon wirklich umgehauen.

FLOPS

Gut, die Oper ist lang, gut, man muss in besonderer Stimmung sein, gut, das ist nichts für den Hochsommer, gut, das ist nichts für Open Air, gut, das ist nichts für Paare, bei denen es kriselt – es sei denn, die zwei, nein, die drei wären so drauf wie damals Cosima, Richard und Hans von Bülow. Es ist aber eine Oper, die an Intensität nichts zu wünschen übrig lässt, wenn man sich auf sie einstellt. Dennoch gibt es gewisse Flops – bei einer Oper, die drei dreiviertel Stunden geht, kein Wunder, allein die Pausen! Dass Wagner, kaum ist der Vorhang hoch, einfach das Orchester vergisst und den jungen Seemann ein Lied singen lässt, das irgendwie keltisch – alt, aber doch jungtönerisch-neu – klingen soll, und das auch noch a cappella und obendrein meistens in die Kulisse hinein, nach hinten – das ist schon ein Ding! Dann: der erste Auftritt Tristans. Da haben wir ja nicht irgendeine ausgelutschte Tenorpartie vor uns, so etwa drei Arien, wenn das sauber gelaufen ist, zwanzig Vorhänge und fertig. Nein, hier haben wir eine der Marathon-Partien vor uns, eine der Mega-Rollen, die ein Tenor haben kann – und dann ist sein erster Auftritt so was von zaghaft: Er darf grad mal ein paar Melodiefragmente hintupfen, hier etwas, da ein hübscher Sprung, und da hätten wir noch was Cantilenen-mäßiges, aber nur anderthalb Takte lang ... Lieber Herr Wagner, das ist für einen dramaturgisch so gewieften Theatermenschen wie Sie wirklich ein Armutszeugnis. Ja, ich weiß: Von der Geschichte her ist das schon klar, er darf noch nicht, hat ja noch keinen Liebestrank getrunken, und wie er hilflos in seiner Vergangenheit herumstochert, nämlich gar nicht, so muss er da auch singen. Dennoch ist das keine Einführung der Hauptfigur – neben Isolde! Da hat Isolde doch ein ganz anderes Entrée, Othello-mäßig quasi mit Beschwörung des Sturms.

Ein weiterer Flop ist natürlich der Imperfekt »pflag«. Wahrscheinlich beim Imperfekt der starken Verben gefehlt, was?! Oder vor welchen Pflug pflog er sich spannen zu lassen, dass er eines Imperfekts pflag, den doch sonst keiner pflegte?! Nun ein kleines grundsätzliches Wort zu den Vorzeichen und Intervallen: Wenn man (mit der Partitur) hört, was sich mancher Sänger und manche Sängerin zusammensingen, wie sie die Töne, die sie zu singen hätten, anpeilen, aber dann doch nicht treffen, da kommt man tatsächlich oft zu dem Schluss: So klingt's auch nicht schlecht und ist kehlenplausibler. Vielleicht hätte Wagner manchmal etwas einfacher denken sollen beim Komponieren, denn die Ausübenden singen es eh so, wie's besser passt. Ich meine damit: Es ist schön zu sehen, wie viele Möglichkeiten der Melodieführung eine richtige Wagner-Partitur anbietet – auch darin ist Wagner (besonders in dieser Oper) der Vorläufer Neuer Musik, oder?! Wenn Kurwenal kurz vor dem Anlanden sein »Auf! Auf! Ihr Frauen!« singt, dann elektrisiert's mich jedes Mal – aber nicht vor Begeisterung, sondern weil Wagner sich dazu eine Musik hat einfallen lassen, die für mich wie »The last Night of the Proms« klingt. Das ist wie schlechtes Sonntagsnachmittags-Konzert im Radio der 50er Jahre (»Heute aus dem Kurpark in Bad Lippspringe!«).

Dann: Die Liebenden haben den Becher geleert, sind einander in die Arme gesunken, jetzt wird König Marke angekündigt, beide fahren aus der Umarmung hoch und realisieren peu à peu, wie sehr sie sich lieben: »Du mir verloren? Du mich verstoßen?« Eine schöne Stelle, zweifellos, aber mir wühlt es da ein bisschen zu viel, weniger wäre mehr gewesen. Und, Hand aufs Herz, finden Sie nicht auch, dass sich im zweiten Akt das Warten auf Tristan etwas zieht? Isolde wartet mit Spannung auf ihn, das soll man auch hören, meinte der Meister. Also hört man es auch: Er lässt das Orchester schöne Spannung spielen, in Dur. Das ist zwar alles ganz nett, aber es klingt ein bisschen sehr nach Mendelssohn. Bei der Gelegenheit darf ich vielleicht einen kleinen Wagner-Lehrsatz mitteilen: In Moll ist er einfach besser als in Dur – hier ist eine der Stellen, an denen man es merkt! Aber vor allen Dingen: Es zieht sich. Dann das Duett »O ew'ge Nacht, süße Nacht« – ein Text, der nach Harmonie schreit. Und was macht Richard: Tristan singt ein g, Isolde (gleichzeitig) ein fis, er singt ein a, sie singt ein g – das soll Liebe, Harmonie, Rausch der Zweisamkeit sein? Das reibt sich ja, Herr Wagner, dass die Fetzen fliegen! Wie? ... Ach, das ist auch so gemeint ... ? Ja aber ... Was? Vorreiter der Moderne? Na gut, ja dann ...

Und dann, als alles aufgeflogen ist und Tristan seine Isolde fragt, ob sie mit ihm sterben will, gekleidet in die Worte: »Wohin nun Tristan scheidet, willst Du, Isold', ihm folgen?« Es geht um Leben und Tod, also noch mehr um Tod als um Leben, und das setzen Sie in *Dur*? Sie lassen das Wort »folgen« in das strahlendste Dur laufen, das wir Abendländer kennen: D-Dur? Gut, nicht lang, aber: D-Dur? Da möge Ihnen folgen, wer will, Meister, ich kann es nicht. Und dann muss angemerkt werden: Nach all dem Getöse, den Arien und dem Aufstand im zweiten Akt, nach all dem »Sich-in-Melots-Schwert-Stürzen« ist Tristan noch nicht mal tot! Also das ist ein bisschen viel an Zumutung. Ähnliche Kritik am dritten Akt: sehr düstere Musik. Kann man mögen, aber: wenn der Held aus dem Koma erwacht, kann man sich da nicht ein bisschen freuen? Auch wenn man das tragische Ende nahen fühlt? Ich meine: Ein bisschen Freude täte an der Stelle ganz gut, oder?

OBACHT
Fragen Sie Sängerinnen und Sänger, die werden Ihnen etwas vom Tristan erzählen! Dass das eine Oper ist, die sowieso nur Profis meistern können – klar. Das hier ist aber eine Oper, die auch von diesen Profis nur wenige bewältigen. Allein schon das lange Stehen! Zwei gnadenlose Partien, denen Wagner wirklich das Äußerste zumutet, was Menschen sängerisch leisten können – vom Schauspielerischen ganz zu schweigen, denn auch das muss hier dicht sein. Verschnaufpause gibt's erst bei Ohnmacht oder Tod. Tatsächlich gibt es in jeder Generation nur wenige, die diese beiden Rollen beherrschen: Die Jungen sind zu jung dazu und die Erfahrenen oft schon ausgesungen. Vielleicht sollte man den Tristan nur Vollplayback aufführen – dann aber mit nordischen Volksschauspielern wegen dem keltischen Moment ... Höchstleistung, wohin man guckt.

DER KLEINE OPERNTÄUSCHER
Haben Sie Lust, sich nochmal als Akkord-Fetischist und Tonleitern-Rastelli zu beweisen? Dann lernen Sie Nachfolgendes auswendig und zitieren Sie es in der Pause:
Der Tristan-Akkord ist »jenes Gebilde zu Beginn des Vorspiels I, wenn nach dem Aufstieg der Violoncelli zur Sext ein chromatisch absinkendes Achtel folgt, ehe in Oboe, Klarinette, Fagott und Englischhorn der Akkord F-H-Dis-Gis erklingt. Unabhängig davon, ob man diesen Akkord als Umkehrung eines Doppeldominant-Septakkordes oder als Unterdominante mit ›Sixte ajoutée‹ bei einer angenommenen (zumindest notierten) Grundtonart a-Moll oder gar unter Einbeziehung der Naturseptime als Unterseptimenklang und damit als Eingangstor zur reinen, d. h. untemperierten Stimmung interpretiert (was nur einige der Möglichkeiten sind), hat Kurth in seiner Analyse [»Das Geheimnis der Form bei Richard Wagner«] insofern den richtigen Weg gewiesen, als er den Akkord auch klangmotivisch deutete: als das erste und zugleich umfassende Leitmotiv der ganzen Oper. Dieser Blick auf das Ganze ist erhellend, weil er das Ohr für den prozessualen Charakter schärft, der mit der Eingangssequenz des Vorspiels beginnt. Diese entfaltet sich, zumindest in der Führung der Oberstimme, als ein chromatischer Anstieg in Etappen: vom Gis des sogenannten Tristan-Akkords nach H, dann von H nach D, von D nach Fis jeweils über Dominant-Septakkorden.

Eine Wiederholung des letztgenannten Schritts findet in der Oktave statt, wobei der Sekundschritt Eis-Fis fünfmal wiederholt wird, ehe in Takt 16 die chromatische Reihe von G nach Gis weiterschreitet, sodass wir es mit einem methodisch halbtonweise fortschreitenden Aufstieg um eine Oktave zu tun haben, anfangend und schließend mit dem Leitton Gis der angenommenen Grundtonart a-Moll.« (Ulrich Schreiber, »Opernführer für Fortgeschrittene«)

BEWERTUNGEN

Magie bis 🎩🎩🎩🎩🎩	Je nachdem, ob man sich drauf einlässt oder nicht.
Erotik 👠👠👠👠👠	Das sind zwar keltische High Heels, aber die haben auch ihre Power.
Fazzoletto —	So was gab es damals noch nicht!
Gewalt 👓👓👓👓👓	Bleibt noch was zu wünschen übrig?
Gähn —	Weil: In den »Tristan« wird keiner unfreiwillig gehen.
Moral —	Diese Oper zeigt im Grunde, wie anarchistisch und moralfrei die Liebe ist. Radikaler geht's nicht mehr, ob mit oder ohne Trank ist egal.
Ewigkeit null bis 💡💡💡 💡💡	Für den inneren Zirkel der Wagnerianer ist jede Note im Olymp, der Rest sucht in der Partitur eh nur nach dem Liebestrank-Rezept (to malt or not to malt?).
Gourmet ✩✩✩	Es gibt schon eine Menge feiner Harmonie-Schwelgereien in dieser keltischen Oper – alles Bretagne oder was?!

GESAMTWERTUNG

Ich bin zwar kein Wagnerianer, aber diese radikalste aller Wagner-Opern ist in ihrer Unerbittlichkeit grandios. Sie hat alles, was Oper haben muss, und sie hat es im Überfluss. Ein einsames Meisterwerk, das, wie jede wirkliche Kunst, verlangt, dass man sich darauf einlässt. Wenn man das tut, wird man hoch belohnt. Und sie hat das Tor zur Neuen Musik aufgestoßen – auf eine fast ruchlose Art.

Richard Wagner
1813–1883

Die Meistersinger von Nürnberg
Oper in drei Aufzügen
Text: Richard Wagner

»Viel habe ich mir erwartet, aber dass es so wonnevoll sein würde, dachte ich nicht, so kühn wagte ich nicht, selbst zu träumen; ich war so begeistert und hingerissen, dass es mir ganz unmöglich war, die profanen Beifallsbezeugungen durch Händeklatschen zu spenden. Das ist ein Eindruck, den nichts verwischen kann, der fürs ganze Leben ein bleibender, beseligender, erhebender ist, nur mit jenem zu vergleichen, den ich nach Aufführung des TRISTAN empfand ...«
(Ludwig II. von Bayern nach der Generalprobe der »Meistersinger« am 19. Juni 1868 an Wagner)

»Niemals habe ich einen solchen stupiden, unbeholfenen, holprigen, irrsinnigen, affenartigen Quatsch auf einer menschlichen Bühne erlebt; das Ding gestern abend übertrumpfte wirklich alles ...«
(John Ruskin an Lady Burne-Jones, 1882, nach der »Meistersinger«-Erstaufführung in London, Drury Lane)

»Das mutet uns bald altertümlich, bald fremd, herb und überjung an, das ist ebenso willkürlich als pomphaft – herkömmlich, das ist nicht selten schelmisch, noch öfter derb und grob – das hat Feuer und Mut und zugleich die schlaffe falbe Haut von Früchten, welche zu spät reif werden. Das strömt breit und voll: und plötzlich ein Augenblick unerklärlichen Zögerns, gleichsam eine Lücke, die zwischen Ursache und Wirkung aufspringt, ein Druck, der uns träumen macht, beinahe ein Alpdruck –, aber schon breitet sich wieder der alte Strom von Behagen aus.«
(Friedrich Nietzsche über die »Meistersinger« in »Jenseits von Gut und Böse«, 1886)

ENTSTEHUNG UND URAUFFÜHRUNG

Eines muss man ihm lassen: Wagner war leicht anzuregen, wenn es um Stoffe ging. Beispiel: Georg Gottfried Gervinus' »Geschichte der poetischen Nationalliteratur der Deutschen« – Wagner guckte in das fünfbändige Werk und schwupp! machte er sich schon die ersten Notizen zu einem sich um Hans Sachs rankenden Stück; Notizen, die er später Mathilde Wesendonk schenkte und die schon einige Ideen für das spätere Libretto enthalten. Das war im Juli 1845. Dazu kamen die Werke von E.T.A. Hoffmann, Lortzings Oper »Hans Sachs«, außerdem Jacob Grimms erstes Werk: »Über den altdeutschen Meistergesang«, Göttingen 1811, und natürlich das Meisterwerk schlechthin zu diesem Thema: Johann Christopf Wagenseil: »Von der Meister-Singer Holdseligen Kunst«, 1697. Dazu natürlich Liedsammlungen und musikalische Materialien. Wagner hat umfassende Studien betrieben, was so weit ging, dass er bei dieser Oper den Ehrgeiz entwickelte, möglichst alles Wissen darüber unterzubringen: die Unterrichtsstunde Davids ist ein schönes Beispiel dafür. Dumm nur, dass sich nicht jeder Opernbesucher gleich heftig wie Wagner dafür interessiert – was dazu führt, dass es sich gelegentlich ein bisschen zieht.

Sechzehn Jahre lang ist seit Juli 1845 Ruhe mit diesem Thema, dann aber – Wagner arbeitet gerade am »Siegfried« – brodelt es erneut hoch. In Venedig will er – so schreibt er in »Mein Leben« – in der Basilica Santa Maria Gloriosa dei Frari (Canal Grande: Haltestelle S.Tomà aussteigen und grad durch zum Campo dei Frari, zwei bis drei Minuten) vor Tizians »Assunta die Frari« (Mariä Himmelfahrt, 1516–1518) die Idee gehabt haben: »Ich beschloss die Ausführung der Meistersinger.« Warum ihm grad bei diesem Bild die Idee kam, werden wir nie erfahren. Die Gestalt der Maria in der Mitte, nach oben schwebend, kann es nicht gewesen sein, Evchen kann nicht so aussehen. Vielleicht waren es die Menschen, die von unten zu Maria hochschauen: bärtige Gesellen rechts, der links ist nicht so bebartet und sieht aus wie Walther von Stolzing aussehen könnte. Wie die da stehen, die Arme zum Himmel gereckt, die Köpfe nach oben gerichtet, kann man sich vorstellen, dass Wagner ans Preislied dachte. Zumal der über allem schwebende Gottvater dem Hans Sachs wie aus dem Gesicht geschnitten ist. Sei's drum.

Im Zug von Venedig nach Wien schreibt er die ersten Einfälle zur Ouvertüre und machte sich dann richtig an die Arbeit, wobei er sich von Peter Cornelius, seinem treuen Freund und Sekretär, helfen ließ, was heißt: Der schuftete, und Wagner segnete ab. Vom Dezem-

ber 1861 bis zum 25. Januar 1862 schrieb er den Text. Das war im Hotel Voltaire in Paris. Den Text halten die meisten – ich auch – für Wagners besten: kein Wigalaweia, kaum altertümelndes Deutsch, eine stringent erzählte Geschichte von lebenden Menschen und ein historisch interessanter Stoff ohne Überhöhung oder übertreibende Verzerrungen. Die Vertonung dagegen zieht sich – was auch mit Wagners unruhigem Leben zu tun hat. München rein, 1866 wieder raus, und hin und her, jedenfalls: Erster Akt beendet am 23. März 1866 in Genf, Zweiter Aufzug am 6. September 1866 in Triebschen am Vierwaldstätter See, Finis operae am 24. Oktober 1867 ebenfalls in Triebschen. An Hans von Bülow schickt er ein Telegramm: »Heute Abend Schlag 8 Uhr wird das letzte C niedergeschrieben. Bitte um stille Mitfeier. Sachs.«
Ursprünglich war geplant, die Oper zur Verlobung König Ludwigs II. am 12. Oktober 1867 aufzuführen. Allein: Die Verlobung wurde aufgehoben (warum wohl?!), und die Oper war sowieso nicht fertig. Also wurde sie am Nationaltheater in München uraufgeführt, am 21. Juni 1868 – das ist übrigens zwei Tage vor der Johannisnacht, in der die Oper spielt! Der Abend war ein ungeheurer Erfolg, neben »Rienzi« Wagners größter Uraufführungserfolg. Jubel etc. pp. und dann eine »Gnade«, die es bis dahin noch nie gegeben hat: Ihre Majestät, der König von Bayern, baten den Komponisten in die Königs-Loge und gestatteten ihm, die Huldigungen des Publikums an der Brüstung entgegenzunehmen!

PERSONEN

Hans Sachs, Schuster:	Bass
Veit Pogner, Goldschmied:	Bass
Kunz Vogelgesang, Kürschner:	Tenor
Konrad Nachtigall, Spengler:	Bass
Sixtus Beckmesser, Stadtschreiber:	Bass
Fritz Kothner, Bäcker:	Bass
Balthasar Zorn, Zinngießer:	Tenor
Ulrich Eisslinger, Würzkrämer:	Tenor
Augustin Moser, Schneider:	Tenor
Hermann Ortel, Seifensieder:	Bass
Hans Schwarz, Strumpfwirker:	Bass
Hans Foltz, Kupferschmied:	Bass
Walther von Stolzing, ein junger Ritter aus Franken:	Tenor
David, Sachsens Lehrbube:	Tenor
Eva, Pogners Tochter:	Sopran
Magdalene, Evas Amme:	Sopran
Ein Nachtwächter:	Bass

Bürger und Frauen aller Zünfte, Gesellen, Lehrbuben, Mädchen, Volk

ORCHESTERBESETZUNG
3 Flöten (3. auch Pikkolo)
2 Oboen
2 Klarinetten
2 Fagotte
4 Hörner
3 Trompeten
3 Posaunen
Basstuba
Pauken
Große Trommel
Becken
Triangel
Glockenspiel
Laute
Harfe
Streicher

BESONDERHEITEN
Bühnenmusik: Nachtwächter-Stierhorn
Trompeten in versch. Stimmungen
Rühr-Trommel
Orgel

DAUER
ca. 4 ¼ Stunden

HANDLUNG
In Nürnberg, Mitte des 16. Jahrhunderts

ERSTER AUFZUG

Das Innere der Katharinenkirche

Nachmittagsgottesdienst am Vortag des Johannisfestes. Ein Choral verklingt, man verlässt die Kirche. Walther von Stolzing wartet, bis Eva und ihre Amme Magdalene die Kirche verlassen. Er weiß, was jeder weiß, der bis in die Mitte der 1950er Jahre in kirchengeprägten mitteleuropäischen Orten aufgewachsen ist: Nirgends kommt man den Frauen näher als in der Kirche, nirgends flirrt die Luft heftiger als dort. Walther hat Eva gestern kennengelernt und sich sofort in sie verliebt. Jetzt, in der Kirche, bittet er sie um ein Wort, woraufhin sie ihre Amme Magdalene an ihren Kirchenstuhl zurückschickt, sie habe ihr Brusttuch da liegen gelassen. Kenner von Kirchenflirts wissen: Hier kann die Oper eigentlich aufhören, denn Eva ist ebenfalls in Walther verliebt. Niemals sonst hätte sie – vorsorglich – Brusttuch und Spange in der Kirche »vergessen«, um Magdalene schicken und mit Walther unter vier Augen sprechen zu können. Er fragt, ob sie schon jemandes Braut sei. Das wird Magdalenen, die mittlerweile schon dreimal hin- und hergeflitzt ist (1 × Brusttuch holen, 1 × Spange holen, 1 × eigenes Gebetbuch holen), etwas zu viel, sie will alles Aufsehen vermeiden und sagt, dass Evchen von ihrem Vater Veit Pogner, dem Goldschmied, versprochen ist: dem Gewinner des morgigen Meistersinger-Wettsingens nämlich. Walther findet das alles andere als prickelnd, zumal er kein Meistersinger ist. Als aber Eva ihm sagt, dass sie ihn oder keinen will, ist klar: Er will Meistersinger werden.

Das findet sich auch schnell, denn als die Lehrbuben einfliegen, um die Kirche für ein Treffen der Meistersinger vorzubereiten, ist David mit dabei, der Geliebte von Magdalene und Lehrling von Hans Sachs, »dem Schuhmacher und Poet dazu«. Magdalene bittet David, dem Ritter Walther hurtig das Meistersinger-Einmaleins beizubringen. David beginnt mit dem Unterricht, wobei schnell klar wird, dass Walther vom Glasperlenspiel der Meister keine Ahnung hat. Er erzählt erst mal, wie Hans Sachs ihm mit Pfriem und Ahle die Poeterey beigebracht hat, was Walther nicht interessiert: »Hilf Gott! Will ich denn Schuster sein?/In die Singkunst lieber führ mich ein.« Daraufhin greift David zu dem Mittel, zu dem schlechte Lehrer immer greifen, wenn sie nicht mehr weiterwissen: zu den klassischen Angstmachern Bangemachen und Kompetenzprotzen. Er fängt an, die Regeln aufzuzählen, labert was vom »Rosenton«, der »Hageblüheweise«, und der »Gelbveigleinweise«, der »frisch Pomeranzen-«, »Gelblöwenhaut-« und »buttglänzenden Drahtweise«, vom »Bellerton«, dem »vergessenen Ton« und der »Meiranweise« – alles Begriffe, die bloß zeigen sollen, wie intensiv sich Wagner in die einschlägige Meistersinger-Literatur hineingegraben hat! Dann erklärt David das Amt des Merkers, der sich in sein Kabäuschen zurückziehen muss, um unabgelenkt vom Aussehen des Sängers ihn zu beurteilen und die Fehler anzu«merken«. Sieben Fehler darf der, der sich um die Meisterschaft und um Evchen bewirbt, machen, dann ist es aus. Kein Nachspiel, kein Elfmeterschießen. Damit endet die Unterrichtsstunde, die Meister treffen ein.

Beckmesser, einer derjenigen, die um Eva singen werden – im Übrigen aber die iggeligste Figur, die die deutsche Oper kennt: neidisch, kleinlich, Spießbürger durch und durch, missgünstig, ein widerlicher Jammerlappen und dabei sooo typisch deutsch, dass es einem schlecht wird. So einer fährt mit dem Bus in Urlaub und meckert in Malaga darüber, dass ihm keiner gesagt hat, dass es da heiß ist. Ich lasse am Ende des Buches ein paar Seiten frei, dann können Sie die Liste übler Beckmesser-Eigenschaften aus eigener Erfahrung heraus ergänzen! – Beckmesser also bittet Pogner, bei seiner Tochter Eva ein gutes Wort für ihn einzulegen. Pogner sagt etwas unverbindlich zu, da tritt Walther an ihn heran. Er sei nicht nach Nürnberg gekommen, nur um mit Pogners Hilfe ein Gut zu verkaufen (was am Vortag geschehen ist), sondern weil er Meistersinger werden wolle. Pogner freut sich sehr über diese Wendung der Dinge, Beckmesser aber riecht sofort den Rivalen und ist entsprechend anti. Es trudeln nun die Herren Meistersinger nacheinander ein. Kothner ruft auf, alle sind da, nur Niklas Vogel nicht, der ist krank, wie sein Lehrbub mitteilt. In klassisch-altertümelndem Wagner-Deutsch kommt dann: »Gut' Bessrung dem Meister!/Die Meister: ›Walt's Gott!‹« Hans Sachs, der Schuhmacher und Poet dazu, ist auch da, es kann losgehen.

Pogner hält eine große Rede über das morgige Fest auf der Festwiese an der Pegnitz und über den Kunstsinn der Nürnberger Bürger. Dann teilt er offiziell mit, dass der Preisträger seine Tochter Eva zur Frau haben soll. Einzige Bedingung: Eva darf den Preisträger ablehnen, darf allerdings auch nur einen Meistersinger heiraten – Opernhandlung fragt halt nicht nach unserer einfachen Allerweltslogik. Beckmesser meckert derbe herum, was Hans Sachs dazu bringt vorzuschlagen, lieber das Volk darüber entscheiden zu lassen. Nee, meint Pogner, das ginge denn doch etwas zu weit. Übergang zur Tagesordnung: Da stünde einer, heißt es, ein Ritter, der Meistersinger werden wolle. Riesen-Bohei erst mal, ein Ritter? Ob das auch gut für die Meistersinger-Sache und die Handwerkszünfte sei? Wo der denn das Dichten gelernt habe? Bei Walther von der Vogelweide, sagt unser Walther – denn der ist es –, dessen Gedichte er an langen Winterabenden gelesen habe. Und das Singen? »Im Wald dort auf der Vogelweid«, ist die kesse Antwort. Er darf vorsingen: Liebe ist sein Thema, Beckmesser sein Merker. Es kommt natürlich, wie es kommen muss: Man liest dem jungen Mann nochmal die Reimregeln vor, dann geht's los, aber kaum isses losgegangen, hebt der Merker schon die Tafel: Weit mehr als sieben Fehler, die Tafel ist vollgekritzelt, das ist das Aus.

Alle sind verwirrt, da wirft sich Hans Sachs persönlich in die Bresche: Wenn es auch ungewohnt sei, was man da gehört habe, verwirrt sei es nicht, Walther solle weitersingen. Beckmesser gerät darob außer sich: »Den Stümpern öffnet Sachs ein Loch,/da aus und ein nach Belieben/Ihr Wesen leicht sie trieben.« Als Sachs nochmal fürs Weitersingen plädiert, wird Beckmesser geradezu neudeutsch: »Der Meister Zunft, die ganze Schul',/gegen den Sachs, da sind wir Null!« Da bleibt Sachs auch nicht mundfaul und meint, dass Beckmesser den Ritter nur deshalb als Merker fertiggemacht habe, weil er ja selber hinter Evchen her sei und sie sich morgen ersingen möchte. Ab da ist natürlich Ende mit Schönwetter. Die Sitzung endet in allgemeinem Tumult, Walther ist durchgefallen, und der Vorhang senkt sich – damit mindestens ein Quäntchen Respekt für die Meister noch übrig bleibt und das Ganze nicht aussieht wie »Deutschland sucht den Superstar«. Apropos: Diese Shows sind sowieso von den Meistersingern abgekupfert, bis hin zur Jury: Ich bitte Sie, Dieter Bohlen als Beckmesser! Wenn der singen könnte, wäre er die Idealbesetzung!

ZWEITER AUFZUG

Eine schmale Gasse. Links das Haus von Hans Sachs, rechts das »etwas prächtigere« von Veit Pogner. Abend vor dem Johannistag, dann hereinbrechende Nacht

Die Lehrlinge freuen sich auf den Johannistag, die Hauptpersonen aber interessiert nur, wie Walther abgeschnitten hat. Lene erfährt von ihrem David, dass er sich versungen hat, und steckt das Eva: Sie solle sich von Hans Sachs Rat holen. Der nun hat in dieser traulichen Umgebung in milder Abendluft einen wunderschönen, großen Auftritt: »Was duftet doch der Flieder/so mild, so stark und voll!« Walthers Lied geht ihm nicht aus dem Kopf. Er ärgert sich darüber, dass es die Meister abgelehnt haben, nur weil es ungewohnt neu war. Für ihn klang es wie der Gesang der Vögel im Mai. Er kommt zum lyrischen Ergebnis: »Dem Vogel, der heut' sang,/dem war der Schnabel hold gewachsen;/macht' er den Meistern bang,/gar wohl gefiel er doch Hans Sachsen.« Ist doch ein Wort, gell! Nun kommt Eva und will Sachsen auf den Zahn fühlen, wie denn die Chancen für ihren Walther stünden. Dabei lehnt sie sich etwas zu weit aus dem Fenster und sagt, lieber als Beckmesser würde sie ihn, Hans Sachs, heiraten. Dem kommen diese Avancen unschicklich vor, er ist für so ein Angebot vielleicht auch zu wenig eitel oder zu weise; jedenfalls rückt er ihr dadurch den Kopf zurecht und ergreift heftig für die Meister und ihr Urteil und gegen Walther von Stolzing Partei. Wütend geht Evchen nach Hause und erfährt von

Magdalene, dass Beckmesser vorhabe, ihr ein Ständchen zu bringen, sie solle deshalb schon mal ans Fenster kommen. Diesen Job überlässt Eva aber ihrer Magdalene, die sich in Evchens Kleidung am Fenster zeigt.

Eva läuft Walther entgegen, der freut sich natürlich, Evchen zu sehen; genau das aber bringt seine Wut über die Meister und ihr Urteil zum Kochen, weil sie ja nur einen Meister heiraten darf. Mitten in sein Lamento ertönt das Horn des Nachtwächters. Eva und Walther ziehen sich in den Schatten des Lindenbaums zurück, der Nachtwächter geht vorbei, Sachs allerdings hat das Gespräch der beiden mitbekommen. Er möchte sie vor Torheiten bewahren und öffnet als erste Maßnahme schon mal die Tür weit, damit die beiden im Licht stehen und nicht fliehen können. Sie schrecken natürlich zurück. Walther erfährt, dass Hans Sachs dahintersteckt, sein Freund, wie er meint. Eva jedoch sagt ihm, dass Sachs ihr üble Dinge über ihn erzählt habe, der sei sicher nicht sein Freund. Über diesem Hin und Her kreuzt auch noch Beckmesser auf und stimmt seine Laute für das Ständchen. Sachs stellt seinen Werktisch in die Tür, Walther, ganz Sizilianer, will mit dem Ruf: »Den Lungrer mach ich kalt« sich auf ihn stürzen. Mit Mühe hält Eva ihn davon ab: Ob er denn den Vater wecken wolle? »Er singt ein Lied, dann zieht er ab«, seufzt sie: »Was mit den Männern doch Müh' ich hab'!«

Nun folgt diese köstliche Szene mit dem verhinderten Ständchen: Sobald Beckmesser losmeckert, haut Sachs auf den Leisten, dass er nur so kracht, und singt dazu ein Liedchen von der Vertreibung Evas aus dem Paradies – als Warnung an die beiden, was diese aber nicht kapieren. Die Störung bringt Beckmesser auf die Palme, Sachs mimt den Unschuldigen: Man dürfe beim Arbeiten ja wohl noch singen. Als sich Magdalene in Evas Kleidern am Fenster zeigt, ist Beckmesser vollends am Ende: Verzweifelt kommt er, um zum Zuge zu kommen, auf die Idee, Sachs zu bitten, sein Lied zu beurteilen. Der sagt zu, bei jedem Fehler werde er klopfen. Nun fängt der alte Gockel mit seinem Lied von vorne an, Sachs aber »entdeckt« so viele Fehler, dass er aus dem Klopfen gar nicht herauskommt. Dieser Lärm, der Gesang von Troubadix und das Gehämmere von Sachs weckt die ganze Nachbarschaft (»Wer heult denn da?/Wer kreischt mit Macht?/Ist das erlaubt so spät zur Nacht?«). Getümmel kündigt sich an. Als dann auch noch David, Sachsens Lehrling, im Glauben, Magdalene habe Beckmesser bestellt, weil der ihr besser gefalle als er, auf Beckmesser stürzt und eine Schlägerei mit ihm anfängt, ist alles aus. Die Asterix-Schöpfer Goscinny und Uderzo müssen wirklich »Meistersinger«-Fans gewesen sein: So getreu ist die Keilerei im gallischen Dorf dieser Wagner-Szene abgeguckt. Nur schade, dass man sich in Nürnberg mangels Meer nicht mit Fischen bewerfen kann. Aus der kleinen Schlägerei wird eine Massenkeilerei. Im allgemeinen Durcheinander versuchen Walther und Eva zu fliehen, das hat aber Hans Sachs unter Kontrolle: Er schubst Eva in deren Hausflur und zerrt Walther in sein eigenes Haus. Die Frauen schütten Wasser und ähnliche Flüssigkeiten auf die sich keilenden Massen, dann ertönt das Horn des Nachtwächters, man zieht sich, etwas abgekühlt, zurück. Der Nachtwächter singt sein »Gstanzl«, und der Vorhang senkt sich, um die Aufräumarbeiten zu verdecken.

DRITTER AUFZUG

Erstes Bild: In Sachs' Werkstatt

Sachs sitzt und liest, David kommt kleinlaut herein und versucht, sich beim Alten zu entschuldigen. Der beachtet ihn nicht, was David ganz nervös macht, geht es ihm doch darum herauszufinden, wie seine Chancen stehen, Magdalene heiraten zu dürfen. Sachs lässt sich von ihm das Sankt-Johannes-Sprüchlein singen, aus dem hervorgeht, dass Sachs heute Namenstag hat. Dann schickt er seinen Lehrling weg, er solle heute auf der Festwiese sein Herold sein und sich schick machen. Sachs darf sich – in einer großen Arie – über den Wahn der Menschheit Luft machen, anderen und sich selbst immer Leid zufügen zu müssen. Er nimmt sich vor, seine Nürnberger auf ein anderes Geleis zu bringen. Walther taucht auf, gut geschlafen, bestens gelaunt, er hatte einen schönen Traum, in dem es natürlich um die Liebe ging. Das dünkt dem Meister ein gutes Zeichen, er ermuntert Walther, aus diesem Traum ein Lied zu machen. Ja und die Meisterregeln?, fragt Walther. Tja, meint Sachs, das sei so: Solange man jung sei, kämen die Lieder von selber, weil die Gefühle stimmten. Erst mit den Sorgen im Leben, »Kindtauf', Geschäfte, Zwist und Streit«, brauche man mangels akuter Gefühle eben die Regeln. Und wer dann noch von der Liebe singen könne, der sei ein Meister. Er, Walther, solle erst mal aus seinen Gefühlen schöpfen, die Regeln solle er seine Sorge, Sachs', sein lassen. Walther beginnt, Sachs korrigiert hier und da eine Kleinigkeit, fertig ist das Meisterwerk, das Preislied. Sachs schreibt es auf und schlägt vor, sich umzuziehen, und zwar festlich, denn es »sollen beide wir geziert sein,/wenn's Stattliches zu wagen gilt«.
Jetzt wäre es dramaturgisch arg langweilig, wenn nur noch die Festspielwiese käme, Walther singt, alle sind begeistert, er bekommt

seine Eva, und fertig ist die Laube. Deshalb hat sich Wagner etwas Pfiffiges einfallen lassen: Beckmesser taucht auf, während die beiden sich zum Umkleiden zurückgezogen haben. Er sieht das Lied auf dem Tisch, von Hans Sachs niedergeschrieben, also denkt er, dass der Meister persönlich sich auch bewerben wolle, was ja legitim ist, denn der Sieger muss Junggeselle sein – ob überhaupt oder verwitwet, ist egal. Als die Tür aufgeht und Sachs kommt, steckt Beckmesser das Blatt schnell in die Tasche. Er beginnt nun wieder zu meckern – hält ja Sachs für seinen Rivalen –, er beschuldigt Sachs, die Rauferei gestern Nacht angezettelt zu haben, um ihn, Beckmesser, aus dem Weg zu räumen. Sachs verneint und verneint schließlich auch die Frage, ob er denn selber auch singen wolle. Da zieht Beckmesser, der das nicht glaubt, das Preislied aus der Tasche, das er gefunden hat. Da läuft Hans Sachs zu Hochform auf: Er selber habe noch nie was geklaut; damit nun aber keiner denke, Beckmesser sei ein Dieb, könne der das Lied gerne behalten. Und ob er es auch singen dürfe? Warum nicht, meint Sachs, es sei allerdings schwer zu singen. Da mache ihm, Beckmesser, keiner was vor, er zitiert seinen Firmen-Slogan: »Beckmesser, keiner besser!« und rauscht stolz und glücklich, aber hinkend von der gestrigen Schlägerei ab.

Eva kömmt zu Sachs: Die Schuhe da, die passen nicht, zu weit und drücken doch, nicht vorn, nein hinten am Spann und oben am Rist. Walther kommt in diesem Moment ins Zimmer, was Sachs mit: »Aha! Hier sitzt's! Nun begreif' ich den Fall!« kommentiert. Während er den Schuh traktiert, deutet er an, dass er vielleicht auch nochmal um sie werben könne, Walther stimmt derweil einen Teil aus seinem Preislied an, Eva ist natürlich verzückt. Sachs macht sich noch ein bisschen über Eva lustig: Die jungen Mädchen, sind keine jungen Männer da, begehren selbst einen alten Schuster, sind aber junge Männer da, wollen sie nichts mehr davon wissen, dann riecht der Schuster nur nach Pech. Sachs kommt ihr und uns bei der Gelegenheit mit Tristan und Isolde (auch musikalisch!): »Mein Kind: Von Tristan und Isolde/kenn' ich ein traurig Stück:/Hans Sachs war klug und wollte/Nichts von Herrn Markes Glück.« Das ist übrigens die Stelle, die klarmacht, dass Sachs sächseln muss: Isolde – wollte! Das reimt sich/nur in Leipzig! Damit ist auch dem Pärchen klar, dass Sachs ihr »Geheimnis« kennt. Magdalene, in festlichem Gewand, und David, in feinem Zwirn, treten ein, was Sachs sehr zupasskommt: Er will das Meisterlied Walthers taufen. Dazu braucht man einen Gesellen, der ist aber nicht zur Hand. Mit einer kräftigen Ohrfeige wird David losgesprochen, er ist jetzt Geselle. Sachs tauft das Lied »Die selige Morgentraum-Deutweise«, Eva darf den Spruch sagen, und alle fünf besingen in einem hinreißenden Quintett diesen schönen Morgentraum. Langsam geht die Musik in eine »Johannestag-Wiesen-Marsch-Weise« über, die Bühne verwandelt sich ...

Zweites Bild: Eine Wiese an der Pegnitz vor den Toren Nürnbergs

Großer Aufmarsch der Zünfte, hinten die üblichen Bierbuden und Colastände ... Wagner schreibt vor: »Zelte mit Getränken und Erfrischungen aller Art« – das ist sehr aufmerksam, denn man hat bis dahin so gut seine drei dreiviertel Stunden gesungen! Großer Aufmarsch der Nürnberger, man neckt sich in kleinen Spottgesängen, man tanzt. David auch, und weil seine Magdalene nicht da ist, schnappt er sich ein Fürther Mädchen, muss sie aber aufgeben, als die Meistersinger einziehen. Hans Sachs hält sozusagen die Eröffnungsrede, der Wettbewerb um Eva und den Sangeslorbeer kann losgehen. Beckmesser ist mit dem Lied, das ihm Hans Sachs geschenkt hat, überhaupt nicht zurechtgekommen, hat Lampenfieber wie ein Anfänger. Als er die Bühne betritt, macht sich alles über ihn lustig – und darüber, dass er als alter Hagestolz noch auf Freiersfüßen geht. Er beginnt zu singen, aber alles geht vollkommen daneben – das kennen wir ja von Troubadix. Als er ausgelacht wird, beschimpft er wütend den Schuster, von dem das Lied sei: »Mich hat der Schändliche bedrängt,/sein schlechtes Lied mir aufgehängt.« Sachs hebt das Blatt, das Beckmesser zu Boden geworfen hat, auf und bestreitet, der Autor des Liedes zu sein. Beckmesser solle selbst erklären, wie er an das Lied gekommen sei. Er, Sachs, könne nur sagen, dass er sich nicht rühmen könne, jemals ein so schönes Lied gemacht zu haben. Man müsse es nur richtig singen, betont er, und ruft Walther von Stolzing auf den Plan. Der nun singt das Lied, wie es sich gehört, und alle sind selig: das Volk, die Meister und erst recht Evchen. Sie nimmt ihren Walther und kniet sich mit ihm vor Papa Pogner, der die beiden segnet. Jetzt könnte Schluss sein, hätte Wagner nicht noch Spaß daran, Hans Sachs einen großen Abgesang singen zu lassen. Das hängt er daran auf, dass er den jungen Ritter in die Meistergilde aufnehmen lassen will, was dieser jedoch ablehnt. Daraufhin erklärt Sachs in einer Art feuilletonistischer Beispiel-Arie die Bedeutung der Meister für die deutsche Kunst (»Verachtet mir die Meister nicht/und ehrt mir ihre Kunst«), Walther willigt endlich doch in die Ehre ein, und alles feiert Hans Sachs als den Inbegriff des deutschen Künstlers. Vor so viel Lob und Ehre wird's auch dem Vorhang schwer ums Herz und er lässt sich fallen.

HITS

Natürlich das Vorspiel! Da ist unserem Richard große Musik eingefallen, wunderbar! Kennt jeder Opern- und Konzertfreund, ist in jedem Wunschkonzert, und selbst die sattsam bekannten Feuerwehr- und Polizei-Blaskapellen in Italien haben es drauf. Im Grunde können nach dem Vorspiel die Freunde absoluter Musik aufstehen und gehen, denn so was Konzertantes kommt danach nicht mehr. Wenn sie sitzen bleiben, werden sie allerdings noch einige schöne Sachen erleben. Etwa die Unterrichtsstunde, die David dem Ritter Walther gibt, damit der Meister wird. Das ist nicht nur witzig, das ist auch schön. Vor allen Dingen: »Der Meister Tön' und Weisen«, und danach der Lehrbuben-Chor ist auch erfrischend und schön, vor allem »das Blumenkränzlein aus Seidenfein«: Da lugt fast ein bisschen Carl Maria von Weber, den Wagner sehr bewundert hat, hervor, eine Prise Lortzing ist auch dabei – und trotzdem ist es echter Richard. Toll!

Für mich ist »Das schöne Fest«, mit dem Herr Pogner seinen Kollegen mitteilt, was er für einen Preis ausgesetzt hat, eine der großen lyrischen Stellen in dieser Oper. Diese Arie hat einen großen Atem, da darf einer sich richtig schön aussingen – reinstes Vergnügen, zum Zurücklehnen und Genießen. Eine schöne Petitesse ist die Stelle, wo Pogner Walther zum Vorsingen vorstellt: Da sind sie ein bisschen hin- und hergerissen, die Meister, ein Ritter? Soll man sich darüber freuen? Zaghaft sind sie und unentschieden, und das musiziert Wagner in derart schönen Tönen – ein köstlicher Augenblick in dieser Oper. Ganz großer Ironie-Moment: Nachdem Walther sein Lied anfängt und ihn Beckmesser unterbrochen hat, sollen die Meister zu einer Meinung finden. Wie Wagner das in Szene setzt, ist bestechend: Was muss er sich über seine Kritiker geärgert haben, dass er sie jetzt in Gestalt der Meistersinger so vorführt! Sie, die singen können sollen, singen, dass es einen graust. Steifes Herumgeröhre ohne jedes Format – da hört man an jeder Note, dass Wagner empört ist darüber, dass diese Handwerker sich anmaßen, über die Kunst zu Gerichte zu sitzen. Zudem hört erst einer auf den anderen, keiner will zu schnell mit seiner eigenen Meinung herausrücken. Dann aber, als klar ist: Daumen nach unten, können sie nicht laut genug schreien. Das ist Extra-Klasse, Herr Wagner, ehrlich! Zweiter Akt: Sachs' »Was duftet doch der Flieder« keinesfalls verschlafen oder versäumen, großer lyrischer Wagner. Eine kleine, aber – verzeihen Sie – göttliche Stelle ist in der zweiten Szene, als Evchen mit Hans Sachs spricht und völlig unvermittelt anfängt, ihm um den Bart zu gehen: »Könnt's einem Witwer nicht gelingen?«, fragt sie. Wagner ist dazu eine Melodie eingefallen: die reine Verführung! Also wenn ich der Sachs wär ... Und wie Wagner kurz darauf Evchen ihren Walther begrüßen lässt, meiner Treu!, so möchte jeder Mann von seiner Schönen begrüßt werden: »Ja! Ihr seid es! Nein! Du bist es!« Dann kommt Wagners Bekenntnis: Er hat ja wirklich einiges auf die Mütze gekriegt im Laufe seines Schaffens, kein Wunder, dass er auf all diese echten Beckmesser schlecht zu sprechen war. Und wie rächt er sich? Er lässt Walther von Stolzing den Wutausbruch singen: »Doch diese Meister! Ha! Diese Meister«, worin er diese Korinthenkacker mit ein paar Tönen fertigmacht, um dann zu seinem eigenen, ganz persönlichen Bekenntnis anzusetzen (in strahlender Melodie): »Fort in die Freiheit, dahin gehör ich, dort, wo *ich* Meister im Haus.« Falls er diesen Einfall schon hatte, als er um Cosima warb, ist es kein Wunder, dass sie ihm folgte. Denn die Stelle geht weiter: »Soll ich dich frei'n heut', dich nun beschwör' ich, komm' und folg' mir hinaus!« – da hat der blässliche Dirigent Hans von Bülow doch keine Chance mehr! Ein neckischer Einfall ist der, wie Beckmesser, als er denn endlich sein Ständchen im zweiten Akt bringen darf, die Laute stimmt: Im Streit mit Sachs hat sie sich verstimmt (die D-Saite), und jetzt muss von E auf D zurückgestimmt werden, und wer hilft? Die Geigen, sie gehen von E über Es nach D – zauberhaft! Das Ständchen selbst – einmalig! Da hätte Troubadix seine helle Freude! Ich auch! Und wie Wagner das Gejohle über die Nachbarn legt, die sich jetzt beschweren – das ist musikalische Komik aus der allerersten Reihe! Ab da bis zum Schluss dieses Akts ist wirklich Vergnügen angesagt, jedenfalls was Handlung und Musik angeht.

Wenn man im dritten Akt noch Lust zum großen Atem hat, kann man sich auf die Sachs-Arie »Wahn! Wahn! Überall Wahn!« freuen – ein melancholischer Kontrapunkt zu dem, was an Jubel und C-Dur noch alles kommt. Natürlich ist der nächste Hit die Szene, in der Walther sein Preislied schreibt. Müsste ich ein kleines Bündelchen Wagner schnüren, in dem nur fünf Teile Wagner à zehn Minuten drin sein dürften: diese Szene wäre mit dabei. Auch wegen der »Kunst«-Anmerkungen von Herrn Sachs, weil das ein gar zu schöner Kontrast zur schmelzseligen Preislied-»Melodei« ist. Ein großer Opernmoment und menschliche Labsal ist die Stelle, als Hans Sachs herummeckert (im Hintergrund liegt Evchen ihrem Walther in Sachsens Werkstatt im Arm, er hat ihr gerade die dritte Strophe des Preisliedes mit umwerfendem Erfolg vorgesungen), man könne es den Frauen nicht recht machen, als Witwer schon gar nicht, am Ende rieche ein Schuster doch nur nach Pech. Da umarmt ihn Evchen und dankt ihm mit einer Liebeserklärung, die groß ist: »O Sachs! Mein Freund!«, und das geht bis ins H hinauf, welche Wonne, welche Lust, möchte man mit Mozart singen, selbst wenn es zwischendurch ein bisschen mendelssohnt! Und dann natürlich der Mega-Moment: Sachs sagt, er wisse ein trauriges Stück von Tristan und Isolde (weil er sich in dem Moment schon ein bisschen wie König Marke fühlt), und was hören wir? Jawoll! Den Tristan-Akkord! Dass sich Wagner dafür nicht zu schade ist, ist für mich ein Giga-Hit!

Als später das Preislied getauft wird, ist das schön. Schöner ist, was Eva zu singen hat – und wenn danach alle einstimmen, sollten wir uns klarmachen, dass das eines der wenigen großen Quintette, nein, Ensembles ist, die Wagner je geschrieben hat. Es ist ihm berauschend gut gelungen! Wenn ich beim Cinemascope-Bild (s. unter »Flops«) rausgegangen sein sollte, komme ich spätestens dann zurück, wenn der Chor sein »Wacht auf!« schmettert – in G-Dur, und das muss so fetzen, dass sich der Schnürboden hebt, sonst isses nix! Da outet sich unser gleener Saggse als Weltmeister des Chor-Komponierens, und da läuft's mir so was von eiskalt den Rücken runter ... Und Wagner holt die Musik nach dieser ungeheuren Explosion mit den Streichern wieder runter in die Besinnlichkeit, mit der Sachs sich für die Ehrung bedankt. Das sind Momente, zu denen ich nur sagen kann: So muss Oper sein, das kann nur Oper! Nun nähert sich das, von dem wir wissen, wie es ausgehen wird. Dennoch kommen ein paar große Momente: Beckmesser will singen, ist aufgeregt. Aus dem »morgendlich leuchtend in rosigem Schein« kommt ein Mega-Hit heraus: »morgen ich leuchte in rosigem Schein« – Sprachverwirr, die absolute Alki-Hymne. Ernst Bloch hat – vielleicht nicht nur augenzwinkernd – zu dieser Stelle gesagt, hier nehme Wagner Dada vorweg! Und wir sehen: Wagner hatte Humor, wenn auch einen drastischen.

Dann das Preislied natürlich, nochmal und jetzt in vollem Festgewand, hochspannend eingeleitet vom Orchester: immer wieder ein Kleinod. Das wär's dann gewesen. Nein, halt! Toll ist auch, dass Walther die ihm angebotene Aufnahme in die Meistergilde ablehnt. Leider ist es bei diesem Schluss der Oper nicht geblieben. Wagner hat ihn auf Bitten Cosimas verändert und noch das »Verachtet mir die Meister nicht, und ehrt mir ihre Kunst!« drangehängt. Natürlich war damit das deutsche Handwerk gemeint. Da bin ich nicht der Einzige, der sich damit ein bisschen schwertut, wofür nun Wagner nix kann. Bei der Wiedereröffnung der Festspiele in Bayreuth hat das Publikum an dieser Stelle spontan das Deutschlandlied angestimmt. Vielleicht gefällt mir deshalb dieser Monolog am Ende der Oper nicht. Wagner hätte übrigens am liebsten gehabt, wenn nach dem Aufschrei von Walther: »Nicht Meister! Nein! Will ohne Meister selig sein!« der Vorhang fiele, aber wie gesagt: Cosima ...

FLOPS

In der ersten Szene bei »Für Euch Gut und Blut« schwelgen Walther und Eva für eine Minute in höchsten Tönen, das klingt wie Operette! Mein lieber Wagner, was hat dich denn da geritten? Am Abend vorher Offenbach gehört oder was? Auch Davids Kurzvortrag über die Meistersingerkunst ist ein bisschen zu lang geraten: Ein modernes Publikum hat da sowieso keine Ahnung und interessiert sich auch nicht wirklich für die diversen »Weisen« und »Tön'« der Hohen Meistersingerkunst, außerdem ist das höllisch schwer zu singen: Unmengen von Verzierungen, extreme Höhen: jede Menge h's und b's und a's sowieso und die meisten davon auch noch voll auszusingen ... Lieber Herr Wagner, da haben Sie ein bisschen viel Mühe aufs falsche Objekt gewendet. Die Meister treffen ein – bis die aber mal zur Sache kommen! Das ist schlimmer als bei einer Sitzung des Deutschen Beamtenbundes. Das mag vielleicht Italiener brennend interessieren oder das südamerikanische Publikum, nach dem Motto: Ach, gumma wie umständlich die Deutschen ihre Sitzungen anfangen ...

Zweiter Akt: Hans Sachs will mit seinem Gehämmere und dem dazugehörigen Lied das Ständchen von Beckmesser verhindern und singt: »Jerum! Jerum! Hallo, hallo ha!«, und dazu hören wir eine Musik, die so was vom Millenniums-Song geklaut ist ... Wagner! Finden Sie das nicht ein bisschen billig? Das ist immerhin eine *deutsche* Oper, da hat einfach kein Platz für solch Schrott zu sein! Und dann, nach dem »Jerum«, bis Beckmesser endlich mal mit dem Ständchen anfängt, das zieht sich wieder, da strapaziert uns Wagner wirklich. Der dritte Akt könnte ein bisschen flotter losgehen, vor allem, wenn man den Fehler gemacht hat, vorher einen Tisch zu bestellen, um der Schönen, die das erste Mal Wagner hört, einen feinen Abgesang in die Nacht zu bereiten. Selber Schuld, wird der Kenner sagen, dennoch: Das ist schon eine reichlich sehr lange Einstimmung auf den Johannistag, zumal im Anschluss daran die große Hans-Sachs-Arie »Wahn! Wahn! Überall Wahn!« kommt, die auch nicht gerade *die* flotte Tanzsohle ist. Dann kommt Beckmesser in die Werkstatt Sachsens: Ist so eine Filmmusik denn nötig, um uns zu zeigen, was dem Hohlkopf alles im Kopf herumgeht, während er sich durch die

Werkstatt wühlt? Dass Beckmesser bei den Geigenpassagen mit den prägnanten Achtelnoten nicht auch noch auf Spitzen tanzt, ist alles! Zweites Bild: Gut, Panorama, gut, Wies'n-Atmosphäre (aber halt in Nürnberg!), gut, Aufmarsch der Zünfte, aber es ist – seien wir ehrlich – doch ein bisschen Cinemascope-Musik. Als hätte Otto Preminger das alles produziert. An der Stelle würde ich ganz gerne mal raus, um mir ein bisschen die Füße zu vertreten!

OBACHT

Das größte Obacht ist bei dieser Oper nicht auf der Bühne oder im Orchestergraben zu suchen, da müssen die Herrschaften ohnehin Höchstleistungen bringen. Nein, die Höchstleistung ist in Parkett, Loge und – dort aber ohne jede Gnade – auf dem Stehplatz zu erbringen. Da nützt auch ein Sitzkissen nix mehr, da hilft nur eines: Sich so von der Oper gefangen lassen, dass man nicht merkt, wie die Beine dicker und Po und Rücken langsam taub werden, sich im Nacken eine gewisse Steifheit breitmacht und man auch gar nicht mehr hört, wenn der Nachbar schnarcht. Am Ende aber aufpassen: Nicht sofort mit dem Klatschen beginnen, sondern erst ein paar isometrische Übungen machen (Po anspannen und lockern, Füße gegen den Boden stemmen und lockern etc. pp.), dann warten, bis die Nadelstiche, die ja kommen, wenn das alles wieder aufwacht, ein bisschen nachgelassen haben. Dann andächtig ein Ründchen mitklatschen und ruhig gehen. Man wird Sie respektvoll als KennerIn ansehen.

DER KLEINE OPERNTÄUSCHER

Selbstverständlich müssen Sie, möchten Sie als Experte gelten, in der Pause beweisen, dass Sie die Grammatik der Meistersinger beherrschen. Also: Libretto raus und auswendig gelernt:
Der kurze Ton
Der lange Ton
Der überlange Ton
Der rote Ton
Der blaue Ton
Der grüne Ton
Der zarte Ton
Der süße Ton
Der Rosenton
Der Kurze-Liebe-Ton
Der vergessene Ton

Der Lerchenton
Der Schneckenton
Der Bellerton
Die Schreibpapierweise
Die Schwarz-Tintenweise
Die Hageblühweise
Die Strohhalmweise
Die Fengelweise
Die Rosmarinweise
Die Gelbveigleinweise
Die Regenbogenweise
Die Nachtigallenweise
Die englische Zinnweise
Die Zimtröhrenweise
Die Frische-Pomeranzenweise
Die Grüne-Lindenblühweise
Die Fröscheweise
Die Kälberweise
Die Stieglitzweise
Die Abgeschiedene-Vielfraßweise
Die Melissenblümleinweise
Die Meiranweise
Die Gelblöwenhautweise
Die Treuer-Pelikanweise
Die Buttglänzende-Drahtweise

Nicht aber die »Selige Morgentraum-Deutweise«, weil das Wagner eingefallen ist für das Preislied. Das andere sind echte Meistersinger-Weisen, und Wagner wollte sie alle loswerden, um zu zeigen, wie tief er sich da hineingegraben hat. Und Sie auch, also los!

BEWERTUNGEN

Magie 🎪🎪🎪 — Man sollte schon Deutscher sein oder die Deutschen gut kennen, um sich von dieser Oper so verführen lassen zu können, dass man die Zeit nicht mehr spürt.

Erotik 👠 — Da wird zwar ein bisschen drüber gesungen, aber erotisch? Gut, Beckmesser vielleicht – aus der Abteilung bizarre SM-Kunden!

Fazzoletto 💧

Das brauche ich bei der Stelle, wenn Evchen sich bei Sachs entschuldigt und ihm das h'' in die Ohren jubelt – nee, is dat schön!

Gewalt —

Gut, Beckmesser bekommt eins auf die Mütze, aber das ist auch wirklich alles.

Gähn 🥱🥱🥱

Ich meine: Es ist nicht wirklich jeder, der da sitzt, Extrem-Wagnerianer, und für uns Normalos ist das schon eine Oper mit einigen Längen. Wie Rossini schon sagte: »Bei Wagner gibt es schöne Momente – aber fürchterliche Viertelstunden.« Viertel?!

Moral ⌒⌒⌒⌒⌒

Selbst Walther von Stolzing, der ein bisschen gegen die Ordnung aufbegehrt, wird eingetütet und dem System wieder zugeführt. Da ist kein Platz für Anarchie.

Ewigkeit ✨✨

Ich könnte mir schon vorstellen, dass beim Jüngsten Gericht, wenn wir alle im Paradies einschweben, das Vorspiel erklingt. Und das Preislied natürlich.

Gourmet ✨✨

Alles ein bisschen zu breit für den richtigen Gourmet: Dem bleiben einige Stellen bei Evchen und Beckmesser natürlich. Aber bekäme man für den abgestandenen Hagestolz Beckmesser einen Stern? Noch nicht mal vom Gummi-Männchen.

GESAMTWERTUNG

Große Oper mit wunderschönen Momenten, aber bisschen viel Hollywood. Schade, dass es keine französische Oper ist – sie würde wunderbar auf die Champs-Élysées passen!

Richard Wagner
1813–1883

Der Ring des Nibelungen
Ein Bühnenfestspiel für drei Tage und einen Vorabend
Text: Richard Wagner

»Mit dieser meiner neuen Konzeption trete ich gänzlich aus allem Bezug zu unserem heutigem Theater und Publikum heraus: Ich breche bestimmt und für immer mit der formellen Gegenwart. ... An eine Aufführung kann ich erst nach der Revolution denken: Erst die Revolution kann mir die Künstler und die Zuhörer zuführen. Die nächste Revolution muss notwendig unsrer ganzen Theaterwirtschaft das Ende bringen: Sie müssen und werden alle zusammenbrechen, dies ist unausbleiblich. Aus den Trümmern rufe ich mir dann zusammen, was ich brauche: ich werde, was ich bedarf, dann finden. Am Rheine schlage ich dann ein Theater auf und lade zu einem großen dramatischen Feste ein: Nach einem Jahre Vorbereitung führe ich dann im Laufe von vier Tagen mein ganzes Werk auf: Mit ihm gebe ich den Menschen der Revolution dann die Bedeutung dieser Revolution, nach ihrem edelsten Sinne, zu erkennen. Dieses Publikum wird mich verstehen, das jetzige kann es nicht.«
(Richard Wagner am 12. November 1851 im Brief an den Geiger und Musikschriftsteller Theodor Uhlig, in dem er die Notwendigkeit der Erweiterung des Siegfried-Stoffes zu einer Tetralogie begründet. »Richard-Wagner-Handbuch«, Stuttgart 1986)

ENTSTEHUNG
Hier kann ich nun leider nicht getrennt für jede der vier Opern dieses Zyklus die Entstehungsgeschichte skizzieren (dafür gibt es Bibliotheken voller Spezialliteratur!), die Werke hängen so miteinander

zusammen, dass ich versuche, einen Überblick über die Entstehung des Ganzen zu geben. Dass natürlich so ein Riesenwerk wie die vier Opern des »Ring« nicht mal eben zwischen Sommer und Herbst geschrieben werden kann, ist klar: Für 15 Stunden Musik der komplexen Art braucht man schon zum Notenschreiben Monate. Tatsächlich war es so, dass Wagner sich zuerst um Stoff und Text kümmerte, dann erst um die Musik. Und dieses Kümmern begann mit einer hübschen Kuriosität, die ein Beispiel dafür ist, wie Wagner abdriften konnte, wenn er ein Ziel verfolgte. Er betrieb Studien zu »Kaiser Rotbart lobesam«, zu Friedrich Barbarossa. Das war in der Zeit der deutschen Revolution, des Dresdner Aufstandes 1849, Wagner war einerseits auf der Suche nach Stoffen, andererseits mittendrin im aufrührerischen Geschehen. Jesus von Nazareth ging ihm als Opernthema im Kopf herum, er sah Jesus als Sozialreformer und konzipierte schon szenengenau. Wieland der Schmied ging ihm im Kopf herum, ein alter Germanenstoff, und auch hier kam er schon ziemlich weit voran. Achilleus ging ihm im Kopf herum, da blieb es vage, und natürlich die Staufer, darunter Friedrich Barbarossa. Auch hier konzipierte er fünf Akte als großes Geschichtsdrama und stürzte sich in historische Studien. Nun wird's köstlich: Er glaubte, eine Verbindung zwischen den Staufern (in Italien: Ghibellini) und den Nibelungen gefunden zu haben. Aufgrund einer leicht haarkräuselnden Überlegung: Die Staufer kommen aus Waiblingen. Das W wird von den Italiener mit Gh übersetzt, die Waiblinger werden deshalb zu Ghibellini. So weit, so die Forschung – nur, so Wagner, das stimme nicht. Ghibellini könne nicht aus dem Wort »die Waiblinger« entstanden sein, sondern müsse mit den Nibelungen als den Vorfahren der »Waiblinger« Staufer zu tun haben, die dann später nicht mehr Nibelungen, sondern Wibelungen = Wibellini = Ghibellini genannt worden seien. Warum? Wegen des mächtigen Stabreimes: W̲elfen (guelfi) gegen W̲ibelungen (g̲hibellini)! Der Bayer würde sagen: »Host mi?«, wir g̲ebildeten Akademiker sagen dazu: »Quod erat demonstrandum«, lachen darüber dürfen aber beide.

Gleichzeitig zu diesen Stoffüberlegungen schrieb Wagner theoretische Schriften, etwa das wichtige Werk »Oper und Drama« (1851), und legte darin z.B. klar, dass in historischen Dramen (vgl. »Die Hugenotten« von Meyerbeer) nicht so sehr Menschen die tragenden Figuren sind als die politischen Verhältnisse. Die Figuren des historischen Dramas seien »historisch-konventionelle« Figuren, an denen »uns das Gewand mehr als die wirkliche Gestalt interessieren muss«. Demgegenüber stehe im Zentrum des »Mythos« der

Mensch, der aller historischen Zufälligkeiten entkleidete, der »wirkliche, nackte«, der »wahre Mensch«. Und der interessierte Wagner mehr. Von daher traf er seine Entscheidung zur Stoffwahl: kein Christus, kein Wieland der Schmied, kein Friedrich Barbarossa, sondern der »Ring des Nibelungen«, d. h. zunächst mal »Siegfrieds Tod« (die Urfassung der »Götterdämmerung«), geschrieben 1848, im November 1848 dann in Verse geschmiedet und den Freunden vorgetragen (würde ich gerne Mäuschen gespielt haben!).

Bei dieser Lesung war auch Eduard Devrient zugegen, ein erfahrener Theatermann und Schauspieler: Er kritisierte, dass »Siegfrieds Tod« zu viele Fragen nach seiner Vorgeschichte aufwerfe, was mit Rückblenden schlecht darstellbar sei, weil das ermüde. Klar: Wer stirbt, hat gelebt. Aber wo, wie, mit wem? Mai und Juni 1851 entwarf Wagner den »Jungen Siegfried«, dann schwoll die ganze Geschichte an, und in ziemlich rascher Folge schrieb er (zuerst in Prosa, dann in Versen) die »Walküre« und das »Rheingold«, überarbeitete den »Jungen Siegfried« zum »Siegfried« und war am 15. Dezember 1852 mit dem »Ring« im Wesentlichen fertig. Mit einer Dichtung also, die Edda, Nibelungenlied und die nordische Mythenwelt überhaupt zu einem grandiosen Panorama vereint – wenn auch nicht immer in schlüssiger Logik, was Wunder, bei dem Umfang. Da vergisst man schon mal, was man – z. B. wenn es um die Frage geht, wann Wotan sein Auge verloren hat – 5000 Verse (oder so) früher dazu geschrieben hat. Im »Rheingold« heißt es, er habe es beim Werben um Fricka verloren, in der »Götterdämmerung« heißt es, beim Streben nach ewigem Wissen habe er am Fuße der Weltesche das Auge als »ewigen Zoll« lassen müssen – und das ist nur ein Beispiel.

Wagner ließ 50 Exemplare vom »Ring« (die Dichtung, nicht die Musik) als Privatdruck erscheinen und las das ganze Werk an vier Abenden im Hotel »Baur au Lac« in der Schweiz vor. Hier ein paar Sätze zur Form: Stabreim! Wagner hat nicht im Endreim gedichtet, sondern im klassischen germanischen Stabreim, Sie wissen schon: Ben zi bena, bluot zi bluoda – Merseburger Zaubersprüche. Der Stabreim hat eine wichtige Eigenschaft, die sich Wagner zunutze machte: Es wird nicht nur der Anfangsbuchstabe zum Anfangsbuchstaben gereimt, sondern der Reim besteht darin, dass auch die Anfangsbetonungen gleich sein müssen. Beispielsweise ist »Gedicht und Gebet« kein Stabreim, sondern nur Alliteration, weil die Anfangssilbe unbetont ist (es sei denn, man spräche es böhmakelnd aus: Gé-dicht und Gé-bet!). Das aber gibt der Rede Schwung und Kraft, und das ist der Grund dafür, dass sich bis heute allein wegen

des Stabreims manche Kombinationen gehalten haben: Mann und Maus, Kind und Kegel, Haus und Hof, Dick und Doof.
Wagner nutzt das und hat dadurch zwei Vorteile: Zum einen klingt's irgendwie germanisch, alt, heldisch, aus dunkler Vorzeit, also mythisch, zum andern geht's schön zu vertonen: »Nun zäume dein Ross, reisige Maid«, sagt Wotan zu seiner Brünnhilde – und das singt sich doch schon fast von allein. Deutsch hat halt nicht so ein Melos wie Italienisch, da muss man sich was einfallen lassen. Der Stabreim verleiht auch weichesten Wörtern dräuenden Druck in ohrenbetörender Oper! Ich kann mich da zwar drüber amüsieren, aber eines muss man Wagnern doch lassen: Es ist ihm wirklich viel eingefallen. Ich vermute mal, dass er in dieser Zeit überhaupt nur in Stabreimen gesprochen haben wird – doch wäge ich weiter, zu wetten wagte ich wenig.

Mit der Musik allerdings hat es sich gezogen. 1850 die ersten Skizzen, dann war erst mal Pause. Dann gibt es die hübsche Geschichte (wie so oft bei Wagner), dass er, seekrank, fiebrig und überhaupt physiologisch extrem reduziert, in La Spezia herumgelegen habe, dann eingenickt sei und plötzlich das »Wiegenlied der Welt«, den Es-Dur-Akkord, mit dem »Rheingold« beginnt, im Kopf gehabt habe. Ob das daran gelegen hat, dass irgendjemand in der Nachbarschaft auf dem Klavier die Ouvertüre »Das Märchen von der schönen Melusine« von Felix Mendelssohn gespielt hat – aus der Wagner dieses Motiv, sagen wir ruhig, geklaut hat – oder nicht – wir werden es nie erfahren. Allerdings: Bei Mendelssohn ist es in F-Dur, bei Wagner einen Ton tiefer: Es-Dur, das allein ist ja schon anstrengende kompositorische Arbeit ... Im September 1854 war die musikalische Arbeit am »Rheingold« abgeschlossen. Bei der Musik verhielt es sich umgekehrt zum Text: Jetzt konnte Wagner zeitlich gesehen »nach vorne« komponieren, wo er beim Dichten »nach hinten« schreiben musste. »Walküre« komponierte er von Juni 1854 bis März 1856. Im Sommer 1856 fing er mit dem »Siegfried« an, kam bis an das Ende des zweiten Aktes, und da passierte es: Riesenpause! Er lernte Mathilde Wesendonk kennen und lieben, und mit dieser Liebe drängte sich das Tristan-Thema in den Vordergrund. Er konnte gar nicht anders, er ließ den Ring beiseite und ackerte jetzt auf einer anderen Baustelle. An Liszt schrieb er am 28. Juni 1857 die bekannten Worte: »Ich habe meinen jungen Siegfried noch in die schöne Waldeinsamkeit geleitet; dort hab ich ihn unter der Linde gelassen und mit herzlichen Tränen von ihm Abschied genommen: Er ist dort besser dran als anderswo. – Soll ich das Werk wieder einmal aufnehmen, so müsste mir dies entweder sehr leichtgemacht werden, oder ich selbst müsste es mir bis dahin möglich machen können, das Werk

im vollsten Sine des Wortes der Welt zu schenken.« Also: »Tristan«. Danach die »Meistersinger«. Erst zwölf Jahre später geht es weiter. Im Februar 1871 ist der dritte Akt »Siegfried« abgeschlossen, und am 21. November schrieb er unter die letzte Seite der »Götterdämmerung«: »Vollendet in Wahnfried am 21. November 1874. Ich sage nichts weiter!!. R.W.«
Die eigentliche Uraufführung des gesamten Rings war am 13., 14., 16. und 17. August 1876 in Bayreuth und trotz einiger aufführungstechnischer Unzulänglichkeiten ein Ereignis allererster Güte.

LEITMOTIV

Weil Wagner immer als Erfinder des Leitmotivs gilt, hier ein paar Bemerkungen dazu. Wer das Wort »Leitmotiv« (englisch: the leitmotiv, französisch: le leitmotiv, spanisch: el leitmotiv, italienisch: il leitmotiv, albanisch: lajtmotif, um nur die Wichtigsten zu nennen) wirklich erfunden hat: Man weiß es nicht. Dafür weiß man, was es ist – und das hat Carl Maria von Weber 1816 am schönsten beschrieben: »Glücklich und richtig berechnet gehen einige Melodien wie leise Fäden durch das Ganze und halten es geistig zusammen.« Bei Wagner sind die Fäden zwar nicht immer leise, aber »glücklich und richtig berechnet« allemal: Melodien, die wir wiedererkennen, weil sie sich wiederholen, und die bestimmte Situationen, Menschen oder Handlungen charakterisieren – in der Filmmusik etwa das tiefe C – Cis in »Der weiße Hai«. Musikalisch ein uralter Hut, aber von ungebrochener psychologischer Wirkung bis heute. Wagner allerdings ist und bleibt der Weltmeister oder, um es mit einem nicht genannt werden sollenden Altbundeskanzler auszudrücken: »In Leitmotiv kriegt der Wagner eine Eins!«

Vorabend
Das Rheingold
Vier Bilder

»Den nichtswürdigen und ganz unverzeihlichen Intrigen von Wagner und Konsorten muss schleunigst ein Ende gemacht werden. Ich erteile hiermit den bestimmten Befehl, dass die Vorstellung am Sonntag stattfinde. Richter ist sogleich zu entlassen. Wagt Wagner sich neuerdings zu widersetzen, so ist ihm der Gehalt für immer zu entziehen, und nie mehr ein Werk von ihm auf der Münchener Bühne aufzuführen.«
(Telegramm Ludwig II. von Bayern vom 31. August 1869 an Hofrat von Düfflipp (zit. aus: Schiedermair 1976). Die Beziehung Ludwig II. zu Wagner, schon seit einiger Zeit getrübt, hatte mit dem Befehl des Königs, die Uraufführung des »Rheingold«, auch ohne das Einverständnis Wagners, durchzuführen, einen Tiefpunkt erreicht.)

»Mit der höchsten Spannung und Erwartung sahen alle Hörer und Zuschauer der Hauptprobe dem Aufgange des Vorhanges entgegen ... Das war nicht jenes ideale Vorspiel, welches Wagner geträumt – von den Darstellern sangen einige zwar vortrefflich, aber vom Wesen des Werkes, vom Geiste ihrer Rollen war ausnahmslos Allen noch keine Ahnung aufgegangen – steif, nüchtern, schwunglos bewegten sich die Götter, Riesen und Zwerge der nordischen Sage auf der Bühne.
Und neben dieser peinlichen Wahrheit war es fast gleichgültig, dass die äußeren Vorbereitungen des Werkes in jeder Beziehung unfertig, unreif, vielfach verfehlt erschienen ..., dass die Götterburg, die herrliche, schimmernde Walhalla sich auf der Münchner Bühne in ein Raubnest mittelalterlicher Stegreifritter, die Regenbogenbrücke in einen bis zur Lächerlichkeit steifen Holzbogen verwandelt hatte ... Es erschien gleichgültig – die Unzulänglichkeit der Darstellung war zu groß, zu erdrückend!

Selbst in dieser Gestalt konnte das Werk freilich nicht verfehlen, eine mächtige Wirkung zu machen, selbst in dieser Gestalt empfing man einzelne erhebende, entzückende Eindrücke ...
Kaum einer, den das »Rheingold« nicht mächtig erfasst, der nicht glücklich gewesen wäre, selbst in dieser Missgestalt das Werk zu hören, aber auch kaum einer, der nicht gewünscht hätte, dass es so nicht vor die große Öffentlichkeit trete, kaum einer, der nicht zugestimmt hätte, als sich Herr Richter weigerte, eine Aufführung dieser Art zu dirigieren. Die Intendanz hat dies zunächst (und von ihrem Standpunkt aus mit einem gewissen Recht) als Widersetzlichkeit aufgefasst und mit Richters Suspendierung beantwortet – für das Werk selbst ist es jedenfalls ein Glück, dass es nicht in einer durchaus unfertigen, schwunglosen und des idealen Gehalts, nach mehr als einer Richtung hin, baren Vorführung erscheint ... Die Hauptschuld trägt jedenfalls die Abwesenheit Richard Wagners selbst ...«
(»Neue Zeitschrift für Musik«, 17. September 1869)

URAUFFÜHRUNG
Wagner wollte den »Ring« als Ganzes in Bayreuth uraufführen. Nun kam es nicht dazu, weil der bayerische König Ludwig II. seine Ungeduld nicht zügeln konnte. Er wollte nicht »Siegfried« und »Götterdämmerung« abwarten, er wollte alles sehen und hören, was er bekommen konnte, und zwar direkt. Wagner wehrte sich – vergeblich. So wurde – in Abwesenheit des gekränkten und irgendwie auch betrogenen Künstlers – »Rheingold« am 22. September 1869 in München uraufgeführt und war, trotz all dieser Imponderabilien, ein Erfolg.

PERSONEN
Götter
Wotan:	Bass
Donner:	Bass
Froh:	Tenor

Nibelungen
Loge:	Tenor
Alberich:	Bass

Mime:	Tenor

Riesen
Fasolt:	Bass
Fafner:	Bass

Göttinnen
Fricka:	Sopran
Freia:	Sopran

Rheintöchter
Erda:	Alt
Woglinde:	Sopran
Wellgunde:	Sopran
Floßhilde:	Sopran

ORCHESTERBESETZUNG
Pikkolo
3 Flöten
3 Oboen
Englischhorn
3 Klarinetten
Bassklarinette
3 Fagotte (3. auch Kontrafagott)
8 Hörner (5&6 auch Tenortuba, 7&8 auch Basstuba)
3 Trompeten
1 Basstrompete
4 Posaunen (4. auch Kontrabassposaune)
1 Kontrabasstuba
Pauken
Becken
Triangel
Tamtam
6 Harfen
Streicher

BESONDERHEITEN
Bühnenmusik: 18 Ambosse verschiedener Größe
      Hammer
      Harfe

DAUER
ca. 2 ½ Stunden

HANDLUNG

Erstes Bild: In der Tiefe des Rheins, wogende Fluten, in der Mitte ein Riff

Der ganze »Ring« ist eigentlich ein Film in Breitwandformat, die vorgeschriebenen Verwandlungen sind mit Bühnenmitteln eigentlich nicht zu bewältigen, der »Herr der Ringe« lässt schön grüßen (Tolkien hat sich bis in Einzelheiten hinein bei Wagner bedient), und das »Rheingold« müsste man wohl eher in Neuseeland suchen als zwischen Worms und Fritzdorf (wo der germanische Goldbecher gefunden wurde, von Experten als »Nibelungenbecher« eingestuft). Was Wagner sich da ausgedacht hat und von der Bühne verlangt, zeigt unübersehbar, dass ihm ein Medium vorgeschwebt haben muss, das es damals noch nicht gab. Das ist nach dem grandiosen Vorspiel (bei dem der versierte Kinogänger und Star-Wars-Fan schmerzlich die Vorgeschichte vermisst: in schräg von vorne-unten nach hinten-oben verlaufender Schrift) gleich im ersten Bild schon klar: Woglinde, Wellgunde und Floßhilde schwimmen im Rhein auf und ab – da stören schon die Seile, an denen sie hängen (vor allem wenn die Stimmen von hinten oder aus der Gasse kommen!), oder die Rampen, auf denen sie laufen. Wir Sprachfreaks und die Wagnerianer sowieso freuen uns am legendären: »Weia! Waga! Woge, du Welle!/Walle zur Wiege! Wagalaweia!/Wallala weiala weia!«. Bevor Sie im Lachkrampf ersticken: Wäre Ihnen das eingefallen? Also bitte! Außerdem: Jeder Rheinländer weiß, dass sich Rheinwesen genau so unterhalten. Da müssen Sie nur von Bad Honnef nach Linz am Rhein fahren und vor dem Haus der Basalt-Gesellschaft linker Hand die beiden wundervollen Rhein-Wassermänner angucken (aus Basalt natürlich): Dann wissen Sie, solche Wesen können sich nur so unterhalten. Oder halten Sie »Kölle Alaaf« für intelligenter?

Alberich macht sich nun an die drei wogenden Wellentöchter heran, die das Rheingold bewachen sollen. Zunächst warnt Floßhilde ihre Schwestern vor dem tückischen Nibelungen, der es aufs Gold abgesehen habe, dann aber merken sie, dass der »lüsterne Kauz« es auf sie abgesehen hat. Sie beginnen mit ihm zu flirten, was das Zeug hält, lassen ihn aber immer wieder brutal kalt abtropfen, zuletzt unser Floßhildchen. Alberich ist vor Wut und Enttäuschung außer sich, da beginnt ein magischer Moment: Die Sonne bricht durch. Und am Klang der Hörner und Trompeten, die das Rheingold-Motiv spielen, erkennen wir, dass das Gold, dessen Glanz nun die Opernbühne erfüllt, der Schatz sein muss. »Rheingold! Rheingold!/Leuchtende Lust,/wie lachst du so hell und hehr!«, singen die Schwestern und plaudern vor dem Nibelungen, der angeblich von dem Schatz nichts weiß, seine Geheimnisse aus: dass, wer aus diesem Gold einen Ring

schmiedet, der »Welt Erbe« gewinnt und »maßlose Macht«, dass aber den Ring nur schmieden kann, »wer der Minne Macht entsagt,/ nur wer der Liebe Lust verjagt«, dass aber bisher noch keiner dieses Opfer gebracht habe, »denn was nur lebt, will lieben«. Daher hat Tolkien also sein »One ring to rule them all/one ring to find them/ one ring to bring them all/and in the darkness bind them«?
Na gut, lassen wir das. Gollum, Verzeihung, Alberich verflucht die Liebe, krallt sich zum Entsetzen der Nixen das Gold und verschwindet damit in der Tiefe.
Während des Orchesterzwischenspiels sollen sich nun die Wellen nach und nach in Wolken auflösen und den Blick auf die offene Berggegend am Rhein freigeben ... Lieber Herr Wagner, fragen die Bühnenbildner, wie soll das denn gehen? Genug, wir kommen zum

Zweites Bild: Freie Gegend auf Bergeshöhen, am Rhein gelegen, im Hintergrund die Zinnen von Walhall. Anbrechender Tag

Wir erfahren, dass Bauherr zu sein auch damals schon nicht einfach war. Baut mir eine Burg, sagte der Gott der Götter, Wotan, zu *Fasolt & Fafner*, den Riesen-Bauunternehmern, und die haben sich drangegeben. Nun ist Walhalla, die Götterburg, fertig. Zu den Klängen des Vertragsmotivs (absteigende Oktaven in den tiefen Streichern) – wir wissen: kein wichtiges Handlungselement ohne entsprechendes Leitmotiv – erinnert Fricka ihren Mann Wotan daran, dass nun auch der vertraglich zugesicherte Lohn fällig sei: er habe ja Freia, die Göttin der Jugend, Frickas Schwester, den Riesen versprochen. Darüber fangen die beiden heftig an zu streiten. Sie: Den Männern sei nichts heilig, wenn es um ihre Macht gehe. Er: Ob sie denn vergessen habe, dass sie ihn um den Bau gebeten habe? Sie: Das habe sie nur getan, um ihren Casanova durch »herrliche Wohnung« und »wonnigen Hausrat« an zu Hause zu binden ... Das findet der, ein Frauenverehrer, nicht wirklich prickelnd: »Wandel und Wechsel liebt, wer lebt.« Er habe doch auch für sie, Fricka, damals sein Auge aufs Spiel gesetzt, um sie zu gewinnen. Schließlich verspricht er, Freia doch nicht den Riesen auszuliefern. Er hofft, dass der juristisch versierte Loge, Gott des Feuers, einen Ausweg finden werde.

Freia kommt und bittet um Schutz, da treten auch schon die Bauunternehmer auf den Plan, *Fasolt & Fafner*, und klagen den Lohn ein: Freia. Nee, sagt Wotan, Freia sei ihm nicht feil – und ab da geht es los. Fasolt weist den Gott darauf hin, dass er Verträge einhalten solle: »Was du bist, bist du nur durch Verträge«. Wotan kontert, das sei doch nur ein Scherz gewesen, was die beiden Tölpel denn mit so einer Schönheit wollten. Darum gehe es nicht unbedingt, meint

Fafner, eher darum, sie den Göttern zu entreißen. In ihrem Garten wachsen die goldenen Äpfel (lieber Wagner, sind das noch nordische Mythen? Wo wachsen denn die goldenen Äpfel der Hesperiden? Auf dem Drachenfels oder was?!), die dem, der sie täglich isst, ewige Jugend verleihen. Es kommt beinahe zur Rangelei, als die kräftigen Riesen vom Bau Freia wegzerren und Froh und Donner das verhindern wollen. Da erscheint Loge, der Gott des Feuers, der listige (natürlich begleitet vom Feuer-Motiv). Er habe keine Baumängel gefunden, »kein Stein wankt im Gestemm«, und auch im Vertragswerk habe er keine Lücken entdeckt. Er sei darüber hinaus unterwegs gewesen, um Ersatz für Freia zu finden – allein, niemand sei bereit, für Freia auf die Liebe zu verzichten. Nur einer habe der Liebe abgeschworen, Alberich, und dafür den Rheinschatz gestohlen. Die Rheintöchter bäten dementsprechend Wotan um Hilfe. Wie er denn anderen helfen solle, wenn er selbst in der Bredouille sei?, fragt Wotan. Was denn an dem Schatz so Besonderes dran sei, wollen *Fasolt & Fafner* wissen, und Loge erzählt. Da werden nun alle hellhörig, auch die Götter (Wotan: »Den Ring muss ich haben!«), nur: wie an ihn kommen? »Durch Raub!«, empfiehlt der listige Loge, und Fafner erhöht den Druck auf Wotan, indem er sagt, des Nibelungen Gold genüge ihnen, dafür verzichteten sie gerne auf Freia. »Seid ihr bei Sinnen?/Was nicht ich besitze,/soll ich Euch Schamlosen schenken?«, kontert Wotan, hat aber schon einen Plan im Kopf, wie er den Schatz erhalten kann, zumal *Fasolt & Fafner* Freia als Pfand mit sich nehmen. Wotan solle bis abends das Gold bringen, dann könne Freia wieder nach Hause.

Fricka, Donner und Froh wird es bang ums Herz, Loge weiß, warum: Sie haben heute noch nicht von Freias Jugendäpfeln gegessen, schon fangen sie an zu altern. Da fackelt Wotan nicht lange: auf nach Nibelheim! Den Ring rauben, das ist das Ziel. Durch die Schwefelkluft wollen die beiden hinunter in Alberichs Reich, Verwandlung zum

Dritten Bild: Unterirdische Kluft

Alle IG-Metaller freuen sich jetzt auf das im Zwischenspiel ertönende Schmiede-Motiv (taa ta ta ta ta ta taa ta ta taa ta ta ta ta ta taa ta ta), das zuletzt auf 18 gestimmte Ambosse hinter der Bühne gehämmert wird, sozusagen Leipziger Heavy-Metal-Gamelan-Sound! Alberich und Mime, sein Bruder, streiten sich um den Tarnhelm, den Mime für Alberich geschmiedet hat, aber nicht herausrücken will. Mit ihm kann man sich immerhin unsichtbar machen oder eine andere Gestalt annehmen. Alberich setzt sich den Helm auf, peitscht, unsichtbar, seinen Bruder Mime zur Strafe und verschwindet. Wotan und Loge treffen nun in Nibelheim ein, finden den vor sich hin wimmernden Zwerg und amüsieren sich köstlich über ihn, da taucht Alberich auf. Seine Nibelungen müssen das Gold aufhäufen, gnadenlos peitscht der Unsichtbare sie zur Höchstleistung, da sieht er die Fremden. Hurtig schickt er die Zwerge weg und will wissen, was die beiden wollen. Man habe von seinen Schätzen gehört, beginnt Wotan, kommt aber nicht weit. Der Neid, so Alberich, habe sie sicher hergeführt. Nun stellt Loge sich als Gott des Feuers vor, ohne den das Ganze hier unten wohl nicht funktionierte, ihm könne Alberich trauen. »Deiner Untreu' trau' ich, nicht deiner Treu'«, kontert der Giftzwerg jedoch, kann es aber dann doch nicht lassen, mit seinen Schätzen zu prahlen. Der Ring, den er geschmiedet, werde ihm die Welt untertan machen: Götter, Männer und Frauen werde er versklaven und dazu zwingen, der Liebe zu entsagen: »Mit gold'ner Faust Euch Göttliche/fang' ich mir alle!« Große Worte, die Wotan in Rage bringen, Loge jedoch hält ihn zurück, er will mehr erfahren: Und wenn man ihm den Ring im Schlafe raube? Ha, da habe er den Helm, der ihn verwandeln und unsichtbar machen könne. Das glaube er, Loge, erst, wenn er es sehe, und nutzt damit den ältesten Trick aus der Märchenkiste – und zwar weltweit! Als Beweis verwandelt sich Alberich in einen Lindwurm – da spielen die Tuben das erste Mal das Wurmmotiv –, Loge jedoch meint: Schön, groß sei ja leicht, aber wie wäre es mit klein? Kröte oder so? Pah! Nix leichter als das: »Krumm und grau krieche Kröte« – und das war's: Wotan hält die Kröte fest, Loge zieht ihr den Tarnhelm ab – und ab durch die Mitte mit dem sich windenden, gefesselten Zwerg, in den sich die Kröte zurückverwandelt hat.

Viertes Bild: Freie Gegend auf Bergeshöhen

Loge macht sich über den hilflosen Alberich lustig. Wotan will ihm die Freiheit geben, wenn Alberich das Rheingold herausrückt. Nach einigem Zögern pfeift Alberich seine Nibelungen mit dem Gold herbei, das die nun Barren für Barren aufschichten. Loge will den Zwerg schon freigeben, doch da ist ja noch der Ring am Finger des Kleinen, wie Wotan bemerkt. »Das Leben – doch nicht den Ring!«, keift Alberich, Wotan entreißt ihm jedoch mit Gewalt das Kleinod. Zornbebend belegt daraufhin der Zwerg den Ring mit einem grandiosen, fürchterlichen Fluch (begleitet von einem entsprechenden Fluchmotiv im Orchester): Jedem soll der Ring, solange ihn Alberich nicht wiederhabe, Unheil und Tod bringen. Alberich verschwindet, es tauchen *Fasolt & Fafner* samt Freia auf. Bevor sie aber Freia zurückgeben, wollen sie das Gold, und zwar so viel, dass man Freia dahinter nicht mehr sehen kann. Wotan spielt den Feinen, ihn widere dieses Geschachere an, *Fasolt & Fafner* aber bleiben ganz, ganz cool: Nee, da sei noch eine Lücke, nee, dort schimmere noch ein Haar durch, da müsse der Tarnhelm drauf, und halt! »Noch blickt ihr Blick zu mir her«, da müsse der Ring von Wotans Finger hin. Wotan führt sich auf wie Alberich, alles, aber nicht den Ring etc. pp. Da taucht Erda, Erdgöttin und Mutter der drei Schicksalsnornen, auf, und zwar mit Worten, die zum ältesten Gag der Wagnerliteratur geführt haben. Er soll schon bei der Uraufführung zu Lachkrämpfen hinter der Bühne geführt haben. Als nämlich der Bühnenarbeiter, der die Kulissentür (gerne: Felsen) für den Auftritt Erdas öffnet, die Sängerin beim Rausschieben fragt: »Frau XY, möchten Sie zum Frühstück harte oder weiche Eier?«, und sie als ersten Satz singen muss: »Weiche, Wotan, weiche!« Na ja. Erda also warnt Wotan eindringlichst vor dem Nibelungenfluch. Wotan möchte mehr wissen, kennt Erda doch die Zukunft, aber außer einem vagen: »Ein düstrer Tag dämmert den Göttern:/dir rat' ich, meide den Ring!« ist nichts zu hören. Erda verschwindet. Wotan rückt endlich doch den Ring heraus und gibt ihn den beiden. Fafner holt seinen riesigen Seesack und beginnt schon mal, das Gold einzupacken, da geht der Streit los. Fasolt will den Schatz gerecht teilen, Fafner nicht, Loge rät Fasolt, auf jeden Fall den Ring zu behalten, Fafner will ihn auch, kurz: Fafner streckt seinen Bruder Fasolt mit einem gezielten Schwertstreich nieder, was das sofortige Ende des bislang erfolgreichen Unternehmens *Fasolt & Fafner* bedeutet. Loge versucht, den Verlust des Rings von der positiven Seite zu sehen, und sagt zu Wotan: »Deine Feinde, sieh, fällen sich selbst«, und Donner ruft ein Gewitter herbei, um die Luft vom »schwülen Gedünst« zu reinigen. Nach diesem Gewitter erscheint die Regenbogenbrücke, auf der die Damen und Herren Götter in die Burg Walhall einziehen können. Dass sich jetzt die Rheintöchter mit der Bitte einmischen, den Verlust des Rheingolds zu rächen, stört ein wenig – das Orchester aber und der Vorhang fallen sofort drüber her, dass es eine Freude ist und man sich nach diesem Vorspiel auf den ersten Tag, die Walküre, freuen kann.

HITS

Der Anfang, klar: Nirgends macht das Warten auf die zu spät kommenden Abonnenten weniger mürbe als hier, so sehr relaxt einen diese Musik, so entspannt kann man da im Parkettsessel sitzen. In schönstem Es-Dur hält uns der Akkord 136 Takte lang in angenehmer Unterwasserbewegung, bis wir schwerelos werden, die perfekte Wellness-Ouvertüre! Wunderbar dann auch das perlende As-Dur, in dem die Rheintöchter wigala-weien. Schön das Spiel mit Alberich und die erste (kleine) Hit-Stelle, wenn die Sonne durchbricht mit

»Rheingold! Rheingold! Leuchtende Lust!«. Dann: »Nur wer der Minne Macht versagt« und drunter die Kontratuba, Kontraposaune und Tuben-Gebleche: Das ist ein toller Augenblick, weil sich hier – und darin ist Wagner Meister – die Tragödie ankündigt. Wie sich der Komponist den Übergang vom Rhein auf die »freie Gegend auf Bergeshöhn« bühnentechnisch vorgestellt hat, weiß man nicht, aber musikalisch hat er das sauber gelöst: Machen Sie an der Stelle die Augen zu, dann wissen Sie, was Wagner meinte. Köstlich finde ich, wie Wotan sich in dieser Szene zu einer doch etwas spießigen Figur wandelt, und zwar gerade dann, als er große, staatstragende Töne zu singen hat. Das hat eine hübsche Ironie, die offenbar aus dem Alltagswissen eines Ehemanns kommt! Überhaupt: Wie sich die Götter in den Haaren liegen und überlegen, wie sie die Riesen übertölpeln können, das ist wie »Gute Zeiten, schlechte Zeiten« vom Feinsten. Soap opera total.

Natürlich ist großartig, wie sich die einzelnen Leitmotive (Rheingold, Vertragsmotiv, Walhall etc.) allmählich immer mehr als Kommentar aus dem Orchester hören lassen, noch toller aber ist, dass das den Fluss der Musik in keiner Weise stört. Vielmehr fügen sie sich so ein, dass man es oft kaum merkt. Hier meine Wagner-Doppelbodentheorie: Es ist genial, wie Wagner für Musikexperten und gleichzeitig für dich und mich komponiert hat. Man muss nicht jedes Leitmotiv erkennen, um sich von der Musik tragen und gefangen nehmen zu lassen.

Als die Riesen abgezogen sind, stellt Loge fest, dass die Götter ziemlich »verblüht« herumstehen. Zwar ist Freia, die Göttin der Jugend, weg, doch die Musik spielt an der Stelle so was von heiter, dass man es nur als Ironie verstehen kann. Falls Wagner das tatsächlich so gemeint hat: Chapeau! Dann der IG-Metall-Hit: die Hämmerchen und die Ambosse! Was beim Lesen der Partitur lächerlich klingt, ist aufgeführt ein Mega-Hit. 18 Ambosse! kloppen wie die Bekloppten hinter der Bühne, und trotzdem ist das suggestiv und begeisternd. Danke, Richard, für dieses großartige Stück *musique concrète*! (Und das hat nix mit Beton-Musik zu tun.) Danach ein schöner Augenblick: Alberich will Mime den Tarnhelm entreißen; plötzlich ein Moment der Ruhe, die vier Hörner spielen langsam und geradezu feierlich das Tarnhelm-Leitmotiv.

Grandios und für die Kids der Scary-Movies-Generation der Höhepunkt im »Rheingold« ist die Szene, in der Alberich unter dem Tarnhelm die Nibelungen kujoniert, vor allem der Teil, als er sie mit der Kraft des Rings zur Arbeit anpeitscht: Wagner, damit hast du die ganz harten Kids auf deiner Seite – alle! Meisterhaft dann der Monolog von Alberich vor Wotan und Loge: Böse droht er den Göttern: »Mit goldner Faust/euch Göttliche fang' ich mir alle!«, und eine fahle Solo-Violine unterstreicht ein paar Takte später die Armseligkeit dieser Kreatur.

Und wieder das beeindruckende Spiel mit den Leitmotiven: Als Wotan Alberich den Ring entreißt, knallen ihm die Kontrabässe das Vertragsmotiv um die Ohren. Wir hören: Vertragsbruch auf Wiedervorlage, da liegt kein Segen drauf! Und dann Erda! Was für ein Auftritt! Wotan will den Ring nicht hergeben – da tut sich sozusagen die Erde auf, und mit tiefen Posaunen nebst Kontrabasstuba erscheint die Erdgöttin mit ihrer Warnung: Großes Kino ist Kindergeburtstag dagegen! Und genauso groß der Moment, als Wotan befreiend singt: »Zu mir, Freia! Du bist befreit!« Dann noch die Heavy-Metal-Stelle, als Donner den Hammer schwingt: Motörhead! Dabei gab's damals in Leipzig doch keine Hell's Angels. Vielleicht sind das genau die Stellen, wo bei Richard das Feuer des alten Revoluzzers aufflammt! Und sechs Takte später die Apotheose mit sechs Harfen: Luxusausstattung, die Spaß macht! Publikum, Göttinnen und Göttern bleibt ob dieser Töne und der Regenbogenbrücke natürlich der Schnabel so was von offen stehen ...

FLOPS
Sehr geehrter Herr Wagner, sagen Sie mal: In La Spezia rumchillen, dann eindösen, Mendelssohn eingedudelt bekommen und das als eigenen Einfall verkaufen – also da muten Sie unserem kritischen Musikverstand schon ein bisschen viel zu! Zugegeben: Es klingt majestätisch und hört sich als Auftakt für die 15 Stunden Ring auch verteufelt gut an, auch viel opulenter als bei Mendelssohn. Aber im Kern bleibt's doch Mendelssohn, oder? Wollt' ich nur nochmal betont haben.

Das »Gespräch« zwischen Fricka und Wotan am Beginn des ersten Bildes ist etwas sehr rezitativisch, da hagelt's Septimen, die auf die Subdominante rüberhauen. Da hätten Sie vielleicht nochmal drübergehen sollen, werter Meister.
Und manchmal nervt einen die Leitmotiverei dann schon: Kaum fällt etwa das Wort Nibelungen, was kommt? Natürlich: taa ta ta ta ta taa ta ta taa ta ta, ob mit dem Hämmerchen, ob mit dem Cello. Ein paar Mal auslassen, damit man sich das selber denken kann – gemäß

dem zweiten von Bracken'schen Paradoxon: »Weniger ist mehr« wäre schon wohltuend gewesen! Auch bei der Verwandlungsszene (Alberich wird Tatzelwurm und dann Kröte) wäre weniger mehr: Das ist zeitgemäßes Theater für 1869, aber heute: gähn, gähn! Man nimmt es als naives Moment von Anno dunnemals hin.

Ein bisschen floppig auch der Fluch, mit dem Alberich den Ring belegt, als ihn Wotan in der Hand hält, finden Sie nicht? Bei dem ganzen Lindwurmgedöns davor hätte Richard hier jetzt ein bisschen mehr Gas geben können, meinen Tolkien und ich. Eine grandios floppige Stelle ist auch im letzten Bild die, als die Riesen sich mit Freia nähern und die Götter sich freuen: zuerst Donner, dann aber Froh. Und der muss sich von schlichtestem G-Dur zu noch schlichterem C-Dur rüberhangeln, darf noch nicht mal eine wirkliche Melodie singen, sondern praktisch nur den Akkord. Und auch den noch so langsam, dass ihn sogar ein Tenor geistig bewältigen kann – hier zeichnet Wagner in ein paar Takten eine perfekte Karikatur des Tenoristen, wie sie hämischer nicht sein könnte. Aber sind unsere Tenöre wirklich soooo schlimm? Oder, lieber Herr Wagner, ist Ihnen an der Stelle wirklich nix Besseres eingefallen?

OBACHT

Das ist mit das opulenteste Orchester der Operngeschichte, ich sage nur: sechs Harfen! 18 Ambosse, und zwar: neun kleine, sechs mittelgroße, drei große! Das muss alles koordiniert werden. Dem Dirigenten immer in die Augen gucken, und das auch noch auf, hinter und unter der Bühne. Dass Lars von Trier da das Handtuch geworfen hat (oder war es der Tarnhelm?), wen wundert's. Heikles links und rechts (wie beim ganzen Ring). Wenn der Abend einigermaßen geklappt hat, ist das eine Sensation. Selbst bei Studioaufnahmen, bei denen die Sängerinnen und Sänger die Noten vor sich haben, wird da manchmal etwas zusammengesungen, das man nur noch als Trefferstreuung bezeichnen kann. Wenn der Abend überwiegend geklappt hat, war er eine Sternstunde!

DER KLEINE OPERNTÄUSCHER

Blenden Sie die Konkurrenz im Foyer (oder in den Catering-Zelten in Bayreuth!) mit abgrundtiefem Fachwissen darüber, wie der neueste Stand der Forschung in der Nibelungenhort-Frage ist. Lassen Sie bei der Gelegenheit beiläufig einfließen, dass Bernhard Heinrich Martin Fürst von Bülow seinen Wagner wohl nicht wirklich gelesen

haben kann, wenn er angesichts der Art der Beziehungen der Götter zueinander, die ja alle menschlichen Wertvorstellungen auf den Kopf stellt, den Begriff »Nibelungentreue« erfindet. (Übrigens am 29.3.1909 im Reichstag in Berlin in einer Rede über das Verhältnis des Deutschen Reiches zum Kaiserreich Österreich-Ungarn.) Andererseits: Vielleicht hat er es zynischerweise so gemeint: sozusagen vorne umarmen und von hinten das Messer in die Brust!
Der Stand der Forschung ist der:
Der Mainzer Stadtarchitekt und Stadtbildpfleger (ja, so was haben die in Mainz!) Hans Jörg Jacobi ist der Meinung, Hagen von Tronje habe den Schatz der Nibelungen zwischen Eich und Hamm vergraben (auf dem Gelände des Hofguts Seibert, wo er in zehn Metern Tiefe einen rautenförmigen Marmorblock von 7 qm gefunden hat, möglicherweise die Abdeckung der Schatzkammer). Dieser Hypothese (wir warten das Ergebnis weiterer Grabungen ab) steht die von Rudolf Patzwald entgegen, der aus vielen guten Gründen den Hort der Nibelungen in Loch bei Rheinbach bei Bonn vermutet. Das Quellgebiet der Neffel (bei Nideggen) war schon in römischer Zeit Bergbaugebiet, es soll da – der Sage nach – ein König Niff Oberhaupt der Unterirdischen gewesen sein (Niff, Neffel sind natürlich Wörter, die aus dem Wort Nibelungen entstanden sind), somit hätten wir schon mal das Reich der Nibelungen geographisch geortet. Die Neffel entspringt mit einer konstanten Temperatur von 8 Grad – im Winter Grund genug, dass die ganze Gegend vernebelt ist – Nibelheim lässt grüßen! »Rheinbach« kommt von »Reginsbach«, Regin war höchstwahrscheinlich der Schmied, der den Hort bekam (»Rheingold« hieß ja ursprünglich »Regins Gold«, das h hat sich da nur eingeschlichen, weil man Regin vergaß, aber in der Nähe vom Rhein sich befand, also setzte man Regin und Rhein gleich, und ab da begann die ganze Verwirrung!). Langer Rede kurzer Sinn: Das ganze Spiel mit den Nibelungen, wie wir es aus den Sagen kennen, hat historisch stattgefunden, und zwar in der Gegend zwischen Nideggen in der Eifel und Rheinbach bis runter zur Ahr. Da war das Nibelungenreich, und da waren die Burgunder unter Gunder, ähn, Gunter, und der Hagen hat in Loch (gehört zu Rheinbach) den Hort eingelocht. Jetzt muss man da nur noch in den unterirdischen Höhlen gucken, und dann haben wir den Hort. Hat man doch schon in Fritzdorf den Goldbecher aus dem Schatz gefunden, und das liegt da um die Ecke! Also bitte! Und warum heißt der Rhein im dortigen Dialekt »Rhing«? Na, wegen dem Ring des Nibelungen natürlich. Also: Schaufel heraus und munter gegraben!

BEWERTUNGEN

Magie 🎭🎭🎭🎭 — Wenn die Rheintöchter nicht direkt aus dem Plafond fallen – das Rheingold nimmt einen gefangen, von den ersten Tönen an.

Erotik 👠 — Und das müsste eigentlich eine Flosse sein – bei *den* Rheintöchtern!

Fazzoletto — Bei solchen großen Sagen sind Momente der Rührung äußerst selten – und schon gar nicht hier!

Gewalt ⛓⛓⛓⛓⛓ — Diebstahl, schwerer Diebstahl, Nötigung, Erpressung, Körperverletzung, arglistige Täuschung, Betrug, Mord – darf's noch mehr sein?

Gähn — Wer hier gähnt, sollte doch mal in der Gerichtsmedizin übernachten – in der Kühlzelle, das macht munter!

Moral — Keiner hält sich an irgendwas, weder die Guten noch die Bösen!

Ewigkeit — Thema: Mit dem drohenden Untergang der Götter sind offensichtlich auch der Ewigkeit Grenzen gesetzt. Da soll man von Ewigkeit reden? Entweder alle vier Bilder bleiben – oder es war eh alles für die Katz'.

Gourmet ✦✦ — Vor allem der Bühnenbild-Gourmet kann hier grandios auf seine Kosten kommen.

GESAMTWERTUNG

🏁 🏁 🏁 🏁 🏁

Was für ein Auftakt für ein Werk, das ohnehin auf den Olymp der Oper gehört! Alles ist schon da: Die blutige Tafel ist angerichtet, die Fäden der Intrigen gesponnen, die Karten gemischt. Es kann nur noch heftiger werden – und wir wissen: Es wird heftiger!

Erster Tag
Die Walküre
3 Akte

»Hojotoho!«
(Brünnhilde in »Die Walküre« von Richard Wagner)

URAUFFÜHRUNG
Am 26. Juni 1870, wie »Rheingold« ebenfalls in München. Wagner hat diese Bevormundung dem Monarchen Ludwig II. nie verziehen.

PERSONEN

Siegmund:	Tenor
Hunding:	Bass
Wotan:	Bass
Sieglinde:	Sopran
Brünnhilde:	Sopran
Fricka:	Sopran

Walküren	
Gerhilde:	hoher Sopran
Ortlinde:	Sopran
Waltraute:	tiefer Sopran
Schwertleite:	Alt
Helmwige:	hoher Sopran
Siegrune:	tiefer Sopran
Grimgerde:	Alt
Rossweise:	tiefer Sopran

ORCHESTERBESETZUNG
Pikkolo
3 Flöten (3. auch 2. Pikkolo)
4 Oboen (4. auch Englischhorn)
3 Klarinetten
Bassklarinette
3 Fagotte (3. auch Kontrafagott)
8 Hörner (5 & 6 auch Tenortuba, 7 & 8 auch Basstuba)
3 Trompeten
1 Basstrompete
4 Posaunen (4. auch Kontrabassposaune)

1 Kontrabasstuba
Pauken
Rührtrommel
Becken
Triangel
Glockenspiel
Tamtam
6 Harfen
Streicher

BESONDERHEITEN
Bühnenmusik: Stierhorn
Donnermaschine

DAUER
ca. 3 ¾ Stunden

HANDLUNG

VORGESCHICHTE
Jetzt also doch: Während des Orchestervorspiels läuft vor unserem geistigen Auge von vorne-unten nach hinten-oben sozusagen der Textstreifen mit der Vorgeschichte ... Wotans Macht fußt auf einem komplizierten Vertragsgebilde, das er als Runen in seinen Speer eingekerbt hat. Nur: Er selbst ist der Erste, der diese Verträge bricht. Und damit beginnt das ganze Dilemma. *Fasolt & Fafner* hat er als Lohn für den Bau von Walhall Freia, die Göttin der Jugend, versprochen, muss ihnen aber, als Fricka, seine Frau, das verhindert, den Schatz des Nibelungen versprechen. Den raubt er zu diesem Zwecke Alberich. Rheingold nebst Tarnhelm und Ring wechseln den Besitzer, dabei zeigt sich, wie effektiv der Fluch Alberichs ist: Fafner erschlägt seinen Bruder Fasolt, verwandelt sich in einen Lindwurm und bewacht als solcher bis zur Oper »Siegfried« den Schatz in seiner Höhle. Nun entwickelt Wotan in seiner Bedrängnis und aus Angst vor dem Fluch des Nibelungen einen großen Plan: Er will einen Helden finden, der frei ist, der nirgendwo »unter Vertrag steht«, wie man heute sagen würde, ein potenter Freiberufler, der Fafner den Ring rauben und den Göttern bringen kann. Damit wären die Götter in Bezug auf den Fluch aus dem Schneider, denn nicht sie hätten den Ring wieder geklaut. Dazu geht Wotan ganz groß vor: Er hat neun Walküren gezeugt, eine davon, seine Lieblingstochter Brünnhilde, mit der Göttin Erda. Die Walküren sollen ihn und die Götter be-

schützen, aber auch alle starken Menschenhelden nach ihrem Tod nach Walhall bringen, damit dort eine schlagkräftige Armee entstehen kann. Obendrein ist er unter dem falschen Namen »Wälse« auf der Erde einer Frau näher gekommen, die daraufhin Zwillinge zur Welt brachte: die Wälsungen Siegmund und Sieglinde. Weil bei den Göttern nie alles glattläuft, passiert Folgendes: Die Mutter der Zwillinge wird erschlagen, die Geschwister werden getrennt, Sieglinde gegen ihren Willen mit Hunding vermählt. Bei dieser Hochzeit erscheint unerkannt Wotan und haut ein Schwert in die Hausesche, um die herum Hundings Haus gebaut ist. Bisher hat noch keiner das Schwert herausziehen können – der kleine Knappe, der später König Artus wurde, war wohl gerade nicht in der Nähe. Natürlich hat Wotan dieses Schwert an dieser Stelle reingehauen, weil er wusste, dass sein Sohn Siegmund es in Zukunft würde brauchen können. Dieses Wissen um die Zukunft, das er sonst nicht hätte, hat er sich beim Chillen mit Erda erschlichen – so viel hat Wagner dann doch der griechischen Mythologie mit ihren Pfiffigkeiten, Listen und Orgien entnommen! Als Wälse nun erzog er – ohne sich erkennen zu geben – Siegmund in freier Wildbahn, und genau da setzt die Handlung der Walküre ein ...

ERSTER AKT

Das Innere von Hundings Haus. Es ist rund um eine mächtige Esche gebaut worden

Auf der Flucht vor Feinden hat Siegmund erschöpft in Hundings Haus Zuflucht gefunden. Sieglinde pflegt ihn, ohne ihn zu erkennen, fühlt sich aber zu dem Fremden hingezogen. Er sei, sagt Siegmund, vom Unheil verfolgt, was sie aber nicht erschreckt, denn: »Nicht bringst du Unheil dahin,/wo Unheil im Hause wohnt.« Da erscheint der Herr Gemahl, der finstere Hunding. Schnell erkennt er die Ähnlichkeit des Fremden mit seiner Frau: »Der gleißende Wurm glänzt/auch ihm aus dem Auge«, und will wissen, wer er sei. Siegmund stellt sich etwas umständlich als »Wehrwalt, der Wölfing« vor, der, nachdem seine Mutter erschlagen und die Schwester geraubt wurde, mit seinem Vater die Wälder durchzog. Die sie verfolgenden Neidinge jedoch hätten ihn schließlich von seinem Vater, von dem er seitdem nichts mehr gehört habe, getrennt. Jetzt sei er hier, weil er einem Mädchen, das gegen ihren Willen verheiratet werden sollte, geholfen habe, was ihm aber nicht gelohnt worden sei. Kaum habe er die Bösewichte erschlagen, habe die Braut über ihre toten Brüder geklagt, und er habe vor einer Übermacht fliehen müssen. Nun sei er hier. Hunding erkennt in Siegmund den, den er den ganzen Tag verfolgt hat. Er gewährt ihm Gastrecht für die

Nacht, fordert ihn aber für morgen zum Kampf. Dann geht er mit Sieglinde zu Bett.

Mit dem Satz: »Ein Schwert verhieß mir der Vater,/ ich fänd' es in höchster Not« beginnt nun, was in allen Ländern dieser Welt als Geschwisterinzest unter Strafe steht. Wenn es allerdings so grandios vertont ist wie hier, kann einem schon mal unerwartet schwül unter der Krawatte werden. Siegmund sucht das Schwert, Sieglinde kommt, derweil schläft Hunding, da Sieglinde ihm einen Schlaftrunk gemischt hat. Sie erzählt von dem Schwert, das der Fremde in der Esche versenkt hat, ein Wort gibt das andere, bis die beiden sich schließlich als Geschwister erkennen. Er zieht mit dem Ruf: »Nothung! Nothung! So nenn' ich dich, Schwert./Nothung! Nothung! Neidlicher Stahl« die Waffe aus dem Baum und die Geschwister sinken mit dem Ruf: »So blühe denn, Wälsungen-Blut!« einander in die Arme. Schamrot senkt sich der Vorhang.

ZWEITER AUFZUG

Wildes Felsengebirge

»Nun zäume dein Ross, reisige Maid«, sagt Wotan zu seiner Tochter Brünnhilde – was immer das heißen mag. Sie solle Siegmund im Kampf mit Hunding zum Siege verhelfen. Das gibt ihr das erste Mal die Gelegenheit, ihr legendäres »Hojotoho!« ins Publikum zu schmettern. Dann kündigt sie Fricka an, die aus Walhall herbeigeschossen kommt. Das sehe sie ja nun gaaaanz anders, beginnt diese, die Sache mit Hunding und Siegmund. Schließlich sei, was die beiden Geschwister getrieben hätten, nicht nur Ehebruch erster Güte, sondern auch noch Blutschande. Beides so schwere Vergehen, dass sie als Hüterin von Sitte und Gesetz Siegmunds Tod fordern müsse. Wotan versucht zunächst, die Geschwisterliebe zu verteidigen, und vertut sich dabei gewaltig im Ton: »Was so Schlimmes schuf das Paar,/das liebend einte der Lenz?« Das bringt Fricka natürlich in Hochform. Ihm, Wotan, seien also die Götter und ihre Welt egal, er löse alle Bande, damit das »frevelnde Zwillingspaar« nach Lust und Laune handeln könne? Nachdem er die Walküren gezeugt und dann auch noch mit einer Menschenfrau die Zwillinge, sollten jetzt auch die Gesetze und die Götter geopfert werden? Durchaus nicht, meint er zaghaft, alles sei quasi Teil eines Plans: Nur ein Held, der von Göttern nicht geschützt ist, könne die Tat ausführen, die den Göttern das Überleben und die Überwindung des Fluches garantiere. Ihnen, den Göttern, sei dies verwehrt. Fricka kontert mit dem zentralen Vorwurf der ganzen Tetralogie aller vier Opern: Was heiße denn überhaupt »frei« oder »von Göttern nicht geschützt«? Er mache sich und ihr doch nur was vor. Tatsächlich sei es so, dass er, Wotan, für Siegmund alle Wege geebnet habe: das Schwert in die Esche gehauen, die Weichen gestellt. Die Menschen hätten nicht als freie gehandelt, sondern als Marionetten Wotans. Da dies aber so sei, müsse er auch die Verantwortung für alles übernehmen, also dürfe er Siegmund nicht nur nicht schützen, sondern müsse auch Brünnhilde verbieten, für Siegmund zu kämpfen. Und das Schwert Nothung müsse zerschmettert werden.

Wotan spürt, dass Frickas Argumentation stichhaltig ist, und schwört den geforderten Eid. Brünnhilde taucht auf, Wotan muss ihr sagen, dass die Order sich geändert hat: Sie muss Hunding zum Sieg verhelfen. Mit den Worten: »Was keinem in Worten ich künde,/unausgesprochen bleib es denn ewig:/mit mir nur rat ich, red ich zu dir« beginnt die ganz große verzweifelte Klage des Gottes. Er erzählt seiner Tochter die Geschichte des Ringes und wie er sich immer tiefer in falsche Verträge, gebrochene Eide und düstere Intrigen verstrickt habe, dass jetzt, um Gesetz und Götter zu retten, Hunding den Kampf gewinnen und Siegmund sterben müsse. Als Brünnhilde aufmuckt, weil sie weiß, dass Wotan seinen Sohn Siegmund liebt, trifft sie die ganze Wut des frustrierten Alten: als Drohung. Sein Zorn werde sie zermalmen, wenn sie nicht gehorche.
Siegmund und Sieglinde tauchen auf. Sie ist – wegen Blutschande etc. pp. – am Rande des Wahnsinns. Brünnhilde erscheint und erklärt Siegmund, wer sie ist und dass nur Todgeweihte sie überhaupt sehen könnten. Er sei dem Tode nahe, sie komme, um ihn nach Walhall zu holen. Er: Ob er Sieglinde mitnehmen dürfe? Sie: Nein, die müsse noch am Leben bleiben. Er: Dann danke er höflichst, so wolle er nicht weg. Sie: Er müsse aber weg, denn er werde im Kampf mit Hunding sterben, so das Götterlos. Er: Davor habe er aber keine Angst, er besitze ja Nothung, das göttliche Schwert. Sie: Dem Wotan die göttliche Kraft genommen habe. Als nun Siegmund auch noch erfährt, dass Sieglinde von ihm schwanger ist, will er diese töten, um ihr weitere Schmach zu ersparen. Beeindruckt von so viel Liebe, hält Brünnhilde ihn davon ab und verspricht ihm, Sieglinde und ihn zu beschützen. Der Rest ist schnell erzählt: Hunding erscheint, Brünnhilde will Siegmund beschützen, da geht Wotan dazwischen, haut Nothung in Stücke, Siegmund liegt tot auf der Walstatt, Brünnhilde hievt Sieglinde auf ihr Pferd und galoppiert davon, und Wotan tötet verächtlich Hunding mit einem lässigen Wink seiner Hand. Vorhang. Irgendjemand muss jetzt erst mal die Leichen in die Gerichtsmedizin bringen.

DRITTER AUFZUG

Der Gipfel eines Felsenberges, links Eingang zu einer Felsenhöhle

Die Walküren versammeln sich auf dem Felsen zu lustigem Amazonentreiben: die Leichen der gefallenen Helden auf fliegenden Zossen nach Walhall zu bringen. Man neckt sich und treibt kräftigen Schabernack, als Brünnhilde auftaucht. Sie hat aber nicht Siegmund, den Helden, quer auf ihrem Pferd liegen, sondern Sieglinde. Sie bittet ihre Schwestern, sie vor dem Zorn Wotans zu schützen und Sieglinde zu retten, doch keine will dem Vater ungehorsam sein. Da rät Brünnhilde – nachdem sie ihren Schwestern und Sieglinde prophezeit hat, dass es ein Junge ist, den Sieglinde unterm Herzen trägt, der ein Superheld werden und Siegfried heißen wird –, Sieglinde nach Osten in den Wald zu fliehen. Dort sei sie vor Wotan sicher, weil dort Fafner als Lindwurm das Rheingold bewacht, dort werde sich Wotan nicht hintrauen. Brünnhilde gibt der dankenden Sieglinde noch die Einzelteile Nothungs mit, die sie aufgeklaubt hat, und Sieglinde verschwindet im Wald.

Wotan braust heran – wutentbrannt wäre schlicht untertrieben. Die Walküren versuchen, Brünnhilde vor dem ersten Zorn des Vaters zu schützen, aber dann kommt's knüppeldick. Die Strafe für ihren Ungehorsam: nie mehr Walhall, nie mehr Helden dort hinbringen, nie mehr Göttin sein, nie mehr Trinkhorn dem Vater reichen. Außerdem: Hier auf diesem Berg müsse sie liegen, im Schlaf, wie ein normaler Mensch, bis der nächstbeste Mann kommt und sie sich nimmt. Das haut selbst die Walküren um, sie stieben verzweifelt davon. Nun will Brünnhilde eine genaue Begründung für diese Strafe, und Wotan gerät – wieder mal – ins Wanken. Sie habe doch nur beschützt, was auch er liebe, und damit seinen eigentlichen Willen erfüllt. Das weiß Wotan natürlich auch, und weil es seine Lieblingstochter ist, sucht er – wieder mal – einen Ausweg aus der Strafe, mit der er sie selbst belegt hat. Hier schlafen soll sie zwar, aber nicht dem Erstbesten in die Hände fallen. Vielmehr lässt Wotan ein Feuer um seine Tochter entbrennen, »wie nie einer Braut es gebrannt«, und er versenkt sie in einen heiligen Schlaf, den nur beenden wird, wer stark genug ist, das Feuer zu überwinden, und frei, »freier als ich, der Gott!«. Nur ein Held solle sie, die nun keine Göttin mehr ist, bekommen dürfen. Und wer noch nie »Siegfried« gesehen hat, der soll sich ruhig fragen, wie ein solcher Held denn wohl aussehen kann. Über dieser Frage und um das lohende Feuer zu ersticken – wir sind schließlich auf offener Bühne – senkt sich der Vorhang.

HITS

Ist das Vorspiel nicht der Hammer? Das schwingt höllisch, wenn die Celli und Kontrabässe ihre drängenden Viertel loshämmern. Spannung, und zwar intensivst! Und hat zugleich die Intimität eines Kammerspiels, das der erste Akt tatsächlich auch ist.
Das wäre gleich der zweite Über-Hit: Dieser erste Akt ist vielleicht der spannendste der ganzen Tetralogie. Eine klare Dreiecksgeschichte, eindeutige Menschen und nicht irgendwelche Mythengeschöpfe, eine klare Dramaturgie, klare Handlung und ungeheuer dichte Musik. Möglicherweise ist wegen dieses ersten Akts die »Walküre« die beliebteste Oper von den vieren. Eigentlich möchte ich zum ersten Akt keine Besonderheiten aufzählen; nur dies: Sind die Celli gleich zu Beginn in der ersten Szene (Siegmund wird gelabt) nicht wundervoll? Hat Wagner für die aufkeimende Liebe zwischen den beiden nicht eine wunderbar überzeugende, schmelzende Musik gefunden? Und mit dem Hunding-Motiv in den Hörnern – es erklingt, kurz bevor der auftritt – ist dem Komponisten auch was Feines eingefallen. Als Hunding zu Bett gegangen ist, von seiner Frau in tiefen Schlaf geschickt, läuft die Oper zur Höchstform auf: ein Hit nach dem anderen. Es geht los mit »Ein Schwert verhieß mir der Vater«, dann das drängende »O fänd ich ihn hier« von Sieglinde, dann, der Welt-Hit, »Winterstürme wichen dem Wonnemond«, dann das Duett, dann »Siegmund heiß' ich und Siegmund bin ich« und natürlich »Nothung! Nothung! Neidlicher Stahl!«. Wo bleiben da Wünsche offen?

Zweiter Akt. Jetzt kommt es endlich, alles Warten hat sein Ziel, da ist es: Vorspiel mit Walkürenritt und dann – ein Zucken geht durch die Arme, das man beherrschen muss (kannst ja nicht auf offener Szene klatschen) – hojotoho! Jetzt erst mal mit einem Schweißausbruch vor Begeisterung zurücksinken – oder am Boden zerstört sein, wenn sich die unglückliche Sängerin übernommen hat. (Übrigens: Die Abschiedsgala der unvergleichlichsten Brünnhilde aller Zeiten, Birgit Nilsson, in New York bestand aus einem einzigen »Hojotoho«, das sie ihren Fans vor die Füße schmetterte – und ab in den Ruhestand! Das nenne ich Größe.) Sängerisch der nächste Himmel: die ungeheuer spannende Szene Wotan/Fricka. Wie Wagner ätzende Ironie ausdrückt, mit der sie ihren Vater fertigmacht, das muss einer erst selbst komponieren, bevor er da meckern darf. Mit skalpellscharfen Tönen seziert Fricka Wotan: Er mache sich was vor, wenn er glaube, Siegmund sei ein unabhängiger Held, der ihm helfen könne. Wagner hat dazu Töne gefunden, die genial sind. Ganz große Oper. Da bleibt nur noch a cappella als Steigerung:

Wotan antwortet »Was verlangst Du?« – und er singt das ins Leere, vollkommen gebrochen und desillusioniert. Und sie setzt nach (s. Handlung), auch musikalisch; gnadenlos, wie sie Wotan hetzt, mit der Steigerung ins höchste Pathos bei »Deiner ew'gen Gattin heilige Ehre«. Da ist Schweißabtrocknen angesagt, wenn das überstanden ist. Wenn man als Zuhörer wirklich drin ist und mit diesem gebrochenen Wotan fühlt, dann kommt jetzt das Größte: »Was keinem in Worten ich künde«, Wotans große Lebenserzählung vom Scheitern und der Müdigkeit. Dazu mag man sagen: düster, vor allem auch, weil das tiefe Blech seine großen Einsätze hat. Aber so kalt ist halt das Gefühl, dass das eigene Leben gescheitert ist und man ziemlich jämmerlich dasteht.

Dann eine meiner Sieglinde-Lieblingsstellen: »Da er sie liebend umfing«, singt sie und hat für eine Hand voll Takte ein ganz zartes Gefühl für ihn, bevor sie erneut erschrickt. Die fahlen Klänge, die das Treffen Brünnhildes mit Siegmund begleiten, sind großartige Töne aus dem Totenreich sozusagen. Dramatischer Höhepunkt: Siegmund will Sieglinde (und sein ungeborenes Kind) töten, Brünnhilde hält ihn davon ab. Schließlich das Vorspiel zum dritten Akt: kennt jeder, mag nicht unbedingt jeder. Abgesehen vom popularisierenden Missbrauch: ein tolles Stück Musik! Dann Wotans Auftritt: großer Ungehorsam, große Strafe, große Musik. Doch ans Herz geht es erst wieder, als Brünnhilde singt: »War es so schmählich, was ich verbrach«, und als sie mit »Du zeugtest ein edles Geschlecht« Wotan verschwörerisch herumkriegt, ihr ein ehrenvolles Aufwachen zu gewähren: großartig. Und ein schöner Abschied des Vaters von seiner Tochter und brennende Lohe und Orchesterrauschen ohne Ende.

FLOPS
Wenn die Musik nicht gnadenlos gut wäre, könnte man sagen: Bis Wagner mal zur Sache kommt, wälsungenmäßig, das zieht sich – allerdings höchst musikalisch. Ansonsten keine Flops in dieser Oper, weder in Musik noch im Wort. Mag Wagner auch den »Siegfried« für die beste der vier Opern gehalten haben, ich bin ganz auf der Seite der »Walküre«. Flops kann es höchstens in der Umsetzung geben, aber da sind wir Opernbesessenen einiges gewohnt, das haut uns nicht mehr um.

OBACHT
s. o.

DER KLEINE OPERNTÄUSCHER

Ganz weit vorne sind Sie, wenn Sie mit Originalliteratur protzen können. Idisi wäre ein Stichwort. Das sind nämlich die Ur-Walküren, die man ohnehin richtiger Walkyrje schriebe statt mit »ü«. Die Idisi sind ein bisschen freundlicher als die – späteren – Walkyrjen, denen (insbesondere Brynhild) in der Volsungasaga vorgeworfen wird, dass sie »kvaldi dauda menn« (gequält haben tote Männer). Über die Idisen geht der erste Merseburger Zauberspruch (10. Jahrhundert): »Eiris sazun idisi, sazun hera duoder./Suma hapt heptidun, suma heri lezidun;/Suma clubodun umbi cuoniouuidi:/Insprinc haptbandun inuar uigandun!« Was so viel heißt wie: Einst ließen sich die Idisen nieder, setzten sich hierhin und dorthin. Einige fesselten (die Feinde), andere hemmten (das feindliche) Heer, wiederum andere lösten die Fesseln (des Freundes): löse dich aus den Fesseln, entflieh den Feinden!

Bei den – späteren – Walküren fangen die Dinge an, sich zu mischen: Freya teilt sich mit Odin die Gefallenen, sie ist wohl eine zur Göttin erhobene Walkyrja, trinkt aber immerhin den Einziehenden zu. In der Wikingerzeit sind die Mädels dann völlig degeneriert: Sie fungieren als Odhinsmädchen (Lustmaiden) und Kellnerinnen in Valholl und sind Todesbotinnen geworden, die noch nicht mal mehr Spaß am Töten haben. Heute schließlich ist das Wort »Walküre« zu einem Schmunzel-Schimpfwort geworden, mit dem man eine vollschlanke Frau bezeichnet, dicht gefolgt von »Fregatte«. Es lebe der Sprach- und Bedeutungswandel!

BEWERTUNGEN

Magie 🎩🎩🎩🎩 — Vom ersten Ton an packen die Musik und das Geschehen.

Erotik 👠👠👠👠👠 — Allerdings müssen es nordische High Heels sein, aus Rentierleder. Wälsungen ist ja nur der eine, allerdings ausgelebte Inzest. Noch schwüler ist der – nicht ausgelebte – zwischen Brünnhilde und Wotan!

Fazzoletto — Bei der großen Erzählung vom Wotan kann es einen schon packen (wenn es einer singt wie seinerzeit Herr Hotter!).

Gewalt 🔗🔗🔗🔗🔗   Die Reihe der Verbrechen im »Ring« setzt sich hier mühelos fort. Loge hat das falsche Ressort: Er sollte nicht Berater, sondern Strafverteidiger sein!

Gähn —   Kein Kommentar.

Moral ◯   Immerhin tut Sieglinde der Fauxpas mit Siegmund leid. Das wäre an moralischen Zugeständnissen seitens des Librettos aber schon alles.

Ewigkeit ✨ ✨   »Winterstürme wichen dem Wonnemond« und der Walkürenritt werden bleiben: Das Erste allein wegen des Stabreims, das Zweite wegen der Pferdenarren in unserer Welt.

Gourmet ☆   Na ja, der Wälsungeninzest ist halt schon ein – wenn auch verbotenes – Gusto-Stückerl.

GESAMTWERTUNG
🎭 🎭 🎭 🎭 🎭   Operiger kann Oper nicht sein. Es kann mehr Verdi drin sein, mehr Mozart oder mehr Puccini. Nur: mehr Oper – das geht nicht.

Zweiter Tag
Siegfried
Drei Akte

URAUFFÜHRUNG
Endlich in Zusammenhang mit dem ganzen »Ring« in Bayreuth am 16. August 1876.

PERSONEN
- Siegfried: Tenor
- Mime: Tenor
- Der Wanderer: Bass
- Alberich: Bass
- Fafner: Bass
- Erda: Alt
- Brünnhilde: Sopran
- Waldvogel: Knabensopran

ORCHESTERBESETZUNG
Pikkolo
3 Flöten (3. auch 2. Pikkolo)
4 Oboen (4. auch Englischhorn)
3 Klarinetten
Bassklarinette
3 Fagotte (3. auch Kontrafagott)
8 Hörner (5 & 6 auch Tenortuba, 7 & 8 auch Basstuba)
3 Trompeten
1 Basstrompete
4 Posaunen (4. auch Kontrabassposaune)
1 Kontrabasstuba
Pauken
Becken
Triangel
Glockenspiel
Tamtam
6 Harfen
Streicher

BESONDERHEITEN
Bühnenmusik: Englischhorn
Horn
Schmiedehammer
Donnermaschine

DAUER
ca. 4 Stunden

HANDLUNG

ERSTER AKT

Eine Felsenhöhle im Wald

Mime, der Bruder Alberichs, hat Siegfried bei sich aufgenommen. Er zieht ihn auf, weil er hofft, dass der eines Tages Fafner besiegt und ihm den Ring des Nibelungen besorgen wird. Missmutig kloppt er auf einem Stück Eisen herum. Er ist sauer, weil seine Schwerter selbst von Riesen nicht kaputt zu kriegen waren, der kleine Siegfried aber knickt sie entzwei, »als schüf' ich Kindergeschmeid«. Ein Schwert allerdings würde auch der nicht kleinkriegen: Nothung. Nur hat er, Mime, es noch nicht hinbekommen, aus den Reststücken ein neues Schwert zu schmieden. Darob kommt Siegfried ins Bild, natürlich nicht allein, sondern mit einem Bären, den er, so zum Spaß, aus dem Wald mitgebracht hat und jetzt wieder laufen lässt. Er probiert das Schwert, das Mime eben geschmiedet hat, und haut es sofort in Stücke. Nun macht er sich länglich über Mime lustig, der seine Undankbarkeit beklagt, Siegfried aber kontert: Er wisse schon, was Mime ihn alles gelehrt habe, nur eines nicht, ihn zu mögen. Ein Wort gibt das andere, schließlich bittet Siegfried den Zwerg, ihm zu sagen, wer sein Vater und wer seine Mutter sind. Mime erzählt widerwillig: Eine Frau habe wimmernd im Walde gelegen, er habe ihr in die Höhle geholfen, und hier habe sie ihn geboren, sei allerdings direkt danach gestorben. Sie habe ihm, Mime, noch den Namen des Jungen, Siegfried, genannt und habe selber Sieglinde geheißen. Der Vater sei erschlagen worden, mehr wisse er nicht. Als Zeichen, dass er die Wahrheit sage, seien hier die Stücke des Schwertes, das sein Vater im seinem letzten Kampf geführt habe, die Mutter habe es ihm gegeben. Da sagt Siegfried dem Zwerg, er solle aus den Stücken ein Schwert schmieden, und läuft zurück in den Wald.

Mime braucht nicht lange zu verzweifeln (es ist ihm ja noch nie gelungen, aus den Stücken ein Schwert zu schmieden), denn es kommt einer, der sich Wanderer nennt, von dem wir aber wissen: Es ist Wotan. Mime will von diesem Besuch nichts wissen, ihn wegschicken, der Wanderer jedoch bleibt hartnäckig. Er hat zwar unterdessen gelernt, sich nicht mehr einzumischen, aber ganz draußen will er auch nicht sein. Mime solle ihm drei Fragen stellen, sagt der verkleidete Wotan, schon manchem habe er helfen können. Und Mime fragt: »Welches Geschlecht tagt in der Erden Tiefe?« Da weiß der Wandrer Bescheid: »Die Nibelungen«, und erzählt gleich ein bisschen was von ihnen. »Welches Geschlecht ruht auf der Erde Rücken?« Aha, weiß der Wanderer, die kenn ich noch besser: »*Fasolt & Fafner*«, und geht auch hier ins Detail. »Welches Geschlecht wohnt auf wolkigen Höh'n?« Auch hier ist der Wanderer zu Hause. Nur die Frage, die er sich stellen lassen wollte, stellte der Zwerg nicht. Also wird jetzt er drei Fragen stellen. »Welches ist das Geschlecht, dem Wotan schlimm sich zeigte und das doch das liebste ihm lebt?« Der Zwerg seinerseits weiß auch Bescheid: »Die Wälsungen.« »Welches Schwert muss Siegfried nun schwingen,/taugt' es zu Fafners Tod?« Das weiß Mime besser als sonst wer: »Nothung.« Und drittens: »Wer wird aus den starken Stücken Nothung, das Schwert, wohl schweißen?« Hier weiß der Zwerg die Antwort nicht. Der Wanderer selbst gibt sie als Rätsel: »Nur wer das Fürchten nie erfuhr, schmiedet Nothung neu.« Er überlasse das Haupt des Zwerges, das an und für sich jetzt ihm, dem Wanderer, gehöre, demjenigen, der das Fürchten nicht gelernt habe. Abgang Wotan.

Siegfried kömmt und will das Schwert. Aber, so Mime, das könne nur schmieden, »wer das Fürchten nicht gelernt«. Ob er, Siegfried, sich denn schon mal gefürchtet habe? Mime kann das Gefühl beschreiben wie er will, für Siegfried ist es ein Fremdwort. Dann solle er doch zu Fafner gehen, dem Lindwurm, der werde ihn das Fürchten schon lehren. Nicht ohne Schwert, kontert der Held, er schmiede es sich schon selbst. Also zerkrümelt und zerfeilt er den Stahl, um aus den Spänen ein neues Schwert zu schweißen. Mime wird angst und bange, weiß er doch, dass sein Kopf dem jungen Helden gehört. Wie kommt er außerdem an den Ring, den Fafner beschützt, wenn ihn Siegfried nicht holt? Fragen über Fragen. Unterdessen schmiedet Siegfried tatsächlich sein neues Schwert, dessen Namen er von Mime erfuhr: Nothung. Während Siegfried hämmert und schmiedet, kommt Mime die rettende Idee. Er braut einen Schlaftrunk, den er Siegfried zur »Stärkung« geben will, wenn er Fafner getötet hat. So kann er an den Ring gelangen und den eigenen Kopf aus der

Schlinge ziehen. Siegfried, nicht faul, schärft das neue Schwert, und als es fertig ist, probiert er es am Amboss aus, den er mit einem Streich durchhaut. Bass vor Erstaunen ob dieser Heldentat fällt auch der Vorhang wie ein Stein zu Boden.

ZWEITER AKT

Tiefer Wald. Im Hintergrund der Eingang zu einer Höhle. Finstere Nacht

In diesem Akt wird ein uralter Menschheitstraum wahr: die Sprache der Tiere zu verstehen. Alberich wacht vor der Höhle Fafners, der Ring lässt ihm keine Ruhe, er wartet auf den, der Fafner besiegen wird. Da taucht der Wanderer auf, den Alberich sofort als Wotan erkennt und beschimpft. Wotan betont, nur als Zuschauer, nicht als Handelnder hier zu sein, Alberich glaubt ihm nicht, Wotan warnt ihn trotzdem vor Mime, seinem Bruder, der mit dem Knaben Siegfried, der von ihm, Wotan, und vom Ring nichts weiß, schon unterwegs nach hier sei. Alberich schöpft Hoffnung: »Mit Mime räng' ich allein um den Ring?« Wotan allerdings warnt ihn auch vor Siegfried, der Fafner erschlagen werde. Wer dann den Ring raube, habe ihn gewonnen. Wenn man Fafner wecke und vor Siegfried warne, rücke er vielleicht den Schatz heraus. Wotan weckt den Lindwurm, der allerdings hat wenig Lust, den Schatz herauszugeben. Er hat keine Angst um sein Leben – da wäre er ja auch der erste Lindwurm – und schläft mit dem großen Satz wieder ein: »Ich lieg' und besitz',/lasst mich schlafen!« Wotan reitet weiter, Mime und Siegfried tauchen auf. Siegfried zweifelt: Hier also soll er das Fürchten lernen? Er jagt den Zwerg davon, nachdem der ihm vom Drachen erzählt hat. Mime zieht sich zurück mit den Worten: »Fafner und Siegfried,/Siegfried und Fafner,/o, brächten beide sich um!«

Siegfried, der angstfreie tumbe Tor, freut sich, nicht der Sohn Mimes zu sein. Wie sein Vater, wie seine Mutter wohl ausgesehen haben mögen? Typische Fragen also, die man sich im Walde häufig stellt. Siegfried hört den Vögeln zu und hat das Gefühl, sie wollten ihm was sagen. Flink eine Pfeife geschnitzt und sie nachgeahmt, vielleicht kommt man ins Gespräch? Nein. Dann ein Versuch mit dem Horn! Das verscheucht den Vogel, weckt aber den Drachen. Der kann jedoch sprechen, auch wenn die Sätze, die er sagt, nicht sehr freundlich sind: »Trinken wollt' ich,/nun treff' ich auf Fraß.« Das schockt Siegfried aber nicht weiter, kennt er doch keine Angst. Als er schließlich, beinahe absichtslos, Fafner das Schwert ins Herz stößt, warnt der ihn vor dem Fluch des Goldes und stirbt. Siegfried wischt das Schwert sauber, schleckt den Finger ab, und es passiert: Plötzlich versteht er die Sprache der Tiere. Der Waldvogel (Knabensopran) rät ihm, den Tarnhelm und den Ring aus der Höhle zu holen, und Siegfried gehorcht. Während der Held noch in der Höhle stöbert, streiten Alberich und Mime davor um den Schatz. In brüderlicher Liebe hauen sie sich einen Vorwurf nach dem anderen um die Ohren: »Teilen mit dir?/Und den Tarnhelm gar?/Wie schlau du bist!/Sicher schlief' ich/Niemals vor deinen Schlingen!«, meckert Alberich, und Mime, nicht faul, droht mit Siegfried und seinem Schwert. Als der Held aus der Höhle kommt, verstecken sich beide. Der weiß nicht so recht, was er mit Helm und Ring anfangen soll, da warnt ihn der Waldvogel vor Mime und macht ihn darauf aufmerksam, dass er jetzt auch die Gedanken des Zwerges verstehen könne und darauf achten solle. Mime kommt aus seinem Versteck und will Siegfried den Todestrunk anbieten, kann diese Absicht aber nicht verbergen, weil der Held ja in seinen Gedanken lesen kann. Also spricht er seine Absichten klar aus: »Zum ew'gen Schlaf/schließ' ich dir die Augen bald.« Das eskaliert bis zu dem Satz: »Drum mit dem Schwert,/was so scharf du schufst,/hau' ich dem Kind den Kopf erst ab:/dann hab' ich mir Ruh und auch den Ring«, was sich Siegfried natürlich nicht gefallen lässt. Mit »Schmeck du mein Schwert, ekliger Schwätzer!« haut er dem Kleinen die Rübe ab, damit a Ruah is. Dann wälzt er den Drachen vor die Höhle und unterhält sich noch ein Weilchen mit dem Waldvogel, der ihm von der Liebe und von Brünnhilde erzählt: Die nur gewinnen könne, wer das Fürchten nicht kennt. Das sei ja er, meint der Held, und folgt dem Vogel, der ihm den Weg zur Schönen zeigt. Weil sich der Weg bis dahin etwas zieht, senkt sich der Vorhang, um uns nicht mit den Details der Reise zu langweilen.

DRITTER AKT

Erstes Bild: Wilde Gegend am Fuß eines Felsenbergs, ein gruftähnliches Höhlentor im Vordergrund. Nächtliches Gewitter

Der Wanderer Wotan weckt die Erdgöttin Erda, er will mal wieder wissen, was die Zukunft bringt. Er möchte nämlich eine Entscheidung, die er in Verzweiflung getroffen habe, wieder rückgängig machen. Nach dem Streit mit Fricka im zweiten Akt der »Walküre«, als er nur noch daran dachte, dem Ganzen ein Ende zu machen, hat er Alberichs Sohn, Hagen, das Welterbe vermacht. Das solle nun anders laufen, Siegfried soll der Nutznießer sein. Dies wolle er Erda sagen, und dass er sein und der Götter Ende beabsichtigt: »Dem ewig Jungen weicht in Wonne der Gott«, und schickt die nun völlig Verwirrte wieder hinab in ewigen Schlaf. Erda ist noch nicht unten, da kommt Siegfried. Wotan kann es nicht lassen, sich einzumischen, und stellt sich Siegfried in den Weg. Zunächst erzählt Siegfried dem Alten arglos alles, was er über sich weiß. Als der aber immer weiter fragt, wird er pampig: er solle ihm den Weg zu Brünnhilde zeigen oder das Maul halten. Von Alten wie ihm habe er langsam genug, Mime habe er schon »fortgefegt«, dasselbe könne ihm auch passieren. Was das überhaupt für ein Hut sei, der ihm so tief ins Gesicht hinge, und darunter das Auge, das fehle, das habe ihm sicher einer ausgeschlagen, dem seine Fragerei auch auf den Geist gegangen sei. Also Platz, sonst verliere er auch noch das andere Auge. Dem Wanderer steigt natürlich doch die Tinte hoch, er will Siegfried mit seinem Speer den Weg zu Brünnhilde verwehren. Da ahnt der Tor, dass er vor dem Feind seines Vaters steht, holt aus, zerschmettert Wotans heiligen Speer und zieht leichten Herzens weiter.

Zweites Bild: Der Gipfel eines Felsenberges. Wie »Walküre«, dritter Akt

Siegfried kommt an das lodernde Feuer, geht furchtlos hindurch und steht nun vor der schlafenden Brünnhilde. Weil er noch nie eine Frau gesehen hat, hält er sie für einen Mann – eine Verwechslung, zu der es in klassischen Inszenierungen tatsächlich leicht kommen kann, wenn Männlein und Weiblein in den gleichen Rüstungen herumlaufen. Er bricht die »engende Brünne«, das Metallmieder, und verspürt das erste Mal Furcht, als er sieht, dass da unzweifelhaft eine Frau vor ihm liegt. Er küsst sie, sie erwacht und bedankt sich bei den Göttern für die Rettung – und den jungen Helden. Der Rest ist flott erzählt: Natürlich wehrt sich die Spröde noch ein bisschen, immerhin muss sie auch noch verdauen, dass sie keine Göttin mehr ist. Dann aber versinken die beiden in schönstem Duett und in großer Liebe: »Leuchtende Liebe, lachender Tod!« Das hält den Vorhang nicht mehr oben, er fällt verzückt.

HITS

Hier sind wir vollständig in einem schönen – und im Gegensatz zur »Walküre« auch jugendfreien – Märchen: Köstlich der schmiedende Mime in der ersten Szene, er darf auch richtig tückisch singen. So muss ein böser Zwerg sein, so muss er agieren, so muss er singen. Super! Die geradezu sozialkritischen Aspekte des Zwiegesprächs Mime–Siegfried sind ein ironisches Glanzlicht: Mime, der nicht weiß, was Liebe ist, will es dem Helden erklären, findet aber nur Wörter, die zeigen, dass er überhaupt keine Ahnung davon hat. Wagner hat in dieser Szene ganz nebenbei seinen Zeitgenossen einen Zerrspiegel vorgehalten – und das finde ich einsame Spitze! »Einst lag wimmernd ein Weib«, erzählt Mime die traurige Geschichte von

Siegfrieds Geburt, und eine Bassklarinette begleitet ihn, dann kommen Klarinetten und Fagotte dazu: Eindringlicher geht es kaum. Richtig ernst nimmt die Musik den jungen Helden, als er Mime beauftragt, das Schwert zu schmieden, und in den Wald stürmt: Da hören wir aufgeregte Freude und feste Entschlossenheit – super! Damit man weiß: aha, es geht um Verträge, als der Wanderer sich setzt und singt: »Hier sitz ich am Herd«, als also die Rätsellöserei losgeht, erklingt schon mal das Vertragsmotiv, und dann geht das Frage-und-Antwort-Spiel los. Mime fragt, der Wanderer antwortet. Die Szene ist dramaturgisch äußerst praktisch, weil sie einem eine Menge Erklärungen erspart, wenn man mit jemandem in den »Siegfried« geht, der »Rheingold« und »Walküre« nicht gesehen hat. Und wenn über der Bühne die Untertitel laufen, kriegt man die drei Fragen Mimes und die drei Wotans auch gut mit und kann sich drüber amüsieren.

Immer wieder schön: wie Jung-Siegfried das Schwert zusammenbraut und »Nothung! Nothung!« psalmodiert und hämmert und schweißt und feilt und macht und tut – großartig. Ich hätte gerne eine der Jahrhundertwende-Aufführungen gesehen, als die Tenöre ja wirklich zum Schmied mit Rauschebart mutieren mussten!
Der zweite Aufzug ist mein Hit-Akt: Fantasy, Mythen, Drachen, Bösewichte, Blut, Gold und ein Waldvogel – von allem »ze basch« (wie der Rheinländer sagt): mehr als genug und spannend sowieso. Zudem eine Herausforderung an die Inszenierung oder – wenn's denn traditionell zugeht – an die Bühnentechnik. Man braucht kein surrendes Laserschwert, Fafner langt vollauf! Großer Hit auch das Motto der Satten und Trägen: »Ich lieg' und besitz: lasst mich schlafen!«, singt Fafner und dreht sich auf die andere Seite. Grandios!

Als Siegfried sich dann auf den Kampf vorbereitet, hören wir, was Wagner in der Partitur »Waldesweben« nennt – und zwar gleich ein Spitzen-Waldesweben (zweite Geigen, Bratschen und Celli über liegendem Kontrabass: klar, Waldweben eben). Dann eine wunderschöne, lyrische Stelle: »wachsendes Waldweben« (steht in der Partitur!), Flöte (das Waldvöglein) und »O holdes Vöglein« – das hat Wagner großartig getroffen! Und das Englischhorn, das eine Rohrpfeife imitiert – witzige Töne im hehren Opernhaus! Dann das Siegfried-Hörnchen und die Kontrabasstuba – ein Hit-Gespann! Und der Drachen! Und sein Blut! Und der Kampf! Und mit dem sterbenden Fafner bekommt man fast Mitleid, schön, wie er stirbt. Das Zwergenduo Alberich und Mime finde ich immer wieder erheiternd: ein hübscher, böser Kontrast zum feinen Waldvögelchen. Dass Mime im Lachen von Siegfried tödlich erwischt wird – eine hintersinnige Idee!

Nun prallen die Welten aufeinander: Siegfried und Wotan, der Kontrast zwischen dem aufbrausenden Halbstarken und dem schon Ex-Gott ist aufregend in intensive Musik gesetzt. Und wenn es mit der Inszenierung klappt, ist die Geschichte mit dem Überwinden des Feuerrings auch nicht von schlechten Eltern – und falls es nicht klappt: Augen zu und durch! Dann ist aber wieder große Liebe, große Musik, große Oper angesagt. Bis zum Schluss nur noch eitel Wonne – egal, ob man jedes Leitmotiv erkennt oder nicht – die aufkeimende Liebe zwischen Brünnhilde und Siegfried ist zum Reintauchen. Tun Sie's – es lohnt sich! Da kann man auch mal die graue Schläfe neben sich an der Hand nehmen – wenn er kein verbiesterter Wagnerianer ist, wird er Sie, gnädige Frau, anschauen, Ihnen zulächeln und Ihnen am Ende der Vorstellung einen Handkuss hinhauchen, der sich gewaschen hat. Mindestens. Und dann in eines der idyllischen Hotels in der Umgebung von Bayreuth!

FLOPS

»Als zullendes Kind zog ich dich auf«, singt Mime. Und wir fragen uns an dieser Stelle: Kinderoper oder was? Solche Töne schätzen wir in Opern, in denen man die Figuren überzeichnen zu müssen glaubt, weil sonst unsere ach so dummen Kinder nichts schnallen – aber doch nicht in Werken für Erwachsene. Wir haben doch ein Programmheft! Außerdem: Das Gespräch zwischen Siegfried und Mime läuft nach dem Motto: Hör mal, Mime, kannst du mir sagen, warum ich dich nicht leiden kann? Dass immerhin so viel dabei rauskommt, dass Siegfried den Namen seiner Mutter erfährt, ist ein kleines kommunikationspsychologisches Wunder. Im normalen Leben könnte man auf solch eine Unverschämtheit nur sagen »Darum!« und dem jungen Helden eine Ohrfeige verpassen.

Dann der Wanderer. Flop, weil: bis der sich endlich mal hinsetzt und mit seinem Anliegen herausrückt! Manchmal hat man schon den Eindruck, dass Wagner sich ziemlich in seine eigene Geschichte verbissen hat. Vielleicht liegt's daran, dass er das Buch ja – chronologisch gesehen – rückwärts geschrieben hat. Dann wären die Rückblicke keine Rückblicke, sondern Vorausschauen: Die hat er natürlich gebraucht, um sich immer wieder vor Augen halten zu können, wohin die Reise überhaupt geht, äh, nee, woher sie kommt, oder wie, oder was, oder so.

Mit der »Scary-Arie« von Mime (»Fühltest du nie im finst'ren Wald«) sind wir wieder bei der Kinder- und Jugend-Oper, zumal hier auch noch die Musik absolut auf dieser Ebene bleibt. Wirklich *scary* kann diese »Arie« nur werden, wenn der Schrecken in der Stimme des Sängers ist: Gerhard Stolze bleibt für mich die Ideal-Besetzung, da hat es mich nicht nur beim ersten Hören gegruselt. Floppig ist das endlos lange »Gespräch«, in dem Mime unserem Helden Siegfried die Tücken des Drachens schildert, wo der das Herz hat etc. pp. Anatomieunterricht vor dem Drachenkampf hat noch nicht mal der hl. Georg bekommen!

Im dritten Aufzug der Dialog Wotans mit Erda: Hier dürfen Sie ruhig die Pause um 18 Minuten verlängern, um dann mit Siegfried wieder ins Geschehen zu kommen, Sie versäumen nicht die Welt. Kaum sind Sie wieder da, kommt aber schon der nächste Flop: dass nämlich Siegfried Brünnhilde für einen Mann hält. Ich warte doch nur noch drauf, dass ein Regisseur die Walküren zu Lesben erklärt und aus Walhall einen Christopher Street Day macht.

OBACHT
s. o.

DER KLEINE OPERNTÄUSCHER
Bei Drachen muss man vorsichtig sein, es gibt viel zu unterscheiden. Mein Vademecum in diesen Dingen ist das »Handwörterbuch des deutschen Aberglaubens«, dem ich entnehme, dass z. B. der Kampf mit dem Drachen im germanischen Sagenkreis zum absoluten Normalprogramm für jeden Helden gehöre: Beowulf, Siegfried natürlich, Dietrich von Bern, Ragnar Lodbrok, selbst Tristan und Frohto (nein, nicht der von Tolkien!) – alle haben den Drachentest bestanden. Die Forschung weiß sogar wo: Siegfried einmal in Böhmen und einmal bei Dürkheim, Guntram und Waltram in der Schweiz und in Bayern – erstaunlich, wo diese Viecher sich überall herumgetrieben haben. Dasselbe gilt natürlich für den christlichen Überlieferungsbereich, auch da hagelt es Drachentöter: vom Erzengel Michael über den hl. Georg bis zum Bischof Lupus von Sens – allesamt drachenerfahren. Es gibt spezialisierte Drachen, etwa Schatzhüterdrachen wie Fafner; und der ist ganz eigen: Er fliegt nämlich nicht, sondern kriecht! Er ist nicht ganz Drache, er ist noch halb Schlange, halb Drache. Und da kann man auch gleich anmerken, dass das Wort »Lindwurm« eine Tautologie ist: weil Lint

nämlich Schlange heißt. Es wäre also ein Schlangenwurm, was nicht wahrhaft gut klingt. Und nun in die Pause und das alles loswerden, Sie Wagner-Experte!

BEWERTUNGEN

Magie 🎩🎩🎩🎩	Allein schon der Drache!
Erotik 👠	Ob das allerdings den Feuerring überstanden hat?
Fazzoletto —	Helden brauchen keine Taschentücher: weder beim Kämpfen noch beim Küssen.
Gewalt ⛓⛓⛓⛓⛓	Zuerst der Drache, dann der Zwerg – und überhaupt!
Gähn —	So was werden Sie doch nicht verschlafen wollen? Und nach all den Heldentaten muss man auch die Früchte der Liebe genießen!
Moral 🥚🥚	Irgendwie hat es mit Mime und Fafner wirklich die Richtigen erwischt, oder?!
Ewigkeit ✨✨	Die Drachentötergeschichten werden nie aussterben – und hier sind sie auch musikalisch auf den Punkt gebracht.
Gourmet —	Hier hatte Wagner kräftig zu tun, da blieb keine Zeit übrig für Zuckerbäckerschleckereien.

GESAMTWERTUNG

Kindliche Vorstellungen voller Dynamik mit Erwachsenenphantasien zu verbinden, und das alles als spannendes Puzzlestück eines noch größeren Ganzen kurzweilig auf die Bühne zu stellen – das ist große Oper, großes Vergnügen! Und dann noch das Feuer!

Dritter Tag
Götterdämmerung
Vorspiel, 3 Akte

»Zurück vom Ring!«
(Hagen in »Götterdämmerung« von Richard Wagner)

URAUFFÜHRUNG
Als triumphaler Abschluss eines mittelmäßigen »Rings« am 17. August 1876 in Bayreuth.

PERSONEN
Siegfried:	Tenor
Gunther:	hoher Bass
Alberich:	hoher Bass
Hagen:	tiefer Bass
Brünnhilde:	Sopran
Gutrune:	Sopran
Waltraute:	tiefer Sopran
1. Norn:	Alt
2. Norn:	tiefer Sopran
3. Norn:	Sopran
Woglinde:	Sopran
Wellgunde:	Sopran
Floßhilde:	Sopran

Chor: Mannen, Frauen

ORCHESTERBESETZUNG
Pikkolo
3 Flöten (3. auch 2. Pikkolo)
3 Oboen
Englischhorn
3 Klarinetten
Bassklarinette
3 Fagotte (3. auch Kontrafagott)
8 Hörner (5 & 6 auch Tenortuba, 7 & 8 auch Basstuba)
3 Trompeten
1 Basstrompete
4 Posaunen (4. auch Kontrabass-Posaune)
1 Kontrabass-Tuba

Pauken
Rührtrommel
Becken
Triangel
Glockenspiel
6 Harfen
Streicher

BESONDERHEITEN

Bühnenmusik: 3 Stierhörner in C, Des und D
　　　　　　　Hörner
　　　　　　　Trompeten
　　　　　　　4 Harfen

DAUER

ca. 4 ½ Stunden

HANDLUNG

VORSPIEL

Wie »Walküre«, dritter Akt

Die drei Nornen – Wagner greift auf das ganz Große zurück, Shakespeare, when shall we three ... – zupfen am Seil des Schicksals herum und erzählen sich nochmal die alten Geschichten: Wie Wotan aus der Quelle der Weisheit trank und den Speer aus der Weltesche schnitt, wie daraufhin die Weltesche, an der das Seil der Nornen hing, verdorrte und sie das Seil auf dem Berggipfel um eine Tanne wickeln mussten. Und sie erzählen weiter, was wir, die wir das Vorspiel, den ersten und den zweiten Abend gesehen haben, sowieso schon wissen, beklagen aber, dass sie nicht mehr so klar sähen wie früher; ob es die Dämmerung sei oder ob Walhall brenne, zu unscharf sei die Zukunft. Als dann auch noch das Seil reißt, erschrecken sie und sie eilen hinab zu ihrer Mutter Erda.

Bei Tagesanbruch (also hat Walhall doch noch nicht gebrannt) verabschiedet sich Siegfried von seiner Brünnhilde. Ihn ruft es zu neuen Taten. Er steckt ihr den Ring, den er dem Drachen geraubt hat, an den Finger, sie gibt ihm dafür Grane, den zausigen Zossen, und winkt ihm nach.

ERSTER AKT

Erstes Bild: Die Halle der Gibichungen am Rhein

Hier nun taucht er das erste Mal auf, der Bösewicht schlechthin: Hagen, der Sohn Alberichs und Grimhildes. Alberich hat ihn zwar nicht mit Liebe gezeugt (»Nur wer der Minne Macht entsagt«, hat es ja im »Rheingold« geheißen), aber wir wissen ja, dass mit Geld und Macht so einiges möglich ist, auch Nachwuchs zeugen. Hagen ist der menschgewordene Alberich, einer der grandiosen Bösewichte der Oper, und es ist ein Vergnügen, diesen Drecksack auf der Bühne agieren zu sehen! Die Gibichungen chillen am Rhein herum; Gibichungen: Das sind Gunther, ihr König, seine Schwester Gutrune und der Halbbruder der beiden, Hagen. Dieser ist nicht in bester Laune, weil weder Gunther noch Gutrune verheiratet sind, und zwar gut, sprich: zur Ehre der Sippe. Er wisse da zwar eine, Brünnhilde, die sei die Richtige für Gunther, allein, die müsse ein anderer für ihn erobern, Siegfried. Nur der könne Brünnhilde erobern, aber, er, Hagen, wisse einen Weg: Mit einem Zaubertrank könnte man ihn an Gutrune binden und ihn dann für Gunther Brünnhilde erobern lassen. Super, Beifall von allen Seiten, da ertönt auch schon des Helden helle Stimme aus dem Off, und im Kahn – wie weiland Lohengrin – kömmt Siegfried daher. Im Erstgespräch mit dem Hofe enthüllt Siegfried, wer er ist, und dass er den Tarnhelm mitgenommen hat, den Ring des Schatzes allerdings hüte Brünnhilde. Gutrune tritt ein, sie hat den Trank zubereitet und reicht ihn dem Helden. Der leert das Horn mit den Worten: »Den ersten Trunk zu treuer Minne,/Brünnhilde, bring' ich dir!« und ex! Und schon ist alles vergessen: Brünnhilde, die Felsen, das Feuer!

Alles geht rasend schnell: Siegfried verliebt sich aus dem Stand in Gutrune und bittet Gunther um ihre Hand, gleichzeitig fällt ihm auf, dass Gunther allein ist. Von wem er denn träume? Von einer, sagt der, die vom Feuer bewacht werde, das nur einer durchdringen könne, der ohne Furcht sei, von Brünnhilde. Siegfried schnallt nix, der Zaubertrank wirkt bestens, also verspricht er Gunther, ihm die Dame zu holen. Es wird Blutsbrüderschaft getrunken, alles beeidigt und besiegelt. Nur Hagen verweigert die Blutsbrüderschaft, er weiß ja, wohin das alles führen wird. Siegfried und Gunther brechen auf, Brünnhilde zu holen, Hagen bleibt zurück in der Gewissheit, dass er bald der Besitzer des Ringes sein wird.

Zweites Bild: Auf dem Walkürenfelsen

Brünnhilde schwelgt, den Ring küssend, in seligen Erinnerungen an ihren Siegfried, da kommt ihre Schwester Waltraute. Sie erklärt die Tatsache, dass sie sich trotz des Verbots ihr, der nunmehr Menschenfrau, zeigen darf, mit der Not, die in Walhall herrsche. Wotan ziehe als Wanderer einsam durch die Welt, kürzlich sei er wieder aufgetaucht, die Splitter seines Speers in der Hand, und habe die Götter aufgefordert, mit ihm die Weltesche zu fällen und die Scheite um Walhall aufzuschichten. Und er sei stumm dagesessen. Und als sie, Waltraute, ihn versucht habe zu trösten, habe er an Brünnhilde gedacht und gesagt: »Des tiefen Rheines Töchtern/gäbe den Ring sie wieder zurück,/von des Fluches Last/erlöst wär' Gott und Welt!«, da habe sie sich von seiner Seite gestohlen und sei zu ihr, Brünnhilde, geeilt, um ihr das mitzuteilen. Das ist allerdings das Letzte, was Brünnhilde hören will: Niemals will sie sich das Pfand ihrer Liebe nehmen lassen, eher soll Walhall untergehen. Mit Wehgeschrei fliegt die Schwester ins Götterwohnheim zurück, da lodern die Flammen hoch empor, sie hört Siegfrieds Horn, läuft dem vermeintlichen Gatten entgegen, doch wer steht da? Gunther, nein, Siegfried, der sich mit dem Tarnhelm in Gunther verwandelt hat: »Verrat! – Wer drang zu mir?« Brünnhilde spürt, dass Übles abläuft, und ist völlig verzweifelt, weil sie es nicht durchschauen kann und es für Wotans eigentliche Strafe hält. Natürlich gibt sie sich nicht freiwillig hin, also kommt es zum Kampf. Siegfried/Gunther zieht ihr den Ring vom Finger, ihre Kraft ist gebrochen. Mit den Worten: »Was könntest du wehren, elendes Weib!« geht sie ins Gemach vor, in das ihr Siegfried folgt. Er wird allerdings das Schwert Nothung zwischen sich und Brünnhilde legen (so soll es doch sein). Wir können also beruhigt dem Niedergehen des Vorhangs zuschauen, er wird nicht schon wieder ein Verbrechen verdecken müssen.

ZWEITER AUFZUG

Uferraum vor der Halle der Gibichungen, links das Rheinufer. Nacht

Alberich kniet vor dem schlafenden Hagen und redet auf ihn ein. Er und Hagen würden die Welt erben, wenn er ihm helfe, an den Ring zu kommen, mit dem Siegfried sowieso nichts anfangen könne, weil an dessen Arglosigkeit der Fluch zerschelle. Er, Hagen, solle ihm treu bleiben. Worauf Hagen sagt: »Mir selbst schwör' ich's!«, und weiterschläft.

Nun trudeln die Ausflügler ein, Siegfried zuerst, das Paar Brünnhilde und Gunther im Boot danach. Es wäre alles gutgegangen, erzählt Siegfried arglos seiner Gutrune. Sie brauche keine Angst zu haben, er habe nur Brünnhilde in der Gestalt Gunthers überwältigt, geschlafen habe dann Gunther mit ihr, er habe ja das Schwert in der Nacht zwischen sich und Gunthers Braut gelegt. Gutrune ist's damit tatsächlich zufrieden. Hagen bereitet den Empfang der »Brautleute« vor und ruft die Gibichungen in finsterer Absicht zum Krieg zusammen. Als alle da sind, erklärt er ihnen, dass es um die Hochzeit des Herrn Gunther gehe und um die seiner Schwester mit Siegfried. Endlich landet der Nachen mit den beiden. Gunther stellt Brünnhilde, »die hehrste Frau«, vor, die natürlich völlig von den Socken ist, als sie Siegfried sieht. Sie wankt, sie sinkt dahin, als ihr bewusst wird, dass Siegfried sie nicht kennt. Siegfried fängt sie auf mit den einfühlsamen Worten: »Gunther, deinem Weib ist übel!« Da sieht sie an Siegfrieds Finger den Ring. Hagen, der ja ständig dabei ist, den Knoten des Bösen zu schürzen, bemerkt die steigende Spannung und sagt zu den Kämpen: »Jetzt merket klug,/was die Frau euch klagt!«, was diese auch prompt tut. Es geht um die Frage, wer ihr den Ring vom Finger genommen hat: Siegfried oder Gunther. Wenn es Gunther war, sei sie sein Weib, wenn es Siegfried war, habe der Gunther betrogen. Brünnhilde weiß natürlich – egal was ihre beiden verwirrten Männer sagen –, dass es Siegfried war und sie demnach Siegfrieds Frau ist.

Siegfried, der tumbe Tor, läuft hier nochmal zur absoluten Intelligenzleistung auf: Er erzählt, das sei alles Blödsinn, er habe sogar, um dem Blutsbruder Gunther die Treue wahren zu können, ein Schwert zwischen Brünnhilde und sich gelegt. Das wirft natürlich die Frage auf, wer denn jetzt lügt. Wie das in der Urzeit so üblich war, muss das mit Eiden geklärt werden: Hagen hält den Speer hin, Siegfried berührt dessen Spitze mit zwei Fingern und schwört hoch und heilig, dass er Gunther nicht verraten habe. Da wirft sich Brünnhilde in den Kreis, legt ihrerseits zwei Finger auf die Speerspitze und bezichtigt Siegfried des Meineids. Siegfried empfiehlt Gunther, seiner Frau ein bisschen Zeit zu gönnen, dass sie sich beruhige, und führt in völlig überdrehter Stimmung die Herrschaften zur Hochzeitstafel. Alle, bis auf Brünnhilde, Gunther und Hagen, folgen ihm. Brünnhilde überlegt, welcher böse Zauber hinter alldem steckt. Da bietet ihr Hagen an, sie zu rächen. An wem?, fragt sie. An Siegfried, antwortet er. Das könne er vergessen, Siegfried sei unbesiegbar, außer ... und sie verrät ihm, dass er am Rücken eine Stelle habe, an der er, den sie durch ihren Zauber unverwundbar gemacht hat, verwundbar sei. Diese Stelle habe sie ausgespart, weil sie niemals dachte, dass er seinem Feinde den Rücken zukehren könne. Da beginnt auch Gunther zu lamentieren, dass er, der Betrüger, nun der Betrogene sei. Kurz, aus all dieser Schmach sieht man nur einen Ausweg: den Tod Siegfrieds. Brünnhilde betont, dass der Tod Siegfrieds ihr reiche, um auch die Schuld der Gibichungen zu büßen, die sich so schmachvoll hinter Siegfried versteckt hätten, um sie zu bekommen. Gut, meint Gunther, nur: Siegfrieds Tod träfe ja auch seine Schwester Gutrune ziemlich hart. Dann müsse das Ganze halt wie ein Jagdunfall aussehen, schlägt Hagen vor. Damit sind alle zufrieden, nur der Vorhang nicht, der fällt vor Scham ob solcher Abgründe aus der Fassung.

DRITTER AUFZUG

Erstes Bild: Wildes Wald- und Felsental am Rhein

Woglinde, Wellgunde und Floßhilde – wir haben sie ja schon länger nicht mehr vermisst – warten auf Siegfried. Er soll ihnen das Gold wiedergeben. Siegfried, hinter einem Bären her, taucht auf. Die Rheintöchter wollen den Ring von ihm, das scheint ihm aber ein zu hoher Preis für einen Bären zu sein (den sie ihm dann geben wollen). Weil sie ihn necken: »So schön!«/»So stark!«/»So gehrenswert!«/»Wie schade, dass er geizig ist!«, kommt er ans Ufer und streift sich den Ring vom Finger. Da tauchen die drei wieder empor und klären ihn über den Ring und seinen Fluch auf. Das schreckt ihn aber nicht. Im Gegenteil: Böten sie ihm Lust und Liebe, gebe er ihn gern her. Aber nicht, um damit sein Leben zu retten, denn Leben und Leib seien ihm nichts wert, nur so viel wie diese Scholle, die er aufhebt und weit von sich wirft. Die entsetzten Rheintöchter verraten ihm, dass ihn seine Frau heute noch beerben wird. Dann verschwinden sie in der Tiefe. Siegfried schaut ihnen nach und lässt einen Macho-Satz allererster Sahne los: »Und doch, trüg' ich nicht Gutrun' Treu',/der zieren Frauen eine/hätt' ich mir frisch gezähmt!«

Nun kommt die »Jagdgesellschaft«: Hagen, Gunther und seine Mannen. Siegfried gesteht, dass er nichts erjagt hat (im Gegensatz zu den anderen), dass ihn aber dürstet. Hagen reicht ihm ein Horn und ermuntert Siegfried, aus seinem Leben zu erzählen. Munter schwatzt der tumbe Held nun los: von Mime erzählt er, vom Schwert Nothung, vom Drachen Fafner und von der Vogelstimme, die er plötzlich verstanden habe. Dann träufelt Hagen ein Kraut in seinen Trank: »Die Erinnerung hell dir zu wecken«, und da fällt es unserem Helden wie Schuppen von den Augen, und er erzählt in wachsender Ekstase, wie er die Lohe überwand und Brünnhilde sah und sie wachküsste ... Gunther kann es kaum glauben. Zwei Raben fliegen auf, Siegfried schaut ihnen nach, dreht dabei Hagen den Rücken zu, der in dem Moment seinen Speer in Siegfried versenkt. Das sei die Rache für den Meineid. Sterbend darf Siegfried noch ein bisschen singen, sein letzter Gruß gilt natürlich seiner Braut Brünnhilde. Dann ist dieses erste Bild zu Ende, und die Bühne verwandelt sich:

Zweites Bild: Halle der Gibichungen wie im ersten Akt. Nacht.

Die Jagdgesellschaft kehrt zurück. Hagen versäumt nicht, als Erster Gutrune die Nachricht von Siegfrieds Tod zu überbringen: Ein Eber habe ihn erwischt. Gutrune beschuldigt in ihrem Schmerz Gunther, Siegfried erschlagen zu haben. Der aber gibt den Kelch weiter: Nein, Hagen sei der Eber gewesen. Ja, meint der, und zwar aus Rache wegen des Meineids, deshalb gehöre ihm auch die Beute, und deshalb fordere er jetzt diesen Ring von Siegfrieds Finger. Gunther will das nicht, schnell entbrennt der Streit, Hagen tötet Gunther mit einem Streich und geht zu Siegfrieds Leiche, um ihr den Ring abzuziehen. Da hebt sich Siegfrieds Hand, alles erstarrt. Brünnhilde tritt auf, groß, nein, ganz groß: »Schweigt eures Jammers/jauchzenden Schwall./Das ihr alle verrietet,/zur Rache schreitet sein Weib.«

Gutrune errät in diesem Augenblick, dass Brünnhilde diejenige ist, von der Hagens Zaubertrank Siegfried lösen sollte, sie verflucht Hagen und sinkt über Gunther zusammen. Brünnhilde gibt Anweisung, einen großen Scheiterhaufen aufzuschichten, auf dem man Siegfried verbrennen soll und sein Pferd Grane, mit dem sie in die Flammen reiten werde, um das Schicksal ihres Gatten zu teilen. Sie weiß nun alles, denn die Rheintöchter waren bei ihr und haben sie aufgeklärt. So zieht sie Siegfried den Ring vom Finger, er soll, durch das Feuer geläutert, wieder zu den Rheintöchtern gelangen. Dann bemerkt sie im Hintergrund die zwei Raben Wotans und schickt sie nach Walhall, um den Göttern das Ende mitzuteilen. Sie entreißt einem der Manen eine Fackel und wirft sie in den Scheiterhaufen. Mit den Worten: »Siegfried! Siegfried! Sieh!/Selig grüßt dich dein Weib« reitet sie ins Feuer – und nun kommt die letzte Verwandlung, die Wagner von den erschöpften Bühnenbildnern fordert: Gerade als die Flammen am höchsten lodern (»der ganze Bühnenraum nur noch von Feuer erfüllt«, sagt das Libretto), schwillt der Rhein an und überflutet die Brandstätte. Auf den Wogen die Rheintöchter (mit Surfbrett?), wollen sich schon den Ring greifen, da stürzt Hagen, der alles höchst aufgeregt verfolgt hat, mit dem Ruf: »Zurück vom Ring!« in die Fluten. Die Töchter greifen ihn sich und ziehen ihn ins Wasser, Floßhilde hält jubelnd den Ring in die Höhe und sinkt dann mit dem zurückflutenden Rhein ins Wasser. Am Himmel aber ist ein Glutschein zu sehen, aus dem sich langsam der Saal

Walhalls herausschält, in dem die Götter sitzen. »Als die Götter von den Flammen gänzlich verhüllt sind, fällt der Vorhang«, steht im Libretto. So ist es!

HITS

Das Orchesterstück, nachdem die Nornen abgetaucht sind, mit dem Cello-Solo: Hit! Bei der Wahnsinns-Liebesszene zwischen Siegfried und Brünnhilde denkst du: Jetzt kann Wagner sich nicht mehr steigern, mehr geht nicht. Doch dann kommt »O Heilige Götter! Hehre Geschlechter!«, und du hörst, es geht doch – Hit! Und die Rheinfahrt ist auch nicht zu verachten – ein heiteres Stück mitten in der ganzen Tragödie, auch nicht ganz so heldisch. Schön! Hit ist auch das Einfädeln der Hagen'schen Intrige: wie er Gunther da langsam einlullt und wie Gutrune in naiven Tönen dem allem zustimmt – gelungen! Und wenn einer denkt: Mal sehen, ob Wagner zum Liebestranktrinken nach »Tristan« noch was einfällt: und ob! Kurz, aber effektiv – sowohl Liebeszaubertrank wie die dazugehörige Musik! Hit an dieser Stelle ist ganz besonders, dass uns Wagner mit Blutsbrüderschafttrinken nicht allzu lange aufhält. So bleibt dieses Gegenstück zur großen Freundschaftsarie »Dio che nell'alma infondere« von Don Carlos und Posa bei Verdi ein echter Wagner, aber doch kurz und prägnant. Dann kommt einer meiner privaten Höhepunkte: Hagen und sein »Hier sitz' ich zur Wacht« – gewaltig, böse und so viel schönes, tiefes Blech! Und sie bleiben dran! Verwandlung zu Brünnhildes Felsenhöhe und dazu eine wirklich unglaublich spannende Musik – wieder mal dank dem tiefen Blech. Da möchte ich anmerken, dass diese Musik keine Bilder mehr braucht – weder auf der Bühne noch auf der Kinoleinwand. Wagner hat ungeheuer dicht und plastisch und – bitte steinigen Sie mich nicht – beinahe optisch (nicht programmatisch) komponiert, dass es eine Wucht ist! Dieser Übergang ins zweite Bild des ersten Aufzugs ist eine der dichtesten Stellen des ganzen »Rings«. Zurücklehnen, Augen schließen, gegen Ende dieser Passage die unglaublichen Klarinetten im Doppel genießen und erst wieder die Augen aufmachen, wenn Brünnhilde mit »Altgewohntes Geräusch« anfängt zu singen; piano und mit tiefem C!

Stark dann, wie Brünnhilde mit »Welch banger Träume Mären« es als Ansinnen ablehnt, wegen der Götter den Ring des Nibelungen in den Rhein zu werfen: satteste Streichersätze, die reine Liebe sozusagen, wunderschön.

Mit welcher Musik Wagner dann die »Eroberung« Brünnhildes

durch Siegfried/Gunther ausdrückt, etwa die Bläser vor »Die Nacht bricht an«, das ist reine Vergewaltigungsmusik, von einer Schärfe und Aggressivität, die wirklich richtig wehtut. Und die Musik der Demütigung direkt danach, hauptsächlich von den Klarinetten gespielt, geht sehr ans Herz. Das Vorspiel zum zweiten Aufzug lässt keine Fragen offen: Das Drama verdichtet sich, sowohl für die Menschen wie auch für die Götter. Natürlich ist einer der stärksten Momente in diesem Akt der, als Brünnhilde Siegfried erblickt – Momente, für die man in die Oper geht! Dann: »Einen Ring sah ich an deiner Hand«: Das ist eine Szene wie Hitchcock – und eine Musik, die genau zu dieser Szene von Hitchcock passte –, wäre nicht alles zusammen besser und von Wagner! Gleich danach: große Rache für Brünnhilde in furiosem Atem. Sie singt sich zu rasenden Orchesterklängen die Seele aus dem Leib – wunderbar!

Dritter Aufzug: Das beginnt mit einer dramaturgisch sehr abgebrühten Idee: Du wartest auf das Untergangsdrama, Tod, Verderben, Bosheit, wohin du guckst, nix Gutes in Sicht, das gewinnen könnte – da spielt Wagner erst mal Königswinter! Die Rheintöchter plätschern allerliebst, der Held Siegfried taucht auf, er habe sich verlaufen und schäkert mit den Flossen! Das ist, würde man unvorbereitet davon getroffen, ziemlich cool und überraschend. Genau das erhöht natürlich, wie wir Stanislawski-Experten wissen, die Wucht des darauf folgenden Schlages, der Ermordung des Recken. Genial, Wagner, genial! Ich persönlich freu mich immer, wenn die Stelle kommt, die ein geflügeltes Wort werden sollte. Die Rheintöchter wollen den Ring von Siegfried, der aber lehnt ab. Sie kontern mit: »So schön! So stark! So gehrenswert! Wie schade, dass er geizig ist!« – könnten Verse von Gernhardt sein! Auch die zweite Szene (die Jagdgesellschaft kommt, und Hagen ermordet Siegfried) ist ein Hit: Schon deshalb, weil Wagner uns wirklich Wechselbädern unterzieht, die sich gewaschen haben. Harmloses Jagdgeplauder, Trinken, dann erzählt Siegfried von Fafner und vom Vogel und von Mime und von – Brünnhilde, er wacht auf und wird genau in diesem Moment gemeuchelt. Auch musikalisch ist das der erste große Gipfel in diesem Aufzug – und gleich was für einer! Und welch ein Sterben darf der Held sterben! Wonnevoll! Und für die Trauermusik Siegfrieds, mit der er in die Gibichungen-Burg getragen wird, ist unserem Meister auch mehr und Besseres eingefallen als den Machern sämtlicher Tolkien-Potter-Star Wars-Filme zusammen. Ab da warten wir nun alle auf den wirklich grandiosen Höhepunkt dieser Oper: wenn Brünnhilde auftaucht und das Ende einleitet. Ab »Starke Scheite schichtet mir dort« ist großes Finale, Apotheose und Weltuntergang angesagt. Das lässt sich nicht mehr in einzelne Sätze oder Töne aufgliedern. Entweder Sie machen jetzt Ihr Testament oder Sie gehen nach Hause. Vergessen Sie dann aber nicht, im Foyer ein Würstchen mitzunehmen: Das passt zu Ihrer Kleinmütigkeit!

FLOPS
Vorspiel? Das ist ja genau die Musik aus dem »Nachspiel« vom »Siegfried«! Gestern noch gehört! In der letzten Szene: Lichteinfall! Und dann Hörner und dasselbe wie hier – unerhört! Wagner klaut bei sich selbst? Genau dasselbe, nur ohne die Geigen mit dem Rhein-Motiv! Wie bitte? Halben Ton tiefer? Na und? Geklaut is geklaut. Was? Absicht? Wieso das denn? Zusammenhänge schaffen, na gut.

Ein schöner Einfall und dennoch ein Megaflop: Die Nornen sind auch nicht mehr das, was sie mal waren. Früher haben sie den Schicksalsfaden um die Weltesche geknüpft, jetzt grad mal einen Ast der Tanne. »So gut und schlimm es geh'«. Da kommt bei mir kein Glauben mehr an die Zukunft der drei auf.
Dass am Beginn der »Götterdämmerung« die Nornen zu einer der typischen Wagner-Rückblenden benutzt werden, strapaziert inhaltlich schon ein bisschen! Auch die Tatsache, dass das Trio Infernale (Hagen, Gunther und Gutrune) kaum vom Zaubertrank gesprochen hat, als Siegfried ankommt – das geht dann doch ein bisschen zu schnell. Wo Wagner doch sonst so bedächtig ist!
Zweiter Aufzug: Hagen hat die Mannen zusammengerufen, angeblich geht es um Krieg. Und die kommen gelaufen und singen dabei derart komplizierte Sachen, dass man vor der Wahl steht: Entweder sind die Mannen gute Sänger, dann sind sie sicher keine guten Krieger, oder sie sind gute Krieger, dann könnten sie aber auf keinen Fall einen so komplizierten Chor singen. Wagner, was sollen wir glauben?

OBACHT
Sag ich jetzt nix mehr zu!

DER KLEINE OPERNTÄUSCHER
Die Sätze, die nun folgen, beinhalten mehr an Größe, als man zunächst meint. Reproduzieren Sie sie in der Pause im Foyer, wenn die Inszenierung mal wieder die reine Provokation war!
»In den letzten Jahrzehnten wird in unserer Runde von treuen Wag-

nerianern auch viel geschimpft: Die Inszenierungen passen oft nicht zur Musik, von Werktreue kann keine Rede mehr sein. Aber ganz ehrlich: Es ist nicht die Aufgabe der jungen Regisseure, eine 92-jährige Dame zu begeistern. Als Patrice Chéreau 1976 den Jahrhundert-Ring inszenierte, waren wir auch alle erst mal stinksauer, doch als er das letzte Mal gegeben wurde, applaudierten wir eine Stunde lang.« (Erika Heck, die seit 1921 eiserne Bayreuth-Besucherin ist, in einem Gespräch mit dem »Süddeutsche Zeitung Magazin« vom 21. Juli 2006)

DIVERSES
Ein Hoch ist hier einem Tournee-Theater zu singen: jawoll, Tournee-Theater! Und zwar dem damals europaweit bekannten »Angelo Neumanns Tourneetheater«. Angelo Neumann: 1838 in Wien geboren, Ausbildung zum Bariton, singt in der Provinz, dann in Köln, Sopron, Bratislava, Danzig, um schließlich in Wien zu landen, wo er von 1862 bis 1876 sang. Mit 38 Jahren musste er allerdings in Pension gehen, weil ein Herzleiden auftrat, das weiteres regelmäßiges Arbeiten unmöglich erscheinen ließ. Ab da gings erst richtig los! Erst tat er, was viele Sänger tun: Er inszenierte als Gastregisseur hier und dort, etwa von 1876 bis 1882 (also nahtlos nach der Pensionierung aus gesundheitlichen Gründen. Heute wäre das ein Grund, ihm die Rente zu kürzen!) in Leipzig, und wurde immer mehr zum Wagner-Experten. 1881 inszenierte er im Victoriatheater in Berlin den gesamten »Ring«, und zwar so erfolgreich, dass er den »Lohengrin« direkt draufsetzen durfte. Dann aber kam der Knaller: Er gründete das »Wandernde Wagner-Theater« und machte damit eine sensationelle und legendär gebliebene Tournee durch halb Europa. In insgesamt 135 Aufführungen präsentierte er den »Ring des Nibelungen« in London, Breslau, Amsterdam, Brüssel, Basel, Venedig, Bologna, Rom, Turin, Triest, Budapest, Graz – um nur die wichtigsten Städte zu nennen. Ein Mammut-Unternehmen, das selbst heute noch gigantisch anmutet: der ganze »Ring« – quer durch Europa! Der Herzkranke hörte aber nicht auf: 1885 nochmal Ring-Neuinszenierung am Deutschen Landestheater in Prag (wo er bis 1910 äußerst fruchtbar tätig war mit legendären Weber-, Mozart-, Meyerbeer-, Johann-Strauß- und Wagner-Zyklen) und triumphale Erstaufführung vom »Ring« in Petersburg und Moskau 1889. *Sensationell*, Herr Neumann, sensationell. Ein großes Dankeschön an einen herzkranken Unternehmer und Künstler, ohne den die Verbreitung der Wagner-Opern sich sicherlich ein bisschen gezogen hätte.

Götterdämmerung

BEWERTUNGEN

Magie 🍰🍰🍰🍰🍰 — Vom ersten Ton an ist man weg – so oder so.

Erotik 👠👠👠👠👠 — Hier dreht sich alles um Erotik, praktisch bei allen Beteiligten. Dass das noch nicht mal die Götter aushalten, ist klar.

Fazzoletto — Ich bleibe dabei: Helden brauchen keine Taschentücher.

Gewalt 🔗🔗🔗🔗🔗 — Quer durch das StGB.

Gähn — Selbst wenn man Stabreim-Hasser wäre – die Story ist doch ein einziger Reißer, oder?

Moral 🔔 — Alle beschwören zwar die Moral, aber es hält sich keiner dran, außer Brünnhilde: Ihr Opfertod (ihre Liebe zu Wotan ist ja der dritte Inzest mit zerstörerischen Folgen in dieser Tetralogie) ist der Versuch, zumindest ihre Ehe zu retten.

Ewigkeit — Sie ist in diesem vierten Teil des »Rings« verspielt worden. Auf ewig, natürlich.

Gourmet — Wie pervers müsste ein Gourmet denn sein, wenn er aus diesem Desaster noch Gelüste zöge?

GESAMTWERTUNG

Oper mit alles, wie man im Revier sagen würde. Und diese Formulierung ist nicht mehr steigerbar.

Und so ist auch der »Ring der Nibelungen« als Ganzes:

GESAMTWERTUNG

🎀 🎀 🎀 🎀 🎀

Der »Ring« ist Oper absolut. Man muss nicht jede melodische Wendung, jede raffinierte Harmonie, jede Instrumentierung toll finden, aber der »Ring« als Ganzes ist mit nur wenigen anderen (»Don Giovanni«, »Don Carlos«, »Rosenkavalier«, »Carmen« ...) Oper in allererster Reihe. Es mag feinere Kunstwerke geben und subtilere Komponisten; der »Ring« ist ein Opernabenteuer, wie es kein zweites gibt. Danke, Richard Wagner!

Richard Wagner
1813–1883

Parsifal
Ein Bühnenweihfestspiel in drei Aufzügen
Text: Richard Wagner

»Nun brach auch schönes Frühlingswetter herein; am Karfreitag erwachte ich zum ersten Mal in diesem Hause bei vollem Sonnenschein; das Gärtchen war ergrünt, die Vögel sangen, und endlich konnte ich mich auf die Zinne des Häuschens setzen, um der langersehnten, verheißungsvollen Stille mich zu erfreuen. Hiervon erfüllt, sagte ich mir plötzlich, dass heute ja ›Karfreitag‹ sei, und besann mich, wie bedeutungsvoll diese Mahnung mir schon einmal in Wolframs ›Parzival‹ aufgefallen war. Seit jenem Aufenthalte in Marienbad, wo ich die ›Meistersinger‹ und ›Lohengrin‹ konzipierte, hatte ich mich nie wieder mit jenem Gedichte beschäftigt; jetzt trat sein idealer Gehalt in überwältigender Form an mich heran, und von dem Karfreitags-Gedanken aus konzipierte ich schnell ein ganzes Drama, welches ich, in drei Akte geteilt, sofort mit wenigen Zügen flüchtig skizzierte.«
(Wagner, »Mein Leben«)

»Richard gedachte heute des Eindrucks, welcher ihm den Karfreitags-Zauber eingegeben; er lacht, und ›eigentlich alles bei den Haaren herbeigezogen wie meine Liebschaften, denn es war kein Karfreitag, nichts, nur eine hübsche Stimmung in der Natur, von welcher ich mir sagte: so müsste es sein am Karfreitag‹, habe er gedacht.«
(Cosima Wagner, »Die Tagebücher«, 22. April 1879)

ENTSTEHUNGSGESCHICHTE UND URAUFFÜHRUNG
Wieder einmal ist Wagner selbst nicht der beste Wegweiser zu seinem Werk: beispielsweise um herauszufinden, wie es denn zum »Parsifal« kam. Mit dem Stoff Gralslegende und Parzival hatte er sich schon 1845 näher beschäftigt, zunächst von der Literaturgeschichte her und dann als Text von Wolfram von Eschenbach. Bis April 1857 (aber eben nicht Karfreitag!) blieb der Stoff im Hinterstübchen, dann – so heißt es – habe er eine flüchtige Skizzierung des Stoffs vorgenommen. Es gibt einen Brief von ihm an Mathildchen Wesendonk (da sie aus Elberfeld war, darf man sie rheinisch ansprechen!) vom 29. und 30. Mai 1859. Darin setzt er sich mit Wolfram von Eschenbachs Dichtung auseinander und zerpflückt den großartigen Dichter, als hätte der das gerade eben geschrieben. Doch der Stoff ruhte noch weiter. Erst im Januar 1877 beschloss er, sich wieder an den Stoff zu machen, schrieb die Verse im März und April, dann begann er zu komponieren. Immer wieder unterwegs, kamen die Wagners im Mai 1880 nach Neapel und fuhren die Route, die jeder fahren muss: Sorrento, dann um die Ecke in den Golf von Amalfi, an Positano vorbei nach – natürlich – Ravello, oberhalb von Amalfi. Die atemberaubenden Gärten der unglaublichen Villa Rufolo haben ihn damals genauso fasziniert wie jeden, der sie heute sieht. Nur hatte *er* die Assoziation »Klingsors Zaubergarten« – was jeder, der die Villa kennt, ziemlich abseitig findet. Denn die Gärten der Villa sind einfach nur unglaublich schön; dort verzauberte böse Mädels zu vermuten, spricht entweder für eine abseitige Erotik (käme ja in Frage) oder dafür, dass er vor lauter »Parsifal« im Kopf nix anderes mehr richtig wahrgenommen hat. Seï's drum: Von 1878 bis 1882 komponiert er, am 13. Januar 1882 schließt er die Partitur mit dem Eintrag: »Erlösung dem Erlöser ...«. Erlösung kam allerdings auch in finanzieller Hinsicht. Die ersten Bayreuth-Festspiele 1876 waren ein finanzielles Desaster, und auch privat lebte Wagner, wie man weiß, recht opulent, kurz: Geldsorgen waren allgegenwärtig: Der Musikalienverlag Schott kaufte die Partitur des »Parsifal« für ungeheuerliche 100 000 Goldmark! Ein warmer Segen in einer Zeit, als es noch keine GEMA gab. Am 26. Juli 1882 wurde das Werk in Bayreuth uraufgeführt, und das, obwohl Wagner selbst Bedenken hatte. Cosima schreibt im Tagebuch: Nachmittags »kommt er auf seinen ›Parsifal‹ und sagt: ›Ach! Es graut mir vor allem Kostüm- und Schminke-Wesen; wenn ich daran denke, dass diese Gestalten wie Kundry nun sollen gemummt werden, fallen mir gleich die ekelhaften Künstlerfeste ein, und nachdem ich das unsichtbare Orchester geschaffen, möchte ich auch das unsichtbare Theater erfinden! – Und das unhörbare Orchester‹, fügte er hinzu, das kummervolle Sinnen mit Humor beschließend.« Der

Erfolg war groß, sechzehnmal wurde die Oper aufgeführt, und bei der letzten Vorstellung schlich sich Wagner in den Orchestergraben, um vor der zweiten Verwandlungsmusik das Pult zu übernehmen und selbst zu dirigieren. Ein knappes halbes Jahr später starb er im Palazzo Vendramin in Venedig.

PERSONEN

Amfortas:	Bariton
Titurel:	Bass
Gurnemanz:	Bass
Parsifal:	Tenor
Klingsor:	Bass
Kundry:	Sopran
1. Gralsritter:	Tenor
2. Gralsritter:	Bass
4 Knappen:	2 Sopran
	2 Tenor
Klingsors Zaubermädchen:	6 Soprane
Stimme aus der Höhe:	Alt

Chor: Gralsritter, Jünglinge, Knaben, Zaubermädchen
Ballett: Blumenmädchen

ORCHESTERBESETZUNG
3 Flöten (3. auch Pikkolo)
3 Oboen
Englischhorn
3 Klarinetten
Bassklarinette
3 Fagotte
Kontrafagott
4 Hörner
3 Trompeten
3 Posaunen
Basstuba
Pauken
2 Harfen
Streicher

BESONDERHEITEN
Bühnenmusik: 6 Trompeten
     6 Posaunen
     Glocken
     Rührtrommeln (sehr tief)
     Donnermaschine

DAUER

ca. 4 ¼ Stunden

HANDLUNG

VORGESCHICHTE

Bei dieser Oper, meine sehr verehrten Herrschaften, bewegen wir uns im ganz großen Weiheatem: in dünner Luft, die dennoch schwer ist wie Weihrauch. Es handelt sich nämlich um den Versuch, Christentum, Buddhismus und Schopenhauer in einer Oper zusammenzubringen. Nun war unser Richard in »Mythen und Sagen« immer schon gut, hier aber übertrifft er sich selbst um Längen. Es ist nicht überliefert, ob Sammy Davis jr. jemals »Parsifal« gesehen hat, aber eines ist gewiss: »Parsifal« hätte ihn fertiggemacht, fix und foxy, alle, alle – wo er doch schon bei einem ganz normalen römisch-katholischen Hochamt so von den Socken war, dass er es als »the greatest show on earth« bezeichnete. Er wäre auch der erste Schwule gewesen, der dem grandiosen Charme dieser Wahnsinnsgeschichte nicht erlegen wäre. Mit etwas Böswilligkeit könnte man »Parsifal« die kitschigste pseudoreligiöse Oper aller Zeiten nennen. Das setzte aber voraus, dass Wagner zwar das Echte machen wollte, dann aber doch nur in der Deko hängenblieb. Wagner wollte aber ernsthaft den Mythos der Erlösung erfahrbar machen: Die Figuren stehen für Entwicklungsstufen der Menschheit, man muss kein Wagnerianer sein, um das zu sehen. Also die Vorgeschichte:

Die Bruderschaft der Gralshüter bewahrt in der Burg Monsalvat (irgendwo in Spanien, fragen Sie mich nicht nach der Postleitzahl) das Blut Christi auf, das Josef von Arimathia damals auf Golgatha aufgefangen hat (der Legende nach übrigens in einer Kristallschale aus der Krone des gestürzten Luzifer!), sowie den Speer, der Jesus die tiefe Brustwunde geschlagen hat. Titurel, der König des Grals, hat die Herrschaft an seinen Sohn Amfortas weitergegeben, der aber hat sich von Klingsor die Lanze rauben lassen. Mit dieser heiligen Lanze hat der Zauberer dem König die Wunde geschlagen, die nie heilen will – ihr verdanken wir die Oper. Die Wunde wird erst heilen, wenn ein durch Mitleid reiner Tor den König erlösen wird. Zum Raub der Lanze (Wagner spricht immer vom Speer – ist das das sächsische Wort für Lanze?) war es gekommen, weil Klingsor Gralsritter werden wollte. Er wurde aber von den Reinen abgewiesen, entmannte sich (um nicht noch unreiner werden zu können) und hatte ab da nur noch eines im Sinn: den Untergang der Gralsbruderschaft. Dafür baute er am Südabhang des Gebirges, das dem arabischen

Spanien zugewandt ist (leider verrät uns Wagner nicht, ob er damit die Pyrenäen oder die Sierra Nevada meint), ein Zauberschloss *con todo lujo* hin, wie es sich für einen Bösewicht gehört. Er arbeitet mit Kundry zusammen, die in seinem Auftrag Gralsritter verführt. So ist auch Amfortas in ihren Armen gelandet und hat damit den Status der Unschuld, also der Reinheit, verloren. Kundry ist die Frau, die einst Christus beim Gang nach Golgatha auslachte und seitdem vergeblich auf Erlösung von dieser Schuld wartet: Sie muss einerseits Klingsor dienen, andererseits büßt sie, indem sie aufopferungsvoll Amfortas pflegt. So, nun wären wir so langsam in der Stimmung für den ersten Akt.

ERSTER AUFZUG

Erstes Bild: Das Gebiet des Grals, in einem nördlichen Gebirge des gotischen Spanien, eine Lichtung, früher Morgen

Gurnemanz weckt die Knappen, die auf der Lichtung eingeschlafen sind: Man solle doch bitte wach auf den König warten. Zwei Ritter kommen und künden, dass es dem König nicht gutgehe, er brauche ein Bad im heiligen See. In diese etwas bedrückte Ruhe stürmt Kundry mit Zossen auf die Bühne und überreicht Gurnemanz ein Flacon mit Heilbalsam aus Arabien für Amfortas (La Roche? Oder doch nur Nivea von Beiersdorf? Wir werden es nie erfahren!). Amfortas wird hereingetragen (in der Oper dauert das natürlich alles länger, als es sich hier erzählt, denn »Parsifal« ist die erste »slow-motion-Oper« der Operngeschichte). Er leidet stilvoll vor sich hin und deutet an, dass alle Mittel nix helfen: »Ich harre des, der mir beschieden:/›Durch Mitleid wissend‹,/›der reine Tor‹«, und meint, dass diese Prophezeiung den Tod bedeute. Gurnemanz überreicht ihm den arabischen Balsam, für den sich Amfortas bei Kundry bedankt. Amfortas wird nun zum See getragen *(langsam natürlich)*, und Gurnemanz nimmt Kundry, die den Dank des Amfortas eigenartigerweise abgewiesen hat, in Schutz. Die Knappen beschimpfen sie, da sie denken, sie sei am Unglück des Königs schuld. Gurnemanz erzählt, wie Titurel damals diese Frau im Gestrüpp gefunden habe und wie sie seitdem immer wieder dem Gral und seinen Rittern geholfen habe. Immer wieder aber sei sie weg gewesen, und wenn sie weg war, sei immer wieder Unheil über die Bruderschaft hereingebrochen. Und er beginnt zu erzählen *(langsam natürlich)*: dass Titurel Monsalvat gebaut hat, dass nur die Reinen Gralsritter werden können, dass Klingsor abgewiesen wurde, weil er nicht keusch leben konnte, dass er sich deshalb kastriert hat und daraufhin in die Wüste verbannt worden ist, wo er sich einen »Wonnegarten« zauberte, in dem »teuflisch holde Frauen« wachsen, mit denen er die Gralsritter verführt. Dass so auch Amfortas gefallen ist und dass dem schließlich der Gral prophezeit hat: »Durch Mitleid wissend/der reine Tor;/ harre sein,/den ich erkor.«

Kaum ist Gurnemanz mit dieser großen Erzählung zu Ende, kommt ein verletzter Schwan geflogen, und Parsifal taucht auf. Ob er den Schwan erlegt habe? Ja sicher, er treffe alles, was fliegt. Daraufhin rufen die Ritter: »Strafe den Frevler!« Gurnemanz hält ihm eine pazifistische Gardinenpredigt, die sich gewaschen hat – dergestalt, dass Parsifal ob der Schreckenstat Pfeil & Bogen zerbricht und erschüttert bereut. Wer er denn sei und woher er komme? Das wisse er nicht. Er wisse nur, dass seine Mutter Herzeleide heiße, den Bogen habe er sich selber gemacht, um die Adler zu verscheuchen. Da mischt sich Kundry ein *(und zwar gar nicht langsam)*: In der Wüste habe seine Mutter ihn erzogen, um zu verhindern, dass er einen frühen Heldentod sterbe. Von dort sei er entlaufen, die Mutter allerdings gräme sich nicht mehr, weil sie tot sei. Sie, Kundry, sei an der Sterbenden vorbeigeritten und solle ihn in ihrem Auftrag grüßen. Wütend springt der junge Held auf Kundry zu, Gurnemanz aber hält ihn vor weiterer Gewalt zurück: »Was tat dir das Weib! Es sagte wahr:/denn nie lügt Kundry, doch sah sie viel.« Parsifal fängt daraufhin an zu zittern *(langsam)* – er ist ja noch kein gelernter Pazifist wie die Ritter der Bruderschaft –, und Kundry labt ihn mit Wasser aus dem heiligen See. Dann legt sie sich hin »und bleibt von jetzt an unbemerkt«, wie das Libretto vorschreibt. Gurnemanz nimmt Parsifal am Arm und geleitet ihn zum Schloss zum »frommen Mahle«: »Bist du rein, wird nun der Gral dich tränken und speisen.« So schreitet man *(langsam)* fürbass, und dann kommt *ein* Satz, der beweist, dass Richard Wagner und nicht Albert Einstein der wahre Erfinder der Relativitätstheorie ist. Während die beiden schlosswärts schreiten, sagt Parsifal: »Ich schreite kaum,/doch wähn' ich mich schon weit.« Worauf Gurnemanz antwortet: »Du siehst, mein Sohn,/zum Raum wird hier die Zeit.« Dieser Satz gilt übrigens für die ganze Oper, aber das nur nebenbei.

Zweites Bild: Gralstempel in der Burg Monsalvat, eine Säulenhalle mit Kuppelgewölbe

Feierlich werden Gral und Amfortas hereingetragen *(langsam)*. Titurel fordert seinen Sohn Amfortas auf, mit der Gralszeremonie zu beginnen. Der weigert sich mit großer Leidenschaft *(aber trotzdem langsam)*, den Gral zu enthüllen, weil ihm das, was alle anderen entzückt, unermessliche Schmerzen bereitet. Schließlich tut er es natürlich doch und weiht mit dem Licht des Grals Brot und Wein, die verteilt werden, nachdem der Gral wieder bedeckt wurde. Parsifal sieht das alles, ohne es allerdings zu verstehen. Als die Feier vorbei ist, fragt ihn Gurnemanz: »Weißt du, was du sahst?«, ist aber grenzenlos enttäuscht vom Nichtwissen des Helden. Deshalb sagt er: »Du bist doch eben nur ein Tor!«, öffnet das Seitentörchen und erteilt ihm Hausverbot: »Dort hinaus, deinem Wege zu!/Doch rät dir Gurnemanz:/Lass du hier künftig die Schwäne in Ruh'/Und suche dir, Gänser, die Gans!« Tür zu und raus – und damit er auch wirklich weg ist, gleich auch noch den Vorhang runter.

ZWEITER AUFZUG

Erstes Bild: Klingsors Zauberschloss. Im Innern Verliese eines nach oben offenen Turms. Zauberwerkzeuge und nekromantische Vorrichtungen

Klingsor steht vor dem Zauberspiegel: Er sieht Parsifal kommen. Nun beschwört er Kundry, die mit lautem Geschrei aufwacht *(langsam natürlich)*. Ihr fielen alle Ritter zum Opfer, heute aber sei der Gefährlichste dran. Kundry jedoch will nicht. Lieber sterben als erneut in seinem Auftrag verführen. Als sie sich noch über seine Zwangskeuschheit lustig macht, träumt er laut davon, Herrscher des Grals zu werden. Der junge Held naht, ans Werk!

Zweites Bild: Klingsors Zaubergarten, Terrassen, üppige tropische Vegetation

Parsifal schlägt sich durch alle Wachen tapfer durch, jetzt versuchen die Mädchenblumen ihn *(langsam)* zu verführen. Das geht hin und her, bleibt jedoch erfolglos. Parsifal will leicht genervt weg, da kommt Kundry und ruft ihn mit seinem Namen. Natürlich lassen in diesem Moment die Blumenmädchen vom Schönen ab: Chefinnen-Sache! Kundry erzählt dem Toren von seiner Muter und ihrer Liebe, die sie für ihn empfand. Er fängt an *(langsam)*, die Liebe seiner Mutter zu verstehen, da küsst ihn Kundry: Sie glaubt, ihn in ihrer ›Gewalt‹ zu haben. Die Reaktion Parsifals auf diesen ersten richtigen Kuss seines Lebens geht jedoch in eine ganz andere Richtung: »Amfortas!/Die Wunde! – Die Wunde!/Sie brennt in meinem Herzen!« Er stößt Kundry von sich, allzu durchsichtig ist ihre Verführungstaktik. Kundry ist aber nicht erbost, im Gegenteil, sie ahnt ab diesem Moment, dass das der junge Mann ist, der auch sie erlösen kann. »Bist du Erlöser,/was bannt dich, Böser,/nicht mir auch zum Heil dich zu einen?/Seit Ewigkeiten – harre ich deiner,/des Heilands.« Parsifal lässt sich immer noch nicht verführen, mittlerweile ahnt er seine Mission: »Auch dir bin ich zum Heil gesandt,/bleibst du dem Sehnen abgewandt.« Kundry versteht das miss: Wenn schon der Kuss bei ihm zu solchen Einsichten führt, was würde erst aus ihm werden, wenn er mit ihr schläft? Ein Gott? Sie bettelt ihn an um diese eine Stunde, egal was mit ihr dann auch passieren möge. Als das nichts hilft, wird sie wütend, verwünscht ihn und ruft Klingsor um Hilfe. Der taucht auf und schwenkt die heilige Lanze – jetzt im Libretto auch so genannt. Nun kommt es zu einer schönen Szene: Klingsor schleudert die Lanze nach Parsifal, die bleibt aber über dem reinen Tor schweben (immer wieder ein hübsches Bild!). Parsifal, nun auch nicht faul, nimmt die heilige Lanze, schlägt mit ihr das Kreuzzeichen und zerstört so im gleichen Moment Zauberschloss und Zaubergarten, die mit einem Donnerschlag in der Tiefe versinken. Wie Clint Eastwood in seinen besten Zeiten (eine Messias-Figur!), schleudert er Klingsor im Abgang noch den Satz entgegen: »Du weißt,/wo du mich wieder finden kannst!« Ob solcher Vorkommnisse verliert der Vorhang die Fassung und fällt.

DRITTER AUFZUG

Erstes Bild: Frühlingshafte Blumenaue im Gralsgebiet. Frühester Morgen

Gurnemanz lebt in einer schlichten Einsiedlerhütte, er ist mittlerweile »zum hohen Greise gealtert«. Dennoch hört er gut genug, um das Stöhnen Kundrys zu vernehmen. Er holt sie aus dem »winterlich rauen Gedörn« und teilt ihr mit, dass jetzt Frühling sei. Sie weist ihn auf einen hin, der da kömmt *(langsam)*: Parsifal. Der ist – man wundert sich immer wieder, wie ruchlos Tolkien, Lucas und Konsorten bei Wagner geklaut haben – »ganz in schwarzer Waffenrüstung« und nähert sich mit geschlossenem Helm und Lanze. Gurnemanz stellt erst mal klar, dass das so nicht geht. Ob er denn nicht wisse, was für ein heiliger Tag heute sei? Nee, schüttelt Parzifal den Kopf, ohne was zu sagen. Karfreitag (Wir lesen pflichtschuldig nochmal die beiden Passagen, die ich als Motto dieser Oper vorausgeschickt habe!). Parsifal nimmt also den Helm ab *(langsam)*, legt ihn zur Lanze *(langsam)*, kniet sich hin *(langsam)* und versinkt im Gebet *(langsam)*. Gurnemanz erkennt ihn, Kundry kennt ihn noch, Gurnemanz erkennt *(langsam)* die heilige Lanze. Jetzt ist allen klar, dass dies ein hochbesonderer Tag werden kann. Wohin er denn wolle? Zu dem, den er erlösen wolle. Er sei allerdings so lange Zeit in die Irre gegangen, dass er nicht wisse, ob es diesmal nicht auch so sei. Gurnemanz bestätigt (innerlich völlig außer sich vor Begeisterung), dass jetzt alles richtig sei: Hier ist der heilige Gral, hier harre seiner die Ritterschaft und der blutende Amfortas. Der habe den Gral seitdem nicht mehr geöffnet, weil er die Schmerzen scheue. Das aber bedeute, dass die Ritterschaft sich seit Parsifals Weggang nicht mehr am Gral habe laben können. Darob sei die Ritterschaft vergreist wie auch er, Gurnemanz, und Titurel sogar gestorben. Parsifal nimmt dafür selbstverständlich *(langsam)* die Schuld auf sich, woraufhin Kundry wieder ein bisschen Wasser aus dem heiligen See holt, um Parsifal zu laben. Beide baden nun den jungen Helden im heiligen Wasser und erzählen ihm, dass heute nochmal der Gral enthüllt werden soll, aus Anlass der Totenfeier für Titurel. Kundry zieht ein geheimnisvolles Fläschchen aus ihrem Busen (Gummi arabicum? Man weiß es immer noch nicht) und salbt Parsifals Füße, die sie dann mit ihren Haaren trocknet (Wagner, der Meister der geklauten Einfälle: Sei ihm nicht böse, Maria Magdalena. Es ist halt so symbolprall). Gurnemanz träufelt dem Helden den Rest über das Haupt und salbt ihn damit zum Gralskönig: zum Nachfolger des Amfortas. Die erste Handlung des eben Gesalbten: Er nimmt eine Handvoll des heiligen Wassers und tauft damit Kundry: »Die Taufe nimm/ und glaub an den Erlöser!« Glocken.

Zweites Bild: Gralstempel in Monsalvat, die Säulenhalle

Der tote Titurel wird von der einen Seite auf die Bühne getragen, der siechende Amfortas von der anderen *(alles sehr, sehr langsam)*. Die Ritter verlangen, dass Amfortas nochmal seines Amtes walte. Der hofft – angesichts der Leiche das Vaters, die bei Gott darum bitten werde – auf den Tod und weigert sich nochmal, den Gral zu enthüllen. Dann reißt er sich die Kleider auf und bietet den Rittern seine Brust, sie mögen ihn töten und damit erlösen. Das führt natürlich bloß dazu, dass man *(langsam)* zurückweicht. Da kommt Parsifal: Er berührt mit der heiligen Lanze die Wunde des Amfortas und enthüllt den Gral. Nun ist das Erlösungswerk getan: Die berühmte Taube schwebt von oben herab und bleibt über Parsifal stehen. Kundry sinkt erlöst, aber entseelt zu Boden. Was aus den anderen geworden ist? Wir wüssten es vielleicht, hätte der Vorhang sich nicht just in diesem Moment über das Geschehen gesenkt.

HITS

Zunächst etwas, das bei wenigen Opern so wichtig ist wie beim »Parsifal«: Gehen Sie nur in diese Oper, wenn Sie einen Abend lang Lust dazu haben, feierlich und ernst zu sein. Sonst geht der Abend daneben. In einer »Don-Pasquale«- oder Weißwurst-und-Brezel-Stimmung in den »Parsifal« zu gehen wäre schad ums Geld – auch der Weißwurst gegenüber. Wenn wir uns also auf diese Voraussetzung geeinigt haben, kann es losgehen. Mit dem Vorspiel etwa, an dem eines besonders toll ist: Absolut gnadenlos ist im Orchester vom ersten Ton an klar, dass es hier um Ernst geht, um das Große, um das Weihevolle. Wenn man – wie ich – schöne Männerstimmen gerne hört, dann folgt jetzt Hit auf Hit. Es geht los mit »Nach wilder Schmerzensnacht«, die Amfortas beklagt: eine kurze Passage voller Schmelz – falls der Bass darüber verfügt. Später – was in dieser Oper immer heißt: viel später und hier speziell: etwa 20 Minuten später – die großartige Erzählung »Titurel, der fromme Held«, die Gurnemanz singt. Sie dauert zwar gute zwölf Minuten, diese aber haben einen wunderbaren Fluss. Die Celli umschmelzen den Bass, dass es eine Freude ist, und alles hat den Zauber einer Erzählung aus ganz fernen Zeiten. Nach diesem majestätischem Fluss knallen dann der tote Schwan und Parsifal auf die Bühne, dass es einem die Schuhe auszieht. Wenn einem einer so ins Gewissen redet bzw. singt, wie Gurnemanz dem jungen Toren, kann man schon ein schlechtes Gewissen bekommen. Etwas Bewegung kommt – auch musikalisch – ins Geschehen, als Parsifal, von Kundry unterbrochen bzw. ergänzt, von seiner Kindheit erzählt: eine sehr schöne Passage.

Verwandlung. Gurnemanz hat gerade Parsifal zum Gral geführt und gesagt: »Nun achte wohl und lass mich sehn: bist du ein Tor und rein, welch Wissen dir auch mag beschieden sein.« Da drängt sich das Gralsglockenmotiv vor: zuerst in den Pauken, dann immer mächtiger, zum Schluss mit Glockenspiel und in vollem Ornat. Als wär's Mussorgsky: Hittissimo! »Wehvolles Erbe«, singt Amfortas, als er sich weigert, den Gral zu enthüllen – da lohnt es sich, genau hinzuhören. Dann werden einem die unglaublichen Dissonanzen klar, die Wagner da komponiert hat, sicher als Ausdruck der Gespaltenheit des Königs. Aber das sind Stellen, an denen auch deutlich wird, wie der Komponist wohl weiter komponiert hätte: Damit ist er zum Vorläufer der Neuen Musik geworden. Wagner ist dabei, die Tonalität zu verlassen – und das ausgerechnet bei derart treudeutschen Themen! Nach so viel Kontemplation ist das Szenario des zweiten Aufzugs schon ein Hit: Klingsor und das Böse! Und dann, ganz groß: Kundry! »Ach! Ach! Tiefe Nacht« und der traurig-böse Klingsor – ein Duett der allerersten Kategorie, aus der Abteilung »Das Böse ist immer und überall«! Und wie er ob seiner Selbstentmannung klagen kann: »Ungebändigten Sehnens Pein« – grandios! Dann natürlich Parsifal und die Playmates – ist das nicht wundervoll? Solch blonde Musik hab ich nirgendwo sonst gehört: flirrende Versuchung! Aber in hohen Sopranen, mit flirrenden Geigen – hätten die Rheintöchter davon nur etwas mehr gehabt, Alberich hätte ihnen kein Gold geklaut, sondern wäre ihnen vollkommen erlegen, und Walhall stünde noch ... !

Mit Frauen kannte er sich aus, der Richard. Dass alle diese Blondinchen gegen Kundry keine Chance haben, ist ein Hit, nach meinem persönlichen Geschmack: Kundry ist zweifellos der dunkle, mediterrane Frauentyp. Und wie sie zu verführen versucht! »Ich sah das Kind an seiner Mutter Brust«, singt sie – großartig wie sich die Streicher um ihre Stimme legen, schon das ist eine einzige Verführung: ein Stück, in das eine Kundry wie Martha Mödl ihr ganzes Leben legen konnte! Hit ist natürlich auch Parsifals Klage »Amfortas! Die Wunde!«, Kundrys »Grausamer! Fühlst du im Herzen« ist ein Kaliber derselben Sorte. Der Höhepunkt in diesem Akt aber sind die paar Takte von Kundry: »Ich sah ihn – und lachte ... da traf mich sein Blick« – das ist gewaltig und trifft jeden, der eins hat, ins Herz. Im dritten Aufzug ist die große Erzählung Gurnemanz' über das, was mittlerweile geschah, ein großes Stück Musik, aber auch ein großes Stück Erzählung (»O Herr! War es ein Fluch«). Die »Taufe« Kundrys ist ebenfalls ein weihevoller Moment, und was Parsifal im Anschluss daran singt (»Wie dünkt mich doch die Aue heut so schön«), ebenfalls. Ab da ist noch ein bisschen Aktion (Parsifal heilt Amfortas' Wunde), aber eigentlich mehr die Überhöhung der Mitleidsreligion, Andacht, Kontemplation, Weihe angesagt. In großer Musik, zweifellos. Wenn Sie bis hierhin durchgehalten haben, dann schaffen Sie auch die Apotheose!

FLOPS

Dass hier alles in Zeitlupe geschieht, gerade so, als bewegten sich die Dame und die Herren in zähem Gel, kann einem in der ersten halben Stunde schon den Nerv töten. Danach hat man sich daran gewöhnt und bewegt sich auch selbst so. Achten Sie mal drauf, wie sich die Menschen vor einem Opernhaus bewegen: Ist das in slow motion, läuft drin der »Parsifal«! Die Sache mit dem Schwan finde ich einen Flop ohne Ende. Das mögen zwar kleine Heilige sein, die da oben auf der Bühne, aber das sind doch auch Ritter, die sicher schon mal ein Schwein geschlachtet haben. Denen soll ein gepfeilter Schwan was ausmachen? Bei der Verwandlungsmusik von der Lichtung in den Gralstempel geht es so hübsch komödiantisch los mit der Schreitbewegung im Orchester, als freuten sich die beiden auf den Gral und stapften jetzt munter darauf zu. Plötzlich aber wird alles entkörperlicht und schwebt in Lichtwolken davon – schade. Ein hübsches, aber leicht komisches Moment, dieses Stapfen. Groß-Flop: Da wartet man in jeder Inszenierung im ersten Akt darauf, wie er denn ausschauen wird, der Gral – und was passiert, wenn er enthüllt wird? Amfortas fängt an rumzuzicken und spannt einen minutenlang auf die Folter. Als ich das erste Mal den »Parsifal« gesehen habe, hat mich das völlig nervös gemacht. Ich wollte wissen, ob der Gral wie die große Monstranz in der Brunecker Pfarrkirche aussieht. Und was war? Nix! Wegen Amfortas! Richard, sollten wir uns im Paradies treffen: Das zahle ich dir heim! Wenn man kirchlich denkt, ist gegen Ende des ersten Aufzugs »Wein und Brot des letzten Mahles« ein Flop, denn Bach hat wesentlich größere und schönere Choräle geschrieben! Sollte gar kein Choral sein? Nur irgendwie heilig? Na dann ...

OBACHT
Beim »Parsifal« gibt es für alle Beteiligten auf der Bühne nur ein Obacht: *Nicht zu schnell gehen!* Was hat man mir als Erstes gesagt, als ich verbeamtet wurde (im Höheren Dienst bei der Justizvollzugsanstalt Siegburg): »Ein Beamter geht nicht, er schreitet!«

DER KLEINE OPERNTÄUSCHER
Vielleicht wissen Sie, dass es sich eingebürgert hat, beim »Parsifal« nicht zu klatschen. Jeder akzeptiert das (in Bayreuth sowieso), weil Weihe und Würde und Andacht das irgendwie verlangten. Hierbei handelt es sich aber nur um ein ganz blödes Missverständnis. Ich zitiere aus der nach wie vor gültigen (und toll zu lesenden) Biographie über Richard Wagner von Martin Gregor-Dellin: Bei der Uraufführung gab es nach dem zweiten Aufzug sehr starken Applaus und Gelärme. Wagner trat selbst an die Brüstung und sagte: »Man sei übereingekommen, sich nach den Akten nicht zu zeigen, um den Eindruck nicht zu zerstören. Von dieser Bemerkung am 26. Juli 1882 datiert ein jahrhundertealter Beifallsstreit. Denn schon am Schluss ärgerte ihn das stumme Publikum, das ihn missverstanden hatte. ›Jetzt weiß ich gar nicht, hat es dem Publikum gefallen oder nicht?‹ Er redete die Zuschauer ein zweites Mal an, und daraufhin entlud sich der Beifall. Wagner trat vor den Vorhang und erklärte, er habe seine Künstler noch einmal versammeln wollen, aber sie seien schon beim Entkleiden. Die Heimfahrt verlief wegen der Applausfrage in tiefer Verärgerung (...) Nach Wagners missverstandener Intervention ging die zweite Aufführung am 28. Juli, die wie die erste dem Patronat vorbehalten war, in aller Stille vor sich. Nach dem zweiten Akt wurden die Beifallsspendenden wiederum ausgezischt. Am Schluss trat Wagner vor den Vorhang, wandte sich mit einer steifen Verbeugung an seine Patrone und sagte, den Hut ziehend, mit einer auffallenden Kühle: ›Hiermit nehme ich von Ihnen – Abschied!‹ Am

dritten Abend, es war der 30. Juli, der Platz kostete nunmehr für jedermann dreißig Mark, hielt Wagner erneut eine Ansprache an das Publikum. Er müsse ein Missverständnis aufklären: Er sei zwar gegen Szenenbeifall, aber den Dank nach dem Schließen des Vorhangs wolle er seinen Künstlern keineswegs vorenthalten! Es nützte nichts: Die Wagnerianer blieben nach seinem Tode päpstlicher als der Papst.«
Also: Klatschen Sie am Schluss, auch wenn gezischt wird!

BEWERTUNGEN

Magie 🎩🎩🎩🎩🎩 — Wer überhaupt in den »Parsifal« geht, lässt sich auch verzaubern!

Erotik 👠👠👠 — Die gehen alle an Kundry.

Fazzoletto 💧 — Das erwischt mich immer im zweiten Akt, wenn Kundry davon erzählt, wie Jesus sie angeschaut hat.

Gewalt — Es ist geradezu eine Protest-Oper, was Gewalt angeht.

Gähn — Wer, wie gesagt, in den »Parsifal« geht ...

Moral ○○○○○ — Sühne, Buße, Erlösung ...

Ewigkeit null bis ◌◌◌◌◌ — Den einen wird nichts vom »Parsifal« übrig bleiben, den anderen alles.

Gourmet — Nö. Kein Gault Millau, kein Michelin. Eher schwebende Kost.

GESAMTWERTUNG

🕶️🕶️ + ½ — Ginge es nur um Musik, gäbe ich fünf Operngläser. Ich stehe aber bei Nietzsche und vielen, die die Musik dieser Oper bewundern,

auch die Dramaturgie, die
aber gegen die Inhalte höchste
Bedenken haben. Mir ist das zu
frauenfeindlich, zu verquast, zu
unsinnlich. Und gegen Männervereinsmeierei, egal, ob sie sich
am Stammtisch oder am Gral
abspielt, habe ich auch schon
immer was gehabt.

Georges Bizet
1838–1875

Carmen
Opéra en quatre actes
Text: Henri Meilhac und Ludovic Halévy
Nach der Novelle von Prosper Mérimée, 1845

»In der Partitur Georges Bizets begrüßen wir weder die Tat eines schöpferischen Genies, noch die Arbeit eines fertigen Meisters; wohl aber eine interessante Production voll Geist und Talent. Gewiss war sie auch eine vielversprechende, leider durch den Tod Bizets vernichtete Anweisung auf Besseres, das von ihm nachfolgen sollte. Der Componist hatte nach einigen unsicher tastenden Versuchen endlich mit der Oper ›Carmen‹ einen festen Boden und seinen ersten Erfolg gefunden.«
(*Eduard Hanslick, »Musikalische Stationen«, 1901*)

»Hier redet eine andere Sinnlichkeit, eine andere Sensibilität, eine andere Heiterkeit. Diese Musik ist heiter; aber nicht von einer französischen oder deutschen Heiterkeit. Ihre Heiterkeit ist afrikanisch; sie hat das Verhängnis über sich, ihr Glück ist kurz, plötzlich, ohne Pardon. Ich beneide Bizet darum, dass er den Mut zu dieser Sensibilität gehabt hat, die in der gebildeten Musik Europas bisher noch keine Sprache hatte – zu dieser südlicheren, bräuneren, verbrannteren Sensibilität.«
(*Friedrich Nietzsche in »Der Fall Wagner«*)

Alexandre César Léopold, genannt Georges Bizet: geboren am 25. Oktober 1838 in Paris, gestorben mit 36 ½ Jahren am 3. Juni 1875 in Bougival bei Paris. Er durfte mit neun Jahren ins altehrwürdige (Betonung auf alt) Pariser Konservatorium gehen und gewann mit zehn (!) den 1. Preis in *solfèges*, der Laut-und-flüssig-Notenlesen-Plackerei,

die noch niemandem zu irgendeiner Zeit Spaß gemacht hat. Trotzdem gewann er mit 19 (im zweiten Anlauf) den äußerst begehrten Prix de Rome und konnte auf Staatskosten ein Jahr lang in dieser Stadt verbringen. Aus der Ewigen Stadt schrieb er die denkwürdigen Zeilen an seine Mama: »Es ist ein für die Kunst vollkommen verlorenes Land, Rossini, Mozart, Weber, Paer, Cimarosa sind hier unbekannt, verachtet oder vergessen ... Die lächerlichen Madonnen unter jeder Laterne, die Wäsche zum Trocknen aus dem Fenster gehängt, der Mist in der Mitte der Piazza.« Wieder zurück, lebte er hauptsächlich vom Unterricht und vom Klavierauszüge-Schreiben, was er fast massenhaft tat. Er hat folgende Opern für Klavier übertragen (und ich nenne nur die wichtigsten):
Mozart: »Don Giovanni«
Mozart: »Die Gans von Kairo«
Rossini: »Wilhelm Tell«
Rossini: »Semiramis«
Thomas: »Mignon«
Thomas: »Hamlet«
Gounod: »Ulysses«
Gounod: »Philemon und Baucis«
Gounod: »La Nonne sanglante«
Gounod: »Die Königin von Saba«
Masse: »Le Fils du Brigadier«
Reyer: »Herostratos«
Reyer: »La Statue«
Daneben komponierte er eine wunderschöne Sinfonie in C-Dur, die erst 100 Jahre später allmählich entdeckt wurde, und eine Reihe anderer schöner Sachen wie die Oper »Die Perlenfischer«. Er erlag einer Krankheit, unter der er ein ganzes Leben gelitten hatte: Angina tonsillaris, die sich bis zu akutem rheumatischem Fieber mit kardialer Beteiligung ausweitete, und er starb mit den Worten: »Meine arme Marie, ich habe einen kalten Schweiß, das ist der Schweiß des Todes. Wie werden Sie es meinem Vater mitteilen?« Charles Gounod sollte die Grabrede halten, seine Stimme versagte jedoch nach den ersten Worten. Frankreich hatte da erst begriffen, wen es verlor.

Halévy Ludovic: geboren in Paris am 1. Januar 1834, gestorben mit 74 ½ Jahren am 8. Mai 1908 in Paris. Sein Onkel, Fromental Halévy, ist der bekannte Komponist, er war außerdem der Schwiegervater Bizets. Der sehr am Theater interessierte junge Mann schlüpfte bei seinen ersten Arbeiten in das Pseudonym Jules Servières, um die Familie nicht in Verruf zu bringen, wenn er so was wie Libretti für die Opéra comique schrieb. Bei dem nach »Carmen« bekanntesten

Libretto, dem zu »Orphée aux Enfers« für Jacques Offenbach, verbat er sich sogar die Namensnennung – er hatte grade eine hohe Position im Algerienministerium inne. Ab 1865 gab er seine Karriere im diplomatischen Dienst auf und schrieb nur noch, häufig mit Henri Meilhac. Als Anerkennung für seine literarischen Verdienste wurde er 1884 in die Académie Française gewählt und hat das sicher sehr genossen.

Henri Meilhac: geboren am 21.Februar 1831 in Paris, gestorben ebendaselbst am 6.Juli 1897. Schon als junger Mann zeichnete und schrieb er für »Le journal du rire«, und er schrieb überwiegend Libretti für die Opéra comique, sprich: für Jacques Offenbach. In der Zusammenarbeit mit Halévy war Meilhacs Stärke die größere Kreativität, sein Ideenreichtum und sein Sinn für witzige Dialoge. Halévy dagegen war für Dramaturgie und den Ernst zuständig. Beide bildeten ein exzellent eingespieltes Team, »Carmen« allerdings ist ein extrem untypisches Werk für die zwei.

ENTSTEHUNG UND URAUFFÜHRUNG

1872 erhielt Bizet vom Chef der Opéra comique, Camille Du Locle – ja, genau! Das ist der Typ, der auch bei der »Aida« eine große Rolle spielte! Vgl. »Palazzo Bajazzo« –, den Auftrag, eine heitere Oper zu schreiben. Opernerfahrung hatte der junge Mann schon: »Docteur Miracle« 1856 für Offenbachs Theater, »Don Procopio« und – unter dem Eindruck von »Un ballo in maschera« von Verdi – »Vasco da Gama«, »La Guzla del' Emir« wieder für Offenbachs Opéra comique 1861, die wundervolle Oper »Le pêcheurs de perles« für das Théâtre lyrique 1863, »Ivan IV.« 1865, »La jolie fille de Perth« 1866 und »Djamileh« für die Opéra comique 1871. Er setzte sich mit Halévy und Meilhac zusammen, und es entstand in engster Zusammenarbeit – Bizet hat etwa den Text zur Habanera, wie viele andere Stellen auch, selbst mitgestaltet – mit dem Duo die Oper. Walter Felsenstein schreibt über das Produkt dieser Zusammenarbeit: »Es gibt kaum ein Werk in der Opernliteratur dieser Zeit, dessen Musik bis in die kleinsten harmonischen und dynamischen Details so ausschließlich für die Handlung und für den darstellerischen Ausdruck komponiert wurde, wie Bizets Carmen« (»Schriften zum Musiktheater«, Berlin 1976). Das ging so weit, dass Bizet verlangte, in der Habanera habe die zweite, vierte, sechste, achte und zwölfte Zeile mit einem Vokal zu beginnen! Er selbst war allerdings auch nicht faul und hat die Habanera insgesamt dreizehnmal umgeschrieben, bis sie ihm und vor allem der Sängerin der Carmen, Mme Célestine Galli-Marié, gefiel. Mme Galli-Marié übrigens ist mit dieser Rolle bis an ihr Lebensende identifiziert worden, sie muss großartig gewesen sein. Sie hat die soziale Brisanz der »Carmen« – dass mit dieser Oper das normale Leben der kleinen Leute plötzlich auf die Bühne kam, und zwar mit Blut und Tränen, was es bis dahin noch nicht gegeben hatte – sofort erkannt und ihre Rolle dementsprechend gestaltet. Das ging bis hin zur Garderobe: Sie trug als Carmen einen kurzen Rock und zerrissene Strümpfe – damals ein Skandal ohnegleichen! Bei der Wiederaufnahme von »Carmen« 1883 (ab da wurde sie zum Welterfolg) durfte sie nicht singen – man strafte sie ab, quasi ne pret à porter pas! Ulrich Schreiber dazu: »Die bigotte (Opern-)Gesellschaft der Belle Époque rächte sich an der Interpretin dafür, dass sie die Bühnenfigur zur Identität gebracht hatte.« Das war auch der Grund, warum sie bei der Uraufführung floppte.

Am 3. März 1875 war Premiere. Ein paar Wochen vorher, am 15. Januar 1875, machte Bizet ein Top-Geschäft: Er verkaufte die Partitur der »Carmen« für 25 000 Francs, das entspricht in etwa einer Kaufkraft von 61 000 €. Und am 3. März, also dem Tag der Premiere, ist er Ritter der Ehrenlegion geworden. Das ist zwar schön, aber es wird ihn nicht wirklich darüber hinweggetröstet haben, dass die Oper mehr oder weniger ein Flop war. Im Publikum saßen an diesem Abend viele Kollegen und Fachleute; das ist, wie jeder weiß, der schon mal auf der Bühne gestanden hat, das übelste Publikum, das man haben kann. Nicht, weil da jeder dächte, er könne es besser. Nein, aber dieses Publikum ist keines: Es hat nicht die Naivität zu jubeln, zu weinen oder auch zu brüllen. Die Kollegen tun einfach nix, und das tut weh. Hinzu kommt, dass hier das erste Mal in der Operngeschichte lebende Menschen in ihren Überheblichkeiten und Unzulänglichkeiten auf der Bühne standen. Man sah sich plötzlich selbst auf der Bühne, und obendrein noch nicht mal Bürgersleute, sondern Arbeiterinnen, Schmuggler, sozusagen Volk. Das ging weit über das hinaus, was auf einer Opernbühne passieren durfte. In der Opéra comique durfte es zudem keine gesprochenen Dialoge geben, schon gar nicht als Melodram (über leisen Orchesterweisen gesprochene Sätze); in der Opéra comique galt das Gebot des Rezitativs. Und auch das bot Bizet nicht. Und dann die Krönung: José erdolcht Carmen just in dem Moment, als drin in der Arena Escamillo den Stier erlegt und alles »Bravo!« brüllt. Das war zu viel!
Bizet war natürlich nicht glücklich und hing die ganze Nacht rum – mit dem roten Band der Ehrenlegion, das er am Morgen verliehen bekommen hatte. Ein Kritiker schrieb zynisch, das rote Band sei an diesem Premierenabend die schönste Dekoration gewesen. Offen-

sichtlich hat es so was wie »Sun«, »Daily Mirror«, »Express« oder »Bild« auch damals schon gegeben! »Carmen« wurde aber nicht abgesetzt, und schon ab der fünften Vorstellung zog es an: Man wollte diese »komische Oper« sehen. Tatsächlich aber ist sie zuerst im Ausland und danach in Frankreich ein Erfolg geworden – etwas, was sich die Franzosen später gar nicht mehr vorstellen konnten. Noch 1903 meinte die Carmen der Uraufführung, Céleste Galli-Marié, auf die Frage, warum die »Carmen« durchgefallen sei: »Carmen – ein Durchfall? Welch eine Unmöglichkeit! Welch eine Legende!« Carmen ist die meistgespielte Oper überhaupt. Kein Wunder, dass Gounod die Stimme versagte!

PERSONEN

Don José, Sergeant:	Tenor
Escamillo, Stierkämpfer:	Bariton
Remendado, Schmuggler:	Tenor
Dancaïro, Schmuggler:	Tenor
Zuniga, Lieutenant:	Bass
Moralès, Sergeant:	Bariton
Carmen, ein Zigeunermädchen:	Mezzo-Sopran
Micaëla, ein Bauernmädchen:	Sopran
Frasquita, ein Zigeunermädchen:	Sopran
Mercédès, ein Zigeunermädchen:	Sopran
Ein Zigeuner:	Bass
Eine Orangenverkäuferin:	Alt
Ein Soldat:	Sprechrolle
Lillas Pastia, Wirt:	Sprechrolle
Ein Bergführer:	Sprechrolle
Der Alcalde:	stumme Rolle

Chor, Ballett: Soldaten, junge Männer, Zigarettenarbeiterinnen, Anhänger Escamillos, Zigeuner, Fächer- und Orangenverkäuferinnen, Programm-, Getränke-, Wein- und Zigarettenverkäufer, Polizisten, Stierkämpfer, Volk
Gassenjungen (Kinderchor)

ORCHESTERBESETZUNG
2 Flöten (auch Pikkolo)
2 Oboen (2. auch Englischhorn)
2 Klarinetten
2 Fagotte
4 Hörner
2 Pistons
3 Posaunen
Pauken

Triangel
Becken
Große Trommel
Kleine Trommel
Tamburin
Kastagnetten
2 Harfen
Streicher

BESONDERHEITEN
Bühnenmusik: 2 Pistons
3 Posaunen

DAUER
ca. 2 ¾ Stunden

HANDLUNG
In Sevilla und Umgebung

ERSTER AKT

Platz in Sevilla, rechts eine Tabakfabrik, links ein Wachlokal, im Hintergrund eine Brücke

Sevilla: heißer Süden, heiße Männer, heiße Mädchen. In der schwelenden Hitze da unten kann jedes falsche Wort ein Funke sein, der das emotionale Pulverfass zur Explosion bringt. Und genau darum dreht sich die ganze Handlung. Auf einem Platz vor der Tabakfabrik warten die Soldaten auf ihre Wachablösung, man spielt, man scherzt, man langweilt sich, nur Siesta machen dürfen sie noch nicht. Sie warten auf die Arbeiterinnen der Zigarettenfabrik, die werden nämlich gleich Pause haben, und sie warten vor allen Dingen auf eine: Carmen. Die ist die absolute Nummer eins unter den Mädels, sie ist die schönste, sie ist die temperamentvollste, sie ist Zigeunerin, aber vor allen Dingen ist sie eins: ein Vulkan. Jeder weiß, dass man sich an ihr nur die Finger verbrennen kann, aber genau deshalb sind sie alle hinter ihr her. Micaëla ist aus dem fernen Dorf in die Stadt gekommen, sie sucht ihren Verlobten Don José. Moralès bedauert, dass der in der anderen Abteilung ist, und will sie schon anbaggern, da kündigt der Chor der Straßenjungen die Wachablösung an, Don José kommt und erfährt, dass Micaëla hier ist. Just in diesem Moment kommen die Mädels raus, rauchen ihre Pausenzigarette – man sieht, Rauchverbot am Arbeitsplatz hat es vor 130 Jahren auch schon gegeben – und lassen sich bewundern. Auch Carmen. Sie flirtet ein bisschen rum, und dabei guckt sie sich Don José aus, der aber eigentlich gebunden ist: Micaëla ist seine Liebe, und er hat vor ein paar Takten Musik noch gesagt, dass ihn die Sorte Mädchen wie Carmen nicht interessieren. Als diese aber ihre Habanera singt, das Lied von der Liebe, ist es im Grunde um Don José geschehen. Sie singt in dieser weltberühmten Arie vom alten Geheimnis der Liebe, das wir alle kennen und erlebt haben: Die Liebe ist wie ein Vogel: »Halt ihn fest – er wird entfliehen,/weichst Du ihm aus – flugs ist er da!« Am Ende wirft sie Don José eine Blume zu und verschwindet mit ihren Kolleginnen in der Fabrik.

Don José braucht nicht lange verwirrt zu sein: Jetzt kommt Micaëla auf ihn zu, bringt ihm einen Brief von zu Hause, Geld und einen Kuss von seiner Mutter. Don José spürt, dass ihn dieser Kuss auch in der Fremde schützen soll, er spürt, wie sehr ihn Carmen in Gefahr bringt. Deshalb nimmt er sich vor, sich nicht verwirren zu lassen und seine Micaëla zu heiraten. Und der gibt er einen Kuss an seine Mutter mit – was ihm sicher auch ohne Mutter Spaß macht! Das ist eine dieser Stellen, die ich so liebe, weil sie so herrlich komisch sind. José singt: »Ich seh die Mutter dort,/wo meine Wiege stand«, und Micaëla singt dasselbe – aber natürlich in der dritten Person: »Er sieht die Mutter dort,/wo seine Wiege stand« – wunderbar! In der Fabrik war mittlerweile der Teufel los: Im Streit hat Carmen eine Kollegin mit dem Messer verletzt. Don José muss – Blume hin oder her, die er von der Carmen bekommen hat – hinein, um die Sache zu klären, denn er ist Sergente de la guardia civil. Er muss jetzt berufstätig werden und das tut er auch. Er befragt die Arbeiterinnen und erstattet seinem Offizier Zuniga Bericht: Carmen habe den Streit, der mit Messern endete, angezettelt. Zuniga versucht, die Widerborstige zu verhören, beißt aber auf Granit. Zur Sache sagt sie natürlich nichts, macht sich aber über den Polizisten lustig: »Tra la la la la/brenne, schneide, foltere, dass ich reden soll,/ich trotze dem Himmel, dem Eisen und dem Feuer.« Was dazu führt, dass Don José sie ins Gefängnis führen lassen muss; aber er kennt Carmen schlecht. Mit allen Künsten, die ihr zur Verfügung stehen, beginnt sie, José zu verführen. Draußen am Wall von Sevilla kenne sie eine Wirtschaft, die gehöre ihrem Freund Lillas Pastia: »Dort tanze ich die Seguidilla/und trink Manzanilla«, und zwar nur für ihn, José. Doch nur, wenn er sie freilasse. Wir ahnen: Er hat den Ring schon in der Nase, keine Chance, der ist geliefert. Natürlich lockert ihr der Trottel die Fesseln und lässt sie frei. Ende erster Akt.

ZWEITER AKT

Schenke von Lillas Pastia

Nach einem schönen musikalischen Zwischenspiel – das erkennt man daran, dass niemand singt – kommen wir zum zweiten Akt. In der Wirtschaft am Stadtrand von Sevilla chillen alle rum, da steht Carmen auf und singt eine ihrer großen Arien, jeder freut sich schon drauf: eine der Arien, deretwegen man in die Oper gegangen ist. Von Zuniga, Josés Vorgesetztem, erfährt sie, dass Don José, der im Gefängnis saß, weil er sie hat fliehen lassen, heute entlassen wird. Carmen freut sich, sie ist in ihn verliebt. Deshalb bekommt auch der weltberühmte Torero Escamillo bei ihr keine Schnitte, der jetzt auftaucht und – als natürlich weltberühmter Tenor – mit der weltberühmten Toreroarie den Mädels den Kopf verdreht – einer der großen Hits, die Georges Bizet geschrieben hat.

Escamillo hat feurige Augen, er nimmt sofort Carmen wahr und macht sich an sie heran, jedoch vergeblich. Also geht er ab und verspricht, wiederzukommen. Zwei Schmuggler bitten die Damen (Carmen, Frasquita und Mercedes), ihnen zu helfen: Sie sollen einen Zöllner ablenken, damit die Herren »arbeiten« können. Carmen lehnt ab, sie will auf José warten, die beiden anderen sagen zu. Endlich kommt José. Zwei Monate hat er absitzen müssen. Carmen tanzt für ihn, da ertönt ein Trompetensignal: José muss zurück. Carmen kann das natürlich nicht gelten lassen: Sie tanzt für ihn, und er will zurück – ob er sie denn überhaupt liebe? Nein, sagt er, doch, sagt er. Er liebe sie und singt zum Beweis die hinreißende Blumenarie, die so heißt, weil er die Blume, die sie ihm im ersten Akt zugeworfen hat, immer noch bei sich trägt – sie hat ihn im Gefängnis getröstet: »Dein ist mein Herz, und ewig gehöre dir ich an.« Carmen interessiert das aber nicht: Liebte er sie, hätte er sie längst schon weggeführt, auf einem Pferd, durch die Lüfte und was halt immer so an unrealistischen Forderungen seitens der Frauenwelt kommt. Die Sache steigert sich, sie schickt ihn weg. Aber just als er gehen will, kommt Zuniga zur Tür herein. Er will José wegschicken, der aber will nicht, es kommt zum Streit. Die Schmuggler entwaffnen Zuniga und halten ihn fest, da bleibt José nix anderes mehr übrig, als mitzugehen. Alle singen: »O folg uns in felsige Klüfte,/wilder, doch rein wehn dort die Lüfte« – und Vorhang und Pause.

DRITTER AKT

Wilde Berggegend

Die Schmuggler und unsere Hauptakteure machen Rast in einer wilden Schmugglerschlucht – das ist, wo sich die Guardia civil nicht hintraut, deshalb ist es ganz besonders wild. Man macht Rast, damit die Späher gucken können, wo die Wachen aufgestellt sind. José denkt an seine Mutter und daran, dass sie ihn noch für ehrlich hält, was er nicht mehr ist. Carmen lacht ihn aus wegen seiner Zimperlichkeit und wendet sich ihren Freundinnen Mercedes und Frasquita zu, die schon die Karten mischen. Während sie der einen ein reiches Leben an der Seite eines großen Banditen prophezeien und der anderen die Ehe mit einem alten Mann, der bald stirbt und sie zur reichen Witwe macht, prophezeien sie Carmen immer wieder den Tod. Zuerst für sie, dann für »ihn«. Düstere Töne, große Oper. Der Späher kommt zurück und meldet, drei Zöllner bewachten den Ausgang aus dem Wald, die Frauen müssten sie ablenken. Nix leichter als das, singen die Frauen: »Die Zöllner sind nur Sünder,/lieben die Frau'n und hübsche Kinder« – kein Problem also für die feurigen Zigeunerinnen. In der Zwischenzeit hat sich Micaëla – wir erinnern uns, die mehr oder minder Verlobte von Don José – auf die Suche nach ihrem José gemacht. Und weil sie im Wald allein ist und weil man da gerne singt, hat ihr Bizet eine seiner schönsten Arien ins Herz geschrieben: »Je dis, que rien ne m'épouvante« (Ich sprach, dass mich nichts erschreckt). Sie will ihren José aus der Schmugglerbande rausholen, sieht aber gerade noch, wie José die Büchse anlegt und abdrückt. Sie versteckt sich. Escamillo taucht auf und schwenkt seinen Hut, allerdings nicht zur Begrüßung, sondern weil ihm jemand ein Loch hineingeschossen hat. Er sei hier, sagt er, weil er verliebt sei. In wen?, will José wissen. In Carmen. Die sei zwar noch mit einem Soldaten zusammen, der für sie ins Gefängnis hätte gehen müssen, aber Carmens Liebe währe nie länger als sechs Wochen. Deshalb mache er, Escamillo, sich Hoffnungen. Schnell ist klar, wer wer ist und wem was bedeutet, die Messer werden gezogen, die Herren kämpfen. Carmen und die anderen tauchen auf, die beiden Herren werden getrennt. Das langt dem richtigen Spanier schon als Liebesbeweis, also zieht Escamillo quasi als Sieger von dannen, nicht ohne Carmen und die anderen zur Corrida einzuladen. José auch, aber der ist noch nicht so weit: Er will sich auf den Rivalen stürzen, wird aber festgehalten. Micaëla wird entdeckt, sie teilt ihrem Verlobten mit, seine Mutter liege im Sterben und er solle deshalb mit ihr kommen. Carmen will ihn auch loswerden, nur er will nicht: Er sei verflucht. Letztendlich geht er dann mit Micaëla, sagt aber Carmen, er komme wieder. Vorhang.

VIERTER AKT

Platz in Sevilla. Im Hintergrund die Mauern einer alten Arena

Das Vorspiel zum vierten Akt wirft uns mitten hinein in den Trubel vor einer Corrida: den Stierkampf, zu dem der Torero Escamillo alle Banditen samt José und Carmen eingeladen hat. José aber ist Micaëla gefolgt. Wir ahnen, was mittlerweile passiert ist: Carmen ist sozusagen Escamillos Neue – da liegt kein Segen drauf. Das Volk wartet auf die Corrida und ist schon ganz heiß darauf, Escamillo zu erleben. Der sagt zu Carmen: »Liebst Du mich, dann sieh hin,/dort im Kampf sollst du stolz auf mich sein,/wenn du mich wahrhaft liebst.« Und sie antwortet, dass sie ihn liebt: »Noch nie hab ich einen Mann so geliebt wie Dich!« Da kommen Carmens Freundinnen Frasquita und Mercedes und raten ihr, lieber zu gehen, weil Don José hier sei und ihr auflauere. Und das passiert natürlich auch: Kaum sind sie alle in der Arena, taucht er auf. José bittet Carmen, mit ihm zu kommen und miteinander ein neues Leben zu beginnen. Carmen will aber nicht: Stolz weist sie José zurück: »Nicht länger mehr mein Herz bestürme,/es schlägt längst nicht mehr für Dich.« Da hört man aus der Arena, wie das Volk Escamillo zujubelt. Carmen will hinein, da schaltet José: »Dem dort man Beifall schreit –/ist er es, den du liebst?« Sie wirft ihm nun den Ring, den er ihr geschenkt hat, vor die Füße, er greift zum Dolch und ersticht sie – um sich dann mit dem Satz: »Ah Carmen! Ma Carmen adorée« über sie zu werfen, womit die Oper dann auch ihr Ende findet. Wir und der Vorhang sind gerührt, und schon während er fällt, erheben wir uns zu großem Applaus – wenn denn die Sängerinnen und Sänger ihr Bestes gegeben haben.

HITS

Die Einleitung! Dann das Vorspiel! Und die Ouvertüre! Hammer! Der Chor der Gassenjungen! Ist das nicht zauberhaft: Original, Imitation und Parodie in einem Stück! Ob Bizet mit dem Militär nicht auch ein bisschen die Preußen (die Belagerung von 1870 war noch nicht vergessen!) aufs Korn nehmen wollte – nach dem Motto: Wenn schon Militär auftritt, dann lasse ich es auch gleich durch die Gassenjungen verspotten! Dann der Chor der Zigarettenarbeiterinnen – das ist genau so, wie Nietzsche beschrieben hat: »Vollkommen, leicht, biegsam, höflich ... und volkstümlich zugleich.« *Habanera!* Die dreizehnte Fassung! *Welthit!* Ist doch wahr: Nur weil's jeder kennt, muss es doch nicht schlecht sein! Ein geniales Stück Musik, das selbst dann noch funktioniert, wenn die Sängerin aus dem Welthit einen

Welkhit machen sollte. Chapeau, Bizet, und Handkuss – grandios! Und wenn das so eine wie die Callas singt, dann wird daraus eine Orgie an Laszivität, dann spüren wir beinahe Afrika durch Andalusien schimmern: Sie gurgelt, sie stöhnt, sie verzögert, sie beschleunigt, sie macht aus der Habanera einen Tango, mon dieux!

Das Duett Micaëla/José – hat das nicht wunderschöne Passagen? Was für eine Leichtigkeit! So muss sich Heinrich Heine in Paris gefühlt haben – zumindest solange er gesund war. Und der Chor der Zigarettenarbeiterinnen, wie sie um Hilfe rufen: Man sieht sie förmlich vor sich, zierliche, kesse, kokette, aufgebrachte – Französinnen, die so tun, als ob sie Spanierinnen wären! C'est magnifique! Und dann: Wie Carmen den Polizisten verspottet, ist das nicht einmalig auf der Opernbühne? Tralalalalalalala und eine ganze Welt liegt dadrin: So geht man in Spanien, sorry, in Frankreich mit der Obrigkeit um, und genau das hält man vom Staat! »Carmen« ist durchaus keine deutsche Oper, an solchen Stellen wird es schmerzlich klar. Und weiter geht es: »Seguidilla«! Welthit! Keine Minute Verschnaufpause, keine Minute Ruhe, nur Seligkeit, Erotik, Wahnsinn! Josè geht hoch bis aufs ais', doch wir wissen: Das ist eh sein Ende, lass es, es hat keinen Zweck, du bist verloren, nein, sing weiter, Carmen auch, bitte, jetzt nicht aufhören, ja! Lass sie laufen – und wenn du dafür sitzen musst, egal, ja, Carmen, gib ihm den Stoß, flieh! Jessas, was für eine Spannung! Zwischenspiel. Verschnaufen. Aber etwas unter diesen Klarinetten- und Fagottläufen lässt einen nicht wirklich in Ruhe. Ah, Vorhang, zweiter Akt. Jetzt vielleicht ein bisschen Ruhe? Nein! Das geht gleich mit dem nächsten Hit los: dem »Zigeunerlied«. Ein Hammer, der nicht nur die Oper füllt, sondern in den diversesten Bearbeitungen auch die Konzertsäle. Wie da das Orchester zu spielen hat, geht das auch der tänzerisch unbegabtesten Solistin so was von in die Beine. Schade, dass man in der Oper nicht tanzen kann! Und gnadenlos geht's weiter: der Chor – »Vivat. Vivat le Toréro!« – ist kurz, schäumt aber wie Cava! Und dann gleich der nächste Welthit. Mein Gott, Bizet, hört das denn gar nicht auf? »Votre toast, je peux vous le rendre« (Euren Toast kann ich wohl erwidern) – kennen wir alle, und trotzdem ist es immer wieder wundervoll! Dann kommt das Quintett, die Schmuggler und das andalusische Dreimäderlhaus: Ist das nicht ein Vergnügen? Ein bisschen klingt es in seiner geschwinden Heiterkeit und den angerissenen großen Melodiebögen wie eine Parodie auf die Italiener, Bellini, Verdi etc. Aber es ist so bezaubernd und leicht, dass man glatt selbst zum Verbrecher werden könnte. Hätte mein Papa gesagt: Ein Kabinettstückchen, dieses Quintett!

Carmen singt und tanzt für ihren José, der aber hört die Trompeten: Toll gemacht, wie das ineinanderpasst und dieses Militär dennoch alles durchbricht! Wie sie ihn fertigmacht mit dem spöttischen »Taratata!« – das hat Klasse! Und er kommt ihr lyrisch: »La fleur que tu m'avais jetée« (Hier, an dem Herzen treu geborgen) – das lässt keine Tenorwünsche unerfüllt. Und wie sie ihm zusetzt: »Dann flögest du auf einem Pferd mit mir durch die Lüfte«, zu *der* Musik schon! Selbst für die Entwaffnung Zunidas, die Carmen spöttisch kommentiert, findet Bizet wundervoll leichte Töne, dass es ein reines Vergnügen ist, zuzuhören. Und das Finale des zweiten Aktes muss man auch nicht wegschmeißen, oder?

Das Kartenterzett: ein weiteres Meisterstück aus der Hand des bis dahin so wenig beachteten jungen Komponisten! Das Terzett und der Chor der Damen: »Quant au douanier« (Ach, die Zöllner) ist auch wieder so ein doppelbödiges Meisterstückchen von Bizet, der es nicht so mit den staatlichen Institutionen hatte. Sonst würde er sich nicht derart über sie lustig machen. Micaëla wandert durch die Felsenschluchten – und was macht Bizet? Er schreibt ihr eine sanfte, wunderbare Arie »in die Gurgel« (wie Mozart gesagt hätte): »Je dis, que rien ne m'épouvante« (Ich sprach, dass mich nichts erschreckt). Das Duett Escamillo/José erinnert zwar streckenweise ein bisschen an Offenbach, hat aber so viel Eigenleben, dass es eine Freude ist, der Eifersucht der beiden zuzuhören. Und wenn Escamillo solche warmen Töne singt, bekommt er massenhaft viele Sympathie-Punkte. José aber hält – mit gewaltigen Heldentenortönen – zunächst an Carmen fest, bis sie ihm sagt, dass die Mutter im Sterben liegt. Das bringt ihm zum hohen B und ab – wundervoll!

Jetzt erst mal erholen geht nicht: Das Zwischenspiel ist schon wieder etwas, das jeder kennt, das lief immer im Hörfunk-Wunschkonzert am Sonntagnachmittag – und trotzdem ist es schön! Ich liebe besonders die Oboe an dieser Stelle! Und auf derselben Spur geht es weiter, sobald der Vorhang wieder oben ist: bravo, Georges! Die Quadrille! Jetzt nur noch festhalten, denn diese Oper endet wie im Rausch: Achterbahn ganz oben und dann huiiiii! ins Finale! Da ist das Erstochenwerden ja geradezu ein Verschnaufer – allerdings ein hochdramatischer. Gut, er erklärt sich vorher, aber das kommt nach dem Rausch der letzten zehn Minuten eher als Erholung mit Mezzo und Sopran daher, das kriegt man nicht wirklich mit. Und was Carmen, so kurz vor ihrem Tod, singt: Herrschaften, wo ist die Klinik-Packung? Das hält ja nun wirklich kein Mensch mehr aus, da sterbe ich gleich mit! Und was für ein Schluss! Was für ein Schluss!

FLOPS

Ich gucke ... ich höre ... ich warte ... ich schau ins Textbuch ... ich lese ... ich schau in die Noten ... ich lese ... ich setz mich ans Klavier ... ich spiele ... ich lege CDs auf ... ich höre ... ich warte ... ich höre wieder ... ich hoffe aufs Duett Micaëla/José im ersten Akt ... Nix ... ich warte ... Die Seguidilla vielleicht, nee, Quatsch, niemals ... ich gucke ... ich warte ... immer noch kein Flop, nicht eine einzige Note, nix ... Vielleicht eine Pause ... ich sitze wieder ... ich höre ... ich warte ... Kein Flop. Nirgends. Hat das nicht Christa Wolf schon ...? Ich sitze wieder ... ich gucke in die Partitur ... *Das hat doch alles keinen Zweck! In dieser Oper ist einfach kein Flop!*

OBACHT

Na ja, kurzen Rock und zerrissene Strümpfe sollte die Sängerin der Carmen vermeiden, wenn sie in Paris singt, oder? Ansonsten ist das zwar eine Oper für Profis, aber fokussiert auf die Titelpartie. Ist die gut, kannst du drum herum verkaufen (fast!), was du willst; ist sie schlecht: Streifenkarte und ab in die Nachbarstadt!

DER KLEINE OPERNTÄUSCHER

Ich bin nicht unbedingt der Adornofan (Ich habe 1964 in Wien einen Vortrag von ihm über den »Jargon der Eigentlichkeit« gehört und als braver Südtiroler Student damals kein Wort verstanden, hab's aber trotzdem toll gefunden, weil ich meiner wundervollen Freundin Regina imponieren wollte), aber wo er recht hat, hat er recht. Er schreibt in »Fantasia sopra Carmen«, worin er das Terzett der Kartenlegerinnen mit dem »Ring« Wagners vergleicht, Folgendes: »Kaum bricht der Dialog [zwischen Carmen und José, wo sie ihm sagt, sie liebe ihn nicht mehr] böse ab, als auch schon die beiden Stammesgenossinnen und Schmugglerkameradinnen mit Karten hantieren und alle drei sich anschicken, sich selber zu wahrsagen. Die Musik besinnt sich nicht lange; wo der ›Ring‹ umständlich vom sich selbst entrollenden Rade orakelt, beginnt sie hier in einer Streicherfigur allegretto zu rollen, als wäre sie eine Roulette, ohne dass auch nur ein Wort es kommentierte. Mit erreichtem a-Moll zeichnet die Musik einen Zauberkreis und markiert ihn mit ein paar stechenden Akzenten, so wie man beim Kartenspielen von Stichen redet. Sie kennt die Affinität der Karten zur Stichelei als dem Reiz zum Unheil, das nichts anderes ist als das Rollen des Zufalls, die Blindheit des Schicksals selber. Das alles läuft ununterbrochen ab, nach dem Muster des Perpetuum mobile, und nur die chromatisch geführten Bässe untermalen finster den ziellosen Wirbel. Ihm antwortet in F-Dur ein Refrain der beiden Schicksalsschwestern. Sie singen gar nicht wie Nornen, sondern nach Vaudeville-Weise, und an sie hat wohl Nietzsche gedacht, wenn er der von ihm als ›böse, raffiniert, fatalistisch‹ gerühmten Musik nachsagt: ›Sie bleibt dabei populär.‹«

BEWERTUNGEN

Magie 🎉🎉🎉🎉🎉 — Keine Sekunde lässt uns die Oper aus ihren Fängen.

Erotik 👠👠👠👠👠 — In dieser Hinsicht (mit »Salome«) die ultimative Erotik-Oper.

Fazzoletto 💧💧💧 — Die brauche ich schon in diesem atemlosen Getümmel.

Gewalt ⛓⛓⛓⛓⛓ — Äußere und innere Gewalt, wohin du schaust!

Gähn — Äh, was? Wie bitte?

Moral — Das fehlte ja noch, dass ihm der Stich leid tue oder dass sie zu Kreuze kröche.

Ewigkeit 💿 💿 💿 💿 💿 — Da sind nur wenige Noten, die nicht Bestand haben werden!

Gourmet ✯✯✯✯✯ — An jeder Ecke dieser Partitur ein Stern: hier eine Pikkolo-Paté, dort ein Fagott-Soufflée, da ein Harmonie-Savarin, dort ein Broken-hearts-Cappuccino ...

GESAMTWERTUNG

🕶🕶🕶🕶🕶 — »Carmen« ist eine der drei Opern, die immer bleiben werden. Nicht nur wegen der Musik, sondern weil wir das selbst sind, die auf der Bühne aneinander leiden und scheitern. So einfach ist das. Der Rest ist Mozart. Und Verdi. Und dann kommt lange nix.

Modest Mussorgsky
1839–1881

Boris Godunow
Oper in vier Akten mit Prolog
Text: Modest Mussorgsky
Nach der »Dramatischen Chronik« von Alexander Sergejewitsch Puschkin
und dem zehnten und elften Band der »Geschichte des russischen Reichs«
von Nikolai Michailowitsch Karamsin

»Im Allgemeinen gilt Mussorgsky als großer Realist der Musik, auch bei den meisten seiner begeisterten Anhänger. Ich bin zwar keine so große musikalische Autorität, als dass ich eine festbegründete Meinung hierüber äußern könnte. Allein mein Gefühl als Sänger, der die Musik mit der Seele aufnimmt, sagt mir, dass diese Klassifizierung für Mussorgsky viel zu eng ist und seine Größe nicht zum Mindesten umfasst. Es gibt schöpferische Gipfel, auf denen alle formalen Epitheta ihren Sinn verlieren oder zu untergeordneter Bedeutung absinken. Natürlich war Mussorgsky Realist; doch die Kraft, die Gewalt seiner Kunst besteht nicht darin, dass seine Musik realistisch ist, sondern darin, dass sein Realismus die Musik ist, die Musik im erschütterndsten Sinne des Wortes. Hinter seinem Realismus liegt, wie hinter einem Vorhang, eine ganze Welt von Überzeugungen und Gefühlen, die mit Realismus gar nichts gemein haben ... Mussorgsky als Komponist sieht und hört alle Gerüche eines Gartens oder einer Schenke und erzählt so eindrucksvoll und überzeugend davon, dass auch das Publikum schließlich die Gerüche hört und nachempfindet ... Das ist Realismus, gewiss, aber ein Realismus besonderer Art, wie wir ihn von jenen russischen Bauern kennen, die aus rohen Balken und mit einfachen Beilen (andere Werkzeuge gebrauchen sie nicht dazu) eine Kirche bauen, deren kunstvolle

Ornamentik selbst die beste Intarsienarbeit übertrifft.«
(Fjodor Schaljapin, »Aus meinem Leben«, Leipzig 1972)

Modest Petrowitsch Mussorgsky: geboren am 21. März 1839 in Karewo bei Pskow, gestorben mit 42 Jahren am 28. März 1881 in Sankt Petersburg. Was soll aus einem werden, der mit zwölf Jahren in die zaristische Gardejunkerschule kommt, wo er als Erstes lernt, dass Kadetten bestraft werden, wenn sie Wodka getrunken haben und zu Fuß nach Hause kommen? Dass sie aber belohnt werden, wenn sie mit Champagner bis zur Halskrause abgefüllt in einer Kutsche in die Kaserne zurückkommen? Aus einem, der obendrein den Militärdienst mit 19 quittiert, um mit 24 im Verkehrsministerium zu arbeiten, mit 29 in die Forstabteilung des Ministeriums für Landwirtschaft zu wechseln, und der mit 40 schließlich diesen Dienst quittiert? Aus einem, der mit 26 sein erstes Delirium tremens erlebt hat, ständig am Rand der Armut dahinvegetiert, in einem möblierten Zimmer, das er sich mit dem Kollegen Rimsky-Korsakow teilen muss, am »Boris Godunow« und nicht nur an dieser Oper arbeitet? Aus einem, der höchstens von einer Hand voll Kollegen anerkannt wird, und auch das nicht neidfrei; aus einem schließlich, der nie eine Liebe leben konnte, geschweige denn eine Familie gründen? Aus so einem, wenn er auch noch zu den größten Autodidakten der Musikgeschichte zählt, wird ein großer Komponist! Einer, der die Musik seines Landes umkrempelt, einer, der bis heute ein Wegweiser ist, einer schließlich, der erst jetzt, hundert Jahre später, allmählich entdeckt wird. Vieles hat er nicht zu Ende komponiert – wie er auch nicht zu Ende gelebt hat. Er erlag mit 42 Jahren der Alkoholkrankheit.

ENTSTEHUNG UND URAUFFÜHRUNG
Am 15. August 1868, Mussorgsky hatte gerade zwei nichtvollendete Opernentwürfe hinter sich, »Salambô« und »Die Heirat«, schrieb der Komponist seinem Freund Wladimir Nikolski, einem russischen Historiker: »Warum bereite ich mich immer nur vor – es wird Zeit, dass ich etwas tue! Die unbedeutenden kleinen Stücke waren Vorbereitungen, die ›Heirat‹ war eine Vorbereitung; wann wird etwas endgültig fertig sein? Darauf gibt es nur eine einzige Antwort – der Zwang der Notwendigkeit; vielleicht werde ich eines Tages wirklich etwas fertig machen ... Aber durch das Dunkel der Ungewissheit sehe ich ein helles Licht, und das ist die völlige Abkehr der Gesellschaft von den Operntraditionen der Vergangenheit (die in Wirklich-

keit immer noch bestehen). Impossible! Warum ist dieses Licht hell? Weil man sich, wenn man einen neuen Weg eröffnet, doppelt stark fühlt, und wenn unsere Kraft verdoppelt ist (vier ist genau doppelt so groß wie zwei), dann kann man arbeiten, und sogar freudig arbeiten. Diese Lage kann man nur mit dem Schlagwort der Diebe zusammenfassen: La bourse ou la vie – la vie ou le drame musical.« Dieser Brief und diese Sätze brachten Mussorgskys Freund Nikolski auf eine wundervolle Idee: Er erinnerte sich an das Stück »Boris Godunow«, das Puschkin 1831 veröffentlicht hatte, das aber erst 1866 von der Zensur für die Bühnenaufführung freigegeben wurde. Diesen Stoff allerdings für eine Oper zu nehmen, stieß auf ein weiteres Hindernis: Die Zensur verbot, dass Zaren in Opern auftreten durften. Nikolski ahnte aber, dass sich diese Einschränkung nicht mehr lange würde halten können.

Im Frühherbst 1868 kam Mussorgsky nach Sankt Petersburg, legte »Die Heirat« beiseite und vertiefte sich begeistert in den neuen Stoff. Im Oktober 1868 setzte er sich daran, acht Monate später war die Klavierfassung fertig, am 15. Dezember 1869 die Partitur. Dies war allerdings die erste Fassung, man spricht von der Urfassung; angesichts der weiteren Fassungen und Variationen, die diese Oper (bis heute) erfahren hat, muss man dazu einschränkend sagen: Im Dezember 1869 hatte Mussorgsky erstmals den Stoff irgendwie im Griff. Ein Riesenwerk, eines, das im Kopf des Komponisten sich sicher noch ziemlich bewegt hat, anders kann man die Änderungen und Veränderungen kaum erklären. Es sieht nämlich sehr danach aus, als handele es sich bei den Veränderungen nicht so sehr um neue Fassungen, sondern mehr um neue Sichtweisen des Stoffs; man könnte beinahe davon sprechen, unterschiedliche Werke vor sich zu haben. Um eine Oper zur Aufführung bringen zu können, musste man die Partitur dem Direktorium der kaiserlichen Theater in Sankt Petersburg einreichen. Dies hat Mussorgsky im Frühjahr 1870 getan, hörte aber zunächst mal von der Behörde nichts. Am 17. Februar 1871 dann, also fast ein Jahr später, wurde ihm offiziell mitgeteilt, seine Oper sei abgelehnt worden.

Inoffiziell hatte er das schon einige Zeit vorher erfahren. Ljudmilla Schestakova, eine gute Freundin des Komponisten, erzählt, sie habe bei einem Mittagessen bei der Sängerin Platonova von der Ablehnung gehört. Der Grund sei gewesen, dass die Oper keine weibliche Rolle enthält! Sie habe daraufhin sofort Mussorgsky und dessen Freund Wladimir Stassow für den Abend zu sich gebeten. »Ich fand sie vor, als ich nach Hause zurückkam, und sagte ihnen, was ich gehört hatte. Stassow begann mit glühender Begeisterung über die neuen Zusätze zur Oper zu sprechen. Mussorgsky begann, neue Motive zu improvisieren, und wir verbrachten den Abend auf eine sehr lebhafte Weise.« Das hört sich an, als habe Mussorgsky nichts anderes erwartet, wissend, dass er den Behörden zu avantgardistisch war. Ich bin jedenfalls fest davon überzeugt. War wohl auch seinen Freunden nicht Oper genug: Was da als Partitur vor ihnen stand, sieben Bilder, die kaum etwas miteinander zu tun hatten, keine wirkliche Handlung, zumindest keine, die sich über alle Akte hingezogen hätte. Das mag schon für etwas Verwirrung gesorgt haben! Auf den Gedanken, dass ein völlig neuer Typus von Oper vor ihnen lag, ist keiner gekommen. Dennoch machte sich Mussorgsky mit Feuereifer daran, eine neue Fassung zu erarbeiten. Dazu gehörte eine weibliche Rolle, die er in einem neuen, heute sogenannten »polnischen« Akt unterbrachte. Es scheint allerdings so zu sein, dass Mussorgsky nicht erst wegen der Einwände der Zensur auf die Idee gekommen war, eine Frauenrolle zu schaffen, sondern dass er das schon früher überlegt hatte. Insofern sind die weiteren Veränderungen und Erweiterungen, die er nun vornahm, nicht unbedingt Reaktionen auf die Zensur, sondern der Versuch, den Stoff besser in den Griff zu bekommen. Er kürzte die Krönungs- und die Klosterszene aus der Urfassung, baute den ursprünglichen dritten Teil zu einem ziemlich neuen zweiten Akt zusammen, führte einen neuen dritten Akt ein (»Polenakt«), baute den vierten Akt um und fand einen fulminanten Schluss: den Gottesnarren das wundervolle Klagelied über das russische Volk singen zu lassen. Diese Fassung, gerne auch »Original-Fassung« oder »Original-Boris« genannt, scheint Ende 1871 oder Anfang 1872 fertiggestellt gewesen zu sein. Die Tochter eines Geheimrats Purgold berichtet, dass am 7. November 1871 bei ihnen zu Hause »Boris Godunow« mit Klavier aufgeführt worden sei, allerdings ohne den ersten Akt. Diese zweite Fassung, der »Original-Boris«, wurde nun erneut der Zensurbehörde vorgelegt, wieder erfolglos. Am 29. Oktober 1872 erfolgte die zweite Ablehnung dieser Oper durch die zaristischen Beamten. Nach vielem Hin und Her wurden dennoch – zusammen mit dem zweiten Akt des »Lohengrin« und einer Szene aus dem »Freischütz« – drei Szenen aus dem »Boris« unter ungeheurem Erfolg am 5. Februar 1873 in der Mariinskij-Oper aufgeführt. Auf weiterem Druck der Freunde Mussorgskys kam es dann doch am 27. Januar 1874 in der Mariinskij-Oper zur Premiere der Oper vor vollem Hause. Diese Aufführung war ein ungehcurer Erfolg: Mussorgsky musste 18- bis 20-mal vor dem Vorhang erscheinen. Insbesondere die jungen Menschen waren von der Oper sehr angetan.

Die Kritik reagierte feindselig bis verständnislos; nur ein Kritiker, der damals 19 Jahre alte Baskin, Musikkritiker des »Peterburgskij Listok«, fand die Oper überragend. Er hatte die Größe dieses Werks erkannt. Bis 1882 wurde die Oper 26-mal aufgeführt. Dann verschwand sie erst mal vom Spielplan und tauchte erst 1904 wieder auf, in einer Fassung, die ihr Rimsky-Korsakow verliehen hatte. Was die Zeitgenossen, auch im Freundeskreis Mussorgskys, an dieser Oper besonders verwirrte, war ihre eigenwillige Instrumentierung und das völlige Fehlen einer Handlung in konventionellem Sinne. Dass diese gewaltigen Blöcke keiner »normalen« Handlung bedürfen, um als zusammengehörig empfunden zu werden, sondern dass sie von der Musik und sozusagen der musikalischen Psychologie zusammengehalten werden, war ein Gedanke, auf den sie nicht kamen. Man könne die einzelnen Bilder umstellen wie man wolle, man könne Partien hinzunehmen oder weglassen, man würde dadurch die Oper nicht wesentlich verändern: Dieser Gedanke Cesar Cuis, vormals Freund Mussorgskys, war der Hauptkritikpunkt. Vielleicht hat später gerade dieses offene Gefüge der Oper diejenigen, die sie in Szene setzen wollten, dazu animiert, mit ihr etwas respektlos umzuspringen. Bis heute ist es nämlich so, dass vermutlich keine Aufführung der anderen gleicht. Dass die Oper dennoch immer überzeugt, spricht für die ungeheure Kraft, vor allem musikalische Kraft, die ihr innewohnt.

Ein weiterer Punkt, der zu Bearbeitungen animierte: Die Instrumentalfarben und die Orchestrierung kamen damaligen Ohren sehr fremd vor. Das ist zugleich genau der Punkt, der die Mussorgsky-Orchestrierung uns Heutigen als geradezu revolutionär begeistert. Rimsky-Korsakow hatte sicher nur Mussorgskys Bestes im Auge, als er mit einem großen Bügeleisen über die Partitur ging und alles, was ihm als widersprüchlich, zu grell, zu ohren-unangenehm vorkam, glattzubügeln. Er, der streng akademische Kompositionstheoretiker, »korrigierte«, was ihm befremdlich vorkam. Und das war viel – nämlich fast alles. Die erste Fassung dieser »Korrekturen« wurde am 10. Dezember 1896 im Konservatorium in Petersburg aufgeführt. Rimsky schmiss sich aber nochmals mit Verve über das Werk, »verbesserte« das Schroffe in Mussorgskys Einfällen weiter dergestalt, dass schließlich ein absolut konventionelles musikalisches Bild entstand, das allerdings, und das ist und bleibt das Verdienst von Rimsky-Korsakow, in *dieser* Fassung die Welt eroberte. Die Aufführungen der Oper im Jahr 1908 in Paris waren Triumphe, die ihresgleichen suchten. Mitverantwortlich für den weltweiten Durchbruch dieser Oper war zudem der Sänger Fjodor Schaljapin, der die Rolle über Jahrzehnte hin geprägt hat. Dmitri Schostakowitsch bearbeitete 1939/40 die Oper erneut, versuchte der Orchestrierung Mussorgskys näher zu kommen und schuf damit eine Version, die einerseits heute noch sehr geschätzt wird, andererseits die Ohren für den Klang der Orchestrierung, die Mussorgsky vorgenommen hatte, öffnete. Heute wird die Oper zum Glück in den Farben präsentiert, die der Komponist selbst dem Orchester gab.

PERSONEN

Boris Godunow:	Bariton oder hoher Bass
Fjodor:	Mezzosopran
Xenija, beides Kinder Boris Godunows:	Sopran
Xenijas Amme:	Mezzosopran
Fürst Wassili Iwanowitsch Schuiski:	Tenor
Andrei Schtschelkalow, Geheimschreiber bei der Duma:	Bariton
Pimen, Chronist, Mönch:	Bass
Pretendent, unter dem Namen Grigori, Novize in Pimens Obhut:	Tenor
Marina Mnischek, Tochter des Woiwoden von Sandomir:	Mezzosopran oder dramatischer Sopran
Rangoni, geheimer Jesuit:	Bass
Warlaam und Missail, entlaufene Mönche:	Bass
Eine Schenkwirtin:	Mezzosopran
Ein Gottesnarr:	Tenor
Nikititsch, Polizeioffizier:	Bass
Mitjucha, Bauer:	Bass
Ein Leibbojar:	Tenor
Bojar Chrustschow:	Tenor
Lawizki und Tschernikowski, Juden:	Bass

Stumme Rolle: Rusja, Dienerin Marinas

Chor, Statisterie: Bojaren, ihre Kinder, Strelitzen, Soldaten, Polizeioffiziere, polnische Edelleute, Mädchen von Sandomir, blinde Bettler, Volk von Moskau, Vagabunden, Straßenjungen

ORCHESTERBESETZUNG

3 Flöten (3. auch Pikkolo)
2 Oboen (zweite auch Englischhorn)
2 Klarinetten
2 Fagotte
4 Hörner
2 Trompeten
3 Posaunen

Tuba
Pauken
Schlagzeug: große Trommel, kleine Trommel, Becken, Tambourin, Tamtam
Harfe
Klavier
Streicher
Bühnenmusik hinter der Szene: Trompete

BESONDERHEITEN

Wenn Sie einigermaßen die »Handlung« kennen, können Sie darauf verzichten, den übersetzten, mitlaufenden Text mit einem Auge zu lesen. Sie geben sich ganz dem Reiz und Wohlklang der russischen Sprache in der Musik hin!

DAUER

ca. 3 ¼ bis 3 ½ Stunden

HANDLUNG

PROLOG

Erstes Bild: Hof des Nowodewitschij-Klosters bei Moskau, 1598

Das Volk hängt untätig vor den Klostermauern herum, erst als der Polizeioffizier mit dem Knüppel droht, stimmen sie Bittgesänge an. Endlich erklärt ihnen Schtschelkalow, worum sie hier eigentlich bitten sollen: Boris Godunow, bisher Regent, soll die Zarenkrone annehmen. Er will sich nämlich ins Kloster zurückziehen. Eine Prozession blinder Pilger taucht auf, er fordert das Volk auf, dem Zaren entgegenzugehen. Schließlich kommt ein Polizeioffizier und teilt den Leuten mit, sie hätten sich am nächsten Tag im Kreml einzufinden und dort auf weitere Befehle zu warten. Das Volk nimmt's gelassen: »Befiehlt man uns zu heulen, heulen wir auch im Kreml.«

Zweites Bild: Platz im Moskauer Kreml

Während das Volk Boris, dem Zaren, zujubelt, ist diesem selbst nicht feierlich zumute: Er hat Angst vor der Aufgabe, sein Volk gerecht regieren zu sollen. Dann aber lädt er alle »vom Bojaren bis zum blinden Bettler« zum Krönungsfest ein. Da wird der Jubel des Volkes schon echter, es fällt auf die Knie, der Vorhang auch.

ERSTER AKT

Erstes Bild: eine Zelle im Kloster von Tschudow. Nacht

Pater Pimen schreibt die letzten Zeilen, die seine Chronik der russischen Geschichte abschließen werden. Er stellt sich vor, wie in ferner Zeit seine Chronik entdeckt und weitergetragen wird, Zeugnis der russischen Vergangenheit. Sein Mitbruder Grigori wacht auf, hat Angstträume. Er träumt vom wirklichen Leben und seinen Gefahren, beides hat er nie kennengelernt, weil er als armer Mönch seit seiner Kindheit nur im Kloster gelebt hat. Pater Pimen versucht ihn zu beruhigen: Nur im Kloster sei der wahre Seelenfrieden zu finden. Auch die Zaren hätten das immer wieder in den Klöstern gesucht. Hier in dieser Zelle, in der sie beide jetzt sitzen, habe schon Ivan der Schreckliche gesessen und Tränen der Reue vergossen. Und er erzählt seinem Mitbruder, dass Boris Godunow den rechtmäßigen Zar-Nachfolger, den Zarewitsch, ermordet habe. Er selbst sei Zeuge gewesen, vor zwölf Jahren in Uglitsch, als der Zarewitsch dort in seinem Blute lag, ein sieben Jahre alter Knabe. Die geschnappten Verbrecher hätten den Namen Boris Godunow als den des Mörders genannt. Dies sei auch die Geschichte, mit der er die russische Chronik beende, damit Boris Godunow weder dem weltlichen noch dem Strafgericht Gottes entgehen könne.

Zweites Bild: eine Schenke an der litauischen Grenze

Die Wirtin singt ein zweideutiges Lied von einem Enterich unterm Weidenbusch, der sie heiß und innig küssen soll, als Missail und Warlaam, zwei Schnapsdrosseln, hereinkommen. Ihnen folgt Grigori, der Mönch, der das Leben sucht. Während sich die beiden Vagabunden auf den Wein freuen, ist Grigori ungeduldig: Er möchte so schnell wie möglich in Litauen sein. Als die beiden zu bechern beginnen, erklärt ihm die Wirtin, dass es nach Litauen nicht so weit sei, am Abend könne er dort sein. Im Moment sei es aber sehr schwer, Litauen zu erreichen, weil die Polizei die Wachen verschärft habe. Wenn man jedoch direkt hinterm Haus nach links ginge, bis zur Kapelle am Bach, von da aus nach Chlopino und dann nach Saizewo, dann sei man beinahe schon in Litauen – und zwar ohne Wachen. Diese allerdings stehen in diesem Moment vor dem Wirtshaus und sind auf der Suche nach dem Mönch Grigori. Der sei zum Ketzer geworden und wolle fliehen, behauptet jedenfalls der Polizeioffizier in der Kneipe. Auf die Frage, ob jemand hier sei, der lesen könne, meldet sich Grigori und lenkt geschickt den Verdacht auf den Säufer Warlaam. Der aber wehrt sich seiner Haut, entreißt Grigori den Haftbefehl und entziffert mühevoll den wirklichen Text: Es wird klar, dass Grigori der Gesuchte ist. Der nutzt die allgemeine Verwirrung, um durch das Fenster zu fliehen.

ZWEITER AKT

Das prunkvoll ausgestattete Zarengemach im Moskauer Kreml

Xenija trauert um ihren verstorbenen Bräutigam. Fjodor und die Amme versuchen vergeblich, sie aufzuheitern. Gemeinsam singen sie ein Kinderlied nach dem andern, auch das vergeblich. Boris Godunow, der gerade eintritt, schickt Xenija und die Amme mit tröstenden Worten weg. Fjodor zeigt Boris die Karte des russischen Reiches, das bringt Boris auf ängstliche Gedanken: Er beklagt, das Volk gebe die Schuld an Schicksalsschlägen wie Krieg und Hunger ihm. Er finde keinen Schlaf mehr, ihm sei nachts ständig das Bild des blutbefleckten Kindes, des ermordeten Dmitri, vor Augen. Lärm vor der Tür, die Ammen schreien. Boris schickt Fjodor hinaus, um nachzusehen. In der Zwischenzeit meldet ein Bojar, dass Fürst Schuiski darum bitte, vorgelassen zu werden. Fjodor kommt zurück und erzählt, was mit den Ammen los war: Alle wollten den Papagei Popka kraulen, nur Nastaschja nicht, daraufhin habe der Papagei sie dumme Gans genannt, sie dagegen, nicht faul, habe Popka am Hals gepackt, was diesen dazu gebracht habe, auf sie einzuhacken. Diese Geschichte rührt den sorgengebeutelten Boris erheblich, bevor er sich aber ganz dem wehmütigen Gefühl verlorener Kindheit hingeben kann, kommt Schuiski, der hinterhältige Ratgeber. Er erzählt, in Litauen trete einer unter dem Namen Dmitri auf und wolle Zar werden. König, Adel und Papst seien bereits für ihn. Schnell schickt Boris Fjodor aus dem Raum, er will es nochmal ganz genau wissen: Ob der blutige Leichnam damals in Uglitsch wirklich dieser Dmitri gewesen sei? Ja, bestätigt Schuiski und erzählt weiter, um dessen Leiche hätten noch dreizehn andere Leichen gelegen, die Körper halb verwest, der des Zarenkindes jedoch nicht. Boris schickt Schuiski weg, um sich ganz seinen ängstlichen Halluzinationen zu überlassen: Die Schläge des Glockenspiels klingen ihm wie verfluchende Hammerschläge in den Ohren. Das Bild des ermordeten Kindes verfolgt ihn überall, auch jetzt.

DRITTER AKT

Erstes Bild: Ankleidezimmer von Marina Mnischek im Schloss von Sandomir

Marina schmückt sich, der Chor der Mädchen singt schöne Lieder. Marina gehen diese Lieder auf die Nerven, sie ordnet an, die Damen mögen lieber vom Ruhm der Polenkrieger singen als von

Jünglingen, die ihrer Schönheit erlegen seien und ihr, Marina, zu Füßen lägen. Als die Mädchen weg sind und sie sich alleine glaubt, erzählt sie von ihrer Liebe zu Dmitri (wir wissen: der entsprungene Mönch, der sich als Dmitri ausgibt!), mit dem sie sich in Moskau auf den Zarenthron setzen wolle. In diesem Moment entdeckt sie hinter sich Rangoni, den Jesuitenpriester, der sie davon überzeugen will, dass es eine in den Augen der Kirche gute Tat sei, Dmitri so zu becircen, dass er ihr verspreche, die Moskoviter und die Russen der katholischen Kirche zuzuführen. Als Marina sich wehrt, droht er ihr erfolgreich: »Sei meine Sklavin!« Ob solcher Kirchenpolitik, fällt sogar der Vorhang aus der Fassung.

Zweites Bild: Schloss der Mnischeks in Sandomir, Garten mit Springbrunnen. Nacht

Dmitri ergeht sich im Garten, den Namen »Marina« auf den Lippen, da entdeckt er den Jesuiten. Rangoni erzählt zunächst Dmitri, dass Marina ihn liebt, was dieser mit dem Geständnis dankt, Marina zu seiner Frau, zur Zarin, machen zu wollen, als aus dem Schloss eine Schar Gäste kommt. Das führt Rangoni dazu, sich mit Dmitri zu verstecken. Die polnischen Edelleute sehen sich bereits im eroberten Moskau stehen und feiern schon mal einen Sieg, der noch in weiter Ferne liegt. Als sie im Schloss verschwunden sind, kommt Dmitri, der sich von Rangoni hat trennen können; er freut sich, seine Angebetete endlich allein zu treffen. Schnell stellt Marina allerdings klar, dass es ihr beileibe nicht nur um die Liebe geht: »Nicht für Gespräche über Liebe und nicht für leere, dumme Reden kam ich jetzt zu dir«: Ihr geht es in erster Linie um die Macht. Sie verachtet Dmitri, der vor lauter Liebe zu ihr vergisst, Zar zu werden. Diese Sätze wecken den Stolz in Dmitri, er bestätigt, Zar werden zu wollen, was Marina mit heißen Liebesschwüren quittiert. Rangoni im Hintergrund sieht, dass seine Pläne funktionieren.

VIERTER AKT

Erstes Bild: großer Empfangssaal im Kreml

In feierlicher Sitzung beschließen die Bojaren, dem falschen Dmitri mit allen Mitteln entgegenzutreten. Wer ihn unterstützte, sei des Todes. In allen Kirchen Russlands seien diese Befehle zu verlesen. Da platzt Fürst Schuiski in die Sitzung und erzählt, wie er Boris gesehen habe, zermartert von geheimnisvollen Qualen, zitternd, sinnlose Wörter stammelnd, ein Häufchen Elend und Angst, verfolgt vom Bild des Dmitri. In diesen Moment tritt Boris auf, völlig im Wahn befangen, dass Dmitri, das Kind, ihn verfolge. Als er wieder zu sich kommt, holt Schuiski zum entscheidenden Schlag gegen

Boris Godunow aus: Er kündigt Pater Pimen an, der dem Zaren ein großes Geheimnis anvertrauen wolle. Der nun erzählt in bewegenden Worten (und in noch schönerer Musik) von einem alten Hirten, der, von Kindheit an blind, alles versucht habe, sein Augenlicht wiederzuerlangen – vergeblich. Da sei ihm im tiefen Schlaf ein Kind erschienen, das ihm gesagt habe, es sei Dmitri, der Zarewitsch, der ihm sein Augenlicht wiedergeben wolle, wenn er nach Uglitsch in die Kathedrale gehe und dort an seinem Grabe bete. Das habe er, der Hirte, gemacht und könne nun tatsächlich wieder sehen. Diese Erzählung trifft Boris Godunow ins Mark, er setzt schnell seinen Sohn Fjodor zum Zaren ein, ruft nach dem Bußkleid und stirbt.

Zweites Bild: Waldlichtung bei Kromy

Vagabunden und Landstreicher halten den gefesselten Bojaren Chrustschow in ihrer Mitte und verspotten ihn. Bevor sie ihn töten wollen, wird er noch zum König gekrönt. Warlaam und Missail beklagen die Untaten des Boris Godunow und preisen Dmitri als den einzig wahren Zaren, was Lawizki und Tschernikowski auch tun, unglücklicherweise auf Latein, was Warlaam und Missail dazu veranlasst, die Meute mit dem Ruf »Würgt die verdammten Raben!« auf die beiden Jesuiten-Lateiner zu hetzen. Sie zappeln schon fast am Baum, da kommt Dmitri, hoch zu Ross, und fordert alle auf, ihm zu folgen, wofür er ihnen Gnade und Schutz verspricht. Der Haufen zieht ab, es bleibt der Gottesnarr allein auf der Bühne, er stimmt sein Klagelied an: »Weine, weine, russisches Volk, hungerndes Volk!«

HITS

Zunächst mal ist es ein großer Hit, dass Mussorgsky sich von den Akademiker-Komponisten und den anderen westlich orientierten Kollegen, die ihm immer wieder das Gefühl gegeben haben, er läge falsch und könne nicht richtig komponieren, nicht hat beeinflussen lassen. Im Libretto und in der Musik ist er schnurstracks seinen Weg gegangen, bravo, Modest! Ein zweiter Hit sind generell die Chöre! Ein dritter Hit die wunderschönen Bilder, die Mussorgsky geschaffen hat und die einem wie in einem Bilderbogen das klassische Russland nahebringen. Jedes Bild in sich prallgefüllt mit Gefühlen, Tragödien und Ironie. Ein weiterer Hit ist die Ironie des Polenakts: Mit verfremdender Absicht spricht Mussorgsky hier eine völlig andere musikalische Sprache, was immer wieder dazu geführt hat, diesen Akt als Fremdkörper aufzufassen und ihn wegzulassen. Dieses europäisch-westlich-italienische Gewand ist Mussorgsky so gut gelungen, dass lange Zeit kaum einer auf die Idee kam, es könnte eine Ironisierung des europäischen Stils sein, um das russisch »Echte« noch stärker gegen die westliche »Verlogenheit« abheben zu können. Dass dieser »Polenakt« so wunderschön gelungen ist: eine grandiose Leistung des Komponisten.

Wenn Sie einen wie mich, der zu den größten Mussorgsky-Fans gehört, nach Einzelhits in dieser Oper fragen, tue ich mich schwer. Natürlich finde auch ich, dass das zweite Bild, die Krönung, ein absoluter Hammer ist. Da laufen mir, selbst wenn ich's nur auf CD höre, die kalten Schauer den Rücken hinunter. Die Klänge, die Mussorgsky hier eingefallen sind, nehmen einem den Atem: Er haut zwei Septim-Akkorde gegeneinander (As und D), baut das Ganze über ein tiefes liegenbleibendes C in den Tuben, reichert das alles dann mit Klavier, Harfen und viel Schlagzeug an, um die Figur obendrein brutal in Oktaven durchs Orchester zu peitschen – das muss Rimsky-Korsakow die Haare zu Berge getrieben haben. In der Klosterszene bitte ich Sie insbesondere auf etwas zu achten, das eine wundervolle Wirkung hat: wie die Bratschen, Celli und Kontrabässe miteinander spielen. Mussorgsky erzeugt hier in den Tiefenlagen Klangfarben, die es einem ganz warm ums Herz machen. Dagegen kontrastiert mit einer gewissen Schärfe der Mönch Grigori: Hier drückt Mussorgsky schon in der Musik aus, dass dieser kein Mönch bleiben wird, sondern schon die Träume im Kopf hat, der falsche Zar zu werden. Musikalisch erreicht Mussorgsky das, indem er die traditionellen alten Kirchentöne der russischen Kirchenmusik mit den »modernen« Dur- und Molltönen mischt. In der Kneipenszene im zweiten Akt möchte ich nur auf ein Lied hinweisen: das rasante »So war es in der Stadt Kazan«, das Warlaam zu singen hat. So müssen Lieder sein, in denen 43 000 Tataren dahingeschlachtet werden!

Der zweite Akt, der so familiär beginnt und so grandios endet, ist, wie die Krönungsszene, Musik, die an Dichte und Eindringlichkeit nicht zu überbieten ist. Vom Lied der Amme, dem Lied Fjodors, dem Monolog über die dunklen Seiten der Macht des Zaren bis zur Erzählung darüber, was sich Popka, der Papagei, erlaubt hat, oder schließlich dem Ausbruch des Wahnsinns bei Boris, ausgelöst durch die Glocken, die wir im Kinderzimmer und der Krönungsszene schon gehört haben: Das ganze Orchester ist im Fieber und speit seelische Abgründe eines Geisteskranken aus dem Graben heraus, dass einem ganz blümerant wird. Achten Sie außerdem mal darauf, was im Orchester passiert, als der Bösewicht (Schuiski) kommt und seinen Zaren in den Wahnsinn treibt mit der Erzählung, wie das genau war mit dem erschlagenen Zarenkind Dmitri, das nicht verwesen wollte: Da schlängeln sich die Stimme des Sängers und das gesamte Orchester in Bewegungen durch den Raum, dass man kein Russisch verstehen können muss, um auf Anhieb zu spüren, was für eine widerliche Natur sich hier ein Vergnügen daraus macht, den Zaren in den Wahnsinn zu treiben. Wäre ich Tenor, ich würde mich diebisch darüber freuen, eine so fiese Rolle zu singen. Das hohe Stimmregister unterstreicht in geradezu dramatischer Weise das Böse dieses Charakters. Der ganze erste Teil im »Polenakt«, in dem sich Marina langweilt und das auch ausdrückt, ist wunderschön; grandios aber wird es, wenn Marina über ihre wahren Motive, Zarin zu werden, erzählt. Da läuft sie – und hoffentlich auch die Sängerin – zur Hochform auf.

Köstlich, voll doppelbödiger Ironie, ist auch der Charakter des Dmitri, dem entsprungenen Mönch Grigori. Natürlich kann er, der in Klosterzellen aufgewachsen ist, Rankünen und Intrigen nicht durchschauen, natürlich glaubt er daran, dass es um Liebe geht, natürlich muss ihm Marina erst mit dem Holzhammer zeigen, wo es langgeht, dass sie nämlich Zarin werden will. Da teilt Mussorgsky nach mehreren Seiten gleichzeitig aus und ist in Hochform. Er verschränkt die Naivität des Zarewitsch mit der verhassten Intrigantenfigur Rangoni sowie den dramatischen Abgründen einer Frau, die Liebe einsetzt, um Macht zu erreichen, zu einem Trio, das sowohl musikalisch wie auch textlich vollkommen überzeugt. Ein hinreißender, großer Akt! Dann der Tod von Boris Godunow: eine der schönsten Sterbeszenen, die ich kenne. Dazu ist nichts mehr zu sagen, man kann sich nur zurücklehnen und dieses Hochgebirge an Opulenz auf sich wirken lassen. Wenn – wie in der Fassung, die ich hier bespreche – die Waldlichtung bei Kromy das Schlussbild bildet, das mit dem hinreißenden Klagelied des Gottesnarren endet, möchte ich auf eine Kleinigkeit hinweisen: Als Warlaam und Missail, die beiden entlaufenen Mönche und Vagabunden, auftreten, singen sie in strengen Oktaven – als kämen die beiden Geharnischten aus Mozarts »Zauberflöte« dahergelaufen. Ob sich Mussorgsky dabei was gedacht hat?! Er lässt sie zwar keinen Choral singen wie Mozart, aber die Parallele ist nicht zu übersehen – mit der ironischen Variante, dass bei Mozart die Geharnischten auf Gefahren hinweisen, bei Mussorgsky diese beiden Vagabunden jedoch selbst die Gefahr darstellen. Auch der Opernschluss ist ein Hit – ich bestehe darauf.

FLOPS
Wie bitte? Flops? Wo? Im Orchester? Das hat alle Hände so voll zu tun, da hat keiner Zeit, auch nur ein einziges Mal zu gucken, ob irgendwo ein Flop versteckt wäre. Die Sänger? Für sie gilt dasselbe. Der Dirigent? Der ist nur eines: froh, wenn er hier durchkommt. Diese Oper zählt, was den Dirigenten anbetrifft, als Extremsport. Finger-Climbing die Eigernordwand rauf und runter ist dagegen eine Lockerungsübung. Das Publikum? Wenn es diesen Namen verdient, also wirklich zuhört, wacht es sowieso erst am Ende der Oper wieder aus der Trance auf. Und ob des Gesamteindrucks, den diese Oper hinterlässt, kann es dann nicht mehr sagen, wo im Einzelnen ein Flop oder ein Hit gewesen wäre.

OBACHT
Mit dem Mandolinenorchester Oberkassel kann man diese Oper nicht spielen. Beim Komponieren der Musik stand Mussorgsky, egal in welchem Zustand er gewesen sein mag, die Profiliga vor Augen. Die Damen und Herren Musiker haben hier wirklich alle Hände voll zu tun, und das gute drei Stunden lang. Wenn das aber klappt, die Sängerinnen und Sänger Russisch beherrschen und der Dirigent die gigantischen Koordinierungsaufgaben hinbekommt – absolut grandios!

DIVERSES
Auch wenn man heute weiß, dass da jemand an seiner eigenen Legende ein bisschen herumgestrickt hat, dass es also so nicht wirklich gewesen sein kann, ist es amüsant zu lesen, was Julia Fedorowna Platonowa, die große russische Sopranistin, die bei der Uraufführung am 17. Februar 1873, bei der drei Szenen aufgeführt wurden, sowie bei der tatsächlichen Uraufführung am 8. Februar 1874 die Marina sang, von sich gegeben hat. Komitees und Ausschüsse haben schon in präsowjetischer Zeit Kunst vergeblich zu verhindern versucht. »Im Sommer 1873, als der Operndirektor Gedeonow sich gerade in Paris befand, teilte ich ihm meine Bedingungen für eine Vertragserneuerung mit, und zwar an erster Stelle: Ich verlange zu meinem Benefiz die Aufführung des Boris Godunow – andernfalls unterschreibe ich den Vertrag nicht. Zwar erhielt ich keine Antwort, wusste aber nur zu gut, dass ich meinen Willen durchsetzen würde, denn die Direktion bedurfte meiner. Mitte August kehrte Gedeonow zurück, und sein erstes an Lukaschewitsch [Chef der Kostüm- und Dekorationsabteilung der Petersburger Kaiserlichen Oper] gerich-

tetes Wort lautete: Frau Platonowa verlangt unweigerlich die Aufführung des Boris zu ihrem Benefiz. Was soll ich machen? Sie weiß, dass ich nicht das Recht habe, die Oper zu geben, da unser Theaterkomitee sie verworfen hat. Es bleibt also nichts anderes übrig, als das Komitee noch einmal zur Prüfung der Oper zu veranlassen. Gesagt, getan. Das Komitee versammelt sich auf Befehl des Direktors ein zweites Mal und verwirft die Oper abermals. Als Gedeonow den abschlägigen Bescheid erfährt, schickt er sofort nach dem Kontrabassisten Ferrero, dem Vorsitzenden des Komitees. Ferrero erscheint. Gedeonow empfängt ihn im Vorzimmer, bleich vor Zorn. Warum haben sie die Oper verworfen? Aber mit Verlaub, Exzellenz, diese Oper taugt ja gar nichts. Warum taugt sie nichts? Ich habe viel Gutes über sie gehört. Ich will von Ihrem Komitee nichts wissen, hören Sie! Ich werde die Oper ohne Ihre Zustimmung geben!, brüllt Gedeonow außer sich vor Wut. Am anderen Tage schickt der Allmächtige nach mir. Er zürnt, aufgeregt tritt er auf mich zu und schreit: Nun sehen Sie, meine Verehrte, wohin das führt! Ich riskiere meine Stellung nur wegen Ihres Boris'. Was haben Sie nur Gutes daran gefunden, ich begreife das nicht! Merken Sie sich's: Ich sympathisiere überhaupt nicht mit Ihren Neutönern, um derentwillen ich vielleicht noch meine Stellung einbüßen werde. Umso ehrenvoller für Eure Exzellenz, erwiderte ich, dass Sie, ohne Sympathie für diese Oper, doch so energisch die Interessen der jungen russischen Komponisten vertreten.«

DER KLEINE OPERNTÄUSCHER

»Ich finde, Rimsky-Korsakow ist auf halbem Wege stehen geblieben, er ist nicht weit genug gegangen. Was hätte man aus diesem Rohmaterial, das sie Oper nennen, alles machen können. Aber doch nicht so! Das Glockengedröhne, das Geigengewusel, das Bratschengebräse, das Posaunengehupe! Von der Schlagzeugerei mal ganz zu schweigen. Solche Töne kennen wir doch aus den letzen Heulern von Russen- und Tatarenfilmen. Dann doch gleich diesen Weg konsequent weitergehen: die ganze Oper in den Kölner Karneval übersiedeln, Boris Godunow wäre dann der Präsident des Festkomitees Kölner Karneval, die Bojaren um ihn herum wären die Präsidenten der diversen Karnevalsgesellschaften, Schuiski müsste der Chef der Prinzengarde sein, Marina die Karnevalsprinzessin in Düsseldorf die unter allen Umständen im Kölner Karneval die Macht übernehmen möchte (wie das allerdings gehen sollte, wo doch das legendäre Kölner Dreigestirn von Männern gestellt wird, wäre noch die Frage- woran man sieht, wie wenig die Düsseldorfer vom Kölner Karneval kennen!), Warlaam und Missail wären wohl Vertreter der Stunksitzung, und Grigori, der als falscher Dmitri der neue Zar wird, käme aus Westfalen, weshalb der Gottesnarr auf der Domplatte zu Köln sitzt und »Fließet, fließet, bittere Tränen« singt. Der Prunk der Oper bliebe erhalten, das Glockengeläute passt schließlich exzellent zur Kölner Domplatte, und die Gefühle blieben auch erhalten, denn: Intrigen und Kämpfe um die Macht, das kennt der Kölner Karneval genauso gut.«

BEWERTUNGEN

Magie 🎩🎩🎩🎩 … Hat schon was Magisches, das alte Russland …!

Erotik 👠 Ja, wenn da nicht der Jesuit dazwischen wäre …!

Fazzoletto 💧💧 Eines natürlich beim Sterben von Boris, das andere beim Lied des Gottesnarren.

Gewalt ⛓⛓⛓⛓⛓ Gewalt, wohin man schaut, in allen Schattierungen: subtil, direkt, Einzel-Gruppen-Massen-Gewalt; wie wir halt die Russen kennen. Erst draufschlagen, dann einander umarmen und weinen!

Gähn 😴 bis 😴😴😴😴😴 Allerhöchstens ein Gähn für Russen und Menschen, die Russland mögen; Polen allerdings und Menschen, die Russland nicht mögen, werden hier fünf Gähn empfinden!

Moral 💧 Wo soll denn da Moral sein? Wenn einer, der sich die Macht erschlichen hat, noch nicht mal hingerichtet, sondern einfach in den Wahnsinn getrieben wird und stirbt? Und ein anderer,

Ewigkeit

der die Macht haben will, durch nichts dazu legitimiert ist, es aber trotzdem schafft? Also!

Wenn der Himmel, an den alle Russen glauben, ein russischer ist, wird diese Oper in alle Ewigkeit bestehen bleiben.

Gourmet

Gut, schwere Kost, das russische Essen. Aber wenn man nach jedem Gang einen Wodka einfügt, nach der Krönungsszene zwei, kriegt man es schon bewältigt, und dann kann man sich in diesem russischen Menü wälzen!

GESAMTWERTUNG

Was, bitte, soll Oper denn anderes sein als das: große Gefühle, große Szenen, große Musik. Prunk und Armseligkeit, Ekstase und Verzweiflung – alles ist in dieser Oper, einer der schönsten der Welt.

Antonín Dvořák
1841–1904

Rusalka
Lyrická pohádka o těch jednáních
Lyrisches Märchen in drei Akten
Text: Jaroslav Kvapil
Nach Motiven aus »Undine« von Friedrich Heinrich Karl Baron de la Motte Fouqué, »Die kleine Meerjungfrau« von Hans Christian Andersen und »Die versunkene Glocke« von Gerhart Hauptmann

»Dvořák drückte, genau wie Verdi, alles durch Melodien aus. Vielleicht wird vor allem deshalb behauptet, er sei kein dramatischer Komponist. Diese Melodien stellen jedoch seine Figuren überzeugend dar und fangen in der Regel die Atmosphäre des ganzen Werks und der einzelnen Situationen so sensibel ein, dass man ihm unmöglich musikdramatisches Talent absprechen kann ... Wie genial stellt er beispielsweise den Unterschied zwischen Rusalkas zärtlichem Lied an den Mond und ihrem schmerzlichen Ausbruch in der Szene mit dem Wassermann dar!«
(*Víteslav Novák in seiner Rede zum 100. Geburtstag des Komponisten, 1941*)

Antonín Dvořák: geboren am 8. September 1841 in Nelahozeves (Mühlhausen) bei Prag, gestorben mit 62 ½ Jahren am 1. Mai 1904 in Prag. Vielleicht wäre der gelernte Fleischergeselle Antonín gar nicht zum Opernschreiben gekommen, wenn ihn sein Vater nicht zu seinem Bruder nach Zlonice geschickt hätte, woselbst der junge Mann nicht nur das Auslösen einer Kalbsstelze lernte, sondern bei Anton Limann auch das Bratschen- und Orgelspiel. Weil der 16-Jährige daraufhin nicht die im alten Königreich Böhmen generell vielversprechende Karriere eines Fleischers einschlug, sondern nach Prag ging, um dort die Orgelschule zu besuchen; und weil er, um sich das leisten zu können, Geld verdienen musste, was er als

234 Antonín Dvořák

Bratschist in der Kapelle von Karel Komzák tat, die dann im Orchester des Nationaltheaters aufgegangen ist; und weil er dies bis 1871 über zehn Jahre lang getan hat, war es Antonín Dvořák, der, was die Bratschen-Arbeit betrifft, die Uraufführungen der drei ersten Opern von Bedrich Smetana aus der Taufe hob: »Die Brandenburger in Böhmen«, »Die Verkaufte Braut« und »Dalibor«. Was ihn natürlich so beeindruckt hat, dass er beschloss, Opern zu schreiben. Den Weg dahin musste er sich mit einigen unbedeutenden Kompositionen für Orchester ebnen; aber ab 1871 schrieb er bis zu seinem Tode insgesamt zehn Opern. Weil das alles immer wieder von viel Ärger begleitet war, starb der sympathische Antonín am 1. Mai 1904 an den Folgen von Bluthochdruck – und einem Teller Suppe, seiner letzten Mahlzeit.

Jaroslav Kvapil: geboren am 25. September 1868 in Chudenice u Klatov, gestorben mit 81 Jahren am 10. Januar 1950 in Prag. Der tschechische Dichter, Dramatiker und Librettist war im Hauptberuf sein Leben lang Theatermann: Er leitete u. a. das Prager Nationaltheater und schrieb, nebenbei, sechs Theaterstücke. Heute ist er überwiegend als der Poet in Erinnerung, der das Libretto zu »Rusalka« geschrieben hat.

ENTSTEHUNG UND URAUFFÜHRUNG

»Als ich im Herbst des Jahres 1899 das Libretto zur ›Rusalka‹ schrieb, ahnte ich nicht, dass ich für Antonín Dvořák schriebe. Ich schrieb, ohne zu wissen für wen ...«, meint Jaroslav Kvapil, der Librettist dieser Oper. Er soll das Libretto gedichtet haben, nachdem er im Herbst 1899 von einer Ferienreise auf die Insel Bornholm zurückkehrte. Dort muss es ihm wohl gut gefallen haben, außerdem hatte er auch jede Menge romantischer Nachttischliteratur über Wassernixen mitgenommen – war ja eine Insel. Er zeigte das Libretto, diese »Arielle für Große«, zunächst dem Dvořák-Schüler Oskar Nedbal, wurde aber wieder rausgeworfen, weil Nedbal gerade an einem Ballettprojekt arbeitete. Dasselbe passierte Kvapil – ich bin überzeugt, mit höflichen Worten – auch noch bei Josef Bohuslav Foerster und Karel Kovařovic. Als er dann schließlich zum Dvořák-Schüler und -Schwiegersohn Josef Suk kam, ging es ihm nicht anders.

Nun tat er etwas sehr Vernünftiges: Er gab das Libretto František Šubert, dem Direktor des Prager Nationaltheaters. Dem gefielen Stoff und Ausführung, und er reichte das Libretto an Dvořák weiter. Der war sofort begeistert und begann zu arbeiten. Am 29. April 1900 begann er, am 27. November 1900 war er fertig. Fast die ganze Oper komponierte Antonín auf seinem Sommersitz in Vysoká, in der »Villa«, die heute »Villa Rusalka« genannt wird. In deren Umgebung gibt es einen Tümpel, der in typisch böhmischer Übertreibung »Rusalka See« genannt wird. Da wird der Komponist sicher die ein oder andere Anregung mit dem ein oder anderen Mückenstich bekommen haben. Man sollte ja überhaupt, wenn man eine Oper schreibt, in der Wassergeister die zentrale Rolle spielen, nur am Tümpel sitzen. Kurz: Die Arbeit ging wundervoll voran. »Ich bin voller Begeisterung und Freude, dass mir die Arbeit so gut gelingt!«, schrieb Dvořák an Alois Göbl, und am 31. März 1901 sollte die Uraufführung im Prager Nationaltheater sein. Sie fand auch statt, hing aber bis zum letzten Moment am buchstäblichen seidenen Faden. Jaroslav Kvapil erinnert sich: »Die Premiere von ›Rusalka‹ sollte Anfang 1901 stattfinden. In dieser Zeit, Anfang Februar, brach jedoch ein unseliger Orchesterstreik am Nationaltheater aus, der vier Wochen andauerte und dadurch die Premiere um einiges verzögerte; außerdem drohte zwei Stunden vor der Aufführung eine neue Gefahr: Der Prinz sollte von Karel Burian gesungen werden, der sich gegen Abend aus heiterem Himmel einfach weigerte zu erscheinen [es hieß, er wäre betrunken]. Glücklicherweise war seine Rolle auch von Bohumil Pták einstudiert worden, und es war Pták, der sie sang.« Karel Burian oder Burrian war eine der bedeutendsten Tenorstimmen seiner Zeit, als Tristan eine Legende. (Übrigens sang er am 9. Dezember 1905 in der Uraufführung der »Salome« von Richard Strauss in Dresden den Herodes, eine Rolle, die man betrunken sicher nicht durchstehen kann!) Sein Kollege Bohumil Pták, von dem es, wie von Burian auch, noch einige historische Aufnahmen gibt, war dem Stress einer Uraufführung offensichtlich besser gewachsen. Er hatte bis dahin schon eine ganze Reihe von Uraufführungen gesungen, etwa auch »Die Teufelskette« von Dvořák am 23. September 1899. Die Uraufführung der »Rusalka« wurde ein Triumph für ihn.

Innerhalb kürzester Zeit wurde sie nach der »Verkauften Braut« die beliebteste Oper der Tschechen: In ununterbrochener Aufführungstradition kam es 1964 zur 1000sten, 1981 zur 1400sten Aufführung dieser wundervollen Märchenoper. Schon ein paar Wochen nach der Premiere kamen hoffnungsvolle Signale aus Wien: Gustav Mahler, damals Chef der Hofoper, zeigte Interesse an der »Rusalka«. Dvořák gab sofort eine Übersetzung ins Deutsche in Auftrag und besuchte Mahler in Wien, um alles Nähere zu verabreden. Dabei ergaben sich dann allerdings unüberwindliche Schwierigkeiten: Dvořák wollte von den Wienern dasselbe Honorar, das er in Prag bekommen hatte:

nämlich zehn Prozent Gewinnanteil an den Einnahmen einschließlich der Abonnements. Die Oper war aber gewohnt, nur fünf Prozent auszuzahlen – und das ohne Einbeziehung der Abonnements. Gustav Mahler bekam es dennoch irgendwie hin – immerhin waren das Bedingungen, die nicht mal Verdi angeboten worden waren – und lud Dvořák nach Wien ein. Man war schon so weit, dass Leo Slezak den Prinzen singen sollte und Vilém Hes den Wassermann: Der aber wurde krank, das Ganze verzögerte sich weiter. Dvořák zickte wieder, unterschrieb dann doch den Vertrag, aber zur geplanten Wiener Erstaufführung am 18. August 1902, dem Geburtstag Kaiser Franz Josefs, kam es dennoch nicht. Ob letztlich politische Gründe dafür entscheidend waren? Man weiß es nicht genau. Außerhalb der Tschechei setzte sich die Oper nur langsam durch, sie gehört aber seit dem Ende des Zweiten Weltkrieges zum Repertoire aller großen Opernhäuser.

PERSONEN
Prinz: Tenor
Die fremde Fürstin: Sopran
Rusalka, eine Wasserjungfrau: Sopran
Wassermann, ihr Vater: Bass
Hexe: Mezzosopran
Heger (Förster): Tenor
Küchenjunge: Sopran
Jäger: Tenor
Drei Elfen: zwei Soprane, ein Alt

Chor: Waldelfen, Gäste im Schloss, Nixen

Statisterie: Gefolge des Prinzen

Ballett: Waldelfen, Gäste im Schloss

ORCHESTERBESETZUNG
Pikkoloflöte
2 Flöten
2 Oboen
Englischhorn
2 Klarinetten
Bassklarinette
2 Fagotte
4 Hörner
3 Trompeten
3 Posaunen

Tuba
Pauken
Schlagzeug: große Trommel, Becken, Triangel, Tamtam
Harfe
Streicher
Bühnenmusik hinter der Szene: Hörner, Harmonium

BESONDERHEITEN
Ballett: Elfen (3 Solotänzerinnen)
Hochzeitstanz (1 Solotänzerin und 12 Paare)

DAUER
knapp 3 Stunden

HANDLUNG
Irgendwo, irgendwann.

ERSTER AKT

Wiese am Rande eines Sees. Ringsum Wälder, darin am Ufer des Sees das Häuschen der Hexe Jezibaba. Mondschein

Drei Nymphen tänzeln, sich an den Händen haltend, über die Bühne, die Wasserjungfrau Rusalka sitzt traurig auf einer alten Weide. Die Nymphen scherzen mit dem Wassermann, der langsam aus dem See auftaucht, das Wasser aber nicht verlassen kann. Rusalka, seine Tochter, mischt sich in das scherzende Volk und erzählt dem Wassermann, dass sie traurig sei, weil sie Mensch sein möchte, es aber nicht ist. (Spätestens hier ist der Zeitpunkt, an dem geübte Eltern erkennen, bei wem Walt Disney seine Arielle geklaut hat! Woran man übrigens einmal mehr sieht, dass der alte Vorwurf, Opernstoffe seien so was von veraltet und hanebüchen, dass sie niemanden interessierten, völlig aus der Luft gegriffen ist. Arielle hat Hunderte von Millionen vor die Fernseher und in die Kinos gelockt!) Rusalka also schwärmt davon, einen Menschen zu umarmen, der sie allerdings sehen müsste, damit er sie auch küssen könne. Dem Wassermann gefällt das gar nicht, aber immerhin sagt er ihr, sie solle zur Hexe Jezibaba gehen. Dann taucht er mit einem »Wehe! Wehe! Wehe!« in die Tiefe ab.

Sie singt noch eine der schönsten Liedkompositionen Dvořáks, das Lied an den Mond, dann begibt sie sich zu Jezibaba und bittet die Hexe, ihr den Wasserzauber zu nehmen, sie wolle Mensch werden.

Jezibaba bringt das nochmal auf den Punkt: »Satt hast du dein Wasserdasein, gierst nach einem Menschenleib, lieben möchte sie, scherzen möchte sie, Küsschen geben, turteln, schnäbeln«, um dann zu den Bedingungen für diesen Handel zu kommen. Wenn sie die Liebe, nach der sie sich so sehnt, nicht findet, muss Rusalka wieder zurück in die Tiefen des Wassers, falls sie aber derart verdammt wieder zurückmuss, soll sie auch ihren Liebsten, wenn sie einen gefunden hat, mit in den Tod ziehen. Rusalka glaubt, dass ihre Liebe diesenfalls allen Zauber besiegen würde, und stimmt dem Handel zu. Die Hexe braut einen Zaubertrank, Rusalka trinkt, es wird Morgen, eine Jagdgesellschaft nähert sich. Der Prinz erscheint, er ist hinter einem seltsamen Wildtier her, das er zur Strecke bringen möchte. Wie er so dasitzt und träumt, kommt aus der ärmlichen Hütte – dem Hexenhaus – Rusalka auf ihn zu und fällt ihm stumm in die Arme. Zwar beklagen die Nixen und der Wassermann traurig ihr Weggehen, sie bleibt aber dabei, lässt sich vom Prinzen den Mantel umlegen und durch den Wald auf sein Schloss führen.

ZWEITER AKT

Lustgarten am Schloss des Prinzen. Abenddämmerung

Der Küchenjunge und sein Onkel, der Förster, unterhalten sich über die eigenartigen Vorgänge am Schloss: Der Prinz sei mit einem blutleeren Wesen, das stumm sei, aus dem Wald gekommen und wolle dieses Wesen heiraten, was nicht mit rechten Dingen zugehen könne. Der Förster, der diesen Wald kennt, erzählt seinem Neffen, dass der Wassermann Menschen anlocke, die »durch den Anblick zarter Nymphen ohne Hemd und ohne Röckchen« blind vor Gier die Beherrschung verlieren und ins Wasser sinken. Der Prinz und Rusalka treten auf, Rusalka ist schön, aber immer noch traurig und blass. Der Prinz quengelt ein bisschen herum: »Soll mir erst die Hochzeit bringen, was die Liebe lange wollte, dass als heißblütig du dich zeigst und als ein richtiges, volles Weib?« Dennoch kann er die Hochzeit kaum erwarten. Die fremde Fürstin, die selbst gerne den Prinzen hätte, tritt auf, macht verführerisch dem Prinzen schöne Augen und weist ihn darauf hin, dass er Gäste habe, um die er sich kümmern müsse. Der Prinz fordert Rusalka etwas barsch auf, sich für den Ball zu schmücken, und führt die fremde Fürstin galant zum Fest. Während man aus dem Ballsaal festliche Musik spielen hört, taucht der Wassermann auf, der erneut Rusalkas Schicksal beklagt. Nun kommt aus dem Ballsaal die verzweifelte Rusalka gelaufen, sieht ihren Vater, den Wassermann, und erzählt ihm (sie ist ja nur für menschliche Ohren stumm), dass die fremde Fürstin ihren Prinzen durch ihre Schönheit für sich eingenommen habe und dass er sie, Rusalka, schon vergessen habe. Die Fürstin brenne vor Leidenschaft und Gier, was ihr, Rusalka, dem Kind des kühlen Wassers, fremd sei: »Frau oder Nymphe, nichts kann ich sein, ich kann nicht sterben, ich kann nicht leben.« Die fremde Fürstin und der Prinz ergehen sich nun im Park, der Prinz ist hin und weg vom glühenden Feuer der fremden Fürstin, er umarmt sie, was diese etwas ironisch kommentiert: »Oh, jetzt erst wird es mir bewusst, dass jemand mir den Hof macht ... Der Bräutigam weiß selbst nicht recht, wen er umwirbt, ob mich, ob jene!« Dies sieht und hört Rusalka und wirft sich verzweifelt ihrem Prinzen an die Brust, der sie aber von sich stößt: Ihn fröstele es in ihren Armen. Da erscheint der Wassermann, holt Rusalka in den Teich zurück, der Prinz will, dass ihm die fremde Fürstin gegen diese geheimnisvolle Macht beisteht: Er fühle schon, wie sie nach seinem Leben greife. Die aber lacht nur höhnisch und sagt: »Folgt in die namenlosen Tiefen der Hölle, folgt eurer Auserwählten nach!« Darob verliert auch der Vorhang seine Ruhe und fällt.

DRITTER AKT

Am selben See wie im ersten Akt. Düstere Abenddämmerung

Rusalka sitzt am See, wie am Anfang der Oper. Sie ist ganz weiß und bleich, ihr Haar aschgrau, ihr Blick stumpf. Sie klagt, sie werde von allen gemieden, könne aber nicht sterben. Sie fragt die Hexe Jezibaba, die aus ihrer Hütte kommt, ob ihr denn nicht zu helfen sei. Jezibaba gibt ihr ein Messer, mit dem sie den treulosen Prinzen erdolchen muss: Denn nur Menschenblut könne sie reinigen und wieder in die glückliche Welt der Nixen zurückbringen. Rusalka wirft das Messer jedoch in den See: »Will ewig leiden in großer Angst, will ewig spüren meinen Fluch ... Wenn er nur glücklich ist!«, und versinkt im See. In der Abenddämmerung kommen der Förster und der Küchenjunge, sie klopfen bei Jezibaba an: Sie solle ihnen helfen, den Prinzen zu heilen; eine Frau habe mit Zauberkünsten sein Herz verhext und sei dann verschwunden. Dieses hört der Wassermann, taucht auf und stellt die Dinge richtig: dass nämlich nicht Rusalka den Prinzen, sondern der Prinz Rusalka betrogen habe. Natürlich flüchten die beiden Menschen und sind erst wieder zu sehen, wenn am Ende der Oper der Vorhang die Bühne für den Applaus freigibt. Im Mondschein kommen die Waldnymphen, sie tanzen und singen, bis der Wassermann auftaucht, um ihnen vom traurigen Schicksal Rusalkas zu erzählen. Sie laufen auseinander, als der Prinz durch den Wald irrt und sein weißes Reh sucht. Als er erkennt, wo er ist, beschwört er Rusalka, sich zu zeigen. Rusalka kommt aus dem See, sie ist zum für Menschen tödlichen Irrlicht geworden. »Wenn du schon tot bist, töte mich auch – wenn du noch lebst, dann erlöse mich«, ruft der Prinz. Rusalka aber weist ihn darauf hin, dass sie weder tot sei noch lebe und dass es sein Tod wäre, wenn sie ihn küsste. Der Prinz, ohnehin schon jenseits alles Irdischen, fleht sie an, ihn zu küssen. Rusalka tut das, der Prinz stirbt, Rusalka sinkt in den See und der Vorhang auf die Bühne.

HITS

Der Megahit in der »Rusalka« ist, dass in dieser »Arielle für Große« die Hexe keine Krake ist, mit zwei bösen Muränen im Haar, der Wassermann nicht diesen doofen Dreizack hat, mit dem er den Ozean umpflügen kann, Arielle nicht die braunhaarige riesenäugige Schönheit ist, der sowieso kein Mensch Widerstand entgegenbringen kann, und auch keine alberne Krabbe doofe Ratschläge gibt, sondern dass es sozusagen Menschen mit Herz sind, die miteinander agieren. Und da sind wir schon beim zweiten Hit: Es ist beeindruckend, wie kompromisslos Dvořák das Libretto ernst nimmt. Uns fällt es heute schwer, diese Märchenhandlung einfach eins zu eins ernst zu nehmen. Zu viel ist passiert seit der Zeit, »als das Wünschen noch geholfen hat«, als dass wir einer Hexe naiv abnehmen könnten, dass sie wirklich eine Hexe ist. Selbst in der eher dämlichen Walt-Disney-Fassung ist auch der Stoff als solcher ironisiert, nicht nur die einzelnen Figuren. Damit aber gibt sich unser Antonín nicht ab: Wir sind im Wald mit Nymphen, Wassermännern, Nixen und Hexen – und das Ganze ist eine verdammt ernste Angelegenheit. So was ist hinreißend!

Wenn wir von einzelnen Hits reden möchten, dann führt kein Weg am Mondlied im ersten Akt vorbei: »Mond, der du am tiefen Himmel stehst«. Da ist Dvořák wirklich ein Smash-Hit gelungen. Dieses Lied lässt einen das »Waldweben« im Vorspiel und das triviale Nixengewusel vergessen. Dabei ist allerdings sehr hübsch, dass gleich zu Beginn der Oper die Nymphen, musikalisch gesehen, so was von böhmisch dahertanzen, dass man dazu nur noch den dampfenden Prager Schinken auf Sauerkraut vermisst. Dieser Wald ist mir wesentlich lieber als manch anderer Opernwald. »Rusalka« läuft das erste Mal zu großen Tönen auf, und hier zeigt Dvořák zugleich, dass er durchaus ein Bühnenfex mit viel Gespür für Dramatik ist. Ein amüsanter, kleiner Hit am Rande: Ausgerechnet die Bratschen kündigen die Hexe an, dramatisieren mit tiefem Tremolo den Auftritt der Hexe. Da wäre Antonín wohl am liebsten selbst wieder am

Bratschenpult, wo er so lange gesessen hatte! In diesem Höllengetümmel kommt der nächste große Hit, als Rusalka die Hexe um Hilfe bittet: Man spürt, wie ernst Dvořák diesen Stoff genommen hat. Wäre »Rusalka« eine Kinderoper, dann wäre der größte Hit die Hexenküche. Als Jezibaba ins Hexenhaus geht, um ihr Gebräu zusammenzuzaubern, ertönt eine Musik, die für Kinderohren das akustische Filetstück wäre – wie gesagt, wenn es sich um eine Kinderoper handelte. Da dürfen Dirigent und Musiker mal so richtig wühlen, und Jezibaba setzt sich mit Hexenzauber obenauf, dass es nur so rappelt.

Im zweiten Akt ist das Duett von Heger und Küchenjunge ein fast schon humoristisches – mit einer kleinen frivolen Winzigkeit: Als der Heger erzählt, dass im Walde die finsteren Höllenmächte spuken und Jezibaba dort ihr Unwesen treibt, erfolgt das alles in düsterem Moll. Als er aber dann erzählt, dass der Wassermann Menschen durch den Anblick zarter Nymphen »ohne Hemd und ohne Röckchen« anlockt, wechselt das Tongeschlecht genau an der Hemd-und-Röckchen-Stelle, aber nur hier, in Dur! Da hat unseren böhmischen Komponisten aber die Fleischeslust so was von gepackt, bitte schön! Ein Hit kommt dann wieder an der Stelle, als Rusalka ihrem Vater, dem Wassermann, ihr Leid klagt. Die Musik erreicht hier eine Intensität, die einem das Wasser in die Augen treibt. Insbesondere an der Stelle, als Rusalka ihr »Rusalku prostovlasov« (Rusalka, das arme Ding) singt. Gut, es sind eben Wasserwesen! Im dritten Akt ist, außer dem hochdramatischen Schluss, ein ganz besonderer Hit, als Jezibaba Rusalka den Preis nennt, den es kosten würde, wenn sie wieder glückliche Wassernymphe werden will: »Mit Menschenblut musst du dich reinigen.« Eine ganz große Stelle in dieser Oper! Und natürlich – haben wir es doch mit einer Hexe zu tun – spielen hier die Bratschen eine zentrale Rolle.

FLOPS

Man muss natürlich auch sagen dürfen, dass die Musik, die Antonín Dvořák zu diesem Märchenlibretto eingefallen ist, eines würdigeren Stoffes wert gewesen wäre. So viel tolle Musik – und dann handelt es sich um ein paar Wassertreter, einen naiven Trottel als Prinzen, eine Zauberin und – in der Deko – vielleicht ein paar Seerosen! Ein weiterer Flop: Der Prinz hat schöne Liebesarien; der Prinz hat zwei Frauen, die er anschmachtet; der Prinz hat also viel zu singen; der Prinz tut das auch. Aber: Er tut es auf Tschechisch! Für jeden Verdi-Fan – und welcher Opernfan wäre kein Verdi-Fan – ist das so ziemlich am Rande dessen, was ein Ohr erträgt. Ich will natürlich keine Tschechen beleidigen, aber Belcanto ist das wahrlich nicht! Was ich meine, ist: »Rád strhám vsecky svazky, bych vás moh milovat!« (Sie lieben zu können, zerreiße ich jedes Band!) – sagen Sie selbst, sind das Liebesschwüre, die Sie dahinschmelzen lassen? Okay, Deutsch wäre noch schlimmer – aber wir könnten es zumindest verstehen! Italienisch klänge es ungefähr so: »E romp'ogni catena per poter amarla« – das ist schon was anderes, oder?! Und wenn dann noch hinzukommt, dass ein Tenor des Tschechischen nicht mächtig ist – dessen Konsonantenkombinationen also auch konsonantisch singt, was dem gebürtigen Tschechen nicht passieren kann –, dann werden solche Stellen schlichtweg zur akustischen Katastrophe.

Der dritte Flop ist der Prinz. Was für ein Trottel, den uns da das Libretto hinstellt: Spielball zweier Frauen, ohne es zu merken; so weit vom Mannsein entfernt wie Karel Gott vom guten Geschmack. Wahrlich eine arme Socke. Er gehört für mich zu den großen, unfreiwillig tragischen Figuren der Opernliteratur: ein Weichei, wie es im Buche steht. Erst am Ende der Oper, als es darum geht, dass er sterben wird, wenn sie ihn küsst, gewinnt er eine gewisse Größe, als er darauf besteht, dass sie ihn küsst. Aber vielleicht hat er das auch nur deshalb gesagt, weil er selbst ein Leben zwischen Wand und Tapete nicht mehr aushalten konnte.

OBACHT
Tschechisch sollten sie schon können, die Sängerinnen und Sänger, wenn sie diese Oper auf die Beine stellen wollen. Die Übersetzung ins Deutsche jedenfalls, die ich vorliegen habe, klingt reichlich hölzern. Ansonsten stellt die Oper weder an das Orchester noch an die Sängerinnen und Sänger Ansprüche, die über das Normalmaß hinausgingen. Die Partie der Rusalka liegt so, dass jeder jugendlich-dramatische Sopran sich alle Finger danach lecken kann.

DIVERSES
Im März 1904, zwei Monate vor seinem Tod, gab Antonín Dvořák ein Interview, in dem er Folgendes sagte: »In den letzten fünf Jahren schrieb ich nichts anderes als Opern. Ich wollte mich mit all meinen Kräften, soweit mir der liebe Gott noch Gesundheit schenkt, dem Opernschaffen widmen. Nicht etwa aus einer Sehnsucht nach Bühnenruhm, sondern aus dem Grunde, weil ich die Oper auch für die geeignetste Schöpfung für das Volk halte. Dieser Musik lau-

schen die breitesten Massen, und zwar sehr oft; wenn ich aber eine Symphonie komponiere, könnte ich vielleicht jahrelang warten, bevor sie bei uns aufgeführt würde. Ich erhielt von Simrock [seinem Musikverleger] Aufforderungen zu Kammermusik-Werken, die ich stets ablehnte. Meine Verleger wissen nun, dass ich für sie nichts mehr schreiben werde. Man bestürmt mich mit Fragen, warum ich nicht dies oder jenes komponiere; ich habe zu diesen Genres keine Lust mehr. Man sieht mich als Symphoniker an, und doch habe ich schon vor langen Jahren meine überwiegende Neigung zur dramatischen Schöpfung bewiesen.« Durchaus ein überraschender Standpunkt für einen, der solch grandiose, absolute Musik geschrieben hat wie Dvořák, oder?

DER KLEINE OPERNTÄUSCHER
»... denn es ist die Ewigkeit der Sehnsucht in ihrer Absolutheit, diese an einem unheilbaren Mangel an Harmonie leidende Traummacht, die dazu führt, die Augenblicke zeitlicher Erfüllung bis zu jenem Durchbruch zu treiben, wo sich dem Herzen seine eigene Weisheit erschließt: Wo das Leid in all seiner Schwere als schuldloses Leid zur Quelle einer Läuterung wird, die das echte Glück als einen durch Opfer bedingten Gnadenakt, den Todeskuss, zu erleben vergönnt. Die aus dieser Katharsis sich ergebende Konstruktion führte Kvapil mit der Brillanz eines erfahrenen Dramatikers durch. Indem er die Gesamtform konsequenterweise als Werden jener zusammenfassenden Endmetapher entwarf, den traditionellen, tragischen Formgrundriss durch die breit entwickelten Erlebnismomente zu einer vorwiegend paratektischen Kette umwandelte, gab er ihr zugleich eine in sich ruhende Symmetrie, die am Ende in einer reprisenhaften Anlage nochmals bestätigt wird« (Ivan Vojtech im Artikel »Rusalka« in Pipers Enzyklopädie des Musiktheaters). Alles klar?!

BEWERTUNGEN

Magie 🎩🎩	Na ja, ein bisschen zieht es sich schon!
Erotik maximal 👠	Weder die Nixe noch die fremde Fürstin besitzen das, was man Sex-Appeal nennen könnte.

244 Antonín Dvořák

Fazzoletto 👃👃 — Das eine beim »Lied an den Mond«, das andere bei Rusalkas Klage über das verlorene Glück im dritten Akt.

Gewalt ⛓⛓⛓ — Wie in allen Märchen geht es auch hier nicht gewaltfrei zu, selbst die sanfte Rusalka küsst ihren Prinzen zu Tode.

Gähn 👄👄👄 bis 👄👄👄👄 — Man muss schon ein großer Musikliebhaber und Dvořák-Fan sein, um hier von Anfang bis zum Ende vollkonzentriert bei der Sache bleiben zu können!

Moral 🎩🎩🎩🎩🎩 — Moral ist, wenn bestehende Normen angewandt bzw. eingehalten werden. Hier werden bis zum Tod des Prinzen und dem in alle Ewigkeit dauernden Herumirrlichtern von Rusalka alle Regeln eingehalten. Wenn das nicht moralisch ist?!

Ewigkeit ⭕ — Das »Lied an den Mond« wird bleiben.

Gourmet ✨✨ — Um den böhmischen Gourmet zu überzeugen, ist die Oper zu poetisch; um den poetischen Gourmet zu überzeugen, ist sie zu böhmisch.

GESAMTWERTUNG

🥂🥂🥂 — »Rusalka« ist ein ernst gemeintes Märchenspiel, das dann überzeugt und glücklich macht, wenn man keine Scheu davor hat, sich auf ein Märchen einzulassen.

Arrigo Boito
1842–1918

Mefistofele
Opera in un prologo, quattro atti e un epilogo
MEPHISTOPHELES
Prolog, vier Akte, Epilog
Text: Arrigo Boito
Nach der Tragödie »Faust« von Johann Wolfgang von Goethe

»So haben wir denn endlich auch den welschen Teufel gesehen und gehört, der seit geraumer Zeit die musikalische Welt in Aufruhr erhält. Zuerst durchgefallen, dann zu den Wolken erhoben, ›gerichtet‹ in Mailand, ›gerettet‹ in Bologna, hat ›Mefistofele‹ den Namen seines Autors, Arrigo Boito, schließlich berühmt gemacht. Es ist wohl das erste Beispiel, dass ein italienischer Komponist gleich mit seiner Erstlingsoper nicht nur festen Fuß fasst im Vaterlande, sondern auch den Weg findet über die Alpen. Rossini, Bellini, Donizetti und Verdi haben diese Stellung zwar in jüngeren Jahren erreicht als der jetzt 40-jährige Boito, aber keiner von ihnen mit seiner ersten, auch nicht mit seiner zweiten und dritten Oper. ›Mephistopheles‹ hingegen ist bereits in London und Petersburg, in Hamburg, Köln, Prag, schließlich in Wien gegeben, und genießt in Italien die Ehren eines Kunstwerkes von erstem Range.«
(Eduard Hanslick über die erste Aufführung in Wien 1882)

Arrigo Boito: geboren am 24. Februar 1842 in Padua, gestorben mit 76 ½ Jahren am 10. Juni 1918 in Mailand. Er übersetzte Richard Wagner ins Italienische: Wenn man Italiener kennt und einem zugleich die deutsche Seele nicht fremd ist, dann weiß man, dass dies ein Wagnis war, das nicht gutgehen konnte. »Rienzi« und »Tristan und

Isolde« sind denn auch trotz Boitos Übersetzungen ins Italienische nicht gerade zum Hit in Italien geworden. Darüber hinaus war Arrigo Boito aber einer der größten Librettisten aller Zeiten. »Otello« und »Falstaff« für Verdi und »La Gioconda« für Amilcare Ponchielli weisen ihn als großen Meister aus: Er hat es geschafft, Libretti zu schreiben, welche die Komponisten zu einem durchkomponierten musikalischen Gesamtwerk umsetzen konnten. Denn die Zeit von Rezitativ und darauf folgender Arie war ja endgültig vorbei. Seine Mama, eine polnische Gräfin, trennte sich frühzeitig vom Papa, einem italienischen Miniaturmaler – vermutlich um zu vermeiden, dass die beiden Söhne in einem 1 mm x 1 mm großen Rahmen stecken blieben. Arrigo zeigte schon auf dem Konservatorium in Mailand, dass er eine ideale Doppelbegabung war: Texter und Komponist. Seine Oper »Mefistofele« zeigt, dass er auch ganz gut gefahren wäre, wenn er nur für sich selbst Libretti geschrieben hätte. Als Beethoven- und Wagner-Fan wollte er als junger Revolutionär – er gehörte einer Mailänder Avantgardegruppe an – von Verdi zunächst nichts wissen. Erst Ende 1879, durch Vermittlung des Verlegers Ricordi, lernten sich die beiden kennen und peu à peu schätzen. Verdi, der, je älter, desto misstrauischer wurde, hat es Boito nicht leichtgemacht, zu seinem Freund zu werden. Mit dem Libretto zum »Otello«, vor allen Dingen aber mit dem zum »Falstaff« hat sich Arrigo Boito die Ewigkeit gesichert. Nie ist es einem Librettisten vor oder nach ihm gelungen, aus einem großen Werk der Weltliteratur einem Komponisten ein gleichermaßen stringentes und großartiges Opernlibretto auf den Flügel zu legen. Schön, dass Boito gegen Ende seines Lebens auch offizielle Anerkennung fand – etwas, das Italienern wichtiger ist, als sie jemals zugeben würden. Er wurde zum königlichen Senator, zum Ufiziale, Cavaliere und schließlich Commendatore ernannt. Glückwunsch, Arrigo!

ENTSTEHUNG UND URAUFFÜHRUNG

Am 5. März 1868 wurde in der Scala in Mailand eine Oper uraufgeführt, die ein Mammutunternehmen ohnegleichen war. Aus »Faust I« und »Faust II« hat Arrigo Boito ein Libretto kondensiert, das in weiten Teilen wörtlich am Text von Goethe blieb. In der radikalavantgardistischen Bewegung, in der Boito einer der tonangebenden Künstler war, der Scapigliatura (wörtlich: Zügellosigkeit, d. h.: Bohème), zog man mit allen Mitteln gegen das Überkommene zu Felde. Insbesondere die Oper war es, die Boito und die Scapigliatura erneuern wollten. Wer nicht bereit war, neue Wege zu beschreiten, wurde in Grund und Boden geschrieben. Auch Verdi. Erst Jahre später haben sich Boito und Verdi einander angenähert. Dass Arrigo Boito aber zur Erneuerung der Oper ausgerechnet den »Faust« vom alten Goethe verwendete, ist schon ziemlich erstaunlich. Der junge Mann, Boito war Mitte zwanzig, stürzte sich auf Goethe, übersetzte ihn ins Italienische und »bastelte« ein Libretto zusammen, das er obendrein an der Scala gespielt sehen wollte. Ein junger Künstler, der noch keine einzige Note komponiert hat, aber schon im musikalischen Olymp aufgeführt werden will! Noch toller ist allerdings, dass er es schaffte. Alberto Mazzucato, der Kompositionslehrer Boitos am Konservatorium in Mailand, war musikalischer Chef der Scala; Filippo Filippi, der führende Musikkritiker dieser Zeit, war Mitglied der Scapigliatura. Ob nun Filippi Herrn Mazzucato gedrängt hat, das Werk des jungen Künstlers aufzuführen, oder ob Mazzucato das gemacht hat, aus Angst, Filippi könnte die Scala in Grund und Boden schreiben – man weiß es nicht genau. Vielleicht hatte auch Giulio Ricordi, der als junger Verleger das ehrenwerte Haus in dieser Zeit übernahm, ein entscheidendes Wörtchen mitzureden. Jedenfalls begann Anfang 1868 an der Scala die Probenarbeit zur Oper »Mefistofele«.

In einem allerdings, und das zeigte sich schon ab dem ersten Probentag, war Arrigo Boito wirklich Avantgardist: Die Werbekampagnen, welche die Probenarbeit begleiteten, waren beispiellos. Heute noch könnte sich so mancher Musikmanager davon einige Scheiben abschneiden. Das Libretto erschien direkt zu Beginn der Proben, es war journalistisch hervorragend aufbereitet, mit einem Vorwort, das ein fiktives Gespräch zwischen dem Komponisten, einem Kritiker und einem Zuschauer enthielt. In gewisser Überschätzung seines ansonsten imponierenden Bildungshorizonts schrieb Boito in diesem Vorwort: »Wollen wir heute Abend einmal Darwins Lehre außer Acht lassen und davon ausgehen, dass Adam der erste Mensch war, so kommen wir zu dem Entschluss, dass er der erste Faust war. Hiob der zweite und Salomo der dritte. Wer sich im Durst nach Erkenntnis und Leben, in Neugier über die Natur von Gut und Böse verzehrt, ist Faust ... und gleich Salomo als Faust der Bibel ist Prometeus der Faust der Mythologie. Wer nach dem Unbekannten, dem Idealen strebt, ist Faust; ein Funke seiner großen Seele lässt sich gleichermaßen in den tiefen Augenhöhlen des englischen Manfred wie hinter dem grotesken Visier des spanischen Don Quijote entdecken ... Mephistopheles ist die Schlange im Garten Eden und der Adler des Prometeus, bei Hiob heißt er Satanas und Thersites bei Homer, Falstaff bei Shakespeare. Mephistopheles ist die Inkarnation des ewigen ›Nein‹ an das Wahre, Gute und Schöne.« Den Falstaff nehmen wir mal ganz schnell wieder aus dieser Reihe heraus; auch wenn Boito, später, das Libretto selbst geschrieben hat, das Verdi zu dieser wundervollen Oper vertonte. Falstaff ist vielleicht ein Drecksack, aber durch und durch ein Mensch und kein Teufel.

Dann kam die Premiere. Nicht nur, dass Arrigo Boito selbst das Libretto für die Oper geschrieben hat, die er komponierte, er wollte unbedingt auch die Uraufführung dirigieren. Damit aber ging das Desaster los. War schon Wochen vor der Premiere das Publikum gespalten in solche, die sich eher Rossini und der italienischen Tradition verpflichtet fühlten, und solche, die Wagner und der Avantgarde aufgeschlossen gegenüberstanden, so war es während der Premiere geradezu chaotisch: Menschenmengen standen vor dem Theater auf der Straße, sie warteten an diesem Abend des 5. März 1868 auf die in der Pause herausströmenden Gesinnungsgenossen, um die Nachrichten, die sie erfuhren, gleich in die umliegenden Cafés weiterzutragen. Dabei muss es wirklich genug zu erzählen gegeben haben: Boito, der im Dirigieren völlig ungeübt war, muss das Werk technisch völlig aus der Hand geglitten sein, die Damen und Herren des Orchesters müssen ein Zeug zusammengespielt haben, das mit nichts mehr zu koordinieren war; die untereinander zerstrittenen Sängerinnen und Sänger haben wohl auch nicht dazu beigetragen, das Kind, das in den Brunnen gefallen war, zu retten. Hinzu kommt, dass sie auch noch rabenschlecht gesungen haben müssen, was die Laune nur dann hebt, wenn es sich um ein kurzes Zwischenspiel handelt; bleibt die Leistung der Sänger jedoch gleichbleibend schlecht, überlegte auch im damaligen Mailand ein Premierenpublikum, wohin man denn besser essen gehen könnte. Das Ganze dauerte dann auch noch sechseinhalb Stunden (!), was die Grenze des Zumutbaren um mindestens drei Stunden überschritt. Dass das Publikum der Uraufführung genauso in eine Pro- und eine Kontrafraktion gespalten war, ist natürlich ebenso klar wie dass die Profraktion durch provokantes Anheizen der Stimmung die Kontrafraktion dazu drängte, sich ebenfalls lauthals zu äußern. Es war eines dieser Premierendesaster, von dem man sich noch 100 Jahre später genüsslich erzählt! Dass die Vorstellung auch deshalb so lang dauerte, weil man zwischendurch noch ein Ballett gab, nämlich das Ballett »Brahma«, in dem Frau Ferraris brillierte, sei der Vollständigkeit halber noch am Rande vermerkt. Dass diese Premiere ein derartiger Misserfolg war, brachte Arrigo Boito so durcheinander, dass er sogar die Buchstaben seines Namens nicht mehr in die richtige Reihe bekam; er veröffentlichte nun zehn Jahre lang unter den Namen Tobia Gorri. Dennoch überarbeitete er die Riesenfassung, kürzte, schmiss raus, verzichtete auf das Ballett und stellte die Oper in dieser zweiten Fassung, sieben Jahre später, am 4. Oktober 1875 in Bologna erneut der Öffentlichkeit vor. Diese Fassung überzeugte, und diese Fassung schließlich eroberte sich auch die Opernhäuser der Welt.

PERSONEN

Mefistofele:	Bass
Faust:	Tenor
Margherita:	Sopran
Marta:	Alt
Wagner:	Tenor
Elena:	Sopran
Pantalis:	Alt
Nerèo:	Tenor

Chor: Chorus mysticus, himmlische Heerscharen, Büßer, Büßerinnen, Spaziergänger, Armbrustschützen, Jäger, Landleute, Studenten, Bürger, Volk, Hexen, Hexenmeister, Choretiden, Sirenen, Doriden, Koryphäen, Griechen, Krieger (Doppelchor), Cherubim (Kinderchor: 24 Kinder)

Statisterie: Spaziergänger, Hexen, Kobolde, Hexenmeister, Pagen, Trabanten, Edelleute, Würdenträger, Soldaten, Faune, ein Possenreißer, ein Ausrufer, ein Marktschreier, ein Hanswurst, ein Bierbrauer, der Kurfürst, der Henker, ein Bettler

Ballett: Volk, Hexen, Hexenmeister, Choretiden, Sirenen, Doriden

ORCHESTERBESETZUNG
Pikkolo
2 Flöten (2. auch Pikkolo)
2 Oboen (2. auch Englischhorn)
2 Klarinetten (2. auch Bassklarinette)
2 Fagotte
4 Hörner
2 Trompeten
3 Posaunen
Serpent (auch Ophikleide und Cimbasso)
3 Pauken
Schlagzeug: Donnermaschine, große Trommel, Becken, Tamtam, Triangel, Hängebecken
Orgel
Akkordeon
Zwei Harfen
Streicher

Bühnenmusik: 2 Hörner
2 Trompeten
3 Posaunen
Schlagzeug:
3 kleine Trommeln, Becken, Tamtam, Donnermaschine
5 Glocken
kleines Glockenspiel

BESONDERHEITEN
Viel Lärm um nichts!

DAUER
ca. 2 ½ bis 3 Stunden

HANDLUNG
In Deutschland, um 1500

PROLOG

Die himmlischen Heerscharen lobpreisen Gott, Mefistofele tritt auf, jammert darüber, dass die Welt so langweilig sei, es lohne sich noch nicht mal, den Menschen, dieses stolze Atom, zu verführen. Der mystische Chor stellt ihm die Frage, ob er Faust kenne, und wir wissen, wo das endet: in der Wette mit Gott um die Seele des Faust.

ERSTER AKT

Erstes Bild: Frankfurt am Main, Stadttor und Befestigungen, Ostersonntag

Wir wissen: Osterspaziergang! Alle Welt ergeht sich in der Frühlingssonne, auch Faust und sein Schüler Wagner freuen sich über die Bäche, die nunmehr vom Eise befreit seien. Ein Franziskaner taucht auf, manche knien vor ihm hin, andere ergreifen die Flucht, Faust sieht es besser: »Mir scheint, dass er Schlingen um uns zieht.« Wir ahnen: Hier hat Arrigo Boito den Pudel, in den sich Mephisto verwandelt hat, in einen Mönch umgedichtet.

Zweites Bild: Studierzimmer von Faust, Nacht

Faust kommt in sein Zimmer, es folgt ihm kein Pudel, sondern ein sinistrer Franziskanermönch. Faust schlägt die Bibel auf, da fängt der Franziskaner an zu heulen. Faust ahnt schon, wer dahintersteckt, spricht eine Zauberformel, zeichnet einen Drudenfuß, da steht auch schon Mefistofele vor ihm. Was nunmehr Faust dazu bringt, einen der legendärsten Sätze auszusprechen: »Das also war des Pudels Kern!« – nein, halt!, kann er ja nicht, weil ihn ja kein Pudel verfolgt hat, sondern ein Franziskanermönch. Also muss Faust in der Oper tatsächlich sagen: »Das also war des Bruders Kern?« – eine Stelle, welche die ersten deutschen Hörer dieser Oper damals zu Erstickungsanfällen brachte vor lauter Lachen. Der Kasus, also, macht uns lachen. Es geht dann weiter wie gewohnt: Mefistofele gibt sich als »Geist, der stets verneint« zu erkennen, es kommt zu dem Handel, den wir alle kennen, Mefistofele formuliert es so: »Ich will dir hier zu Diensten sein und jeden Wunsch ohn' Rast und Ruh erfüllen; dort unten aber (du verstehst mich recht?) soll's umgekehrt geschehen.« Faust, der sich wenig um das Jenseits kümmert, stimmt zu, man schließt den Pakt.

ZWEITER AKT

Erstes Bild: ein ländlicher Garten

Faust, um Jahre verjüngt, stolziert als Ritter Enrico vor Margherita auf und ab, Mefistofele macht ihrer Nachbarin Marta den Hof. Faust imponiert Margherita mit dem üblichen Duo: Auf ihre Frage, wes Glaubens er sei, antwortet er hochintellektuell; was Margherita zeigt, dass Faust ein kluger Mann ist. Dazu kommt, dass er intensive Liebeserklärungen abgibt, was Margherita natürlich dahinschmelzen lässt. Margherita, die den leichten Schlaf ihrer Mutter vorschiebt, als Faust drängelt, ob er nicht die Nacht bei ihr verbringen könne, nimmt, nachdem Faust ihr versprochen hat, dass daran weiter nichts Schlimmes sei, die Phiole entgegen, die ihr Faust gibt und aus der sie drei Tropfen der Mutter in den Saft träufeln soll. Die Szene geht aus, indem alle vier, Faust, Margherita, Marta und Mefistofele, einander ihrer Liebe versichern.

Zweites Bild: Walpurgisnacht im Tal der Schierke am Fuße des Brocken in Harz

Diese Szene kennt jeder, der schon mal seine 18-jährige Tochter von der Raver-Disco abgeholt hat. Mehr ist dazu nicht zu sagen.

DRITTER AKT

Kerker, Nacht

Margherita ist da angelangt, wovor ihre Mutter sie hätte warnen können, wenn sie von ihrer Tochter nicht mit Tropfen vergiftet worden wäre und ihre Tochter das von Faust empfangene Kind nicht ertränkt hätte. Mefistofele und Faust tauchen auf, um die Arme zu retten, die ist aber so durcheinander, dass mit ihr nichts anzufangen ist. Trompeten kündigen die Hinrichtung an, der Tag graut, Margherita bittet den Himmel um Verzeihung, da fliehen Faust und Mefistofele. Vorher aber mussten sie noch Magheritas: »Heinrich, mir graut's vor dir!« und das »Sie ist gerettet!« anhören, das die himmlischen Heerscharen verkünden.

VIERTER AKT

Die klassische Walpurgisnacht.
An den Felsbuchten des ägäischen Meeres

Elena, die schönste Frau der Antike, besingt mit ihren Freundinnen den Mond. Faust ist von der klassischen Schönheit der Frau, ihrer Freundinnen und der Landschaft hingerissen. Faust tritt in eleganter Ritterkleidung des 15. Jahrhunderts auf: Das nimmt natürlich Elena und ihre Freundinnen für ihn ein. Man gesteht einander die Liebe und überlässt sich dem Rauschen der Hormone – die auch in der Antike kaum anders gerauscht haben als heute.

EPILOG

Studierzimmer Fausts

Faust ist zurückgekehrt, hinter ihm lauert Mefistofele auf seinen Tod. Er weist Faust darauf hin, dass es ihn wundere, dass er nie zum Augenblick, den er genossen habe, gesagt habe: »Verweile doch, du bist so schön.« Das wäre nämlich der Moment gewesen, in dem der Pakt zwischen ihm und Faust aufgelöst worden wäre. Faust geht da im Moment gar nicht weiter darauf ein, zu sehr ist er von einer Vision gepackt, die ihn nun überfällt: Er sieht sich als weisen Herrscher über eine friedvolle Welt. In diesem Moment, der ihn ganz ausfüllt, spricht Faust diese wichtigen Worte tatsächlich aus, Faust stirbt, Mefistofele stößt einen seiner grellen Pfiffe aus, was den Vorhang aus der Fassung und zum Bühnenboden niederfallen lässt.

HITS

Bei dieser Oper von Hits zu sprechen, fällt schwer. Immer wieder enthält sie originelle kurze Gedanken, die aber immer wieder abstürzen, bevor sie fliegen können. Die Oper leidet unter dem Motto: Knapp daneben! Verglichen mit der Qualität, die sonst in diesem Opernführer besprochen wird, kann ich Ihnen aus dem Prolog im Himmel keinen Hit nennen. Diese erste knappe halbe Stunde können Sie sich ersparen. Nach einem Gang durch das Foyer der Oper können Sie sich dann den ersten Akt gönnen, wirklich schlecht ist nichts. »Dai campi, dai prati«, von Faust gesungen, ist sogar sehr angenehm, das große Negativcredo »Sono lo spirito che nega« des Mefistofele ist auch hübsch anzuhören. Beide »großen« Stellen bleiben jedoch im Ansatz stecken: Es explodiert nichts, wir bleiben ungerührt sitzen. Dann aber folgt »Se tu mi doni un'ora di riposo« (Wenn du mir eine Stunde Ruhe schenkst), und das ist ein wunderschöner Einfall, der anrührt und der beweist, zu welch schöner Musik Arrigo Boito fähig gewesen wäre, stellte ihm sein Intellekt nicht ständig ein Beinchen. Die Einleitung zum zweiten Akt kann man auch durchaus als gelungene Musik bezeichnen, die zu Herzen geht – das ist es aber auch schon. Wenn die Walpurgisnacht tatsächlich so lau daherkommt wie diese Musik, dann Dankeschön! Ich werde Trappist oder Karthäuser, da geht mindestens im Schweigen noch der Punk ab!

Womit wir schon beim dritten Akt wären, der nach einer schönen Streichereinleitung die Arie der Margherita »L'altra notte in fondo al mare« zu Gehör bringt: fliegt erneut beinahe zu den Sternen, stolpert aber wieder kurz vor dem Abheben. Eine klassische Knapp-daneben-Arie. Auch die Schlussszene: »Spunta l'aurora pallida« (Schon prangt bleich der Morgen) hebt nicht vom Boden ab. Spätestens jetzt können Sie beruhigt nach Hause gehen oder sich in ein schönes Restaurant setzen, denn was uns Arrigo Boito im vierten Akt an Musik zumutet, ist mit heutigen Ohren kaum noch zu ertragen. Es sei denn, man wäre Andrew-Lloyd-Webber-Fan. Dann hätten Sie dieses Buch aber nicht gekauft! Übelste Filmmusik, grauenhafter B-Movie-Kitsch, ich bedaure! Das reißt auch der Epilog nicht mehr raus, was er allerdings ohnehin nicht mehr könnte: Sie sind ja schon gegangen.

FLOPS

Genau das ist das Problem: Es sind noch nicht mal wirkliche Flops zu verzeichnen! Die ganze Oper ist handwerklich prima gemacht, sowohl was den Text als auch was die Musik angeht. Es gibt immer wieder originelle Wendungen, etwa das ominöse »Das also war des Bruders Kern!«, nirgends aber gibt es Ausschläge – weder ins Tolle noch ins Lächerliche. Das ist natürlich insgesamt *der* Riesenflop dieser Oper, dass sie uns unbewegt lässt! »Mefistofele« ist wie eine Volkshochschulvorlesung über die Oper »Mefistofele«. Die Ohren trocknen ab, das Herz ödet vor sich hin, und nach drei Stunden fragt man sich, ob man wirklich in der Oper war. Nee, nee, Arrigo, alles »Eins! Sehr gut! Setzen, Boito!« – und trotzdem vollkommen daneben. Um es mit Eduard Hanslick zu sagen: »Möglich, dass manche dieser Kantilenen, auf einen anderen Text und nicht von Faust und Gretchen, sondern von Peppino und Peppina gesungen, mich höchstens langweilen würden.« Es genügt schon, sich Mephistopheles' »Ich bin der Geist, der stets verneint« anzuhören, um zu wissen, was ich meine: Boito hat sich einfach nicht getraut, der Größe des Originals mit eigener Größe zu begegnen. Er war zu feige, radikal zu sein, Konventionen zu verachten und draufzuhauen. Immer wieder schreckt er im letzten Moment zurück, bleibt konventionell, wirkt akademisch. Sollte also diese Oper auf dem Spielplan stehen: Schicken Sie Ihrem Intendanten ein Schreiben, in dem Sie ihm zu seinem Mut, alte Flops wieder neu zu entdecken, gratulieren – und bleiben Sie zu Hause.

OBACHT
Außer dass der Choreograph darauf achten muss, dass in dem Gedrängel auf dem Blocksberg die Hexen und die Teufel einander nicht auf die Füße treten, wüsste ich keine besonderen Schwierigkeiten. Selbst der Tenor, Faust, geht nicht über das a' hinaus.

DIVERSES
George Bernard Shaw, der brillante Geist, hat selten falsch gelegen. Im Fall Boito allerdings stand er vollkommen neben den Schuhen: »Schumann, Berlioz, Boito und Raff borgten sich Musik, um ihre Ideen auszudrücken, und erreichten dadurch manchmal, geben wir es zu, ein durchaus höheres Niveau an Originalität als Schubert, Mendelsohn und Goetz, die sich Ideen für ihre Musik borgen mussten.« Ihm hat imponiert, dass Arrigo Boito nicht nur schrieb, sondern auch komponierte – vielleicht, weil er es selber gerne getan hätte.

DER KLEINE OPERNTÄUSCHER
»Der sensationelle Erfolg Boitos in Italien erklärt sich aus zwei Faktoren, die an sich beide natürlich und wohlberechtigt sind: Einmal aus dem uns allen eingeborenen Bedürfnisse nach Neuem in der Kunst, sodann aus der immer entschiedeneren Wendung der italienischen Musik vom Melodisch-Gefälligen zum Dramatisch-Charakteristischen. Wir können selbst mit Mozart und Beethoven nicht auslangen für alle Zeit; neben diesem sicheren Besitze ist uns die ewig erneuernde Triebkraft der Produktion unentbehrlich. In der Oper, als der gemischtesten Kunstgattung, vollzieht sich der Ver-

brennungsprozess am raschesten, treibt das Bedürfnis nach Neubildungen am stärksten – und wieder stärker in Italien, dem Lande der schönsten, aber vergänglichsten Melodienblüten, als in Deutschland. Mit Anfang der 30er Jahre [des 19. Jahrhunderts!] war man übersättigt von Rossinis glänzenden, aber seelenlosen Bravourarien. Die Sehnsucht nach tieferer Empfindung musste erwachen; Bellini stillte sie, indem er nach den glitzernden, geschmückten Puppen Rossinis wirkliche Menschen auf die Bühne brachte – Menschen, die wahres Gefühl in nur allzu tränenreichen Melodien ausströmten. Donizettis weniger Ursprüngliches, aber äußerst bewegliches Talent kombinierte gleichsam Rossinis und Bellinis Stil, die beiden in lebendigem dramatischen Ausdruck häufig übertreffend. Verdi, eine weit energischere, in ihrem Pathos naive Natur, entzündete in der italienischen Oper ein bisher fremdes, wildes Feuer und steigerte alle in Donizetti schon anklingenden gewaltsamen Elemente zu packendstem Effekt. Doch behielt er noch die alte Opernform mit ihren Arien und Duetten bei, und wahrte, trotz mancher harmonischen und instrumentalen Bereicherung, der Melodie ihr oberstes Recht. Nun drang Wagners ›Lohengrin‹ nach Italien und machte rasch Propaganda. Es hat etwas fast komisch Seltsames, dass Italien, welches den ›Don Giovanni‹ und ›Fidelio‹ rein verschlafen hat, sich für deutsche Opernmusik erst an Wagner begeistert.« *(Eduard Hanslick 1882)*

BEWERTUNGEN

Magie 🎩 ... und das ist schon viel.

Erotik — oder fünf Schnauzbärte
Wenn hier überhaupt für Erotik Punkte vergeben werden könnten, dann für männliche Erotik in der Figur des Mefistofeles. Wenn das ein gestandener Bass singt, dann zögere ich nicht, fünf Schnäuzer zu verleihen! Da hätte ich gerne Fjodor Schaljapin gesehen!

Fazzoletto 🎩🎩
Eines brauche ich, bevor die Stelle mit dem »Das also war des Bruders Kern« kommt, eines für

Gewalt 👊

Zu leicht gibt in diesem Libretto Mephistopheles Fausts Seele aus der Hand, da hätte er schon noch ein bisschen kämpfen sollen!

Gähn 🥱🥱🥱🥱

Für jeden Akt eines, weil der Prolog im Himmel aber das Originellste an dieser Oper ist, hebt er den langweiligen Epilog auf, bleiben vier.

Moral ⚪⚪⚪⚪⚪

... weil Faust gerettet wird.

Ewigkeit ◯

... und der ist wahrscheinlich noch zu viel.

Gourmet ⭐

Als Amuse-Gueule ist die Oper diesen Stern durchaus wert!

GESAMTWERTUNG

Viele originelle und schöne Ansätze bleiben solche und lassen uns etwas unzufrieden zurück. Schade.

---

danach. Lachtränen trocknen so langsam!

Leoš Janáček
1854–1928

Její Pastorkyňa
Opera o třech jednáních
Jenůfa (ihre Ziehtochter)
Oper in drei Akten
Text: Leoš Janáček
Nach dem Theaterstück von Gabriela Preissová

»Niemand hat besser als Janáček den verlorenen, einsamen, ratlosen Menschen gezeichnet. ›Ratlosigkeit‹ ist der seelische Grundakkord seines Hauptwerkes, der ›Jenůfa‹ (Její Pastorkyňa) – von Anfang an sehen wir ins Herz eines Mädchens, dem der Sinn der Welt verlorengegangen ist. Wir erleben ihr Tasten nach Hilfe, ihre Bitte um Liebe. [...] Unendlich mannigfach sind die Töne, die ihr Janáček zur Verfügung stellt, um alle Nuancen dieser Hilfsbedürftigkeit zu schildern. Und er ist damit zu einem der tiefsten, verborgensten Punkte der Menschennatur niedergestiegen – dorthin, wo wir alle uns verlassen, allein vor Gott fühlen, wo wir alle ganz unrepräsentativ und klein sind und unendlich mitleidsbedürftig. Janáček hat die Tonsprache dieses unendlichen Mitleids gefunden. Das ist (jenseits aller Debatten über Technik, Naturalismus, Expressionismus und ähnliche Schmarren-Begriffe) sein Bleibendes für die Geschichte jener bleibenden Kunst, die die Geschichte des Menschenherzens ist.« *(Max Brod)*

Leoš Janáček: geboren am 3. Juli 1854 in Hukváldy in Mähren, gestorben mit 74 Jahren am 12. August 1928 in Ostrava (Mährisch-Ostrau). Der Musiklehrer, Volksliedforscher, tschechische Extrem-Patriot und überzeugte Mähre (er kam nur selten in seinem Leben aus Mähren heraus), der heute als wichtigster Vertreter der neueren Musik seines Heimatlandes gilt, hatte ein Leben als Pädagoge, Sammler und Folklore-Spezialist beinahe schon hinter sich, als er mit 62 Jahren erst richtig durchstartete. Der Spätentwickler gehört zu den Menschen, die im Alter die Summe ihrer Erfahrungen so bündeln können, dass erst dann praktisch ihr ganzes Lebenswerk entsteht. Nicht dass Janáček vorher nichts komponiert hätte – die kreative Explosion aber, die sein letztes Lebensdrittel kennzeichnet, ist fast ohne Beispiel in der Geschichte der Musik. (Nur das Leben von César Franck hatte einen ähnlichen Verlauf.) Mit ca. 30 Jahren fing Janáček systematisch an, Volkslieder zu sammeln, und entdeckte dabei etwas, das ihn als Komponisten bis an sein Lebensende nicht mehr losließ: Die Musikalität, die der Sprache innewohnt, die in Sätzen, Phrasen und Wörtern zu hören ist. Wie kein anderer Komponist sammelte er nun, wo immer er sie hörte, Sprechmelodien. Diese geradezu mit Manie betriebene Leidenschaft konnte er kompositorisch vor allen Dingen in seinen Opern umsetzen. Neben den musikalischen Eigenschaften bleibt eine herausragende Qualität seiner Musik, die unvergleichliche Art und Weise, wie er Sprache musikalisch eingesetzt hat. Vielleicht ist dies das größte Verdienst dieses phantastischen Musikers.

ENTSTEHUNG UND URAUFFÜHRUNG

Am 9. November 1890 wurde am Nationaltheater in Prag das Stück »Její Pastorkyňa« (Ihre Stieftochter) von Gabriela Preissová uraufgeführt. Ein Jahr später wurde das Stück veröffentlicht. Janáček gefiel das Stück so gut, dass – schrieb 50 Jahre später Gabriela Preissová in einer biographischen Notiz – »der hochbegabte jähzornige Mähre Leoš Janáček sich an mich wendete. Er sagte, er hätte sich in Jenůfa verliebt, und bereits jetzt wären ganze Textpassagen durch seinen Kopf geschossen, die er sofort in Musik setzte. Er müsse nicht in Verse fassen, die Wörter und Sätze sprächen in ihrer eigenen Musik, die mit der seinen völlig übereinstimmten.« Zwar hielt sie selbst den Stoff ungeeignet für eine Oper, das aber konnte Janáček nicht abhalten. Marie Stejskalová, die 1894 als Hausmädchen in Janáčeks Haushalt zu arbeiten begann, erinnert sich: »Als ich zu den Janáčeks kam, begann der Meister ›Jenůfa‹ zu schreiben ... Selten hatte er tagsüber Zeit dafür, doch er opferte all seine freien Abende. Er blieb kaum einmal länger aus, als er unbedingt musste: Zu Konzerten, ins Theater, in den Lesezirkel, in die alte Brünner Beseda – er trieb sich niemals herum, und während andere schlafen gingen, wenn sie nach Hause kamen, setzte er sich an seine Arbeit. Am Morgen brachte ich eine Lampe in sein Studierzimmer, bis an den Rand gefüllt mit Paraffin, am nächsten Tag nahm ich sie leer wieder mit. Die Herrin pflegte darauf zu schauen: ›Hat er wieder die ganze Nacht geschrieben.‹ Heute finde ich es seltsam, dass die ganze ›Jenůfa‹ im Schein einer Paraffin-Lampe geschrieben wurde. Manchmal schien es mir, als würde der Meister mit ›Jenůfa‹ ringen, als würde er ins Studierzimmer gehen, nicht um zu komponieren, sondern um zu kämpfen. Er erhob sich vom Abendessen, stand da, dachte einen Moment nach und seufzte, mehr zu sich selbst: ›Gott der Herr und die Jungfrau Maria, helft mir!‹ In diesen glücklichen Tagen, als wir noch alle zusammen waren, sprach der Meister oft von ›Jenůfa‹: Woran er gerade arbeitete, wie er sich vorstellte, dass es weitergehen könnte, und ob die Arbeit gut voranging oder nicht. Er redete mit solcher Leidenschaft, dass er uns alle davon überzeugte, was für ein großes Werk es werden würde. Wir waren mucksmäuschenstill, wenn er auf dem Klavier vorspielte, was er gerade geschrieben hatte. Oft schlichen wir auf Zehenspitzen an seine Zimmertür, um alle drei daran zu horchen. Die kleine Olga hätte niemals Albernheiten gemacht, sie hätte nicht einmal laut gelacht, wenn ihr Vater arbeitete.«

Es scheint, dass die Partitur des ersten Aktes 1897 fertig war (Janáček komponierte direkt die Partitur, nicht erst den Klavierauszug), dann folgte eine längere Pause. Seine Sammlung mährischer Volkslieder, ein Band mit 1200 Seiten(!), wurde gedruckt, Janáček hatte alles zu überwachen, und es war ja auch sonst dies und das zu tun. Anfang 1902 begann er wieder, an »Jenůfa« zu arbeiten. Unter enormen psychischen Belastungen komponierte er die Oper zu Ende. Die Belastungen kamen von der größten Tragödie, die Janáček erlebte: dem Tod seiner Tochter Olga. Im März 1902 brachte der besorgte Vater seine noch nicht ganz 20-jährige Tochter zu seinem Bruder František nach Sankt Petersburg. Einerseits der Sprache wegen, andererseits machte er sich Sorgen um die auffallend hübsche junge Frau: Einer der Verehrer, mit denen er als Vater nicht einverstanden war und dem er das Haus und den Umgang mit Olga verbot, drohte an, die Tochter zu ermorden. So war es ein naheliegender Gedanke, sie zum Onkel zu tun, bis sich diese Erregung gelegt hätte. Die Nachrichten aus Petersburg waren prima – bis zu dem Tag, an dem Olga an Typhus erkrankte. Im Juni reiste die Mama zu ihrer Tochter, um sie zu pflegen, was wohl alles nicht sehr viel half. Im Juli schrieb Janáček seiner Tochter: »Liebe Olguška, ich bin niedergeschmettert durch die erneut traurigen Nachrichten über das Fieber. Frage den Arzt, ob man Dir nicht erlaubt, auch im kranken Zustand zu reisen. Vielleicht würde eine Luftveränderung sogleich die Wiederkehr des

Fiebers verhindern. Die Reise wäre nicht so schlimm – Du könntest ja liegen, ich würde kommen, um Dich zu holen. Dein bekümmerter Vater.« Olga kam, es half aber nichts. Ihr Zustand verschlechterte sich zusehends, zu Weihnachten 1902 wurde auch Olga klar, dass sie nicht mehr lange zu leben habe. In dieser ganzen Zeit komponierte Janáček mit ungeheurer Energie an der »Jenůfa« weiter. Am 25. Januar 1903 war der Klavierauszug beendet, am 22. Februar 1903 erhielt Olga die letzte Ölung. Ihre Mama erinnert sich: »Wir saßen alle bei ihr. Mein Mann hatte gerade ›Jenůfa‹ beendet. Während der ganzen Zeit, die er daran gearbeitet hatte, hatte Olga regen Anteil genommen. Und mein Mann pflegte auch später zu sagen, dass seine kranke Tochter das Modell für Jenůfa war. Nun bat ihn Olga: ›Vater, spiele Jenůfa für mich, ich werde nicht mehr so lange leben, um sie noch hören zu können.‹ Leoš setzte sich ans Klavier und spielte ...« Am 27. Februar 1903 starb Olga. Der traurige Vater widmete seiner Tochter die Oper und legte eine Seite seines Manuskripts in ihren Sarg. Später schrieb er: »Ich würde Jenůfa einfach mit dem schwarzen Band der langen Krankheit, des Leidens und des Trauerns um meine Tochter Olga und meinen kleinen jungen Wladimir binden.« Wladimir war 1890 im Alter von zwei Jahren gestorben.

Natürlich wollte Janáček, dass seine Oper aufgeführt wird. Am liebsten in Prag. Dort gab es einen neuen musikalischen Chef: den Komponisten Karel Kovařovic. Nun hatte der eine Oper geschrieben, »Die Bräutigame«, die im Januar 1887 in Brünn aufgeführt wurde. Der Musikkritiker Leoš Janáček machte sich in einem glänzenden Verriss über die Oper lustig. Dies hat möglicherweise Herr Kovařovic noch im Gedächtnis behalten, jedenfalls lehnte er die Aufführung der Oper »Jenůfa« ab. Blieb noch das Opernhaus in Brünn. Am 21. Januar 1904 wurde die Oper dann auch hier aus der Taufe gehoben. Von der Uraufführung berichtet der Kritiker Jan Kunc Folgendes: »Sofort nach dem ersten Akt gab es großen Applaus, und Janáček, der während der Aufführung hinter den Kulissen weilte, musste sich verbeugen. Er war blass und aufgeregt ... Die tief empfundene Musik des zweiten Aktes mit ihrer stimmungsvollen Lyrik hinterließ einen ähnlich tiefen Eindruck bei den Zuhörern ... Der Erfolg war noch größer als im ersten Akt ... Die dramatische Entwicklung im dritten Akt, der Hochzeitstag, der mit der Entdeckung des Kindsmordes endet ... Dann das typisch slawische Geständnis der Küsterin und dann das Ende, wo Laca seine Liebe zu Jenůfa eingesteht, brachte den Höhepunkt des Erfolges. Der Beifall nahm kein Ende. Janáček musste sich wieder und wieder verneigen, ebenso wie die Librettistin Preissová in ihrer Loge ... Das studentische Publikum bejubelte Janáček und begleitete ihn zum Besední dům, wo ein geselliges Beisammensein mit vielen Trinksprüchen bis in den frühen Morgen andauerte.« Und das, obwohl das Orchester nur 29 Musiker stark war, Harfe, Bassklarinette und Englischhorn fehlten!

Zu einer Aufführung in Prag kam es noch nicht. Janáček schrieb an Gustav Mahler, den er für die Oper interessieren wollte, bekam eine freundliche Antwort mit der Bitte, einen Klavierauszug in Deutsch zu schicken, der natürlich noch nicht vorlag. Erst 1908 erschien der Klavierauszug dieser wundervollen Oper. Der ist deshalb so wichtig, weil er beinah eine neue Version des Werkes darstellt. Streichungen und Kürzungen kennzeichnen diese Fassung. Und so ging es weiter, 1915 schmiss sich Karel Kovařovic als Chef der Prager Oper über die Partitur der »Jenůfa«, kürzte, instrumentierte neu, griff so intensiv in die Partitur ein, dass nach seinem Tod die Witwe Kovařovic es für richtig hielt, nicht nur Honorar nachzufordern, sondern an den Tantiemen beteiligt zu werden. Das brachte den ohnehin jähzornigen Komponisten vollends auf die Palme. Am 21. September 1923 schrieb er an den Nachfolger von Kovařovic, Otakar Ostrčil: »Vierzehn Jahre lehnte er [Kovařovic] meine ›Jenůfa‹ ab, und 21 Jahre später setzen Herr Dvořák, der Sohn von Dr. Antonín Dvořák [und Anwalt der Witwe] und Frau Kovařovicova dies fort. Um meine Ehre als Komponist zu verteidigen, bleibt mir nichts anderes übrig, als die orchestralen Ergänzungen zu ›Jenůfa‹ von Kovařovic öffentlich als unnötig zurückzuweisen, sie wurden eigenmächtig von Kovařovic vorgenommen – aus welchen Gründen auch immer. Kovařovic selbst bat mich niemals um irgendwelche Honorare für seine ›kapellmeisterliche‹ Bearbeitung zu Aufführungszwecken, nicht einmal, als seine Ergänzungen mit seinem Wissen veröffentlicht wurden, und nun wächst der Appetit von Herrn Dvořák und Frau Kovařovicova. Es ist unumgänglich für mich, dass ich diese Ergänzungen zurückweise, vor allem aus dem Grund, dass nun in Prag darüber geklatscht wird, dass Kovařovic die gesamte Orchestrierung von Jenůfa gemacht haben soll, genauso wie in Brünn Gerüchte darüber verteilt werden, dass Katja Kabanová von weiß Gott wem orchestriert wurde!«

Tatsächlich aber gewann Janáček nichts, obwohl die Witwe ihre Forderungen auf Anraten ihres Rechtsanwalts zurückzog. Die Fassung von Kovařovic war die Fassung, die überall gespielt wurde. Nach vielem Hin und Her und weiteren unangenehmen juristischen

Streitigkeiten konnte der Dirigent Charles Mackerras erst 1996 endlich diejenige Fassung der Oper vorlegen, die Janáček wirklich geschrieben hat: die »Brünner Fassung«. Sie ist frei von jenen Konzessionen an den Zeitgeschmack, die Kovařovic in die Partitur hineingeschrieben hatte. Andererseits bleibt sicher eines der Verdienste dieses »Bearbeiters«, dass sich die Oper (in dieser Fassung) erst mal das Publikum eroberte.

PERSONEN

Die alte Buryjovká, Ausgedingerin und Hausfrau in der Mühle:	Alt
Laca Klemeň, Stiefbruder von Števa, Enkel der alten Buryjovká:	Tenor
Števa Buryja, Stiefbruder von Laca, Enkel der alten Buryjovká:	Tenor
Die Küsterin Buryjovká, Witwe, Schwiegertochter der alten Buryjovká:	Sopran
Jenůfa, ihre Stieftochter:	Sopran
Altgesell:	Bariton
Dorfrichter:	Bass
Seine Frau:	Mezzosopran
Karolka, ihre Tochter:	Mezzosopran
Schäferin:	Mezzosopran
Barena, Dienstmagd in der Mühle:	Sopran
Jano, Schäferjunge:	Sopran
Tante:	Alt

Chor: Musikanten, Dorfvolk, Rekruten

ORCHESTERBESETZUNG

Pikkoloflöte
2 Flöten
2 Oboen
Englischhorn
2 Klarinetten
Bassklarinette
2 Fagotte
4 Hörner
2 Trompeten
3 Posaunen
Tuba
Pauken
Schlagzeug: große Trommel, Becken, kleine Trommel, Militärtrommel, Glocke, Glockenspiel, Triangel
Harfe
Streicher

Bühnenmusik auf und hinter der Szene: 2 Hörner
Kindertrompete
Xylofon
Glockenspiel
Streicher

BESONDERHEITEN
Selbst wenn die Übersetzung ins Deutsche von Max Brod ist, bestehen Sie darauf, dass die Oper in der Originalsprache aufgeführt wird! Das sind Sie Leoš Janáček und seinem unglaublichen Sprachgefühl wirklich schuldig!

DAUER
ca. 2 ½ Stunden

HANDLUNG
In Mähren, zweite Hälfte des 19. Jahrhunderts

ERSTER AKT

Einsame Mühle im Gebirge, später Nachmittag

Jenůfa hat Angst, dass ihr Števa, von dem sie schwanger ist, zu den Soldaten muss. Wenn das aber passiert und er Jenůfa nicht heiraten kann, bliebe ihr nur der Selbstmord. Die alte Buryovka ruft Jenůfa zur Arbeit, Laca, der auch da ist und an einem Peitschenstiel herumschnitzt, macht der Alten Vorwürfe, dass sie ihm Števa immer schon vorgezogen habe. Als der Altgeselle kommt, gesteht ihm Laca, wie sehr er Jenůfa liebt, bekommt aber direkt einen Dämpfer, als der Altgeselle erzählt, dass die Behörden den Števa nicht zum Militär eingezogen haben. Jenůfa allerdings freut sich sehr darüber. Lärmend kommen die Rekruten, Števa torkelt betrunken mit. Er wirft der Musik Geld vor die Füße, damit sie weiterspielt. Da erscheint die Küsterin, sie warnt ihre Ziehtochter vor einem Leben an der Seite eines solchen Mannes. Ihr sei es genauso gegangen, sie habe das Geld aufheben müssen, das ihr Mann weggeworfen habe, jeden Tag sei er betrunken gewesen, und dann, als sie ihm Vorwürfe gemacht habe, habe er sie verprügelt. Also erlaube sie Jenůfa nicht, Števa zu heiraten: »Ehe ein Jahr verstrichen ist, ohne dass Števa sich betrinkt.« Damit allerdings bringt sie die schwangere Jenůfa in eine schwierige Lage. Sie fleht Števa an, ihr beizustehen, weil sie sich sonst umbringen muss. Števa beschwichtigt sie, er lasse sie nicht im Stich, schon allein wegen ihrer Wangen: »rosig wie Äpfel«. Die alte Buryovká schickt Števa nach Haus, er soll sich ausschlafen, da kommt Laca. Er hebt die Blumen, die andere Mädchen Števa zugeworfen haben, auf, Jenůfa will sie haben: »Solche Blumen, wie sie meinem Schatz verehrt werden, auf die kann ich stolz sein.« In dem Handgemenge, das sich zwischen der fordernden Jenůfa und dem eifersüchtigen Laca ergibt, schneidet er ihr in die Wangen, »Das einzige, was er an dir sieht«. Erschrocken gesteht Laca, dass er Jenůfa von Kindheit an liebt. Die alte Buryjovká hält alles für einen Unfall, der Altgeselle aber weiß, dass es mit Absicht geschah.

ZWEITER AKT

Fünf Monate später. Stube der Küsterin

Der kleine Števa ist auf die Welt gekommen, Jenůfa ist ganz zärtliche Mutter, ihre Ziehmutter, die Küsterin, das Gegenteil: »Immer diese Zärtlichkeiten, solltest auf den Knien unsern Herrgott lieber bitten, dass er dir das Kind bald nehme«, sagt sie und schickt Jenůfa schlafen. Sie hat Števa zu sich gebeten, er hat den Säugling, der jetzt eine Woche alt ist, noch nicht gesehen. Števa redet sich damit heraus, dass sie, die Küsterin, ihn so ausgeschimpft habe und Jenůfa außerdem entstellt sei. Für das Kind allerdings wolle er bezahlen. Mehr aber auch nicht. Heiraten könne er Jenůfa nicht, sie habe sich so verändert, er habe Angst vor ihr. Außerdem habe er sich gerade mit der Tochter des Dorfrichters, Karolka, verlobt. Kaum ist Števa gegangen, kommt Laca in die Stube. Er macht sich Hoffnungen auf Jenůfa, was die Küsterin dazu bringt, ihm reinen Wein einzuschenken: dass Jenůfa ein Kind von Števa zur Welt gebracht habe. Als die Küsterin aber merkt, dass Laca daraufhin beinah einen Rückzieher macht, sagt sie ihm, dass das Kind gar nicht mehr lebe, es sei gestorben. Als Laca gegangen ist, um die Hochzeitsvorbereitungen einzuleiten, nimmt die Küsterin den Säugling und eilt mit ihm davon. Jenůfa wacht auf und wartet vergeblich auf ihren Števa. Sie merkt, dass der Kleine verschwunden ist, sie will hinaus, die Küsterin jedoch hat die Haustür von außen versperrt. Jenůfa betet in ihrer Panik zur Muttergottes. Die Küsterin kehrt zurück und erzählt Jenůfa, dass sie zwei Tage lang im Fieber gelegen habe und in dieser Zeit ihr Kleiner gestorben sei. Sie sei nun wieder frei, sagt die Küsterin, denn auch Števa habe sich von ihr abgewendet und sich mit der Tochter des Dorfrichters verlobt. »Wirst doch um den Trunkenbold wahrhaftigen Gott's nicht trauern! Halte dich lieber an Laca! Das ist eine zuverlässige Liebe!«, sagt die Küsterin. Da ist der auch schon da und überzeugt Jenůfa, dass ein Leben an seiner Seite nicht das schlechteste ist. Das schlechte Gewissen drückt die Küsterin, sie bittet, das Fenster zu schließen, sie hört von draußen ein Wimmern: »Grad als ob der Tod hereingeschaut hätte!«.

DRITTER AKT

Zwei Monate später, Stube der Küsterin

Hochzeit von Jenůfa und Laca. Es will keine richtige Hochzeitsstimmung aufkommen, zu verstört ist die Küsterin. Der Dorfrichter, der auch unter den Gästen ist, ahnt: »Man sieht ihr's an, es geht zu Ende!« Es kommt aber Bewegung in die Hochzeitsgäste, denn Števa und seine Verlobte Karolka erscheinen. Ein paar gequälte Scherze werden ausgetauscht, dann soll, bevor es zur Kirche geht, die alte Buryjovká dem Brautpaar ihren Segen geben. Sie hat den Segen gerade ausgesprochen, da kommt die Katastrophe: Man ruft nach dem Dorfrichter, die Leiche des Kindes ist gefunden worden. Verzweifelt erkennt Jenůfa in der Leiche ihr eigenes Kind, schon ertönt der Ruf: »Steinigt sie! Steinigt sie!«, man hält Jenůfa für die Mörderin des Kindes. Da erhebt sich die Küsterin und bekennt ihre Schuld. Karolka, die in diesem Moment begreift, dass Števa der Vater des Kindes ist, zerrt ihre Mutter nach Hause, die Küsterin, bevor sie vom Dorfrichter verhaftet wird, bittet Jenůfa um Vergebung, die sie auch erhält. Als alle weg sind, will Jenůfa Laca ebenfalls wegschicken, er aber denkt nicht daran, Jenůfa zu verlassen: »Was bedeutet uns die Welt, wenn wir einander Trost spenden?«, sagt er, was Jenůfa den Blick für diese große Liebe öffnet. Vorhang.

HITS

Auch wenn es sehr schwer ist, bei Opern der Nach-Wagner-Ära einzelne Hits anzugeben, wie es bei Bellini oder auch noch Verdi nachgerade ein Vergnügen ist, kann man bei »Jenůfa« doch das Augenmerk auf einige ganz besonders intensive Stellen lenken. Diese Oper, die zu einer der dichtesten in der Opernliteratur überhaupt gehört, ist nicht so tonschwelgerisch wie Puccini, vielleicht aber gerade deshalb um so intensiver. Sie fordert Aufmerksamkeit mit Haut und Haar und gehört insgesamt zu den ganz großen Hits der Opernwelt. Nicht nur, weil es stellenweise atemberaubend ist, wie Text und Musik (das große Lebensziel von Janáček) einander entsprechen, nicht nur weil das Libretto eines ist, dem die Dramatik aus jeder Seite quillt, nicht nur, weil der Handlungsablauf keine Lücken und keine langweiligen Verzögerungen kennt: Sondern auch, weil sich hier Janáček als Komponist erweist, der wie geschaffen ist für die große Oper.

Im Einzelnen möchte ich zunächst die Orchestervorspiele ganz besonders herausheben. Darin ist atmosphärisch das Geschehen vorweggenommen, man weiß schon nach den ersten Tönen, worum es geht. Anmerkung: Hören Sie doch mal, was das Xylophon so alles treibt. Die ganze Oper über hat man den Eindruck, dass Janáček dieses Instrument deshalb auf die Bühne gestellt hat, weil in Mähren hinter jeder zweiten Flussbiegung eine Mühle steht, die lustig vor sich hin klappert. Weil Janáček ein großer Komponist war, hat er das Instrument natürlich nicht plakativ eingesetzt, sondern an Stellen, in denen es auch dramatisch immer wieder zum Tragen kommt. Das ist doch schon mal ein ganz hübscher, abwechslungsreicher Aspekt. Im ersten Akt ist das Auftreten des Chores ein ganz großer Hit: Die Rekruten überschwemmen die Bühne, der angetrunkene Števa mittendrin. Der kommt aber nicht einfach so lustig um die Ecke gelaufen, denkt an nichts Böses und feiert mährisch-tschechisch vor sich hin; sondern was das Orchester zu spielen hat, stellt die Heiterkeit in Frage und zeigt, dass das Drama weiterläuft. Der Tanz dann, den Števa bezahlt, ist ein überzeugender Hit aus Mähren; wem das nicht in die Beine geht, dem ist nicht mehr zu helfen. Alles steigert sich auf den Moment hin, wo die Küsterin erscheint. Nicht nur diese Einführung einer der Hauptfiguren ist ein Hit, sondern es geht ja weiter: Die Erzählung, in der sie sich an ihre Liebe erinnert, ist zweifellos einer der großen Hits dieser Oper. Ganz besonders darf ich auf das Duett Števa und Jenůfa hinweisen, bevor Omi den betrunkenen Schönling ins Bett schickt. Vermissen Sie da noch Puccini? Ich nicht! Vor allen Dingen, wenn man hört, wie das bereits erwähnte Xylophon den Abgang Števas ironisch begleitet. Auch das anschließende Duett mit Laca ist nicht von schlechten Eltern.

Nun aber folgen die wirklich dicken Hits: Was die Küsterin und Jenůfa im zweiten Akt zu singen haben, geht unter die Haut. Ob es die Liebe zum Kind ist, die Jenůfa ausdrücken kann, ob es die herben Kommentare der Küsterin sind, die dennoch auch die Sorge um ihre Ziehtochter Jenůfa durchblicken lassen, ob es die große »Wahnsinnsarie« von Jenůfa ist, ob es die ungeheuer dramatische »Wahnsinnsarie« der Küsterin ist: Dieser Akt hat eine musikalische und dramatische Dichte, die atemberaubend ist. Hören sie doch mal genauer hin, wenn die Solovioline Jenůfas Arie und Gebet umspielt! Was sie in diesem schwierigen Moment in Jenůfas Leben an Tröstendem sagt, hat schon fast religiösen Charakter. Oder, eine Kleinigkeit, aber was für eine: Als die Küsterin Števa anfleht, Jenůfa zu heiraten und ihre Ehre zu retten, was sie dadurch zu erreichen versucht, dass sie ihn bittet, sein Kind anzusehen. Woraufhin Števa weint: Horchen Sie mal auf das Horn; es hat eine kleine Melodie zu spielen, die einem das Herz zerreißt. Als die Küsterin schließlich zurückkommt und Jenůfa mit den Realitäten des Lebens konfrontiert, braucht man kein Wort von dem zu verstehen, was sie ihr sagt: Das Orchester lässt keine Fragen offen! Gnadenlos hämmert es in Viertelnoten auf Jenůfa und uns ein. Dieses Gefühl kennen wir doch alle, wenn die Dinge über uns zusammenbrechen. Dass man vor diesem Hintergrund im dritten Akt keine naiv-fröhliche Hochzeit feiern kann, ist klar. Wie sich das aber anhört, das ist für mich im ersten Teil des dritten Aktes selbst auf der nur akustischen Wiedergabe auf einer CD absolut umwerfend. Auch das Liebesduett von Laca und Jenůfa möchte ich als eine der großen Stellen herausheben; wenn dann aber der Chor kommt, nachdem die Leiche des Kindes entdeckt wurde, die Katastrophe also hereingebrochen ist, haben wir den absoluten Höhepunkt dieses Akts erreicht. Die Katastrophe empfinden wir umso massiver, als direkt davor die Dorfmädchen den unbeschwert-heiteren Chor gesungen haben und die Omi dem Brautpaar den Segen gegeben hat.

Unvermittelt und in Fortissimo holen uns die ersten Geigen und die Trompeten und dann nach und nach der Rest des Orchesters in das Drama zurück. Das geht in einer Steigerung bis zum Bekenntnis der Küsterin, dass sie das Kind ermordet hat. Diese Steigerung bezieht auch uns, das Publikum, unerbittlich in das Bühnengeschehen mit ein, es sei denn, wir hätten Tomaten auf den Ohren. Hier eignet sich allerdings auch Janáčeks musikalische Sprache in herausragender Weise dazu, die Dramatik zu schüren. Er zeigt sich als unerbittlicher Meister seines Genres. Nach diesem Drama ist der Schluss, der bei einem anderen Handlungsablauf vielleicht etwas kitschig daherkäme, geradezu eine Erlösung und die Konsequenz aus der Tragödie: Nur wenn man als Paar zusammensteht, kann man eine solche Tragödie überleben.

FLOPS

Flops? Nun ja: Ob es einen Mann wie Laca wirklich gibt, der alles mitmacht und selbst in der größten Katastrophe seiner Angebeteten noch die Hand hinhält? Ich hätte vermutlich nicht diese Größe. Aber ich kenne Menschen, die Menschen kennen, die von welchen gehört haben, die diese Größe tatsächlich besitzen sollen. Ich meine: Sosehr Laca ein Flop zu sein scheint, wenn man nur flüchtig hinguckt, ist er auf der anderen Seite eine Persönlichkeit, die sich während der Oper emanzipiert und entwickelt: also eine starke Persönlichkeit. Musikalisch wüsste ich keine Flops. Selbst als jemand, dem das Xylophon eher auf den Wecker fällt als ins Ohr säuselt, finde ich auch seinen Einsatz konsequent und gut. Natürlich könnte man es als Flop ansehen, dass Janáček es einem nicht leichtmacht. Hier geht nichts von alleine ins Ohr. Diese Oper, wie die anderen von Janáček auch, sollte man schon zwei- oder dreimal hören, weil sich einem erst dann ihre Intensität und Schönheit darstellt. Das hätte uns der Komponist wirklich etwas leichter machen können, eine Prise Puccini, das wäre es gewesen, oder?! Tja, Freunde, genau das ist es aber: Dann wäre die Oper ein Flop! Wenn dieser Stoff uns heiter-böhmisch daherkäme, ich glaube, sie wäre noch nicht mal in Brünn aufgeführt worden.

OBACHT
Weil Janáček extremen Wert auf die den Wörtern und Phrasen innewohnende Sprechmelodie gelegt hat und dies virtuos in Musik umgesetzt hat, weil also Sprache und Musik hier so eng beisammen sind wie bei keinem anderen Komponisten, ist es natürlich unumgänglich, diese Oper in der Originalsprache aufzuführen. Das ist aber zugleich Teil des Problems: Wer kann schon fließend Tschechisch? Nun gut, werden Sie sagen, wer kann schon fließend Italienisch? Es gibt ja sogar prominente Beispiele von deutschen Sängern, die bei Mozart ein Italienisch herunternudeln, dass es einen graust, wenn man die Sprache kennt. Italienisch können trotzdem mehr Leute als Tschechisch. Ich glaube kaum, dass mehr als fünf Leute pro Aufführung der »Jenůfa« an deutschen Opernhäusern jeweils Tschechisch beherrschen. Von daher fällt es wohl auch nicht auf, wenn einer Tschechisch mit deutschem Akzent singt. Das ist allemal noch besser, als die Oper in deutscher Übersetzung zu singen. Denn selbst die Übersetzung von Max Brod bietet streckenweise solch typisches Operndeutsch, dass ich gerne darauf verzichte.

DIVERSES
Gabriela Preissová, die mit 84 Jahren am 27. März 1946 in Prag gestorben ist, hat eine ganze Menge Dramen, Erzählungen und Romane geschrieben, den Erfolg ihres Stückes »Její Pastorkyňa« aber nie mehr erreichen können. Sie hatte allerdings für das Stück schon

bei dessen Uraufführung massive Kritik einstecken müssen. Die Bezeichnung, dieses sei ein realistisches Stück, hat wohl die Kritik besonders herausgefordert. Solche Verhältnisse gebe es in der Realität nicht, hieß es, in heilloser Zusammenklitterung habe die Autorin ihre Fantasieprodukte als »reales Leben in Mähren« erklärt usw. Es half wenig, dass die Autorin darauf hinwies, sie selbst habe in einem solchen Dorf gelebt, und das Geschehen in dem Stück basiere auf zwei Vorfällen, die in den örtlichen Blättern berichtet worden seien. Dass ihr die Schriftstellerkollegen, die ebenfalls »realistisch« schrieben, kaum beistanden, hat wahrscheinlich damit zu tun, dass ihnen wichtige Passagen im Stück der Preissová zu religiös waren. Das passte wiederum in deren Weltbild nicht hinein. Das Resultat – es war das zweite Stück, das die Preissová geschrieben hat – war eine persönliche Tragödie: Nie mehr konnte sie an diesen Erfolg anknüpfen, ihr Selbstvertrauen blieb auf der Strecke. Schließlich schrieb sie aus diesem Stoff noch einen Roman, der in den 30er Jahren des 20. Jahrhunderts immerhin zweimal verfilmt wurde. Ansonsten trat sie in ihren – wie gesagt: nicht so erfolgreichen – Stücken und Geschichten für die Rechte der Frau ein und wandte sich gegen gesellschaftliche Vorurteile. In einer Zeit, die sich dann Hitlers erwehren musste und in den Flammen des Zweiten Weltkriegs unterging, waren das nicht gerade Themen, die für große Popularität hätten sorgen können. Ehren wir dennoch ihr Andenken, sie hat es verdient.

DER KLEINE OPERNTÄUSCHER

»Spricht es nicht für den Mut eines Komponisten, in einer Oper die beiden weiblichen Hauptrollen im Sopran, die beiden männlichen Hauptrollen im Tenor anzusiedeln? Hätte sich das ein Verdi, ein Bellini oder ein Puccini getraut? Leoš Janáček ist auch in dieser Hinsicht neue Wege gegangen – und zwar mit Erfolg! Nicht nur die Rivalität zwischen den beiden Tenören, nicht nur die Rivalität zwischen den beiden Sopranen, nein, auch die Dramatik hätte erheblich gelitten, wenn Janáček die Rollen stimmlich aufgefächert hätte. Durch diese Engführung hat der Komponist eine Raffinesse bewiesen, die es bis dahin in der Oper so noch nicht gegeben hat. Das muss doch auch mal gesagt werden können.«

BEWERTUNGEN

Magie 🎩🎩🎩🎩🎩

Wen dieses Geschehen nicht gefangen nimmt, der soll lieber Aktienkurse studieren oder an der Steuererklärung weiterfeilen. Er wäre hier sowieso fehl am Platz.

Erotik 👠

Die Oper dreht sich um das, was danach geschieht ...!

Fazzoletto 💧💧💧

... spätestens bei den Passagen, wo es um den Säugling geht!

Gewalt ⛓

Immerhin hat das kleine Števalein dran glauben müssen ...!

Gähn 💤

Selbst wenn jemand von Musik nichts versteht, wird kaum Langeweile aufkommen. Und wenn, wird man nicht schlafen können, weil die Musik zu massiv ist!

Moral ◠◠◠◠◠

Weil die Handlung zwar gegen gesellschaftliche Konventionen aufbegehrt, sich dagegen wehrt und versucht, sich gegen sie durchzusetzen, weil aber letztlich die Lösung eine ist, die selbst diese gewalttätige Gesellschaft im mährischen Dorf beruhigt: Die Täterin wird einer Strafe zugeführt, das Opfer wird geheiratet und so dem gesellschaftlichen Konsens zugeführt.

Ewigkeit ✨😇✨😇✨😇✨

In ein paar Jahrzehnten werden sich sogar die Abonnenten aus Hennef-Uckerath an die Passagen in der Oper gewöhnt haben, die nicht A-Dur oder f-Moll sind, sondern atonal. Dann aber spätestens wird sich zeigen, dass diese Oper eine der größten in der Opernliteratur ist.

Gourmet ☆

Handlung und Musik sind dermaßen dramatisch und nehmen einen so gefangen, dass für Feinschmecker kein Platz ist!

GESAMTWERTUNG

🎭 🎭 🎭 🎭 🎭

»Jenůfa« ist eine der dichtesten und größten Opern, die je geschrieben wurden. Ein Meisterwerk!

Engelbert Humperdinck
1854–1921

Hänsel und Gretel
Märchenspiel in drei Bildern
Text: Adelheid Wette (geb. Humperdinck)
Nach dem bekannten Märchen aus den »Kinder- und Hausmärchen«
von Jacob Grimm und Wilhelm Grimm

»Mein lieber Freund!
Soeben habe ich die Partitur Deines Hänsel und Gretel durchgelesen und setze mich gleich hin, um zu versuchen, Dir zu schildern, in welch hohem Grade mich Dein Werk entzückt hat. Wahrlich, es ist ein Meisterwerk erster Güte, zu dessen glücklicher Vollendung ich Dir meinen innigsten Glückwunsch und meine vollste Bewunderung zu Füßen lege; das ist wieder seit langer Zeit etwas, das mir imponiert hat. Welch herzerfrischender Humor, welch köstlich naive Melodik, welch Kunst und Freiheit in der Behandlung des Orchesters, welche Vollendung in der Gestaltung des Ganzen, welch blühende Erfindung, welch prachtvolle Polyphonie – und alles originell, neu und so echt deutsch!
Mein lieber Freund, Du bist ein großer Meister, der den lieben Deutschen ein Werk beschert, das sie kaum verdienen, trotzdem aber hoffentlich recht bald in seiner ganzen Bedeutung zu würdigen wissen werden.
Na und wenn nicht, so hab' einstweilen von einem treuen Freund und Gesinnungsgenossen innigsten Dank für die Freude, die Du ihm bereitet hast.
Ich denke, ›Hänsel und Gretel‹ soll hier an Weihnachten herauskommen, ich bitt mir aber dringend aus, dass Du darauf bestehst, dass ich es dirigiere – der alte Simpel Lassen soll da nicht dran! Es ist verteufelt schwer – das Hänselchen!

Nochmals herzlichen Glückwunsch und tausend Grüße Deines treuen Freundes und Bewunderers, Richard Strauss.«
(im Oktober 1893 an Engelbert Humperdinck)

Engelbert Humperdinck: geboren am 1. September 1854 im rheinischen Siegburg, gestorben mit 67 Jahren am 27. September 1921 in Neustrelitz. Natürlich ist es nicht schön, dass auch wir, 150 Jahre nach der Geburt des Komponisten, uns eigentlich nicht wirklich für sein Leben und seinen Werdegang interessieren. Es ist auch nicht in Ordnung, dass wir ihn auf »Hänsel und Gretel« festlegen und alles andere, was er komponiert hat, nicht wirklich hören wollen. Ferner ist es auch nicht in Ordnung, dass wir ihn heute noch als Speichellecker Richard Wagners sehen, dem halt einmal in seinem Leben ein toller Wurf gelungen sei, der Rest dessen, was er komponiert habe, diene höchstens als Fußmatte für Cosima Wagner.

Immerhin gibt es von Engelbert noch folgende Bühnenwerke: Das Märchenspiel »Die sieben Geißlein« (1895), das Melodram in drei Akten »Königskinder« (1897), die Märchenoper in drei Akten »Dornröschen« (1902), die komische Oper in drei Akten »Die Heirat wider Willen« (1905), das melodramatische Krippenspiel »Bübchens Weihnachtstraum« (1906), die nunmehr umgearbeitete Märchenoper in drei Akten »Königskinder« (1910), die Pantomime in drei Bildern »Das Wunder« (1911), die Spieloper in zwei Akten »Die Marketenderin« (1914) sowie die Spieloper »Gaudeamus. Szenen aus dem deutschen Studentenleben« (1919). Daneben Schauspielmusiken, Chorwerke, Orchesterwerke, Kammermusik, Lieder usw. usw. Es gäbe noch eine ganze Menge zu entdecken. Das zu tun wäre eine freundliche Geste einem Manne gegenüber, den das Leben nicht auf Rosen gebettet hat.

Adelheid Wette, geb. Humperdinck: geboren am 4. September 1858 in Siegburg, gestorben im Alter von 58 Jahren 1916. Die jüngere Schwester des Komponisten – sie war die Hauspoetin der Familie. Sein Leben lang vertonte Humperdinck immer wieder Gelegenheitsgedichte seiner Schwester, die in Köln den Mediziner Hermann Wette geheiratet hat. 1890 begann sie mit der Niederschrift einiger Lieder, aus denen sich dann die Oper »Hänsel und Gretel« entwickelte. Ihre Arbeit an »Die sieben Geißlein« erschöpfte sich in einigen Liedern zu diesem Thema.

ENTSTEHUNG UND URAUFFÜHRUNG

»Hilf, hilf, bitte, und mach mir etwas recht Hübsches, Volkstümliches! Es ist dies mein wohlgelungenstes Werkchen und zu Recht mein Lieblingskindchen. Zweistimmig. Aber es darf nicht zu hoch sein ...«, schreibt Adelheid Wette am 18. April 1890 ihrem Bruder Engelbert und legt dem Brief vier Kinderliedtexte bei. Der Bruder reagiert sofort und schreibt an sein Schwesterchen: »Fast mit wendender Post sende ich Dir die gewünschte Musik und hoffe, dass sie Dir ebenso gefällt wie mir Deine Verse.« Womit der Fall für ihn erledigt war. In zwei Stunden hatte er ein Tanzduett und zwei Lieder vertont und gab dem Ganzen den Titel: »Ein Kinderstuben-Weihfestspiel von Adelheid Wette ›Hänsel und Gretel‹. In Musik gesetzt von Onkel Ebebe.« Doch ab da hatte es den Komponisten gepackt: Schon ein paar Wochen später fasste man im Familienkreis, während der Pfingstferien in Bonn, die Idee, das Märchen »Hänsel und Gretel« zu einem schönen Singspiel werden zu lassen. Die Eltern des Komponisten waren zu dieser Zeit nach Poppelsdorf, einem Ortsteil von Bonn, umgezogen, hier wollten sie ihr Altenteil verleben. Die ganze Familie, zu der mittlerweile auch die heimliche Verlobte Humperdincks gehörte, Hedwig Taxer, die obendrein auch als Nachbarin des Papas dem alten Humperdinck die Bücher führte, stürzte sich nun auf dieses Thema. Vater, Schwager, Schwester und Braut entwarfen ein Textbuch, Humperdinck nannte diesen kreativen Haufen scherzhaft sein »Familienübel«. Tatsächlich aber komponierte er ganz nach Stimmung und Laune in der Folgezeit das eine und das andere aus diesem Textbuch. Bei Wettes in Köln wurde das bis dahin Komponierte mit ungeheurem Erfolg privat aufgeführt. Humperdinck, der mittlerweile nach Frankfurt übersiedelt war (unter anderem leitete er das Opernreferat der »Frankfurter Zeitung«), wusste aber schon, dass das Stück, wenn es auch vor Fremden bestehen sollte, aus der Atmosphäre der familiären Begeisterung herausgeführt werden musste. Er schrieb nach Hause: »Wie Ihr seht, ist die Sache ungeheuer einfach, wenn man ungefähr angeben kann, wie die Sache gemacht werden muss, die Ausführung aber anderen überlässt.«

Zu Weihnachten 1890 verehrte Engelbert diese Singspielfassung seiner Braut Hedwig, mit der er sich nun offiziell verlobt hatte. Hier ist der Moment, einen artigen Diener vor Hedwig Taxer zu machen und sie richtig hochleben zu lassen. Denn als Engelbert Humperdinck ihr schrieb: »Mit Hänsel und Gretel bin ich jetzt wieder beschäftigt und arbeite das Flickwerk aus ... denke Dir, jedes Mal wenn ich darangehe, kann ich kaum der Versuchung widerstehen, das

Stück ganz durchzukomponieren«, antwortete sie ermutigend und verständnisvoll: »Wenn es so verlockend für Dich ist, das Ganze in Musik zu setzen, dann wird es wohl das Richtigste sein ... auch wenn unsere Verbindung dadurch noch weiter hinausgeschoben wird – und dauerte es noch so lange.« Tatsächlich dauerte es wirklich so lange: Ein ganzes Jahr komponierte Humperdinck an dieser Oper, dann aber, Weihnachten 1891, war die Partitur fertig. Nun noch instrumentiert, kopiert, an die Opernhäuser geschickt und gewartet ... Es ging aber nicht so flott, denn Humperdinck hatte intensive journalistische Verpflichtungen, deshalb konnte er die Instrumentierung nur nebenbei machen. Das führte dazu, dass er knapp zwei Jahre daran herumarbeitete. Im Mai 1893 entschied Hermann Levi, für die Oper in München, das Werk uraufzuführen; Felix Mottl erwarb es für Karlsruhe, Richard Strauss für Weimar.

Am 14. Dezember sollte die Uraufführung in München sein. Humperdinck war mit dem letzten Geld, das er zusammenkratzen konnte, nach München gefahren, probte mit den Sägerinnen und Sängern und war sehr glücklich, als er die ersten Töne, vom Orchester gespielt, hören konnte. Dennoch kam es zu einer großen Enttäuschung: »Wir reisen also morgen unverrichteter Sache wieder ab, da die Aufführung wegen Gretels Erkrankung auf Weihnachten verschoben worden ist. Es ist sehr verdrießlich, aber nicht zu ändern. Ein Trost ist mir geblieben: Die Aufführung wird gut, und außerdem habe ich heute Morgen das Glück gehabt, einer Orchesterprobe beizuwohnen, die mir gegeben hat, was ich seit langer Zeit brauchte: einen großen inneren Erfolg. Mir ist zumute wie Moses, da er das gelobte Land von ferne sah: Ich bin noch wie berauscht von dem, was ich hörte: Die jugendfrische Ouvertüre, das trauliche Kinderglück, die von Humor strotzende Szene der Eltern, von der Hermann törichterweise meinte, sie sei unwirksam, das grauliche Waldweben, die verklärte Engelmusik, die sirenenhaft-zauberischen Klänge des Knusperhäuschens, der tolle Hexenritt, der einem in die Beine fährt, der herrliche Knusperwalzer und die übermütige Schlussszene; wer könnte das wieder vergessen! Zweierlei klingt aus jedem Takt entgegen: Jugend und Heiterkeit, wie man sie bei Mozart und in den Meistersingern und – sonst nirgends findet.« (am 12. Dezember 1893 an seine Schwester Adelheid) So kam es zur Uraufführung in Weimar, am 23. Dezember 1893 nachmittags, unter der Leitung von Richard Strauss. Das Werk wurde ein sofortiger Erfolg, sein Siegeszug ließ sich nicht mehr aufhalten.

PERSONEN

Peter, Besenbinder:	Bariton
Gertrud, sein Weib:	Mezzosopran
Hänsel:	Mezzosopran
Gretel:	Sopran
Die Knusperhexe:	Mezzosopran
Sandmännchen:	Sopran
Taumännchen:	Sopran
Echo hinter der Szene:	4 Sopran, 2 Alt

Chor: Kinder (Sopran, Alt)

Ballett: 14 Engel

ORCHESTERBESETZUNG
Pikkoloflöte
2 Flöten
2 Oboen (2. auch Englischhorn)
2 Klarinetten
Bassklarinette
2 Fagotte
4 Hörner
2 Trompeten
3 Posaunen
Basstuba
3 Pauken
Schlagzeug: Triangel, Tambourin, Becken, große Trommel, Kastagnetten, Tamtam, Donnermaschine, Glöckchen, Kuckucksruf, Xylophon, Glockenspiel
Harfe
Streicher

Bühnenmusik hinter der Szene: Kuckucksruf

BESONDERHEITEN
Warum diese Oper in Deutschland fast immer im Dezember gespielt wird, weiß keiner. Im Sommer und draußen ist auch schön!

DAUER
ca. 2 Stunden

HANDLUNG

Spielt in der Zeit, als das Wünschen noch geholfen hat.

Erstes Bild: kleine, dürftige Stube. Ein Herd mit Rauchfang, Tisch und Schemel, an der Wand hängen Besen

Hänsel und Gretel – allein zu Haus. Papi ist in der Stadt Besen verkaufen, Mami ist auch weg, wo, wissen wir nicht. Hänsel und Gretel binden Besen und stricken, vor allen Dingen aber quält sie seit Wochen der Hunger. Um ihr Brüderchen zu trösten, zeigt Gretel ihrem Hänsel einen Topf mit Milch, den ihnen die Nachbarin geschenkt hat und mit der die Mami, wenn sie nach Hause kommt, sicher einen leckeren Reisbrei machen wird. Das hebt die Stimmung ganz enorm: Zur Melodie des legendären »Brüderchen, komm tanz mit mir« tanzen die beiden, bis die Mama plötzlich in der Tür steht. Sie sieht sofort, dass Gretel den Strumpf nicht fertig gestrickt und Hänsel die Besen nicht fertig gebunden hat. Sie will sie schon bestrafen und stößt dabei den Milchtopf vom Tisch, der klirrend zu Boden fällt. Wütend jagt sie nun die beiden Kinder in den Wald: Sie sollen einen Korb voll Beeren holen. Erschöpft schläft die Mutter am Tisch ein, da kommt der Vater. Er hat ziemlich einen im Tee, denn die Geschäfte sind prima gelaufen. Außerdem hat er Lebensmittel in der Kiepe mitgebracht: »Speck und Butter, Mehl und Würste, vierzehn Eier, Bohnen, Zwiebeln, und gar ein Viertelpfund Kaffee«. Als der Vater sich nach den Kindern erkundigt, zuckt die Mutter verlegen mit den Achseln: Sie wisse nur, dass der neue Topf entzweigebrochen sei. Doch allmählich rückt die Mutter mit der Sprache heraus, als sie nämlich sieht, dass der Vater Angst um die Kinder hat. Am Ilsenstein haust die böse Knusperhexe. Schließlich läuft die Mutter händeringend aus dem Haus: »Oh Graus! Hilf Himmel! Die Kinder! Ich halt's nicht mehr aus«, und der Vater mit ihr.

Zweites Bild: Wald

Gretel bindet einen Kranz aus Hagebutten, Hänsel sucht Erdbeeren. Er kommt mit dem vollen Korb zu Gretel, beide spielen, und im Zuge dieser geschwisterlichen Interaktion isst Hänsel alle Erdbeeren auf. Als Gretel nun vorschlägt, neue Erdbeeren zu suchen, muss Hänsel zugeben, dass sie sich verlaufen haben. Er weiß den Weg nicht mehr. Jetzt kommt langsam Angst auf, die wächst sich zur Verzweiflung aus, und die Kinder sehen im aufsteigenden Nebel tanzende Geister. Ein Männchen kommt durch den Nebel daher: Es ist der kleine Sandmann, die Kinder beruhigen sich und schlafen ein. Allerdings nicht, ohne vorher den größten Hit dieser Oper gesungen zu haben: »Abends, will ich schlafen gehen, vierzehn Engel um mich stehen«.

Drittes Bild: am selben Ort

Das Taumännchen weckt die Kinder, die sich ihre Träume erzählen. Merkwürdigerweise war es bei beiden derselbe Traum! In diesem Moment lichtet sich der Nebel, das Knusperhäuschen kommt in Sicht. Weil es so schön duftet und aus Lebkuchen ist, bricht Hänsel ein Stückchen davon ab, was prompt die Hexe auf den Plan ruft. Sie bindet Hänsel einen Strick um den Hals und begrüßt die Kinder: »Engelchen und du mein Bengelchen! Ihr kommt mich besuchen? Das ist nett! Ihr lieben Kinder, so rund und fett!« Die Kinder verwickeln jedoch die Hexe, die in ihrer Freude über das bevorstehende Essen fast die Kontrolle über sich verliert, in ein Gespräch, in dessen Verlauf Hänsel die Schlinge lockert und mit Gretel fliehen will. Da zaubert sie die Hexe auf der Stelle fest, nimmt Hänsel, führt ihn in den Stall und schließt die Tür hinter ihm. Nun kommt, was wir aus Grimms Märchen kennen: Die Hexe verlangt von Gretel, in den Ofen zu steigen, Gretel möchte, dass die Hexe ihr das vormacht, um ja keinen Fehler zu machen. Dann gibt sie der Hexe einen Tritt, die fliegt in den Ofen und verbrennt. Als der Ofen schließlich explodiert, stehen all jene verzauberten Kinder da, die die Hexe in den Lebkuchen gebacken hatte. Alles freut sich, Vater und Mutter tauchen auf, man weidet sich an der knusperhart gebackenen Hexe, und in frohem Reigen fällt man einander um den Hals. So auch der Vorhang – weniger jemandem um den Hals als zu Boden.

HITS

Die Innigkeit! Die süßen Melodien! Die naive Herzlichkeit! Die Wärme! Die schlichte Frömmigkeit! Die Zauberwelt der Grimm'schen Märchen!

Nein, liebe Freunde, genau das ist es nämlich alles nicht, was diese Oper zum Hit macht. Zum Hit wird sie, weil Engelbert Humperdinck eben nicht in all diese Fallen getappt ist, in denen der Kitsch sich aalt, Gefühle zu Sentimentalitäten pervertiert wurden und Musik sich zu riesigen Marshmellow-Kugeln aufgebläht hat, die einem das Hirn verkleben und die Luft nehmen. Nein, Hänsel und Gretel ist keine Walt-Disney-Production! Hier war einer am Werk, der den Stoff ernst genommen hat und der vor allen Dingen die Kinder ernst nimmt, zumindest die beiden Protagonisten. Man merkt das schon beim Orchestervorspiel, in dem zwar natürlich die volksliedhaften

Höhepunkte der Oper anklingen. Sie sind aber musikalisch so fein herausgearbeitet, dass man auch als Laie hört: Hier hat einer bei Wagner genau hingehört, ohne ihn zu kopieren. Was der zweite Hit wäre, nämlich: dass Humperdinck, obwohl er mit Wagner so lange zusammengearbeitet hat und geradezu dessen Jünger genannt werden kann, uns vor Wagner-Imitaten bewahrt. Nicht nur, dass er nicht imitiert, er zitiert an einer Stelle sogar wundervoll ironisch und augenzwinkernd »seinen« Meister: Im ersten Bild, als Gretel den Griesgram mit den ohnehin schon an Wagner erinnernden Worten »Griesgram, Griesgram, greulicher Wicht« vertreiben will, fasst er diese Worte in eine Musik, die ebenfalls wagneresk ist. Aber es sind Kinder, die hier Wagnerphrasen dreschen – was für ein Vergnügen muss der Komponist daran gehabt haben! Die Orchester-Vor- und -Zwischenspiele sind allesamt ein Hit. Sie sind nicht nur handwerklich sauber durchkomponiert, es sind auch originelle Ideen, die einfach nur Vergnügen bereiten. Man könnte auch sagen: Das sind die Stellen, die für die Erwachsenen gemacht sind. Ein weiterer Hit: Obwohl man in der ganzen Oper den Eindruck hat, Humperdinck zitiere ein Volkslied nach dem anderen, sind es tatsächlich nur zwei Volkslieder, die er aus der Wirklichkeit in die Oper übernommen hat: »Suse, liebe Suse« und »Ein Männlein steht im Walde«. Alles andere sind Originalkompositionen des Meisters aus Siegburg. Das ist es auch, was einen, guckt man sich diese Oper näher an, so umhaut: Da hat sich ein Komponist um 1890 einfach getraut, drauflos zu komponieren, als wäre nichts gewesen. Ich bin ganz sicher, dass es eine große Rolle gespielt hat, dass Humperdinck eine Oper schreiben wollte, die zwar eine Oper ist, aber auch Kindern gefällt. Das hat mit schlichtem Gemüt weniger zu tun als mit der Liebe zu Kindern. Denn es genügt, etwas genauer dem zuzuhören, was das Orchester zu spielen hat, um festzustellen: So kunstvoll könnte ein wirklich schlichtes Gemüt nicht komponieren. Hier haben Stoff und Komponist einander in idealer Weise gefunden. Selbst der berühmte »Abendsegen«, das »Abends, will ich schlafen gehen, vierzehn Engel um mich stehen«, das hart an der Grenze zum Goldschnitt-Kitsch steht, ist eine gelungene Gratwanderung. Das liegt zum einen am wunderschönen Streichersatz, zum anderen an der raffinierten Stimmführung der beiden Solistinnen. Es scheint schlicht zu sein, doch wenn man genauer hinhört, merkt man, wie virtuos Humperdinck hier komponiert hat.

Dasselbe gilt für das legendäre »Brüderchen, komm tanz mit mir«: Auch hier orchestriert der Komponist gegen die populäre Melodie, die dadurch erst richtig abheben kann. Ein schöner Auftritt ist dann der des Herrn Papa. Damit kommt ein feines Stück feuchtfröhlicher Wirklichkeit in das Märchen hinein! Der Hexenritt, das Vorspiel zum zweiten Bild, ist für mich ein Hiteinfall nicht nur wegen der Originalität der Komposition, sondern vor allen Dingen auch wegen der gebremsten Rhythmik. Die erhält dadurch eine Wucht, die diesem Hexentanz erst das Dämonische verleiht. Dann kommt fürs Gemüt der kleine Sandmann und der Abendsegen (wenn Elisabeth Schwarzkopf und Elisabeth Grümmer mir das vorsingen, brauche ich schon mal ein Taschentuch extra). Dann das »Wo bin ich?« im dritten Bild: Ist das nicht zauberhaft? Dann eine Stelle, die, finde ich, sehr zum Schmunzeln verführt: Als nämlich das Lebkuchenhaus langsam zu sehen ist, hat es unseren Engelbert Humperdinck doch etwas vertragen: Hier kommen tatsächlich Wagnertöne hoch, die er sich hätte sparen können. Dies ist ein Nebel und eine Hexe – nicht der Rhein und die Rheintöchter!

Das folgende Duett von Hänsel und Gretel ist ebenfalls eine der Stellen, die für mich zu den Hits dieser Oper gehören. Der Knusperwalzer ist dann der letzte große Orchesterhit. Ich kann mich da übrigens des Eindrucks nicht erwehren, dass Freund Richard Strauss sehr genau hingehört hat und die eine oder andere Anregung, wie man so einen Walzer durch die Harmonien treiben kann, daraus gemopst hat.

FLOPS
Ein Flop ist natürlich, dass das Märchen Hänsel und Gretel kulturell stark an den deutschsprachigen Raum gebunden ist. Schon in Italien kann man mit diesem Märchen nicht viel anfangen. Dort erschrecken die Kinder eher, wenn man ihnen sagt, dass Kinder eine Hexe fressen! Allein schon der Geschmack! Was sanfte Naturen wie die legendären Hopi-Indianer zu diesem Stoff sagen würden, mag ich mir gar nicht ausmalen. Wenn man sich aber damit abgefunden hat, dass es ein Abend wird, der uns in die Abgründe der Grimm'schen Märchen führt, dann sehe ich weit und breit in der ganzen Oper keinen einzigen Flop. Nirgends wird sie kitschig, nirgends wird sie sentimental, nirgends ist sie verlogen – es sei denn, man hielte das Märchen insgesamt für eine Lüge. Da ich diese Meinung aber nicht teile, die Grimm'schen Abgründe für absolut normale menschliche Abgründe halte, kann ich sowohl das Märchen wie auch diese Oper ohne schlechtes Gewissen genießen.

OBACHT

Natürlich stellt es an Sängerinnen und Sänger sehr hohe Anforderungen, diese scheinbar schlichten Melodien genauso scheinbar schlicht und einfach zu singen. Schaffen sie dies nicht, dann wird die Oper allerdings schnell unerträglich. Hier darf nichts aufgesetzt oder gewollt klingen, sonst ist die Atmosphäre zerstört, und das Ganze erstarrt zu Zuckerguss. Das Vergnügen wäre dahin. Diese Oper ist ein fragiles Kunstwerk, das nur besteht, wenn alle zusammen sie ernst nehmen und ohne Zögern nach vorne interpretieren. Dann macht es auch Spaß, wenn das Hexenhaus mit riesigem Theaterdonner zusammenkracht, übrigens ein Moment, auf den sich die Erwachsenen mindestens genauso freuen wie die Kinder. Das ist ja das Schöne an dieser Oper, dass sie auch das Kind im Erwachsenen anspricht.

DER KLEINE OPERNTÄUSCHER

»Kulturgeschichtlich gesehen kann es natürlich kein Zufall sein, dass Engelbert Humperdinck zeitgleich mit der Entdeckung des Unbewussten durch Sigmund Freud und der Entmystifizierung der Märchen durch die Psychoanalytiker *den* Klassiker des phallischen Märchens auf die Bühne stellt. Wenn Hänsel seinen ›Finger‹ als Symbol für die Prüfung seiner Geschlechtsreife durch den Käfig stecken muss, gleichzeitig der Dirigent mit seinem Dirigierstab durch die Luft fuchtelt, so weist das auf Parallelen, die unübersehbar sind. Hat die absolute Musik mit Anton Bruckner die Abgründe verdrängter Erotik entdeckt, so ist jetzt der Durchbruch nahe: Kinder, von Erwachsenen gespielt, zeigen einerseits die Sehnsucht eben dieser Erwachsenen nach der scheinbar geschlechtslosen, naiven Kinderwelt, zeigen zugleich auch, dass sie den Schlüssel zum Geschehen in der Hand halten: Der ›Finger‹ weist den Weg aus dem Gefängnis gesellschaftlicher Zwänge und Rituale! So gesehen ist diese Oper ein Fanal der sexuellen Selbstbefreiung!«

BEWERTUNGEN

Magie 🎩🎩🎩   Wie gesagt, man muss sich gefangen nehmen lassen. Aber dann ...!

Erotik 👠👠👠👠👠   Siehe »Der kleine Operntäuscher«.

Fazzoletto — Die brauche ich für das Sandmännchen, dann für die Stimme von Hänsel und für die Stimme von Gretel (je eines) beim »Abendsegen«.

Gewalt — Ich bitte Sie: Da schickt eine Mutter ihre Kinder in den sicheren Tod, nur weil sie wütend darüber ist, dass sie selbst einen Milchtopf umgeworfen hat. Da werden Kinder in Lebkuchen verzaubert, da wird eine erwachsene Frau verbrannt und als Lebkuchen aus dem Ofen gezogen – was wollen Sie mehr an Gewalt?

Gähn — Weil diese Handlung jeder versteht – auch derjenige, der keine musikalische Vorbildung hat –, kommt keine Langeweile auf.

Moral — Denn es siegt nicht etwa die Moral. Die Hexe wird vielmehr, wie wir das schon von der Inquisition kennen, einfach verbrannt! Dies ist aber keine staatserhaltende, moralisch hochstehende Lösung des Problems.

Ewigkeit — Ich glaube, dass diese Oper bleiben wird, als Zeichen dafür, dass die Erwachsenen und die Kinder doch die ein oder andere Spielfläche haben, die sie miteinander teilen.

Gourmet — Man kann auch Kinderessen zum Gaumenschmeichler machen.

GESAMTWERTUNG

Es ist nicht die größte Oper aller Zeiten, sie hat aber zwei Verdienste: Sie ist eine schöne, feine Oper, die man ohne Reue ernst nehmen kann, und sie hat Generationen von Kindern zur großen Oper hingeführt. Das ist auch ein bleibendes Verdienst!

Giacomo Puccini
1858–1924

La Bohème
Scene da »La vie de Bohème« di H. Murger

Quattro quadri

Text: Giuseppe Giacosa und Luigi Illica, unter Mitwirkung von Giulio Ricordi und Giacomo Puccini

Nach dem Roman »Scènes de la vie de Bohème« von Louis Henri Murger

»Torre del Lago wurde durch Puccini bald zum Mittelpunkt eines kleinen Kreises von Künstlern, die wie er die Ungebundenheit liebten. Zwei von ihnen, die Maler Guido Marotti und Ferruccio Pagni, haben später eine anschauliche Schilderung dieses Kreises gegeben. Die Freunde trafen sich in einer kleinen baufälligen Schenke, die Puccini von einem Schuster gekauft hatte und in der er einen Klub einrichtete, der bald den Namen ›Bohème-Klub‹ erhielt – sowohl im Hinblick auf das Treiben seiner Mitglieder als auch auf das neue Werk, an dem Puccini arbeitete. Beredtes Zeugnis der fröhlichen Ausgelassenheit, die hier herrschte, sind seine ›Statuten‹:

1. Die Mitglieder des Bohème-Klubs geloben einander, getreu dem Geiste, in dem er gegründet wurde, unter Eid, es sich wohl sein zu lassen und besser zu essen.
2. Poker-Gesichter, Pedanten, schwache Mägen, Dummköpfe, Puritaner und andere Elende dieser Art sind nicht zugelassen und werden hinausgeworfen.
3. Der Präsident wirkt als Vermittler; er hindert jedoch den Schatzmeister, das Mitgliedsgeld einzusammeln.
4. Der Schatzmeister ist ermächtigt, sich mit dem Geld heimlich davonzumachen.
5. Die Beleuchtung des Lokals hat durch eine

Petroleumlampe zu geschehen. Wenn das Brennmaterial fehlt, sind die Holzköpfe der Mitglieder zu nehmen.
6. Alle vom Gesetz erlaubten Spiele sind verboten.
7. Schweigen ist verboten.
8. Weisheit ist nicht erlaubt, außer in besonderen Fällen.

Vom Klub aus zogen die Freunde meist zu Puccinis Haus und verbrachten den Abend und die halbe Nacht mit Kartenspiel und Gesprächen, während der Komponist oft inmitten dieser lärmenden Gesellschaft am Flügel saß und komponierte. Er hielt streng darauf, dass man sich um ihn nicht kümmerte, und konnte wütend werden, wenn er das Gefühl hatte, dass man auf ihn Rücksicht nahm. Mit dieser merkwürdigen Arbeitsweise dürfte Puccini wahrscheinlich einzig dastehen.«
(Wolfgang Marggraf, »Giacomo Puccini«, 1979)

Antonio Domenico Michele Secondo Puccini: geboren am 22. Dezember 1858 in Lucca, gestorben am 29. November 1924, kurz vor 12 Uhr mittags, mit fast 66 Jahren in der Klinik von Dr. Ledoux in Brüssel. Den musikalischen Talenten des aus einer regelrechten Musikdynastie (von Giacomo Puccini 1712–1781 in ununterbrochener Reihenfolge bis zu Giacomo 1858–1924!) in Lucca stammenden Komponisten vertraute die Stadt Lucca so, dass man ihm den Posten des Organisten und Kapellmeisters der Stadt Lucca reservierte, »sobald dieser imstande sei, solche Pflichten auszuüben«. Den Posten hatte bis zu seinem Tod Puccinis Vater inne, zum Zeitpunkt dieses Dekrets der Stadt aber war Puccini gerade mal sechs Jahre alt! Glücklicherweise hat Puccini selbst sich nicht für eine Kirchenmusiker-Laufbahn entschieden, sondern hat Opern komponiert. »Gott berührte mich mit dem kleinen Finger und sprach: ›Schreibe fürs Theater; merke dir: nur fürs Theater‹ – und ich habe des Höchsten Rat befolgt«, schrieb er 1920. Nach den üblichen Anlaufschwierigkeiten (Hungerjahre als Student in Mailand, bei der ersten Premiere nur einen Anzug besitzend, lange erfolglose Komponistenjahre) lernte er den Verleger Giulio Ricordi kennen, der sein Leben in vernünftige Bahnen lenkte, indem er ihm ein monatliches Gehalt zahlte. Ab »Manon Lescaut« war das nicht mehr ganz so, ab »La Bohème« überhaupt nicht mehr nötig. Von da an lebte der Mastroianni unter den Großen Fünf (Mozart, Verdi, Wagner, Strauss – und er) scheinbar nur noch seinen Leidenschaften: Autos, schöne Frauen (nein: Frauen überhaupt), Kumpels.

Außerdem sonnte er sich bis zu seinem Tod im eigenen Ruhm. Tatsächlich aber war er eher ein schüchterner, sehr melancholischer, im Alter auch depressiver Mann: Die »mestizia toscana«, die toskanische Wehmut, ist vielleicht auch verantwortlich für die Neigung zum Sentimentalen, die ihm nicht fremd war. Weil sich die *mestizia* auch in der Mimik abdrückt, nannten seine Freunde das *la povera faccia* – das traurige Gesicht Puccinis. Er starb nach einer elendigen Herumoperiererei an seinem Kehlkopfkrebs (plus Diabetes, was die Dinge auch nicht gerade vereinfacht hat) im fremden Belgien, ohne dass er »Turandot« hätte vollenden können. Als Toscanini anderthalb Jahre später die Uraufführung dieser Oper in der Scala dirigierte, senkte er nach der Sterbeszene Liù's den Taktstock, sagte ins Publikum: »Hier endigt die Oper, die durch den Tod des Maestro unvollendet geblieben ist«, und verließ den Orchestergraben. Das betroffene, minutenlange Schweigen wurde schließlich von dem Ruf »Evviva Puccini!« zerrissen, dem eine ungeheure Ovation folgte. Eine späte Reverenz für den in Italien gerne und oft angefeindeten Puccini! Er hat sich sicher auf Wolke sieben darüber gefreut.

Giuseppe Giacosa: geboren am 21. Oktober 1847 in Colleretto Parella (heute: Colleretto Giacosa), gestorben ebendort mit knapp 59 Jahren am 1. September 1906. Weil er, als ihn Ricordi bat, für Puccini ein Libretto zu schreiben, bereits ein hochgeachteter Schriftsteller war (Novellen, Komödien wie »Una partita a scacchi« und »La comtesse de Chaillant« für Sarah Bernhardt), hat er lange gezögert, der Bitte nachzukommen. Zwischendurch hat er es sicher oft bereut (unzählige Briefe zeugen davon, wie er sich mit Puccini und Illica gequält hat), es aber sicherlich auch genossen, dass er als erster und bedeutendster Opernlibrettist hochangesehen war. Als Inhaber des Lehrstuhls für Literatur und dramatische Kunst am Mailänder Konservatorium gab er auch die Zeitschrift »La lettura« heraus und gehörte dem Kreis um Arrigo Boito an. Der eher bedächtige, solide Arbeiter fand großartige Verse für seine Opernfiguren – auch dies ein Geheimnis des Erfolges der Opern –, litt aber unter Puccinis manchmal bestialischem Arbeitstempo. Dennoch raufte sich das Trio, von Ricordi »Trinitas« (Dreifaltigkeit) genannt, immer wieder produktiv zusammen.

Luigi Illica: geboren am 9. Mai 1857 in Castell'Arquato bei Piacenza, gestorben mit 62 ½ Jahren am 16. Dezember 1919 in Colombarone. Als junger Mann fuhr er zur See und kämpfte gegen die Türken. In einem Duell um die Gunst einer Frau hieb man ihm das rechte Ohr ab, weshalb er sich nur mit in den Nacken geschobenem Hut fotografieren ließ. Als glühender Republikaner gab er mit dem großen Dichter Giosuè Carducci eine Zeitschrift heraus. Er traf sich mit Puccini, weil Leoncavallo diesem den jungen Mann zur Rettung des Librettos von »Manon Lescaut« empfohlen hatte. Illica erledigte diese Arbeit nicht nur höchst effizient, er war sogar so feinfühlig, auf die Nennung seines Namens zu verzichten, um die »Kollegen« nicht zu desavouieren (»Manon« ist – librettotechnisch gesehen – ein Massenprodukt, in dem Puccini und Leoncavallo auch noch herumgefuhrwerkt haben). Er hat eine ganze Menge Opernlibretti geschrieben (darunter auch »Andrea Chenier« für Umberto Giordano), die schönsten aber mit Giacosa für Puccini: »La Bohème«, »Tosca« und »Madama Butterfly«. Illica war im Autorenduo mit Giacosa für den dramaturgischen Rahmen und das Bühnenspezifische zuständig – die Idee mit der Kerze in der »Bohème« stammt beispielsweise von ihm, das lebendige Gewusel im Café Momus ebenfalls. Er war auch derjenige, der die strengen italienischen Operngesetze in Bezug auf die richtige Länge von Silben und Wörtern brach, was dann zu diesem wundervollen, wenn auch extrem künstlichen Opernitalienisch führte (siehe z.B. »Otello«). Seine unregelmäßigen Silben und oft überlangen Wörter nannte man damals »Illicasillabi« (Illicasilben).

Henri Murger: geboren am 27. März 1822 in Paris und dort am 28. Januar 1861 mit knapp 39 Jahren gestorben. Eigentlich sollte er Rechtsanwalt werden, er zog aber ein Leben als Bohèmien vor. Er lebte an der Rive Gauche in den Tag hinein, mit Künstlerfreunden und »girls with loose morals but hearts of gold«, wie es der New Grove so *very British* schreibt. Im satirischen Magazin »Le Corsaire« schrieb er von 1845 bis 1849 Geschichten über genau dieses Leben und fasste diese Geschichten mit Théodore Barrière zu dem Roman »Scènes de la vie de Bohème« zusammen, der ein Riesenerfolg wurde. Das ist seine Lebensleistung: den Zeitgeist haarscharf erwischt zu haben.

ENTSTEHUNGSGESCHICHTE UND URAUFFÜHRUNG
Vielleicht hat den Ausschlag gegeben, dass der Stoff Puccini an seine Mailänder Studentenzeit erinnerte, vielleicht auch die Tatsache, dass Ruggiero Leoncavallo am selben Thema arbeitete. Die Ähnlichkeiten mit der eigenen – nicht eben rosigen – Jugend in Mailand führten dazu, dass Puccini für die Uraufführung die Anweisung

gab, das Mansardenzimmer genauso einzurichten wie seine eigene damalige Studentenbude. Der Impetus, es Leoncavallo zu zeigen, könnte dazugekommen sein. Denn die beiden Komponisten – bis dahin Freunde, hatte doch Leoncavallo auch an der »Manon Lescaut« mitgetextet – trafen sich zufällig. Man trinkt, man isst, man erzählt. Beide hatten schon erste Erfolge: Puccini mit der »Manon«, Leocavallo mit den »Pagliacci« (was allerdings ein sensationeller Erfolg war). Beide hatten übrigens in gebirgiger Einsamkeit, in Vacallo nahe der Schweizer Grenze, wo Puccini vom Sommer 1890 bis zum Herbst 1891 wohnte, in zwei einander gegenüberliegenden Häusern gearbeitet! Um sich und der Welt zu zeigen, was dort passierte, hing jeder von ihnen (in Freundschaft) eine Fahne aus dem Fenster: Leoncavallo eine, auf der ein Bajazzo abgebildet war, Puccini eine, auf der man eine Hand sah (Manon – la mano – die Hand)!

Puccini erzählte von seinen Bohème-Plänen, da sprang Leoncavallo auf, schrie rum, das sei sein Stoff, außerdem habe er, bevor er sich selber dranmachte, Puccini das Buch geschickt, was dieser aber abgelehnt habe. Kurz: Die Freundschaft ist zu Ende, der Streit eskaliert in die Zeitungen. »Il secolo« (die Zeitschrift von Edoardo Sonzogno, dem Verleger Leoncavallos) veröffentlichte die Pläne des bekannten Komponisten, Puccini antwortete im »Corriere della sera« in wundervollstem Italienisch: »Egli musichi, io musicherò. Il pubblico giudicherà« (Soll er komponieren, ich werde es auch. Das Publikum wird urteilen). Und so hat es sich ja auch ergeben, letztlich.

Puccini setzte sich daran. War man bis dahin eher puzzlemäßig vorangekommen – das Hauptproblem bestand darin, aus einer Vorlage, die wie ein Bilderbogen viele kleine Facetten des Lebens der Bohèmiens schilderte, eine vernünftige Handlung mit allem, was eine Bühne braucht, zu schneidern –, so forcierte Puccini jetzt das Tempo, ohne allerdings seine Ansprüche aufzugeben. Schließlich hatten die Autoren eine prächtige Idee: Aus den zwei sehr gegensätzlichen weiblichen Hauptfiguren der Vorlage (das leichtlebige Freudenmädchen Mimì und die arme Näherin Francine) schneiderten sie eine Figur: Mimì. Dadurch haftet ihr etwas Rätselhaftes an, was die Figur ungemein anziehend macht. Puccini – der Briefwechsel von ihm mit den Autoren und Ricordi zeigt das – ging es vor allem darum (wie Verdi übrigens auch), die Autoren zur Reduktion des Textes und zu konzentrierter Kürze anzuhalten. Offenbar war ihm klarer als seinen Librettisten, dass der Text oft nur anzudeuten braucht, was die Musik dann ausdrückt. Das ging bis ins kleinste Detail. Ein Beispiel aus einem Brief an Giulio Ricordi: »Sie haben sicher auf Ihrem Schreibtisch eine Kopie des vierten Aktes. Tun Sie mir den Gefallen, sie aufzuschlagen und einen Blick auf die Stelle zu werfen, wo Mimì den Muff bekommt. – Scheint es Ihnen nicht, dass dieser Augenblick des Todes etwas armselig ist? Zwei Worte mehr, eine liebevolle Hinwendung zu Rudolf würde genügen. Es mag eine Spitzfindigkeit von mir sein, aber in dem Augenblick, wo dieses Mädchen stirbt, das mich so viel Mühe gekostet hat, würde ich wünschen, dass sie nicht gar so für sich aus der Welt geht und ein bisschen auch dessen gedenkt, der ihr so herzlich zugetan war.«

Am 21. Januar 1895 begann Puccini mit der Instrumentierung, am 10. Dezember desselben Jahres war er damit fertig. Die Noten gingen, quasi noch feucht, zu Toscanini nach Turin, der am 1. Februar 1896 die Uraufführung dirigierte. Weil die »Manon« in Turin im Teatro Regio so ein großer Erfolg gewesen war, wollte Ricordi die »Bohème« dort herausbringen. Puccini war dagegen: Er sagte zwar, er hasse die »tote« Akustik des Regio, viele Forscher sind sich aber einig darin, dass Puccini aus purer Ängstlichkeit dagegen war: Man soll nicht zweimal das Schicksal am selben Ort herausfordern (Puccini konnte recht abergläubisch sein!), vor allen Dingen aber scheute er die blasierten und versnobten Mailänder Kritiker. Er wollte die Oper in Rom oder in San Carlo in Neapel herausbringen – möglichst weit weg von »da oben«. Er wollte auch nicht Toscanini, sondern Leopoldo Mugnone als Dirigenten haben. All das zeigt, wie hochnervös Puccini in der ganzen Zeit gewesen sein muss – das alles ist Lampenfieber allererster Güte! Das Teatro Regio versuchte jedenfalls, die Akustik aufzupeppen, und man ging nach Turin. Der Erfolg ist bekannt: laue Aufnahme durch das Publikum, vernichtende Kritiken. Fürs Publikum war wohl der Stoff (dass man so was als Stoff für eine *Oper* nehmen kann!) zu neu, für die Kritiker offensichtlich auch. Carlo Bersezio schrieb: »errore di un momento« (der Fehler eines Augenblicks), also quasi: Eintagsfliege. Ähnlich vernichtend äußerten sich die meisten. Lediglich der »Corriere della sera« meinte: »Puccini hat einen großen Schritt vorwärts gemacht.«

Wir wissen heute: Toscanini hat ein paar Tage früher, am 22. 12. 1895 (Sie wissen schon: Puccinis und mein Geburtstag!), die »Götterdämmerung« dirigiert, mit großem Erfolg. Man unterstellte Puccini (von der »Manon« her), dass er Wagnerianer sei, zumindest von Wagner beeinflusst (was damals in Italien extrem angesagt war: Arrigo Boito hatte diese Wagner-Bewegung losgetreten, und jeder, der als fortschrittlich gelten wollte, tat gut daran, sich als Wagnerianer zu äußern), und hörte in der »Bohème« so gar keine Wagner-Töne! Das passte nicht ins Bild! Außerdem war die Besetzung der Uraufführung nicht wirklich optimal (vielleicht hatte es auch einfach zu wenig Zeit zum Einstudieren gegeben). Und wir wissen auch, dass Puccini nochmal über das Ganze »drübergegangen« ist. Der zweite Akt jedenfalls muss da, wie alle Puccini-Autoren anmerken, noch deutlich schwächer gewesen sein. In Rom und Neapel wurde brav applaudiert, der Durchbruch kam aber erst in Palermo und – 1897 – in Livorno, wo der junge Enrico Caruso den Rodolfo sang – er hatte gebeten, seine Arie im ersten Akt um einen halben Ton nach unten setzen zu dürfen, und Puccini erlaubte es – Caruso! Der größte Tenor aller Zeiten! Ruggiero Leoncavallos »Bohème« wurde am 5. Mai 1897 in Venedig uraufgeführt, Caruso sang auch hier und hat die Oper ordentlich aus der Taufe gehoben. Obwohl ein Erfolg, wenn auch kein überragender, ist Leoncavallos Oper von Puccini aus dem Repertoire gedrängt worden – vielmehr: Sie kam erst gar nicht rein!

PERSONEN

Mimì:	Sopran
Musetta:	Sopran
Rodolfo, Dichter:	Tenor
Marcello, Maler:	Bariton
Schaunard, Musiker:	Bariton
Colline, Philosoph:	Bass
Parpignol, fahrender Händler:	Tenor
Benoît, Hausbesitzer:	Bass
Alcindoro, Staatsrat:	Bass
Sergeant der Zollbeamten:	Bass
Zollwächter:	Bass
3 Fuhrmänner:	alle Bass
6 Milchfrauen:	alle Sopran
6 Bäuerinnen:	alle Sopran
8 Müllmänner:	alle Bass
Stimmen aus dem Wirtshaus:	6 Sopran
	3 Alt
	3 Tenor
	3 Bariton
	3 Bass

Stumme Rollen: 2 Burschen, Trödler, Ausbesserin, Kellner, 2 Mütter, kleiner Junge, aufgeputzte Dame, burlesk gekleideter Herr, Kokosmilchverkäufer, Magd, Passant

Chor, Statisterie: Bürger, Soldaten, Dienstmädchen, junge Leute, kleine zierliche Frauen, Buben, Studenten, Schneidermädchen, Gendarmerie, Verkäufer, Mütter, Straßenjungen, Kellner, Gäste des »Cafè Momus«, Händlerinnen, Händler, Wachtparade, Zollbeamte, Straßenarbeiter, Paare aus der Kneipe »Dal Cabarè«

ORCHESTERBESETZUNG
Pikkolo
2 Flöten
2 Oboen
Englischhorn
2 Klarinetten
Bassklarinette
2 Fagotte
4 Hörner
3 Trompeten
3 Posaunen
Bassposaune
Pauken
Große Trommel
Becken
Trommel
Triangel
Xylophon
Glockenspiel
Glöckchen in g, c', d' und e'
Harfe
Streicher

BESONDERHEITEN
Bühnenmusik: 4 Pifferi (= Pikkolo)
6 Trompeten
6 Trommeln
Gläser in c''

DAUER
ca. 2 Stunden

HANDLUNG
Paris, um 1830

Erstes Bild: In einer Mansarde. Durch ein großes Dachfenster übersieht man eine Menge von Giebeln, Dächern, Kaminen, alles im Schnee. Links im Zimmer ein Kaminofen. Ein Tisch, eine kleine Kommode, ein Bücherschrank, vier Stühle, eine Staffelei und ein Bett. Bücher und Papiere liegen verstreut umher. Auf dem Tisch zwei Leuchter. Das Zimmer hat hinten und seitlich eine Türe

Die jungen Herren Künstler arbeiten in ihrer Mansarde. Der Maler Marcello malt (einen wundervollen Schinken: »Der Zug durchs Rote Meer«), der Dichter Rodolfo dichtet. Man friert gewaltig, doch es gibt weit und breit kein Holz. Mit dem Satz »Wir heizen mit Ideen« verbrennt Rodolfo sein Manuskript. Colline, der Philosoph, schneit herein. Er setzt sich zum Ofen und kommentiert: »Sehr feurig!/Ich finde dein Opus glänzend,/lebhaft,/doch allzu kurz!«, als das Feuer verlischt. Man verbrennt daraufhin den zweiten Akt, den dritten – da passiert das kleine Wunder. Zwei Burschen bringen Essen und Brennholz herein, Zigarren, Bordeaux! Schaunard ist der Wohltäter, Schaunard, der Komponist. Er will erzählen, wie es zum Reichtum kam, es hört ihm aber keiner zu, sie heizen und bereiten das Essen vor. Dabei ist es eine hübsche Geschichte: Ein spleeniger Engländer, ein Lord vielleicht, gab ihm den Auftrag, so lange zu spielen, bis der Papagei in seinem Käfig tot von der Stange fällt. Er spielte drei Tage, das Biest wollte nicht sterben, da holte er Schierling und träufelte es dem Lebenswütenden in den Schnabel, worauf der wie Sokrates sein Leben beschloss. Das erzähle ich aber nur Ihnen, damit Sie es wissen, denn die drei auf der Bühne hören immer noch nicht zu.

Ist jetzt auch egal, weil der Vermieter eintritt. Er will die Miete. Man ist höflich, bietet ihm einen Stuhl und ein Glas Wein an, Marcello zeigt ihm gar – zum Entsetzen der anderen – das Geld, das auf dem Tisch liegt, verführt dann aber den Angeber zum Angeben: Er erzählt von einem Liebesabenteuer, man schmeichelt ihm und geht ihm um den Bart. Als er aber einfließen lässt, dass er verheiratet ist, werfen ihn die vier Moralisten hochkant hinaus, teilen das Geld, das auf dem Tisch liegt, und beschließen, diesen Weihnachtsabend im Quartier Latin zu feiern. Alle verlassen das Haus, bis auf Rodolfo, der noch einen Artikel für die Zeitung fertig schreiben will. Als er allein ist, merkt er, dass dies nicht der Tag ist, an dem ihm viel einfällt. Da klopft es. Mimì bittet um ein Streichholz für ihre Kerze, bekommt aber einen Hustenanfall und wird ohnmächtig – damit gleich schon mal klar ist: Hier hört der Spaß auf, und der Todesschatten liegt ab jetzt über allem, was passiert.
Rodolfo besprengt sie mit Wasser und gibt der Erwachenden ein Glas Wein. Leise keimt Liebe auf. Mimì geht, klopft aber gleich nochmal: Sie hat ihren Wohnungsschlüssel bei Rodolfo vergessen. Auf der Schwelle zur Mansarde verlöscht die Kerze wieder, Rodolfo bläst seine Kerze rasch entschlossen auch aus, beide tasten nun auf dem Boden nach dem Schlüssel. Ein immer wieder schönes Bild: Der so triviale Vorgang wird zum Bild der erwachenden Liebe ... Rodolfo nutzt gewieft seine Chance, Mimì näherzukommen, und als er ihre Hand endlich hält, holt er gleich zur ganz großen Anmache aus: »Che gelida manina« (wie eiskalt ist dies Händchen)! Keine Frau könnte diesen Tönen widerstehen, Mimì natürlich auch nicht. Sie, Husten hin oder her, kontert mit der göttlichen Arie »Si.

Mi chiamano Mimì« (Gut. Man nennt mich jetzt Mimì), und wenn man nicht wüsste, dass sie wirklich einen der schönsten Operntode sterben wird, könnte man jetzt gehen. Schöner kann die Liebe nicht mehr werden. Die Freunde rufen von unten, wo er bliebe. Er käme nach, sie sollten schon mal einen Tisch im Café Momus bestellen – und die beiden Verliebten machen sich auf den Weg zu seinen Freunden.

Zweites Bild: Im Quartier Latin: Straßenkreuzung, die einen kleinen Platz bildet, Läden, das »Café Momus«. Weihnachtsabend

Das übliche Gedränge, wie man es aus Paris kennt, nur: ohne Autos – auf die Puccini, der Autonarr, sicher ungern verzichtet hat! Rodolfo flaniert mit Mimì Richtung Momus (wo man die Freunde die »vier Musketiere« nennt), kauft ihr einen entzückenden Capuchon (eine Art Mütze), lehnt ein Korallenhalsband ab (erst wenn der Onkel Millionär gestorben ist!) und stellt sie nun seinen Freunden vor. In das Gewimmel hinein platzen Musetta und ihr Galan, der alternde Alcindoro. Musetta ist Marcellos Ex-Freundin und hat einen großen Auftritt: Jeder im Quartier kennt sie, und jeder weiß, warum sie einen so alten Galan zu sich genommen hat. Sie schämt sich ihres Liebhabers ein bisschen und möchte die Aufmerksamkeit der vier Musketiere auf sich lenken, was aber zunächst misslingt. Sie macht einen immer größeren Laden auf und reizt Marcello mit anzüglichen Reden, bis ihre Taktik verfängt. Schließlich schickt sie ihren Alt-Lover ein paar neue Schuhe kaufen, die alten drückten doch zu sehr, und fällt Marcello an die Brust. Man steht auf und stellt fest, dass das Geld alle ist, was aber Musetta nicht in Verlegenheit bringt. Während die Wachparade vorbeizieht, legt sie die Rechnung auf den Tisch und sagt zum Kellner: »Alles bezahlt der Herr, der mit mir kam.« Im Gedränge der Parade verschwinden Musetta, Mimì und die vier Musketiere. Ob solcher Respektlosigkeit älteren Herren gegenüber fällt der Vorhang.

Drittes Bild: Februarmorgen an der Barrière d'Enfer, einer der großen Zollschranken von Paris. Eine kleine Kneipe, der als Wirtshausschild das von Marcello gemalte Bild »Der Zug durchs Rote Meer« dient. Allerdings steht jetzt darunter: »Zum Hafen von Marseille«

Marcello und Musetta wohnen in der Kneipe. Ein ziemliches Durcheinander, Paris s'eveille eben. Mimì taucht hustend auf und sucht in dem Gewühl von Marktfrauen, Händlern und anderen Negozianten nach Marcello. Sie beklagt sich bei Marcello über ihren Rodolfo, der sie ständig mit seiner Eifersucht plage. Dann solle sie es doch bleibenlassen, meint der Maler, und Mimì stimmt zu. Er solle ihr aber bei der Trennung helfen, Rodolfo sei doch hier. Als Rodolfo aufwacht, stubst Marcello Mimì hinter die Kneipe, von wo sie allerdings das folgende Gespräch der beiden Freunde belauschen kann. Er müsse sich von Mimì trennen, klagt Rodolfo, sie sei zu sehr zu jedem nett und zuvorkommend. Wirklich?, fragt skeptisch Marcello. Nein, der Grund sei ein anderer: Er liebt Mimì über alles, aber er weiß, wie krank Mimì ist und dass sie sterben muss. Er erträgt es aber nicht, dass er, wo er doch keine Mittel hat, ihren Zustand verschlimmere. Allein die feuchte Kälte in ihrer Wohnung ... Mimì hört mit und verrät sich durch ihren Husten. Sie will sich von Rodolfo trennen: Seit sie gehört hat, wie sehr er sie liebt, will sie nicht, dass er ihr Ende erlebt. Er solle ihre Habseligkeiten im Brusttuch einwickeln, sie lasse es den Portier holen, den rosa Capuchon aber solle er als Zeichen ihrer ewigen Liebe behalten. Dann einigen sich die beiden aber doch, sich nicht schon im Winter, sondern erst im nächsten Frühjahr zu trennen. Da atmet jeder auf, der zum ersten Mal die »Bohème« sieht. Gelächter in der Kneipe, Musetta am lautesten. Der eifersüchtige Marcello stürzt rein, und gleich darauf kommen die beiden raus, beleidigen sich noch ein bisschen, dann trennen sich ihre Wege, natürlich für immer, und der Vorhang fällt erleichtert.

Viertes Bild: In der Mansarde wie im ersten Bild

Marcello und Rodolfo sind an der Arbeit – das heißt, sie tun so, tatsächlich aber träumen sie von ihren geliebten Frauen. Marcello hat Musetta in einer Kutsche gesehen, und Rodolfo küsst das Bild von Mimì. Schaunard und Colline kommen mit Brot und einem Hering herein, schlechte Zeiten für die vier Musketiere. Die Herren machen sich die Wirklichkeit schön: Wasser ist Champagner, im Hut gekühlt, man hält glänzende Reden und duelliert sich gar mit Ofenschaufel und Feuerzange. Da kommt Musetta und kündigt die schwerkranke Mimì an, zu schwach, um die Treppe noch heraufzusteigen. Wir wissen: jetzt Taschentücher bereithalten, ab hier wird die Oper endgültig zu *der* »Bohème«. Während man Mimì sanft bettet, erzählt Musetta, wie sie Mimì auf der Straße getroffen habe und die ihr sagte, dass sie sterben müsse und zu Rodolfo wolle. Musetta – als wirkliche Kurtisane hat sie einen starken Sinn fürs Praktische – nimmt ihre Ohrringe ab und gibt sie Marcello. Er soll sie verkaufen und dafür einen Arzt und die Medizin bezahlen. Er will mitgehen, um für die frierende Mimì (deren Händchen immer noch eiskalt sind) einen Muff zu kaufen. Colline will seinen Mantel ins Pfandhaus bringen und fordert Schaunard auf, ebenfalls zu gehen und die beiden alleine zu lassen. Natürlich großes Duett: der beste Puccini aller Zeiten – da sollen die Worte schweigen. Dann kommen langsam die Freunde und Musetta zurück. Man dreht den Docht hoch für den Arzt, der gleich kommen soll, Musetta gibt Mimì den Muff, über den sie sich kindlich freut. Dann schläft Mimì langsam ein. Als Colline, am Fenster stehend, fragt, wie es denn stünde, und niemand reagiert, merkt auch Rodolfo, dass Mimì gestorben ist. Großes Ende. So weich wie hier sinkt der Vorhang selten in seine Falten.

HITS

Tolles Vorspiel: knapp, nur das Nötigste und wir sind mitten in der Szenerie. Hit auch, dass Rodolfo direkt in den ersten Stimmübungen das a' und das hohe B' zu singen hat. Da weiß man direkt Bescheid, was einen erwartet und wen man in dieser Starrolle vor sich hat. Wenn Sie das Gefühl haben, dass der jetzt schon fertig ist: aufstehen und gehen! Jeder wird Sie für einen sattelfesten Stimmexperten halten. Meinen Sie: Na gut, der braucht noch bisschen, dann sollten Sie mit hochgezogenen Augenbrauen sitzen bleiben, ab und zu nach vorne gehen, kritisch eine Hand hinters Ohr halten und dann zurücksinken. Jeder wird Sie in der Pause um Ihre Meinung fragen. Wenn er's bringt: Freuen Sie sich auf eine schöne »Bohème«, zeigen Sie es dann aber auch. Bitte! Das Quartett, nachdem die Köstlichkeiten aufgetragen wurden und Schaunard erzählt: Das ist so leicht daherkomponiert, das geht so selbstverständlich, als würde man sich im Alltag immer so unterhalten. Es hat den Charme von »Die Drei von der Tankstelle«, nicht nur von den Personen, auch vom Pfiff der Musik her. Dabei ist es durchaus eine komplexe Musik. »Bohème« ist beileibe kein Musical oder eine Operette – mag diese Leichtigkeit die Zeitgenossen auch irritiert haben und bis heute so manchen deutschen Tiefgänger die Nase rümpfen lassen. Wie die vier dann den Herrn Benoît abfüllen – auch nicht schlecht, oder? Köstlich auch, was die Librettisten mit dem Namen »Benoît« alles reimen. Wenn er klopft: »Marcello: Chi è là?/Benoît: Benoît!« oder: »Marcello: Dica: quant'anni ha ... caro signor Benoît?/Benoît: Gl'anni? Per carità!/Rodolfo: Su e giù la nostra età.« Hübsch, so eine kleine Spielerei. Ich bin sicher, dass Puccini in diesen beiden Szenen seinen Kumpels aus dem »Club La Bohème« ein lebendiges Denkmal gesetzt hat.

Hit auch der Augenblick der Begegnung: Mimì klopft, und die Streicher plus Klarinette liegen ihr zu Füßen. Eine wunderschöne Stelle! Und tasten und suchen und die Musik weiß alles schon – wundervoll! Dann halt »Che gelida manina« (Wie eiskalt ist dies Händchen), und ab da sind wir im Puccini-Himmel – erst recht, wenn, wie Herr Goertz vorschlägt, die Aufnahme Freni–Pavarotti–Karajan im Ohr ist. Mein Gott, was dieser junge Pavarotti für Töne hat – ruchlos! Sie kontert, auch nicht faul, mit »Mi chiamano Mimì«. Megahit: die *Harfe*! Hören Sie mal genauer hin, wann die Harfen was zu spielen haben, etwa am Ende des ersten Akts. Wenn die Harfe in Flageolett-Tönen das Paar in den Mondschein begleitet – eine Kleinigkeit, mag sein, aber genau so erzielt Puccini seine Wirkungen. Die Harfe ist da ein vollkommen eigenständiges Instrument im Orchester, nicht eine Ersatzgitarre, toll!

Dann kommt eine kleine Lieblingsstelle: Parpignol, der Spielzeugverkäufer, und die Kinder, die ihn umringen und besingen: verteufelt schwer, aber wunderbar! Meisterhaft dann der Auftritt Musettas: Puccini lässt auf der einen Seite des Cafès Marcello von ihr erzählen, sie geht auf der anderen Seite dazwischen: grad so, als ob die beiden jetzt schon, bevor sie wieder zusammen sind, miteinander stritten. Ein köstlicher Moment voller Witz und Ironie. Oder der kleine Walzer, den Musetta (!) singen darf: »Quando me'n vo'« – ein Hit! Nicht nur, was die Partie der Musetta betrifft – eine hinreißende Melodie natürlich –, sondern auch bezüglich des Sextetts, das drum rum singt. Aber auch wegen des Witzes, den Puccini hier zeigt: Musetta schreit, der Schuh sei zu eng, Marcello singt in ganz großem Bogen mit Blick auf Musetta, dass die Jugend doch noch nicht vorbei sei, sie aber zickt über diesem Bogen mit ihrem Galan herum, dass es eine Freude ist: wundervoll! Dritter Akt: Harfe am Anfang! Die erste Szene: So was nennt man in der Malerei ein Genrebild, eher langweilig, ohne hohen künstlerischen Wert. »Straßenbild in Paris« oder »An der Zollschranke« eben, doch gelungen ist es dem Puccini schon! Nächster Hit: Rodolfo sagt zu Marcello, er wolle sich trennen, und jeder Ton straft ihn Lügen! Klar, dass da Puccini die Librettisten gebeten hat, sich kurz zu fassen, wenn er ohnehin alles in Musik ausdrückt! »Mimì è tanto malata«, singt Rodolfo, das Orchester spielt vier Takte lang nur Viertelnotenakkorde – und die ganze Angst, die Rodolfo hat, ist »auf'm Platz«! Vom Abschiednehmen und damit dem Ende des dritten Akts ist kein Wort zu sagen: kristalliner Puccini, wunderbar. Dann noch der Streit von Musetta und Marcello: pralles Leben!

Vierter Akt. Rodolfo träumt »O Mimì, tu più non torni« – hören Sie, wie wenig Zeit Puccini braucht, um aus einem Gedanken den Schmelz der Stimme leuchten zu lassen. Anderthalb Takte, und der

Tenor ist in einem schmelzenden Bogen vom g' auf das a" hochgegangen, und zwar so logisch und organisch, dass man meint, es ginge gar nicht anders – grandios! Dann die ausgelassene Szene, die im komischen Fechtkampf gipfelt: eine Groteske, die dem, was nun folgt, erst recht seinen Ernst gibt. Ab hier ist sowieso alles zu spät: Es kommt nun eine der schönsten Sterbeszenen, die Oper zu bieten hat. Hier gibt's keine Einzelheiten mehr zu nennen. Mich sehen Sie da nur noch fassungslos. Heute noch laufen mir Schauer den Rücken runter, wenn ich an Freni und Pavarotti denke, die ich 1965 in München sehen durfte. Es war minutenlang einfach kein Klatschen möglich: So unglaublich war das, was wir hörten, und so ergriffen waren wir alle. Vorhang!

FLOPS

Also Puccini *muss* ja was gegen die Tenöre gehabt haben! Wie kann man sonst einen Tenor, kaum dass der Vorhang hochgegangen ist, schon seine Höchstleistung bringen lassen? Das ist wirklich hart. Speziell in Italien, wenn man weiß, dass da unten im Publikum mindestens dreißig, vierzig Hobbytenöre sitzen, die alle meinen, sie könnten es eh besser – wenn so was dann aber tatsächlich mal klappt, wie vor ein paar Jahren in Parma, als der Rodolfo ausfiel und drei Amateure aus dem Publikum bravourös »aushalfen«, der erste zwei Akte, dann jeder einen, dann sind das Abende, von denen erzählt man noch seinen Enkeln! Also Herr Puccini, dass Marktschreier, Kokosmilchverkäufer, Orangenverkäuferinnen und was weiß ich wer noch alles solch schwierige Melodien singen können wie hier am Beginn des zweiten Akts, das können Sie in Torre del Lago erzählen, aber nicht hier, nicht uns, die wir alle schon mal in Paris waren! Wir wissen – Verismo hin oder her: »In echt« klingt das gaaanz anders! Aber schön isses doch! Ansonsten sehe ich mit allen anderen Puccini-Verehrern keine Flops in dieser Oper. Das ist, was wir alle unter großer Oper verstehen. Basta!

OBACHT

Ich will Sie ja nicht desillusionieren – aber wissen Sie, wie laut es auf deutschen Opernbühnen ist? Sicher nicht auf jeder. Aber was ich da ein paar Mal erlebt habe, ist unfassbar. In den Bühnengassen stehen gerne die Leute, die wichtig sind, aber trotzdem gerne gucken: die Feuerwehr, Bühnenarbeiter, Praktikanten, Inspizienten, Chormitglieder, Solisten, die auf ihren Auftritt warten, und, immer wieder gerne genommen, Angehörige. Von wem auch immer. Da ist oft einiges los. Im Gegensatz zum Sprechtheater aber, wo alle wissen, dass man jedes Flüstern hört, wissen hier alle, dass da vor der Bühne ja noch der Orchestergraben ist, und da muss man schon laut sprechen, damit man unten im Publikum was hört. Und was passiert? Die sind sich – oft – dermaßen laut am Unterhalten, da bleibt kein Auge trocken. Nur: das Publikum mag es zwar nicht hören, wenn die sich darüber unterhalten, wie die letzte Ü-30-Party war. Aber die Sängerinnen und Sänger auf der Bühne hören es! Und es ist verflucht schwer, dann so einen zarten Tod wie den von Mimì hinzuhauchen! Seit ich das erfahren habe, bin ich immer voller Bewunderung für die Akteure, wenn die ein zartes »Ach! Ich fühl's« oder eben ein »Mi chiamano Mimì« trotzdem noch so singen, dass es mich ergreift.

DER KLEINE OPERNTÄUSCHER
Um zu verstehen, wie die »Bohème« auf die Menschen des Jahres 1896 gewirkt hat (was Sie dann in der Pause souverän von sich geben können), möchte ich aus dem Artikel »Die Bohème« von Eduard Hanslick, Oktober 1897, zitieren. Er schrieb ihn nach der Wiener Erstaufführung der Oper: »Im Theater an der Wien hatten wir also die ›Bohème‹. Und zwar die von Puccini, wie wir gleich beisetzen müssen. Denn fast gleichzeitig mit diesem Komponisten hat auch Leoncavallo sich auf den alten Roman von Murger wie auf eine kostbare Beute gestürzt, und die beiden Komponisten, hinter ihnen ihre Verleger Sonzogno und Riccordi, kämpfen um den Sieg. Ein halbes Jahrhundert ist es her, dass Murgers ›Scènes de la vie de Bohème‹ erschienen sind, ein geistreiches, lebendiges Sittenbild aus den niederen Pariser Künstlerkreisen der dreißiger Jahre. So lange ist es keinem Tondichter eingefallen, darin einen würdigen Operntext zu erblicken. Man hatte doch noch etwas idealere Begriffe von der Oper. ... Dass jetzt gerade die Komponisten sich mit solchem Eifer dieses Stückes bemächtigen, charakterisiert den Zeitgeschmack, welcher auch in der Oper dem Verismo, dem rücksichtslosen Realismus, huldigt. Die wenigen älteren Opern, welche Liebeleien zwischen leichtfertigen Courtisanen und schwächlichen Jünglingen ernsthaft behandeln (›Traviata‹, ›Carmen‹, zuletzt ›Manon‹), haben sie wenigstens in malerische nationale oder historische Tracht gekleidet, in eine romantische Umgebung versetzt und damit aus den niedrigsten Regionen der Alltagsmisère emporgehoben. Mit der ›Bohème‹ vollziehen unsere Komponisten den letzten Schritt zur nackten, prosaischen Liederlichkeit unserer Tage; die Helden in großkarierten Beinkleidern, schreienden Krawatten

und zerknüllten Filzhüten, den Cigarrenstummel im Mund, ihre Gefährtinnen in Häubchen und ärmlichen Umhängetüchern. Das ist neu im lyrischen Drama, ein sensationeller Bruch mit den letzten romantischen und malerischen Traditionen der Oper. Deshalb der atemlose Wetteifer zweier bereits namhafter Tondichter nach diesem noch unversuchten pikanten Lockmittel.« Na, da hat er's ihm aber gegeben, was? Und hat doch weder die Zeitzeichen erkannt noch die Kunst, die sich hier neue Wege sucht. Schade.

BEWERTUNGEN

Magie	🎉🎉🎉🎉🎉	Von Anfang an zieht einen diese Oper in ihren Bann.
Erotik	👠👠👠👠👠	… mit Wollschal, möchte man ergänzen. Hier ist alles Liebe, und zwar durchaus sinnliche Liebe.
Fazzoletto	💧💧💧💧💧	Wen's hier nicht packt, der »soll se brausn gehen«, wie der Wiener sagt!
Gewalt	—	Wüsste nicht, wo …
Gähn	—	Wo wäre hier Platz zu schlafen?
Moral	○○○○○	Die freie Liebe, nicht durch das Sakrament der Ehe geheiligt, wird immer bestraft – und wenn es durch Tuberkulose ist.
Ewigkeit	😇😇😇 😇	Ich hätte fünf gegeben; weil ich aber weiß, dass es immer ein paar Enthusiasten gibt, die ihren eigenen Tränen nicht trauen …
Gourmet	✨✨✨	Die Küche in der Toskana geht zwar auf die Medici zurück, bleibt aber bodenständig – wenn auch auf raffinierte Weise!

GESAMTWERTUNG

🎭🎭🎭🎭🎭

Oper vom Größten! Große Liebe, große Arien, große Duette und ganz, ganz großes Sterben. Und das alles den Stimmen so was von wundervoll in die Kehlen gelegt! Wer wissen will, was Oper kann, der nehme »Bohème«!

Giacomo Puccini
1858–1924

Tosca
Melodramma in tre atti
Text: Giuseppe Giacosa und Luigi Illica
Nach dem Drama »La Tosca« von Victorien Sardou, 1887

»Wohl selten ist so ein brutaler und banaler Stoff in solcher raffinierten Zusammenbrauung uns vorgesetzt worden als die Missgeburt einer scheußlichen, krassen Schauergeschichte. Des seligen Meyerbeers Opernstoffe, die uns gegen dieses Gebilde wie naive Kindergeschichten vorkommen, sind hier in verbesserter Gestalt wieder aufgetreten. Man weiß nicht, soll man das Ding in die Kategorie der Puppentheaterspiele der Vorstädte oder der Hintertreppenromane einreihen. Das Erstere wird man nicht annehmen können, da in dem Stück, *Tosca* genannt, die lustige Person, d. h. der Kasper fehlt; als Letzteres wird es wohl noch hingehen können, wenn es nicht gar so schaurig schön wäre.«
(G. Richter in »Neue Zeitschrift für Musik«, 5. November 1902 – Besprechung der deutschen Erstaufführung am 21. Oktober 1902 in Dresden)

Victorien Sardou: geboren in Paris am 5. September 1831, gestorben mit 77 Jahren am 8. November 1908 ebendort. Er trat als Autor in Eugène Scribes Fußstapfen und schrieb Komödien, später auch historische Romane und Stücke. Seine Bücher waren – da konnte G.B. Shaw gegen ihn geifern, wie er wollte – in London ebenso populär wie in Paris. Der kabarettistisch angehauchte Sardou schrieb u. a. für Offenbach das köstliche Stück »Le roi Carotte«. Nach seinem Tod verblasste sein Ruhm schnell, »Tosca« und »Le roi Carotte« sind in Erinnerung geblieben.

ENTSTEHUNG UND URAUFFÜHRUNG

Uraufführung der »Bohème« war vorbei, was nun? Vielleicht ein Roman von Émile Zola: »Die Sünde des Abbe Mouret«? »Pelléas et Melisande« vom belgischen Symbolisten Maurice Maeterlinck? Puccini fuhr nach Gent, konnte aber von Maeterlinck die Rechte nicht bekommen, weil der sie schon Claude Debussy versprochen hatte – und was für ein Wunderwerk der daraus gemacht hat, wissen wir ja. Und Zola bekam er auch nicht, weil da schon Jules Massenet die Hand drauf hatte. Da fiel ihm Sardou ein, »Tosca«, das Stück, das er 1887 in Mailand gesehen hatte, mit der unvergleichlichen Sarah Bernhardt in der Hauptrolle. Damals schon wollte er den Stoff haben, wozu es aber nicht kam: vielleicht, weil er als Komponist zu unbekannt war. Sein Interesse wurde noch größer, als er erfuhr, dass auch Verdi diesen Stoff interessant fand. Als aber herauskam, dass auch Alberto Franchetti, ein nicht gerade Weltruhm erntender Komponist (aber das konnte man ja damals nicht wissen), diesen Stoff vertonen wollte, und dass Illica bereits am Libretto für ihn saß, wurde Puccini schnell aktiv. Er hing sich hinter Ricordi, der machte Franchetti ein Angebot (er hatte allerdings mittlerweile die Lust am Stoff verloren), und Puccini hatte den Zuschlag: Tosca. Allerdings: Giacosa wollte nicht. Er hatte jede Menge Einwände: Je genauer man gucke, desto mehr sehe man die dramaturgischen Mängel, der Stoff sei nicht für die musikalische Bühne geeignet, im ersten Akt nur Duette, im zweiten Akt nur Duette, und der dritte sei ein einziges endloses Duett, hätte Bohème viel Poesie und wenig Handlung gehabt, so sei das hier genau umgekehrt – macht dann aber doch mit. Man arbeitete am Libretto – und veränderte die Vorlage von Sardou. Das hieß: Einwilligung holen. Die Trinitas fuhr anlässlich einer Aufführung der Bohème nach Paris und lief bei Sardou ein. Sardou zeigte sich grundsätzlich kooperativ, entwickelte aber virtuose Bedenken, wenn es ums Detail ging. Er war damit einverstanden, dass Cavaradossi erschossen werden sollte, bestand aber darauf, dass die Tosca danach in den Tiber zu fallen habe. Und so erzählt Puccini seinem Freund Arnaldo Fraccaroli, wie es weiterging: »›Das ist nicht möglich, Meister‹, sagte ich ihm, ›der Tiber ist zu weit entfernt‹. ›Warum ist das nicht möglich‹, begann Sardou zu schreien, dem offenbar diese Worte nicht sehr vertraut waren. Und vor unseren Augen entfaltete er eine riesige topographische Karte von Rom, um uns zu überzeugen. Sein Eifer war dabei derart und die Furcht, dass wir ihn vielleicht unterbrechen könnten, so lebhaft in ihm, dass er nach einer Viertelstunde des Disputes, da ihm die Kehle ausgebrannt war und er trinken musste, während er in größter Eile das Glas zu seinen Lippen führte, in einer Art Blut-

aufwallung mit der einen freien Hand uns ein Zeichen machte, zu schweigen und ihn nicht zu unterbrechen, da er noch nicht geendet hätte. Und kaum hatte er ein wenig Wasser zu sich genomen, dann ging's von neuem los. Er war ein sonderbarer Kauz.«
Na ja, jedenfalls stellte sich heraus, dass das Gezicke wohl mit Geld zu tun hatte. Nachdem nämlich klar war, dass er nicht 50 000 fr im Voraus bekommen konnte, sondern, wie üblich, 15 % der Tantiemen bekommen würde, und er das realisierte, war der Fisch gegessen. Puh! Der Rest ist schnell erzählt: Man schloss das Libretto 1897. Puccini war in der Zwischenzeit zwecks Recherchen am Originalschauplatz nach Rom gefahren, z. B. um die Tonhöhen der Glocken von St. Peter festzustellen! Im Januar 1898 begann er mit der Vertonung, am 29. September 1899 war die Oper fertig. Wo wird uraufgeführt? Diese Frage beantwortete Giulio Ricordi eindeutig mit: in Rom! Da wo die Oper spielt. Er erhoffte sich etwas lokalpatriotischen Aufwind. Was er nicht ahnen konnte: Zur Uraufführung sagte sich auch Königin Margherita, Gattin von Umberto I. von Italien, an, aber: Es waren politisch undurchsichtige, aufgeregte Zeiten. Anarchisten und Attentäter an jeder Ecke, im Süden sowieso. Jeder war ein Spion, und wenn er das nicht war, war er Polizeispitzel. Was Wunder, dass im Vorfeld der Uraufführung in Rom düstere Gerüchte kreisten, da werde was passieren. Das kam aber wohl nicht von Konkurrenten oder Neidern Puccinis, sondern eher aus der politischen Anarcho-Szene. Als am 14. Januar 1900 im Teatro Costanzi sich der Vorhang zur Tosca hob, kam die Krönung: Plötzlich wisperte sich das Gerücht durch die Reihen, dass gleich eine Bombe explodieren würde. Zum Glück, Herrschaften, sind wir in Italien. Gelassen wird da abgewunken: »Och, die Angeber«, »No, was wird das schon werden«, »Bei der Kälte erfriert ja die Lunte«, man blieb sitzen, wenn auch nicht mehr so aufmerksam, wie man es ohne Bombendrohung gewesen wäre. In der Pause kam dann auch die Königin, man war's zufrieden, und die Oper konnte weitergehen. Aber, wie gesagt: Die Aufmerksamkeit des Publikums war nicht nur auf der Bühne, die war sozusagen auch unter den Sitzen. Also: freundliche Aufnahme, wenn auch keine Begeisterung, aber: zweiundzwanzig Vorstellungen, alle ausverkauft. Kritik reserviert, außer »Corriere della sera«. Den meisten Kritikern gefiel das Sujet nicht und das Libretto: zu viel Gewalt, zu wenig Poesie, so das Fazit. Lediglich der »Corriere«, wie gesagt, fand die Musik dem Libretto angemessen und gekonnt. 1901 Premiere an der Met in New York und ab da Triumphe weltweit.

PERSONEN

Floria Tosca, eine berühmte Sängerin:	Sopran
Mario Cavaradossi, Maler:	Tenor
Baron Scarpia, Chef der Polizei:	Bariton
Cesare Angelotti:	Bass
Spoletta, Polizeiagent:	Tenor
Der Mesner:	Bariton
Sciarrone, Gendarm:	Bass
Ein Kerkermeister:	Bass
Ein Hirte:	Knaben-Stimme

Stumme Rollen: ein Kardinal, ein Untersuchungsrichter, Roberti (Gerichtsscherge), ein Schreiber, ein Wachtposten, ein Offizier, ein Sergeant

Chor: Kapellsänger, Chorschüler, Messdiener, Konfratres, Volk, Sängerinnen und Sänger der Kantate

Statisterie: Bauern, Hirten, Leute aus Ciociaria, Edelleute und ihre Frauen, Bürger, Mitglieder der Schweizer Garde, Schergen, Soldaten

ORCHESTERBESETZUNG
3 Flöten (2. und 3. auch Pikkolo)
2 Oboen
Englischhorn
2 Klarinetten
Bassklarinette
2 Fagotte
Kontrafagott
4 Hörner
3 Trompeten
3 Posaunen
Bassposaune
Pauken
Große Trommel
Kleine Trommel
Becken
Tamtam
Triangel
Glockenspiel
Harfe
Celesta
Streicher

BESONDERHEITEN
Bühnenmusik: Flöte
4 Hörner
3 Posaunen
Kirchenglocken in F, B, f', g', as' und b'
Glocke in f
Glöckchen
2 Rührtrommeln
Gewehrschüsse
Kanonenschlag
Harfe
Orgel
Viola

DAUER
ca. 1 ¾ Stunde

HANDLUNG
Rom im Juni 1800

ERSTER AKT

Im Inneren der Kirche von Sant'Andrea della Valle. Rechts die Kapelle der Attavanti, links die Staffelei eines Malers mit einem großen Gemälde, das von einem Tuch bedeckt ist

Angelotti, Konsul während der kurzen Zeit, als Rom Republik war, ist aus der Engelsburg geflohen. In Knastklamotten hetzt er in die Kirche und sucht den Schlüssel zur Kapelle, den seine Schwester, Marchesa Attavanti, hier versteckt hat. Er findet ihn endlich und versteckt sich in der Kapelle der Attavanti. Der Mesner schlurft in die Kirche: brummelt über die Pinsel, wundert sich über die Abwesenheit Cavaradossis, des Malers, und dass er noch gar nichts gegessen hat. Angelus-Läuten. Der Mesner wird berufstätig und betet, da tritt der Maler ein und enthüllt das Gemälde. »Herrlich getroffen!«, ruft der Mesner und meint damit die Unbekannte, die in der Kirche oft zur Madonna betet. Cavaradossi bemerkt dazu, nicht uneitel: »Aber sie merkt es nimmer,/dass ich sie malte.« Und meint damit die Marchesa Attavanti.
Dann malt er weiter, zieht ein Medaillon aus der Tasche mit dem Porträt seiner Geliebten, der Sängerin Floria Tosca, und hält es neben das große Bild: »Wie sich die Bilder gleichen.« Dem Mesner ist das nicht geheuer, er bekreuzigt sich und geht. Dafür kommt der entflohene Gefangene, Angelotti. Erschrocken bleibt er stehen, als er

sieht, dass ihn Cavaradossi gesehen hat, dann erkennt er den Maler und läuft auf ihn zu: »Sie schickt der Himmel!« Der Maler kann nur ein paar Floskeln hinhauen, weil jetzt Tosca an die Kirchentür klopft, sie will zu ihm. Cavaradossi drängt Angelotti in die Kapelle zurück, gibt ihm aber den Korb mit Essen und Wein, dann öffnet er seiner Primadonna. Die rauscht natürlich herein, wie eben eine Primadonna hereinrauscht, wenn sie ihren Geliebten mit einer Nebenbuhlerin zusammen wähnt (da waren doch Schritte, Rascheln?). Sie zickt rum und beruhigt sich erst, als sie der Madonna ein paar Blumen gestreut, ein inbrünstiges Gebet verrichtet und ihm gesagt hat, dass die Oper, in der sie heute Abend singe, kurz sei und dass sie mit ihm danach allein nach Hause gehen wolle. Die Beruhigung dauert allerdings nicht lange. Denn als sie das Bild betrachtet, erkennt sie die Marchesa Attavanti. Schon geht es wieder los, und er muss schwören, dass er sie nicht liebt. Er wäre aber kein Maler und vor allen Dingen kein Mann, wenn es ihm nicht gelänge, die Primadonna zu beruhigen: »Quale occhio al mondo« (Welche Augen sollen sich in der Welt mit deinen messen können?), und was man halt sonst alles zur Beruhigung sagt. Aber es funktioniert, sie geht.

Nach einer kleinen Pause geht er Angelotti holen, der natürlich alles mitgehört hat. Angelotti vertraut dem Maler an, dass seine Schwester Frauenkleider hinter dem Altar für ihn versteckt habe, in denen er heute Abend fliehen wolle. Das sei nicht nötig, sagt Cavaradossi, als er erfährt, dass Angelotti Scarpias Gefangener war, den auch er hasst wie die Pest. Er könne hinter der Kirche über die Felder zu seinem Haus fliehen, hier sei der Schlüssel, und abends sähe man sich wieder. Da ertönt ein Kanonenschuss: das Zeichen, dass man die Flucht des Politikers entdeckt hat. Cavaradossi beschließt, Angelotti zu begleiten, und beide gehen ab (und leiten damit das Verhängnis ein). Der Mesner stürmt herein, er will erzählen, dass Napoleon geschlagen ist, Cavaradossi ist aber nicht hier. Der Chor und die Ministranten strömen herein, sie freuen sich auf den Abend, weil sie doppeltes Geld fürs Singen bekommen werden: das Tedeum mit der Tosca und die Siegesfeier wegen Napoleons Niederlage. In die Ausgelassenheit platzt die dunkle Figur: der Baron Scarpia. Er sucht Angelotti und findet in der Kirche ein Indiz nach dem anderen: Das Bild stellt offenbar die Marchesa Attavanti dar, die Tür zur Kapelle ist nur angelehnt, darin findet man einen Fächer, den Scarpia als Eigentum der Marchesa identifiziert, und man findet den leeren Picknickkorb, der, wie der Mesner sagt, vorher voll war. Und der Maler hatte keinen Hunger.

Scarpia wird schnell klar, was sich da abgespielt haben muss, da kommt Tosca, sie sucht Cavaradossi. Der Mesner sagt ihr, dass der fort sei, da tritt Scarpia auf. Während die Kirche sich langsam füllt, fängt er – der auf Tosca scharf ist wie Nachbars Lumpi – an, sein Gift zu verspritzen. Was sie denn hier wolle, solche Damen kämen ja sonst selten in die Kirche. Was das denn heißen solle, fährt sie auf. Na ja, es kämen ja auch andere, wie die zum Beispiel (deutet aufs Bild), eine Heldin der Liebe – und zeigt ihr den Fächer und fragt sie, ob das denn vielleicht ein Malgerät sei. Da habe wohl jemand das Paar überrascht, und die Schöne habe auf der Flucht den Fächer verloren. Das sitzt natürlich – und entwickelt die beabsichtigte Eigendynamik. Sie ist nun sicher, dass Cavaradossi und Attavanti was miteinander haben, und versichert Scarpia, dass sie das Rendezvous der beiden verhindern werde. Und ab. Scarpia schickt ihr einen Polizisten auf die Fersen und jubelt darüber, dass sein Plan aufgeht: Tosca in seinen Armen halten zu können – und den Maler in den Tod zu schicken.

ZWEITER AKT

Scarpias Wohnung in einem Oberstock des Palazzo Farnese. Abend

Scarpia speist und sinniert: Der Maler soll hängen und Tosca in seinen Armen liegen. Nebenbei merkt er an, dass er weniger der Serenadenmann ist, wenn es um Frauen geht, sondern eindeutig der Eroberer, der gewaltsame. Er schickt einen Domestiken, Tosca ein Billet zu übergeben, in dem er sie nach der Vorstellung zu sich bittet. Spoletta meldet sich, der Polizist, den Scarpia Tosca an die Fersen geheftet hat. Angelotti habe man nicht gefunden, aber Cavaradossi habe so arrogant geantwortet, dass klar sei, dass er wisse, wo Angelotti sei, und deshalb habe man ihn festgenommen. Während in den Räumen unter ihnen mit Frau Tosca die Musik für die Siegesfeier beginnt, befiehlt Scarpia den Maler, die Häscher, einen Richter und den Folterknecht zu sich. Wo Angelotti sei, beginnt er das Kreuzverhör, schmeichelt, droht mit der Folter, alles vergebens. Tosca kommt, Cavaradossi warnt sie (»Verschweige alles, was du gesehen hast, willst du mich nicht töten«), dann wird er zur Folter geführt. Scarpia dringt in Tosca, erfährt aber nur, dass Cavaradossi allein gewesen sei: keine Attavanti, niemand sonst. Genüsslich schildert Scarpia der ängstlichen Tosca die Einzelheiten der Folter, die Cavaradossi im Nebenraum zu erleiden hat. Sie bittet, abzubrechen, Scarpia stimmt zu, sie will den Maler sehen, Scarpia lehnt ab, sie ruft nach ihm, er beschwört sie, zu schweigen, Scarpia lässt die Tür öffnen, damit sie die Qualen besser mithören kann. So eskaliert es weiter, bis Tosca, nach einem Schmerzensschrei ihres Geliebten, völlig ermattet das Versteck Angelottis verrät: »Im Brunnen, hinter der Villa«.

Man lässt von der Folter ab, Cavaradossi wird hereingebracht, blutüberströmt. Ob sie geschwiegen habe? Ja, natürlich. Wirklich? Ja. Und Scarpia befiehlt seinen Häschern: »Im Brunnen bei der Villa«. Da ist der Maler natürlich von seiner Sängerin enttäuscht. Als dann aber die Kunde kommt, dass Napoleon bei Marengo gewonnen hat und nicht Melas (der Chef von Scarpia), da wird der Maler übermütig und triumphiert – etwas zu früh. Er soll zur Hinrichtung abgeführt werden, Tosca wirft sich den Häschern in den Weg. Tosca: »Rettet ihn!« Scarpia: »Ich? ... Ihr!« Tosca dämmert etwas und sie fragt: »Wie viel?« Das ist aber nicht der Preis, wie wir längst ahnen, sie weiß es nur noch nicht. Da macht Scarpia ihr klar, was er wirklich will: sie. Natürlich lehnt sie empört ab, singt davon, dass sie nur der Schönheit ihr Leben geweiht habe, der Kunst und der Liebe, und kniet sich flehend vor Scarpia hin. Der kontert: »Höre, wie kannst du noch zaudern?/Ich will dir ja sein ganzes Leben/Für eine süße Stunde geben!« Als dann aber der Bote kommt und berichtet, dass sich Angelotti umgebracht habe und man nunmehr auch Cavaradossi bereit mache, fragt der Schurke: »Also?«, und Tosca nickt. Cavaradossi solle dafür aber auf der Stelle frei sein, verlangt sie, was so natürlich nicht geht. Nein, sagt Scarpia, es muss schon so aussehen, als sei er hingerichtet worden. Also eine Scheinexekution, »wie beim Grafen Palmieri«, um vier Uhr morgens. Dann wolle sie aber noch einen Passierschein haben, um aus Rom rauszukommen, für Cavaradossi und sich selbst. Und es kommt, was kommen muss: Während Scarpia schreibt, entdeckt sie einen Dolch auf dem Tisch, nimmt ihn an sich, und als der Schurke sie an seine Brust drückt – »O Tosca, endlich bist du mein« –, rammt sie ihm den Stahl in die Brust. Dann genießt sie, ihn aus nächster Nähe beobachtend, sein Röcheln und sein Sterben. Weil ein bisschen Deko auch beim Todfeind sein muss, stellt sie zwei brennende Kerzen an seine Seite und legt ihm ein Kruzifix auf die Brust. Vorhang – hoffentlich feuersicher.

DRITTER AKT

Auf der Plattform der Engelsburg. Kurz vor Sonnenaufgang

Man hört einen Hirten ein Liebeslied singen, dann wird Cavaradossi vorgeführt. Er weiß, dass er hingerichtet werden wird, möchte aber seiner Tosca noch ein paar Zeilen schreiben. Er bezahlt den Mitarbeiter aus dem Justizvollzugsdienst mit seinem Ring, damit der den Brief bestelle. Beim Schreiben des Briefes übermannen – Warum heißt es eigentlich ›übermannen‹? Keiner sagt ›überfrauen‹. Sind wir Männer wirklich so gewalttätig? – ihn nochmal große Liebesgefühle, da kommt Tosca. Sie zeigt ihrem Maler den Passierschein, erzählt ihm das Ende des zweiten Aktes, das er ja nicht mitbekommen hat, weil er da schon in den Kasematten der Engelsburg war, und sagt ihm, dass er zum Schein hingerichtet werde, dass man danach aber fliehen könne. Er solle gleich bei der ersten Salve fallen: »Und gib nur acht, dass du dir nicht wehtust.«

Während sich die beiden über diese Situationskomik amüsieren, bereiten die Profis alles vor. Punkt vier Uhr früh wird geschossen, Cavaradossi fällt, die Soldaten ziehen ab, und Tosca warnt ihn davor, sich zu früh zu bewegen, nein, immer noch nicht, nein, nein, aber jetzt schnell! Nur: Da bewegt sich kein Maler. Tosca merkt verzweifelt, dass Cavaradossi wirklich tot ist. Es ertönt Geschrei aus dem Inneren der Engelsburg, man hat den toten Scarpia entdeckt und weiß, wer die Mörderin ist. Die aber entzieht sich den Häschern mit dem Schrei »Scarpia, auf zu Gott!« und stürzt von der Brüstung in den Tod. Und wer erzählt, dass die Sängerin dann hinten wieder hochkam, weil die Matratzen, auf die sie springt, zu hoch aufgetürmt waren, der lügt. Nur wer erzählt, dass Mme Montserrat Caballé nicht gesprungen ist, sondern, nach einem Blick auf die Brüstung, ins Publikum geschaut hat und dann, nach einem Blick auf ihren Leibesumfang, mit ihrem Zeigefinger ein klares ›Nein‹ signalisierte, um dann einfach durch die Gasse abzugehen, der erzählt die Wahrheit. Vorhang. Applaus.

HITS

Kaum ist der Dirigent da, geht auch schon die Oper los: super! Es bleibt nicht viel Zeit, sich einzustimmen, denn schon kommt der erste Hit: Cavaradossi »Recondita armonia« – damit schon mal klar ist, wohin die Reise geht. Und »Tosca, sei tu« auf dem b', das lieben die Italiener, und das bedient Puccini – aber trotzdem ist es schön! Hit: Tosca kommt, Cavaradossi begrüßt sie, und was machen die Geigen? In der Umkehrung der Figuren, die hundert Jahre lang die italienischen Geigen in solchen Momenten zu spielen hatten, lässt er die Geigen von oben nach unten pizzicchieren – eine kleine, wunderfeine Ironie. Nach dem Motto: So geht's auch und es ist trotzdem italienisch! Grazie, Puccini.

Und was für eine aufgeregte Musik, als sie das Bild entdeckt und die Attavanti erkennt – und wie sie und die Musik sich bei »Qual occhio al mondo« gleich wieder beruhigt. Kein Wunder, so schön wie das ist! Und »Mia Gelosa« ist auch nicht von schlechten Eltern! Kleiner Hit am Rande: Als Scarpia die Kapelle untersucht, findet er u. a. den Fächer und sagt dazu: »Jago hatte das Taschentuch, ich habe den Fächer!« – so zwinkern sich Opernbösewichte zu. Ist doch köstlich! Und wie er dann Tosca umschmeichelt, das ist toll: Wie eine Schlange windet sich der Bösewicht in engen Intervallen um die Schöne. Scarpia bringt Tosca aus der Kirche, schickt ihr den Polizisten nach, und dann kommt eine Musik, die klingt, als hätte Mussorgsky sie geschrieben: die Glocken, die Harfe, das schwere Blech, die Bratschen – ein schwerer Klang, dass es einem ganz anders wird. »Ha più forte sapore« – eine der großen Bösewichts-Arien der Opernliteratur. Vielleicht nicht so direkt bös wie das Credo von Jago im »Otello«, dafür aber subtiler, böser, abgründiger, freudianischer. Jedenfalls: ein großer Hit, ohne Zweifel! Das dauert nur eine Minute – wir wissen: Puccini hat bei so viel Handlung nicht viel Zeit ... ! –, aber was für eine! Wie Scarpia dann Cavaradossi zur Folter schickt: Puccini, das hast du schön in Musik gesetzt! Groß: »Orsù, Tosca, parlate« – da kommt regelrecht Freude in der Folterkammer auf. Dann sagt Scarpia: »Bringt ihn her«, und wir haben ein paar Takte Trauermarsch. Hören Sie sich das an und Sie wissen, woher Weill so manche seiner Ideen hat!

Ein großer Moment ist auch »Già mi struggea«: Scarpia rückt langsam mit der Sprache raus, was er will, nachdem er Geld abgelehnt hat. Superb! »Vissi d'arte« – einer der größten Puccini-Hits. Zurücklehnen, mitleiden, seufzen und – schwelgen! Und was für eine Musik er die Geigen spielen lässt, als er den Passierschein ausstellt – alles auf der G-Saite! Wie das brennt! Und nochmal wuchtig dieselben Geigen, als sie feststellt, dass er tot ist: Ja, so muss auf der Opernbühne der Bösewicht sterben. So und nicht anders! Dritter Akt: Hirtenlied – kurz, aber einsame Spitze! Hit auch: was Puccini mit den Glocken alles macht! Soweit ich weiß, kommen so viele Glocken in keiner anderen Oper vor. Bei der Sorgfalt, die Puccini hat walten lassen, müsste man sich jetzt nach Rom stellen, um vier Uhr früh, und würde wohl erleben, dass es genauso klingt wie hier!

Hit: Cavaradossi bittet den Kerkermeister um den Gefallen, einen Brief schreiben zu dürfen, und das wird begleitet von vier Celli, die einen in den Himmel spielen. Prima, Giacomo, großartig! Dann der Oberhammer: »E lucevan le stelle« – Tenor und Klarinette – und das Herz zieht sich zusammen. Das mag sentimental sein, das mag die Spur zu süß sein, als dass es große Musik sein kann (meinen manche). Aber das ist Italien, und in Italien tut die Liebe aber auf den Viertelton genauso weh wie wir hier hören – und nicht anders! Knapp drei Minuten, aber für diese drei Minuten stirbt jeder italienische Tenor. Rest ist Artistik: Sterben, Springen, Vorhang!

FLOPS

Kein Vorspiel?! Da bist du als Abonnent hechelnd aus der Tiefgarage hochgehastet und gerade noch reingelassen worden (»Ich muss mich nicht beeilen, ich bin Abonnent, mein Sessel wartet auf mich!«), bist gleichzeitig mit dem Dirigenten an deinem Arbeitsplatz, jetzt kann die Ouvertüre kommen, fünf bis zehn Minuten entspannen und durchpusten ... Das geht hier aber nicht: Kaum bist du da, geht auch schon die Handlung los. Die Ouvertüre ist keine, sie ist eigentlich schon Teil der ersten Szene – unmöglich! Ein weiterer Flop: Kaum hast du dich auf die Liebe und die Eifersucht von Cavaradossi und Tosca eingelassen, ist sie schon wieder weg, und der Politverfolgte Angelotti kriecht aus der Kapelle. Also du kommst wirklich zu nix und schon gar nicht zum Verschnaufen! Und wie dann der Chor kommt und mit dem Mesner spricht – ich meine, da hört man, dass der Alltagssprache auf der Opernbühne Grenzen gesetzt sind.

Das ist aber auch schon alles. Ich schließe mich der Kritik von Giacosa an, der sagt, dass hier einfach zu viel Handlung drin ist. Stimmt. Die Musik kann ihre Motive nur noch anreißen, Puccini kommt gar nicht mehr recht mit. Hier zwei Minuten, dort anderthalb für den Tenor und weiter, weiter, die Geschichte muss weiterlaufen. Flops? Tut mir leid. Dazu passiert zu viel. Du liest die Untertitel über der Bühne, hörst ab und zu Spitzentöne von ihr oder von ihm – und das war's schon. Oder? Nach dem »Parsifal« ist so eine Oper die reine Erholung.

OBACHT

Ach Gott: höchstens, dass sie beim Springen aufpassen muss, ob hinten wirklich die Matratzen liegen.

DER KLEINE OPERNTÄUSCHER

Die Reihe der fachmännischen Verurteilungen dieser Oper ist lang, hier einige Zitate:

Oskar Bies: »Die Sensation schlägt durch. Ein ekelhafter Text, blutig nicht bloß im Stoff, auch in der Behandlung ... Schlächterarbeit im Kleid des Liebenswürdigen, lächelnder Mord ... geopfert dem Moloch der Kinodramatik« (1913).
Gustav Mahler: »Kunstmachwerk«.
Felix Mottl, der große Dirigent: »Affenschande«.
Ferdinand Pohl: »Namenlose Gemeinheiten«.
Julius Korngold, der Komponist: »Folterkammermusik«.
Joseph Kerman: »Der schäbige Schocker«.
Und Jan Meyerowitz, der Komponist, der 1938 ins KZ Sachsenhausen verschleppt wurde, sah Puccini in der Nähe von KZ-Schergen: Deren »durchdringender Ausdruck einer lüsternen Liebenswürdigkeit« sei »das vollkommene Äquivalent der Musik Puccinis«. Für den Tod Scarpias fand er folgende Sätze: »Er verröchelt zu einer schludrigen Sequenz von Dur-Terzen, die durch übermäßige und Nonen-Akkorde sowie verwandte Klänge schlittert. Es ist, als würde der Baron in kochender Giftmarmelade ertrinken.«

BEWERTUNGEN

Magie 🎩🎩🎩 — Zwischendurch ist es ein bisschen weit hergeholt, also das mit der Folterbank zum Beispiel ...

Erotik 👠👠👠👠👠 — Extrem erotisch, die Dame, und extrem männerbeherrschend. Leider scheitert sie an beiden Männern, weil sie beide nicht ernst genommen hat.

Fazzoletto 💧💧 — Mehr nicht, weil Tosca mit ihrer arroganten Art wirklich selber schuld ist, dass ihr so mitgespielt wird. Man kann nicht nur mit verschlossenen Augen durchs Leben gehen.

Gewalt ⛓⛓⛓⛓⛓ — Hier wird ja nur gedroht, gefoltert, in Gewalt genommen, erschossen, erdolcht – also das müsste schon für fünf reichen.

Gähn —	Können Sie bei so was schlafen? Dann sind Sie der ideale Zuschauer für RTL II, Pro 7 und Sat.1 ...
Moral —	Selbst der Staat ist da in der Person Scarpias ein Schwein. Nein, keine Moral, nirgends.
Ewigkeit 😇 😇 😇	Und die sind für »E lucevan le stelle«.
Gourmet ☆ ☆	... weil Scarpia für die Folter sein Abendessen stehen lassen muss, und man weiß ja: Bösewichte essen gerne gut!

GESAMTWERTUNG
🕶 🕶 🕶

Eine große Oper, die alles, was Oper haben muss, hat, aber an einem – kleinen – Fehler leidet: Sie ist manchmal zu kurzatmig (weil die Handlung laufen muss) und sie ist manchmal wirklich etwas zu süßlich. Selbst die großen Bösewichtsmomente werden nicht immer ausgelebt. Dennoch: Ich liebe »Tosca«: »E lucevan le stelle«!

Giacomo Puccini
1858–1924

Madama Butterfly
Tragedia giapponese
Zwei oder drei Akte
Text: Giuseppe Giacosa und Luigi Illica
Nach dem Schauspiel »Madame Butterfly. A Tragedy of Japan« (1900) von David Belasco unter Mitarbeit von John Luther Long

»Das Haus war ausverkauft. Presseleute aus aller Herren Länder erwarteten gespannt das neueste Werk aus der Feder des unbestritten beliebtesten lebenden Opernkomponisten. Doch bereits beim Aufgehen des Vorhangs um 8 Uhr 45 war zu spüren, dass irgendetwas nicht stimmte. Das Publikum verhielt sich zunächst gleichgültig, dann aber ausgesprochen feindselig. Es gab Gelächter und ein paar Mal spöttische Zwischenrufe ... . Der zweite Akt begann – und nun wurde es noch schlimmer. Für ›Un bel dì‹ und das Blumenduett gab es lauwarmen Beifall, meist aber wurde die Aufführung durch Miauen, Grunzen, Rufe und Gekicher gestört. Als sich der Kimono der Storchio im Zugwind etwas blähte, schrie jemand: »Sie ist schwanger – von Toscanini!«, worauf das Publikum in lautes Gejohle ausbrach. (Jedermann wusste natürlich, dass die beiden liiert waren.) Als der Vorhang nach dem Finale gefallen war, erfüllte eisiges Schweigen das Haus.
Man hat zahlreiche Gründe angeführt für diesen katastrophalen Durchfall, eine schlüssige Erklärung aber gibt es dafür nicht ... Eines ist sicher: Die Feindseligkeit war sorgfältig und sehr gut vorbereitet. Man hatte eine Claque bezahlt – Leute, die darin geübt waren, ein Publikum in Aufruhr zu versetzen ... ›Die Vorstellung im Zuschauerraum‹, schrieb der Korrespondent von ›Musica e Musicisti‹, ›war genauso gut vorberei-

tet wie die auf der Bühne.‹ Und das Publikum verließ das Theater äußerst befriedigt darüber, dass die Vernichtung von Puccinis jüngster Oper vollkommen gelungen war.«
(H. Greenfeld: »Puccini. Sein Leben und seine Werke«, Königstein 1982)

David Belasco: geboren am 25. Juli 1853 in San Francisco, gestorben mit knapp 78 Jahren am 15. Mai 1931 in New York. Kam aus einer alten, aus Portugal stammenden Theaterfamilie, die es mit dem Goldrausch von England nach Kalifornien zog. Mit zwölf schrieb er sein erstes Theaterstück, arbeitete und lebte als Theaterdirektor und Autor. Er war seinen Zeitgenossen wegen seiner optischen Effekte ein Begriff, die sehr filmisch wirkten (tatsächlich schrieb er 1912 eines seiner letzten Stücke zusammen mit dem großen Filmregisseur und -produzenten Cecil B. De Mille!). Er bleibt in Erinnerung als der Autor, der »Madame Butterfly« und »The Girl of the Golden West« schrieb: für Puccini Basis zu zwei Opern.

John Luther Long: geboren in Hanover (USA) am 1. Januar 1861, gestorben mit knapp 68 Jahren am 31. Oktober 1927 in Clifton Springs. Seine Schwester war mit einem Missionar in Nagasaki verheiratet und erzählte ihrem Bruder diese wahre Geschichte. Long schrieb daraus eine Erzählung, die er im »Century Magazine« veröffentlichen konnte, und zwar mit durchschlagendem Erfolg. Zwei prominente Schauspielerinnen, Maude Adams und Julia Marlowe, wollten die Rechte haben, die bekam aber David Belasco, mit dem zusammen Long den Einakter »Madame Butterfly« schrieb. Er verfasste noch mehrere Stücke mit Belasco, und als Puccini ihn 1907 in Philadelphia besuchte, schlug er ihm ein weiteres Stück für ein Libretto vor. Wir wissen aber nicht, welches das war.

ENTSTEHUNG UND URAUFFÜHRUNG
Italiener und Englisch ist ein ganz spezielles Kapitel: Nicht, dass die Italiener so viel gegen Englisch hätten wie die Franzosen, aber irgendwie klappt es von allen romanischen Sprachen mit dem Englischen am schlechtesten. Vielleicht liegt das einfach daran, dass England von Rom, Neapel oder Mailand einfach tierisch weit weg ist. Außerdem sind die Alpen dazwischen, und über die Alpen ist bekanntermaßen in den letzten 10 000 Jahren nur Unglück gekommen. Sei dem, wie ihm wolle: Natürlich sprach auch Puccini

praktisch kein Englisch. Er hat seiner Schwester aus England geschrieben: »Se sapessi quel porco inglese.« Verstünde ich nur dieses Sau-Englisch! Dennoch (oder vielleicht gerade deshalb) ist er in London ins Theater gegangen, als er im Juli 1900 wegen der Premiere der »Tosca« dort war. Er ging ins Duke of York's Theatre und sah dort »Madame Butterfly« von David Belasco. Obwohl Puccini, wie gesagt, praktisch kein Wort verstand, beeindruckte ihn das Stück so, dass er nach der Vorstellung in die Garderobe ging und Belasco mit feuchten Augen um die Rechte an dem Stück bat. Zumindest erzählt es so Belasco. Wir kommentieren mit Fritz von Herzmanovsky-Orlando: »Wer weiß, ob's wahr is ... !« Eine Anmerkung von Belasco allerdings zu Puccinis Frage nach den Rechten ist köstlich. »Ich stimmte sofort zu und sagte ihm, er könne mit dem Stück machen, was er wolle, und jede Art von Vertrag abschließen, denn man kann mit einem aufgeregten Italiener, der Tränen in den Augen hat und einem beide Arme um den Hals schlingt, kein geschäftliches Übereinkommen besprechen« (Marggraf, »Giacomo Puccini«, 1979). Vielleicht war Puccini also doch bei ihm!

Puccini steckte wieder mal mitten in den Überlegungen, woher einen Stoff für eine Oper nehmen, als er auf die »Butterfly« stieß. In dieser Phase wartete die italienische Öffentlichkeit auf die Sensation: Der größte zeitgenössische Komponist und der größte zeitgenössische Dichter tun sich zusammen: Giacomo Puccini und Gabriele d'Annunzio! Zu diesem Thema schrieb Puccini am 15. Mai 1900 an Illica: »Wunder über Wunder! D'Annunzio mein Textdichter! Nicht für alle Reichtümer der Welt! Zu rauschhaft und betörend – ich möchte auf den Beinen bleiben.« Bravo, Giacomo, bravo!

Die erwähnte Frage nach den Rechten zog sich allerdings hin, erst im April 1901 war es so weit: Man konnte loslegen. Puccini wollte zwei Akte, Giacosa drei, man einigte sich jedoch rasch. Puccini stürzte sich in die japanische Kultur: Die Gattin des japanischen Botschafters in Rom hörte ihm geduldig zu (Japanerin eben – ob er sie auch mit Tränen in den Augen umarmte, wissen wir nicht!) und gab ihm Informationen und Material. Die Arbeit ging gut voran: Die Trinitas schrieb, und Puccini komponierte, bis zur Nacht des 25. auf den 26. Februar 1903. Puccini war mit seiner Frau Elvira und dem Sohn Tonio nach Lucca gefahren, er musste mal wieder wegen seiner Laryngitis, die ihn seit Jahren verfolgte – Puccini war Kettenraucher –, zum Arzt. Abends aß man mit Freunden im »Rebechino«, die Freunde baten ihn, erst am nächsten Tag nach Torre del Lago zu fahren, Puccini aber, der Autonarr, wollte nach Hause.

Nacht, Nebel, Kurven. Eine davon, bei San Macario, übersah er. Der Wagen krachte fünf Meter tief und landete auf einem Acker. Elvira und Tonio hatte es hinausgeschleudert, Puccini hatte der Wagen unter sich begraben. Zum Glück hatte ein gefällter Baumstamm den Wagen aufgehalten, sonst hätten wir keine »Madame Butterfly« und – vor allem – keinen Trittico. Oberschenkel und Schienbein gebrochen. Die Heilung zog sich lange hin, das Bein musste nochmal gebrochen werden, weil es schlecht zusammenheilte (vielleicht hat da der Diabetes die Heilung schon verzögert). Kurz: ein Riesengeleide, Schmerzen und vor allen Dingen Langeweile in Torre del Lago. Erst ab September konnte er weitermachen, am 27. Dezember 1903 war die Oper endlich fertig.

Premiere sollte an der Scala sein, mit Rosina Storchio fand sich eine herausragende Sängerin für die Titelpartie, alle freuten sich auf den Erfolg, den die Uraufführung bringen würde. Die fand am 17. Februar 1904 an der Scala statt. Oben im »Motto« können Sie nachlesen, wie das war – eine Katastrophe.
Warum, weiß letztlich keiner. Aber irgendwie musste Puccini die Mailänder geärgert haben. Der Mailänder als solcher ist empfindlich und hält viel von sich: Vielleicht war ihnen der zweite Akt zu lang, vielleicht haben sie sich betrogen gefühlt, als das Gerücht die Runde machte, Puccini habe sich selbst und andere Komponisten beklaut, vielleicht war es den Mailändern zu exotisch, vielleicht wollten die Mailänder einem aus Lucca einfach mal wieder einen Denkzettel verpassen – oder vielleicht war es einfach so, dass Puccini die Mailänder zu wenig hofiert hatte. Die Quittung für solchen Fauxpas haben auch andere leidvoll erfahren müssen, die Callas zum Beispiel. Denn selbstverständlich ist die Scala für den Mailänder die beste Oper der Welt. Was heißt ›beste‹: die einzige. Gegen die Scala ist alles andere Wurlitzer und fertig! Dann aber heimlich nach Wien fahren, um sich anzuhören, wie eine Oper wirklich zu klingen hat!

Doch ganz von der Hand zu weisen ist die Verschwörungstheorie nicht: Sonzogno, der Verlegerkonkurrent von Ricordi, war vorher eine Zeit lang Manager der Scala und hatte in dieser Funktion das Programm bestimmt. So brachte er 1899 die Oper »Iris« von Pietro Mascagni heraus, die ebenfalls im Fernen Osten spielt. In einer Zeit, in der man noch Claquen bezahlte (die z. B. an schlechten Stellen »Da Capo« rufen, um das Publikum gegen ein Stück aufzubringen!), ist es soo abwegig nicht, dass Sonzogno den Konkurrenten seines Schützlings Mascagni fertigmachen wollte. Diese Praktiken waren absolut üblich – und funktionieren heute noch: Gucken Sie sich nur mal die Praktiken der wild plakatierenden 30+-Fêten an: Von Toilettenbeschmutzen über Schwefelwasserstoff bis zu provozierten Schlägereien wird alles eingesetzt, um einen Konkurrenten fertigzumachen. Sei's drum: Puccini hat diesen Zorn-Tsunami überlebt, der Scala die Kosten zurückerstattet – es ist eh nur ein Abend gegeben worden, der der Uraufführung – und hat dann die Oper überarbeitet. Er hatte ja wirklich ein bisschen in Eile geschrieben, »damals war die Uraufführung zu nahe«, schrieb er selbst am 22. Februar, also ein paar Tage später. Er kürzte den ersten Akt, zerlegte den etwas zu langen zweiten Akt in zwei Teile und nahm die Arie »Addio fiorito asil« (Ade mein Blütenreich) wieder rein. So ging die »Butterfly« dreieinhalb Monate später in Brescia auf die Bretter, und alles war anders. Großer Erfolg, fünf Nummern mussten wiederholt werden, Puccini wurde zehnmal vor den Vorhang gerufen, die Welt war wieder in Ordnung. Dann Buenos Aires, dann London (1905) – und seitdem die Welt.

PERSONEN

Cio-Cio-San, genannt Madama Butterfly:	Sopran
Suzuki, ihre Dienerin:	Mezzosopran
Kate Pinkerton:	Mezzosopran
B. F. Pinkerton, Leutnant der US-Marine:	Tenor
Sharpless, amer. Konsul in Nagasaki:	Bariton
Goro, nakodo:	Tenor
Yamadori, Fürst:	Tenor
Onkel Bonzo:	Bass
Onkel Yakusidé:	Bass
Der kaiserliche Kommissar:	Bass
Der Standesbeamte:	Bass
Cio-Cio-Sans Mutter:	Mezzosopran
Die Tante:	Sopran
Die Cousine:	Sopran

Stumme Rollen: Dolore, ein Koch, ein Diener, 2 Laternenträger, 2 Bonzen

Chor, Statisterie: Verwandte, Freunde und Freundinnen Cio-Cio-Sans, Diener, Matrosen

ORCHESTERBESETZUNG
3 Flöten (3. auch Pikkolo)
2 Oboen
Englischhorn
2 Klarinetten

Bassklarinette
2 Fagotte
4 Hörner
3 Trompeten
3 Posaunen
Bassposaune
Pauken
Große Trommel
Kleine Trommel
Becken
Triangel
Tamtam
Japanisches Tamtam
Glockenspiel
Japanisches Glockenspiel
Glocken in es', f', fis', g' und a'
Harfe
Streicher

BESONDERHEITEN

Bühnenmusik: Glöckchen in a' und e'
Röhrenglocken
Vogelpfeife
Tamtam
Großes Tamtam
Viola d'amore
Summchor (Sopran, Tenor)

DAUER

ca. 2 ½ Stunden

HANDLUNG

Auf einem Hügel oberhalb von Nagasaki, um 1900

ERSTER AKT

Ein japanisches Haus, Terrasse und Garten; in der Tiefe die Reede, der Hafen und die Stadt Nagasaki

Wie wir es aus dem »Figaro« Mozarts kennen, wird auch hier ein Haus ausgemessen. Diesmal sind es Pinkerton, der US-Offizier und der Heiratsvermittler Goro, der den Amerikaner in die Geheimnisse verschiebbarer japanischer Wände einweiht (Kenner wissen: byoubu = »hörst alles, siehst nix«). Pinkerton will Cio-Cio-San, genannt Madama Butterfly, heiraten und braucht dafür natürlich ein Haus. Goro klatscht, es kommen der Koch und zwei Diener. Suzuki, schon der Butterfly ergeben, überhäuft den Amerikaner mit Komplimenten, der aber interessiert sich nicht sehr dafür, er will wissen, ob alle kommen und wie viele das sind. Zwei Dutzend, schätzt ausweichend der Heiratsvermittler, da kommt schon der amerikanische Konsul, Mr. Sharpless, den Berg hochgekeucht. Pinkerton erzählt ihm, dass er das Haus auf 999 Jahre gemietet habe bei monatlicher Kündigungsfrist, ein Schnäppchen sozusagen. Bei einem Drink (klar, sind ja Amerikaner) erzählt Pinkerton weiter, dass er sich in gleicher Weise auch so mit seiner Geisha verheiraten werde: auf 999 Jahre bei monatlicher Kündigungsfrist seinerseits – was für einen Marine, der in jedem Hafen eine Braut hat, extrem günstig ist. Auch finanziell: nur hundert Yen! Sharpless findet diese Auffassung zwar reichlich leichtlebig, ist aber dennoch neugierig auf die Braut. Zumal er ihre zarte Stimme schon im Konsulat gehört habe, wenn er sie auch nicht habe sehen können. Wer aber, dringt er in Pinkerton, so eine zarte Stimme habe, dessen Liebe sei echt, und die dürfe Pinkerton nicht mit Füßen treten. Diese Warnung kümmert den Bräutigam wenig. Ein Prost auf die künftige Ehe, und Sharpless trinkt auch gleich noch auf Pinkertons ferne Familie mit.

Nun treffen die Braut und ihre Freundinnen ein. Die Freundinnen loben Himmel, Meer und Blumen, und Butterfly sagt, wie glücklich sie sei. Butterfly stellt Pinkerton vor, der erkundigt sich artig, ob der Aufstieg beschwerlich gewesen sei, bekommt aber als Antwort eine feine Liebeserklärung:
»Hab' als Braut von guten Sitten/eh'r an Ungeduld gelitten.«
Sharpless, der Konsul, waltet seines Amts und fragt Butterfly nach Herkunft etc. aus. Ja, sie sei reich geboren, die Familie sei aber verarmt, deshalb habe sie als Geisha ihren Lebensunterhalt verdienen müssen. Keine Geschwister, nur die Mutter lebe noch, nein, sie sei nicht zehn, aber auch nicht zwanzig Jahre alt, fünfzehn, um genau zu sein. Sharpless ist schockiert: fünfzehn! Eher das Alter für Spiele und Bonbons als für die Ehe. Jetzt erscheinen die Amtspersonen und die Verwandtschaft. Diese teilt sich gleich in zwei Lager: Die einen finden Pinkerton hässlich und hoffen auf baldige Scheidung, die anderen finden das Gegenteil. Butterfly bittet ihren künftigen Gemahl, ein paar Dinge behalten zu dürfen: einen Gürtel, eine Brosche, Kleinigkeiten. Und eine Dose. Nein, könne sie nicht öffnen, dazu seien zu viele Leute hier. Goro klärt Pinkerton auf: Darin sei der Dolch, den der Mikado ihrem Vater geschickt habe mit dem Befehl, sich zu töten – und der Vater habe gehorcht. Und ein paar

Statuetten – die Seelen ihrer Ahnen. Dabei zieht sie ihren Bräutigam zur Seite und sagt ihm, dass sie gestern in der Mission gewesen sei und seinen Glauben angenommen habe. Bevor aber Pinkerton – von dem wir übrigens nie erfahren, wes Glaubens er letztlich ist – Quäker? Mormone? Wer weiß? – reagieren kann, ist schon die Hochzeitszeremonie dran. Glückwünsche, Kampai!, der Standesbeamte ruft noch ein forsches »Posterità« (Nachkommenschaft!) den Brautleuten zu, fertig.

Plötzlich Aufregung und Gebrüll: Onkel Bonze kommt und fragt Butterfly, warum sie im Missionshaus gewesen sei. Als sie vom Religionswechsel erfahren, sagen sich alle Verwandten von ihr los. Sie beschimpfen die Abtrünnige und werden daraufhin von Pinkerton rausgeworfen. Pinkerton tröstet seine Schöne, Suzuki hilft ihr in ihr weißes Kleid, endlich ist Zeit für Ruhe, Mond und Liebesschwüre. Das liest sich in normalen Programmheften dann so: »Pinkerton drängt Butterfly, ihm zu sagen, dass sie ihn liebe, worauf sie erwidert, er sei ihre einzige Quelle des Glücks.« Also wenn mir meine Frau damals so was Verquastes gesagt hätte ... Genießen wir lieber die schöne Musik, die Puccini dazu eingefallen ist, bis der Vorhang seufzend sinkt.

ZWEITER AKT *(Zweiter Akt, erster Teil)*

In Butterflys Haus

Butterfly ist sauer über die japanischen Götter, die zu träge seien, ihre Gebete zu erhören. Dann fragt sie Suzuki, wie es um sie stünde. Suzuki zeigt ihr Kleingeld und meint, das sei alles. Wenn Pinkerton nicht bald zurückkomme ... Er kommt, versichert Butterfly (obwohl sie seit drei Jahren nichts von ihm gehört hat!) und singt ihre wunderschöne Hoffnungsarie »Un bel dì vedremo« (Eines Tages werden wir einen Rauchstreifen am Horizont sehen). Sharpless kommt mit Goro, dem Heiratsvermittler. Er hat einen Brief von Pinkerton bekommen, in dem steht ... Er kommt aber nicht dazu, Butterfly lenkt ab bis hin zur Frage, ob denn die Rotkehlchen in Japan später brüteten als in Amerika, weil ihr Mann gesagt habe, er käme zurück, sobald die Rotkehlchen ihre Nester bauten. Sharpless ist allerdings kein Ornithologe. In diese Konversationslücke springt Butterfly: Sie klagt, dass Goro ihr alle naslang Anträge vermittle, zuletzt den vom reichen Yamadori. Der kommt selber und verspricht der Schönen ewige Treue, allein sie teilt mit, dass sie gebunden ist. Aber ihr Gatte sei doch weg, und das käme in Japan der Scheidung gleich. Nein, nicht bei ihr, sie sei ja Amerikanerin.

Sharpless versucht erneut, ihr den Brief, mit dem Pinkerton sich von Butterfly trennen will, vorzulesen, fragt dann, was sie mache, wenn er nicht zurückkehre. Worauf sie sagt: Geisha sein oder sterben. Dann aber entreißt sie ihm den Brief, küsst ihn und geht hinaus, um mit einem Jungen auf dem Arm zurückzukommen. Ob Pinkerton sein eignes Kind vergessen könne? Wenn er davon erfahre, werde er sicher gleich zu ihr zurückkehren. Sharpless verspricht, an Pinkerton zu schreiben und ihm von seinem Kind zu erzählen, dann geht er. Da ertönt ein Kanonenschuss, ein Schiff läuft in den Hafen ein, es ist die »Abraham Lincoln«, Pinkertons Schiff, Butterfly triumphiert. Suzuki und Butterfly pflücken Blüten und verstreuen sie im Haus. Suzuki, das weiße Kleid! Geschmückt und geschminkt warten sie nun auf Pinkerton: »In den Shoshi mach ich drei kleine Löcher,/um durchzuspäh'n./Wir warten stille,/wie drei kleine Mäuschen,/bis wir ihn sehen.« Sie führt das Kind zum Shoshi, in den sie drei kleine Löcher macht: eins oben für sich, eins darunter für Suzuki und eins, ganz unten, für das Kind.

DRITTER AKT *(Zweiter Akt, zweiter Teil)*

ebenda

Es ist Morgen, Suzuki und der Kleine schlafen, Butterfly wacht. Suzuki wacht auf und schickt ihre Herrin schlafen, sie wecke sie schon, wenn Pinkerton kommt. Pinkerton und Sharpless klopfen. Suzuki sagt Pinkerton, dass Butterfly und das Kind die ganze Nacht gewartet haben. Dann sieht sie eine Dame im Garten. Wer das sei? Äh ... Sharpless sagt schließlich: Pinkertons Frau. Ab da geht alles ziemlich schnell: Suzuki weiß, dass für Butterfly damit alles vorbei ist. Sharpless sagt, man wolle doch zumindest für das Kind eine gute Zukunft bauen. Und Pinkerton realisiert langsam, was er in seiner Marine-Blauäugigkeit alles angerichtet hat. Sie soll, sagt Sharpless, Butterfly holen. Wenn sie die Frau Pinkertons sieht, erklärt sich vieles wie von selbst. Da kommt Butterfly geflogen, sucht Pinkerton, schaut sich um und sieht die fremde Frau. Sie sei die schuldlose Ursache für ihr Leid, sagt Sharpless, er bittet sie, ihr Kind der Frau Pinkertons zu überlassen. Wenn er es so wolle, könne sie das; sie könne das Kind aber nur ihm selber übergeben. Er soll es in einer halben Stunde holen kommen. Sie schickt Suzuki zum Kind, geht an den Schrein und holt den Dolch heraus. Laut liest sie vor, was darauf steht: »Ehrenvoll sterbe, wer nicht länger ehrenvoll leben kann«. Schon setzt sie an, da schickt Suzuki den Kleinen in den Raum, Butterfly stürmt auf ihn zu und umarmt ihn. Sie verbindet ihm die Augen und geht hinter die spanische Wand (heißt das in

Japan auch so?). Man hört den Dolch fallen. Sie schleppt sich zum Knaben, dann ertönt Pinkertons Stimme, sie schleppt sich an den byoubu und stirbt. Der Vorhang senkt sich behutsam, denn er will die Papierwände nicht zerdrücken.

HITS
Hit: wie Puccini (als der Konsul und Pinkerton sich hinsetzen) den *national anthem*, die amerikanische Nationalhymne, auflöst: Das geht los, wie man es kennt, hört aber auf in Bonbonrosa! Solch ätzende Ironie hätte ich Puccini gar nicht zugetraut, großartig! Auch die weitere unterschwellige USA-Kritik finde ich großartig: Das kommt so doppelbödig daher, dass man es geradezu für USA-Schwärmerei halten möchte: In schönen Tenorbögen singt Pinkerton »Egal wo auf der Welt, überall fühlt sich der Yankee wohl« – das kann man so oder so sehen. Ich sehe es so! Die Melodien sind zwar berückend, aber das »America forever« hat schon wieder diesen kaum wahrnehmbaren ironischen Unterton. Diese Ironie kommt nochmal, kurz bevor Butterfly erscheint, als die beiden sich zuprosten und Pinkerton ins a' und b' singt: »Und trinken wir auf meinen Bund, den zukünftigen Ehebund mit einer echten, echten Amerikanerin.« Das kann Pinkerton doch nicht ernst meinen, jetzt, kurz bevor seine Braut kommt, das kann nur von Puccini absolut ätzend ironisch gemeint sein! Und dass Butterfly gleich das des''' anbieten kann – wunderbar! Ein kleiner Augenblick, der guttut: Als Butterfly sagt, wie alt sie ist. 15 – und das Orchester erschrickt – nur ein bisschen, nur ganz leise, aber es erschrickt. Die beiden Herren zwar auch, ein ganz kleines bisschen, doch die Erschreckensfermate liegt im Orchester, nicht bei den Sängern! *So* wahrt ein großer Komponist die Unschuld des Instruments, das *seine* Gefühle ausdrückt und nicht die der Menschen auf der Bühne. Die dürfen lügen, das Orchester nicht, niemals! Danke, Giacomo, dass du das hier nochmal klarstellst!

Die Verdammung Cio-Cio-Sans durch Onkel und Verwandte ist eine Hit-Stelle, weil Puccini die religiösen Gefühle dieser Japaner offensichtlich ernst nimmt: tolle Musik und ein tiefes Gefühl. Vom Duett »Viene la sera« bis zum Schluss dieses ersten Aktes – das ist ein Beispiel, dessentwegen man Puccini einen »Kitschier« genannt hat. Diese Oper sei wegen ihrer vermeintlichen Süßlichkeit eine »Diabetiker-Oper«. Aber ich finde, hier ist nichts süßlich. Das ist reinster Puccini, schwelgerisches Gefühl vielleicht, aber kein Kitsch. Für mich sind das die Minuten, deretwegen ich in die »Butterfly« gehe. Oder würden Sie die Oper wegen der hübsch streitenden Verwandtschaft hören wollen? Das »Vogliatemi bene« hätte Verdi auch nicht besser machen können! Zweiter Akt: Hit gleich zu Beginn: Wie die Musik unterschwellig die Tragödie ahnen lässt, als Butterfly von Hoffnung zu singen hat! Beim »Er kommt. Sag es mit mir zusammen: er kommt«, da lachen sich die Flöten und die Oboen halbtot. Böse, aber wahr. Wie gesagt: Die auf der Bühne dürfen lügen, sich was vormachen, das Orchester nicht! Aber wie schön sie davon träumt, dass er zurückkommt! Ganz aus dem richtigen Leben, wie sie den amerikanischen Konsul immer wieder unterbricht: kokett, mit Grazie, aber unüberhörbar. Weil sie ahnt, was in dem Brief steht. Eine Szene von allerfeinster Composition (mit C, damit Sie schmecken, was ich meine!).

Dann kommt Yamadori, kommt Tee, Puccini versucht es wieder mit Walzer: ein paar Takte nur, aber – mein Gott – wie das gleich im Herzen zieht! Ein Megahit ist das Triumphgefühl, mit dem sie dem Konsul das Kind zeigt: »E questo?« – das ist gewaltig! Dann natürlich »Che tua madre dovrà« (Deine Mutter soll dich im Arme tragen): großer Puccini, hohe Töne! Dass die Mailänder bei der Uraufführung da nicht dahingeschmolzen sind, kann man sich wirklich nur damit erklären, dass alles ein abgekartetes Spiel war! »Schüttle alle Zweige dieses Kirschbaums« ist schon fast ein Volkslied, wäre es nicht so kurz! Und gegen Ende wird dieses Duett geradezu überirdisch schön: »Gettiamo a mani piene« – damit sind wir für alles, aber auch wirklich alles entschädigt, was uns bisher etwa nicht gefallen haben sollte! Suzuki erwacht: »Già il sole« (Schon Morgen!), dazu tiefe Klarinetten- und Fagott-Töne und wissen: Wenn die Sonne schon so dunkel aufgeht, wird es wohl nix mehr werden mit dem Tag. Toll: Ein Takt genügt, und die Stimmung ist perfekt. Dann folgt »Povera Butterfly«, und Butterfly singt ihren Schmerz ins h'' und wird dann auch noch leise da oben – Hilfe, ich vergehe! »Addio fiorito asil« (Leb' wohl, mein Blütenreich): natürlich Hit. Dann bricht die Tragödie über Butterfly herein: Sie sieht Kate Pinkerton – Generalpause. Sie versteht, dass er nicht mehr zurückkommt – Generalpause. Das ist meisterhaft. Die Stille brüllt an dieser Stelle, es entsteht in uns genau der Schmerz, den auch sie spürt. Das ist große Kunst. Und großer Abschied vom Kind und großer Tod – das kann er meisterhaft, unser Puccini.

FLOPS
Irgendwie geht das Ganze los wie chinesische Marionetten. Das trappelt in den gezupften Kontrabässen, das trippelt in den Oboen

und Flöten. Es würde einem ganz chinesisch werden, wüsste man nicht, dass das japanisch ist – wie's halt ein Italiener sieht. Als Butterfly kommt, singen ihre Freundinnen »Quanto cielo! Quanto mar!« (Weiter Himmel! Endloses Meer!): Das kommt fast ein bisschen Rheingold-Töchter-mäßig daher, zwar nicht so bewegt wie die Floßhilde-Sisters, aber im Höhenflug durchaus vergleichbar. Puccini also doch Wagnerianer!

Als die Regierungskommissare angekündigt werden, lässt Puccini das Fagott punktiert herumhoppeln: Puccini! Das ist weder fürs Fagott angenehm, noch ist es als Karikatur was Neues! Da wären wir erneut beim chinesischen Marionettentheater: Das ist nicht nett und deshalb ein Flop! Auch hier geht der zweite Akt im Orchester wieder mit dem Pizziccato-Gezuppel los: Puccini, was reitet dich denn da die ganze Zeit? Unbegreiflich. Zum Glück dauert's nicht lang. Ein weiterer Flop darf nicht unerwähnt bleiben: Er liegt aber in der Übersetzung. Sharpless liest den Brief vor, Butterfly unterbricht ihn, dann liest er weiter: »Tre anni son passati« (Drei Jahre sind vergangen), und Butterfly unterbricht wieder: »Anche lui li ha contati« (Auch er hat sie gezählt). In der offiziellen deutschen Übersetzung aber steht: »Wie genau er's behalten!«: Das ist nun wirklich etwas anderes als »Auch er hat sie gezählt«! Klar, es muss auf die Noten passen. Dann hätte man halt sagen müssen: »Gezählt hat sie auch er« – es gibt schlimmeres Operndeutsch. Aber, wie gesagt: »Wie genau er's behalten« – es steht doch ein anderer Mann vor uns und eine andere Butterfly, und wenn sie so was sagen würde, wäre sie eine Frau voller Ironie, was sie aber nicht ist. Es sind genau diese Kleinigkeiten, in denen der Unterschied liegt.
Manchmal ist es quälend, dass Puccini immer wieder wunderschöne Bögen aufreißt, um einen dann damit hängenzulassen: »Schüttle alle Zweige dieses Kirschbaums« beispielsweise geht klasse los, doch dann kommt die Bremse! Später geht es weiter, trotzdem. An dieser Stelle wäre man gerne in freudiger Stimmung geblieben, auch wenn man weiß, wie's ausgeht! Schade. Hm, der Summ-Chor – vielleicht hätte es die Viola d'amore allein auch getan! Und beim Vorspiel zum zweiten Teil des zweiten Akts habe ich immer das Gefühl: Solange Puccini diese Bögen singen lässt, ist alles wunderbar, sobald das aber nur instrumental ist, wird es na ja. Da wagnert's ein bisschen, da ist das »Waldweben« nicht fern, da ist's zwar auch italienisch, aber ein bisschen zu dick. Vielleicht wirkt das heute aber auch nur deshalb so, weil alle Filmmusikkomponisten genau diese Passagen gerne geklaut haben. Wenn der Held davongeritten ist und sie ihm nachschaut – nicht vergessen: Alle Western sind amerikanische Hei-

matfilme! –, dann schwellen die Celli zusammen mit den Fagotten und Flöten genau solche Pucciniaden. Dafür kann der Meister aber natürlich nichts. Wie sich Pinkerton, der Feigling, verhält, ist allerdings ein gigantischer Flop – aber ich sagte ja schon: Puccini führt diesen Ami richtig vor. Er lässt ihn in »Addio fiorito asil« sogar singen »Io son vil« (Ich bin feige). Und dann kriegt so einer auch noch das Kind!

OBACHT
Die Requisiten müssen funktionieren. Wenn das Messer zu Boden fällt und man dabei hört, dass es ein dünnes Holzteil ist, ist der Zauber natürlich im Eimer. Außerdem kann man die »Butterfly« auch wie eine Operette auffassen und entsprechend spielen: Dann ist das große Kotzen angesagt. Wenn ich's nicht gehört hätte ... Gerade die »Butterfly« »kommt« nur dann, wenn man sie ernst nimmt und seriös, absolut seriös, ja streng musiziert. Ich sage nur: Toscanini! Der wusste solche Sachen.

DER KLEINE OPERNTÄUSCHER
Sie können in der Pause gleich zwei Fliegen mit einer Klappe schlagen: für einen Opernkenner erster Güte gehalten zu werden und gleichzeitig auch für einen Freund der Avantgarde. Sie müssen darauf hinweisen, dass Puccini in der Butterfly mit der Tonalität gebrochen hat – als erster Opernkomponist überhaupt! Das ist zwar nur ein kurzer Moment, aber ein radikaler. Puccini war viel radikaler als Anreger der Neuen Musik als Wagner in seinem »Tristan«. Dieser Moment findet sich im ersten Akt. Nach dem selbstherrlichen Amerikalob »Dovunque al mondo« (Überall in der Welt lässt's sich der Yankee gutgehen), mit dem schon beinah unerträglichen Toast auf die irgendwann zu erwartende »echte Hochzeit mit einer echten amerikanischen Braut«, kündigt sich Butterfly an. Da spielt das Orchester und singt der Chor Quinten, die chromatisch laufen, Akkorde sind ohne jeden Bezug, das alles in schillernden Höhen: freischwebende Töne quasi, ohne tonale Einbindung, die flirren einfach da so rum. Das ist die Aufhebung der Tonalität. Bei Puccini. In der »Butterfly«. Das erste Mal auf einer Opernbühne in der Operngeschichte!

BEWERTUNGEN

Magie 🎪🎪🎪 — Na ja, immer wieder kommen halt kleine Stellen, da ist man wieder draußen aus dem Geschehen. Außerdem ist nicht jeder ein Fernostexperte.

Erotik 👠 — Und auch die nur am Anfang. Danach geht's ja um ganz andere Gefühle als Erotik!

Fazzoletto 💧💧💧 bis 💧💧💧💧 — Der Liebesrausch im ersten Akt. Im zweiten Teil des zweiten Aktes dann sowieso ständig!

Gewalt ⛓ — Und die legte ich dem Pinkerton an!

Gähn — Nöö, wirklich einschlafen tut einem da nix.

Moral 🔔🔔🔔🔔🔔 — Weil aus amerikanischer, aber auch aus christlicher Sicht natürlich richtig ist, dass das Kind in ordentliche Hände kommt. Und weil aus der traditionellen japanischen Moral heraus sie sich natürlich das Leben nehmen muss und es auch tut. Also: Alle Gesetze werden eingehalten!

Ewigkeit ☀ — Der Abschied vom Kind wird ewig bleiben. Ansonsten hat diese Oper das Problem, dass sie für alle zu weit weg ist: den Europäern Japan, den Japanern Europa.

Gourmet ⭐⭐ — Ein Stern für die Stelle mit der Aufhebung der Tonalität. Und einer für die vielen kleinen Sushis, die Puccini in der Partitur versteckt hat. Kleine, aber feine!

GESAMTWERTUNG

Eine Oper mit ganz großen Momenten, die neben durchschnittlichen Stellen stehen. Sie wird allerdings dann eine wirklich große Oper, wenn sie auf »amtlicher« Ebene aufgeführt wird: von allerersten Kräften, die sie ernst nehmen. Dann ist es wie bei der »Bohème«: minutenlanges Schweigen, bevor der erste Applaus zaghaft aufblüht!

Giacomo Puccini
1858–1924

Il Trittico
Das Tryptichon

»Wenn ich heute die Leute von Debussysmus sprechen höre, als handle sich's um eine Methode, die man befolgen oder nicht befolgen könne, dann möchte ich diesen jungen Musikern immer am liebsten von den Zweifeln erzählen, die, wie ich aus persönlicher Erfahrung bestätigen kann, den großen Künstler in späteren Jahren befallen haben. Seine Harmonik, die einem beim ersten Hören so überraschend und voll neuer Schönheiten erschien, verlor im Lauf der Zeit mehr und mehr, bis sie zuletzt niemanden mehr überraschte. Sogar für den Komponisten selbst stellte sie nur noch ein begrenztes Experimentierfeld dar, und, ich wiederhole, dass ich weiß, wie gern er dieses Feld verlassen hätte, aber es gelang ihm nicht. Als glühender Bewunderer Debussys beobachtete ich mit einiger Sorge, wie sich Debussy selbst anschickte, gegen den Debussysmus zu revoltieren. Nun ist der große Künstler tot, und wir wissen nicht, wie er, möglicherweise zu großem Nutzen, diesen Umsturz durchgeführt hätte.«
(*Puccini zum Vorwurf, Debussy'sche Harmonien im »Trittico« verwandt zu haben. Brief vom April 1918 an das »Giornale d'Italia«*)

ENTSTEHUNGSGESCHICHTE UND URAUFFÜHRUNG
Seit »Tosca« hatte Puccini die Idee, Einakter zu schreiben, möglicherweise so, dass sie sich zu einem Opernabend bündeln lassen. Im Frühjahr 1912 sah Puccini in Paris (Théâtre Marigny) ein Stück von Didier Gold, »La Houppelande« (Der Überrock), und fand, dies sei ein exzellenter Stoff für eine einaktige Oper. Adami schrieb, Puccini war nicht wirklich zufrieden, hatte aber dann mit der »Ron-

dine« zu tun, und das Projekt blieb bis 1915 liegen. Im Oktober 1915 machte er sich wieder an die Arbeit, und Ende November 1916 war »Il tabarro« fertig. Adami gucke sich nach weiteren Stoffen für Einakter um, wurde aber nicht fündig. In der Zeit lernte Puccini Giovacchino Forzano kennen, der geradezu vor Ideen sprudelte. Schon beim ersten Gespräch kam er mit der Geschichte einer Nonne, die Mutter war. Puccini war von der Geschichte begeistert. Auch, weil ihm das Milieu nicht unbekannt war: Seine jüngste Schwester Iginia war Nonne und Vorsteherin des Klosters in Vicopelago bei Lucca. Puccini besuchte sie oft, kannte also das Klosterleben bestens – Authentizität des Ambientes war ihm immer besonders wichtig. Im Februar war das Libretto zur »Suor Angelica« fertig, Puccini fing direkt mit seiner Arbeit an, unterbrach sie aber, als er das Libretto von »Gianni Schicchi« bekam. Nun arbeitete er mehr oder weniger parallel an den beiden Stoffen und schloss die »Suor Angelica« am 14. September 1917 und den »Gianni« am 20. April 1918.

Der Titel »Il Trittico« wurde im Freundeskreis geboren, er macht klar, was Puccinis Absicht ist: Die drei Einakter sollen bei aller Verschiedenheit des Sujets eine innere Einheit bilden. Die Uraufführung sollte in Rom stattfinden, das scheiterte aber am Krieg und seinen Folgen. Titta Ruffo etwa, der legendäre Bariton (eine meiner Lieblingsstimmen), war für den Tabarro vorgesehen, den musste der Arme aber an der Front tragen. Puccini nahm deshalb ein Angebot der Met in New York an, dort den »Trittico« herauszubringen. Am 14. Dezember 1918 war es dann so weit: Uraufführung ohne Puccini. Er konnte nicht zu den Proben und zur Uraufführung fahren. Europa war zerstört und suchte mühsam seine Brocken zusammen, der Schiffsverkehr war noch nicht wieder auf den Beinen. Dafür funktionierten die Atlantikkabel, und Puccini wurde telegraphisch auf dem Laufenden gehalten. Giulio Gatti-Cassazza, der damalige Chef der Met, telegrafierte noch am Abend der Uraufführung: »Vollkommener Triumph. Am Ende jeder Oper große Zustimmung, insgesamt mehr als 40 Vorhänge. Enthusiasmus vor allem für ›Gianni Schicchi‹.« Dieser letzte Satz stimmte schon. Ansonsten aber waren die beiden ersten Einakter relativ neutral aufgenommen worden. Dennoch hatte New York weniger Probleme mit dem düsteren Verismo des »Tabarro« und der etwas süßlichen Religiosität der »Angelica« als die Europäer. Allerdings warfen ihm einige Kritiker »Debussysmus« vor (daher das »Motto« oben als Antwort auf diesen Vorwurf).

Der Kritiker der Times, James Gibbons Huneker, fand allerdings die »Angelica« nicht so gut. Er schrieb, das sei »Mock-turtle-Mystizismus ... und das Ganze unwahr«. Kloster hatte der sicher noch keines von innen gesehen. Denn zeitweise war dieser Stoff geradezu Alltag in Frauenklöstern – in der Zeit nämlich, als viele Damen der Adels- und auch sonst höheren Kreise durchaus nicht aus eigenem Antrieb ins Kloster gingen, sondern aus ökonomischen Gründen oder einfach als Strafe dorthin verbannt wurden. Am besten hatte natürlich der »Gianni« gefallen, auch Mr. Huneker lobte seine »unwiderstehliche Heiterkeit«. Übrigens war Mr. Huneker der Mann, den Antonin Dvořák in New York virtuos und vollkommen unter den Tisch trank (vgl. »Andante Spumante«).

Die allgemeine Vorliebe für den »Gianni« ist lange geblieben, was dazu führte, dass manche Opernhäuser die »Angelica« weggelassen haben. Darüber war Puccini erbost und traurig. An Sybil Seligman – eine der Frauen in seinem Leben, mit denen er viel korrespondierte, auch brieflich! – schrieb er dazu: »Ich habe protestiert, dass Ricordi die Erlaubnis gegeben hat, den ›Mantel‹ und ›Schicchi‹ ohne ›Angelica‹ aufzuführen – es macht mich wirklich unglücklich, die beste der drei Opern beiseitegelegt zu sehen. In Wien war sie die wirkungsvollste der drei.« Doch vielleicht war ihm selbst auch klar, dass sich bei »Suor Angelica« ganz dieselbe Klippe zeigte wie bei der »Butterfly«: die Gefahr der Süßlichkeit. Gibt man beim Spiel dieser Neigung auch nur eine Winzigkeit nach, wird die Musik sofort sämig und beinahe unerträglich. Sie kommt nur dann zu großem Atem (und wird dann unwiderstehlich), wenn man dieser trivialisierenden Versuchung nicht nachgibt.

Die erste europäische Aufführung fand mit ziemlichem Pomp im Teatro Costanzi in Rom statt. Es war das erste festliche musikalische Nachkriegsereignis, also erschienen auch der König und die Königin. Puccini war die ganzen Wochen so nervös, dass er sogar Ottorino Respighi bat, einige Stellen beim »Tabarro«, die ihm nicht mehr gefielen, zu überarbeiten. Die Premiere war wie erwartet: Der »Tabarro« gefiel nicht besonders gut (Elend hatte man genug gesehen), die »Suor Angelica« kam sehr gut an, und beim »Gianni Schicchi« waren alle aus dem Häuschen. Heute wagt keiner mehr, den »Trittico« ohne die »Angelica« aufzuführen. Und wenn er so intensiv musiziert wird wie etwa 1993 in der Oper der Stadt Bonn, dann ist der »Trittico« mein erklärter Puccini-Liebling!

I. Il tabarro
DER MANTEL
Opera in un atto
Text: *Giuseppe Adami*
Nach dem Schauspiel »La Houppelande« von Didier Gold, 1910

Giuseppe Adami: geboren am 4. November 1878 in Verona, gestorben mit knapp 68 Jahren am 12. Oktober 1946 in Mailand. In Padua studierte er Jura, widmete sich aber einem musischen Leben als Theaterautor, Journalist und Publizist. Er schrieb Stücke in venezianischem Dialekt, gab die erste Sammlung von Puccini-Briefen heraus und schrieb eine der ersten Puccini-Biographien (1935). Für Puccini schrieb er »La rondine«, »Il tabarro« und, zusammen mit Renato Simoni, »Turandot«.

PERSONEN
Michele, Eigner des Schleppkahns (50 Jahre):	Bariton
Luigi, Löscher (20 Jahre):	Tenor
»Tinca« (Stockfisch), Löscher (35 Jahre):	Tenor
»Talpa« (Maulwurf), Löscher (55 Jahre):	Bass
Giorgetta, Micheles Frau (25 Jahre):	Sopran
»Frugola« (Frettchen), Talpas Frau (50 Jahre):	Mezzosopran
ein Liederverkäufer:	Tenor
6 Midinetten:	alle Sopran
ein Liebespaar:	Sopran
	Tenor

Stumme Rolle: ein Drehorgelspieler

Hinter der Szene
»Sopranstimmchen«:	Sopran
»Tenorstimmchen«:	Tenor

Chor, Statisterie: Löscher, Midinetten

ORCHESTERBESETZUNG
Pikkolo
2 Flöten
2 Oboen
Englischhorn
2 Klarinetten

Bassklarinette
2 Fagotte
4 Hörner
3 Trompeten
3 Posaunen
Bassposaune
Pauken
Trommel
Triangel
Becken
Große Trommel
Glockenspiel
Celesta
Harfe
Streicher

BESONDERHEITEN
Bühnenmusik: Kornett
    Autohupe
    Harfe
    Sirene
    Große Glocke

DAUER
ca. 50 Minuten

HANDLUNG

Auf einem Schleppkahn in einem Winkel der Seine, im Hintergrund die Silhouette von Paris mit Nôtre Dame

Während die Männer die Ladung löschen, blickt Michele, der Besitzer des Schleppkahns, melancholisch in die untergehende Sonne. Als er zu seiner Frau Giorgetta zärtlich sein will, lenkt diese ab. Ein Drehorgelspieler kommt. Man fordert untereinander zum Tanzen auf, alles Paris, alles Musette, Giorgetta jedoch wartet auf Luigi und versinkt in seinen Armen, als er endlich mit ihr tanzt. Seit Michele und sie ihr Kind verloren haben und sich darüber auseinandergelebt haben, ist sie auf kleine Abenteuer aus und Kolonien der Liebe. Beide, Luigi und sie, kommen aus Belleville (19. Jahrhundert! Hätte Puccini später gelebt, müssten die beiden Chinesen sein!), und Giorgetta sagt den schönsten Satz, den man über seine alte Heimat sagen kann:»Was es eigentlich sei, kann man nicht sagen,/doch kann man oft die Sehnsucht kaum ertragen.« Die Mannschaft geht und bietet damit Luigi und Giorgetta die Gelegenheit zu einem kleinen Tête-à-tête. Michele kommt und stört das Traute. Die Verliebten haben jedoch vorher noch ein Zeichen verabreden können für später: Ein brennendes Streichholz – er werde wiederkommen. Dann verlässt Luigi das Boot. Michele stellt die Frage, die man nie stellen darf: Warum liebst du mich nicht mehr? Sie weicht aus, er erinnert sie daran, dass letztes Jahr in ihrer Kabine noch Platz für drei (sie, ihn, das Kind) gewesen sei, der Abend (und die Musik) wird darob traurig-lyrisch. Er schwelgt in der Erinnerung, sie möchte nicht daran erinnert werden. Bleib doch bei mir, sei wieder wie damals, umfange mich, herze mich – er. Ach Gott, man altert, ach Gott, ich bin nicht mehr dieselbe, ach Gott, auch du hast dich verändert – sie. Kabine – sie. Umhergeht – er. Warten? Sie? Auf wen? Auf was? Dass er schläft? Wegen wem? Er zündet das Streichholz an, will sich die Pfeife anstecken. Da kommt eine Gestalt gehuscht, Luigi, der das Streichholz für Giorgettas Zeichen hielt. Michele packt ihn an der Gurgel, Messer an den Hals: Ob er sie liebe, gestehen soll er, gestehen. Und der gesteht. Michele deckt seinen Mantel über den Toten, als Giorgetta kommt. Er möge ihr verzeihen, sie wolle ihm nahe sein. Unter seinem Mantel? Ja, habe er doch selbst früher gesagt: »Wir tragen wohl alle mal einen Mantel,/der verhüllt manchmal Freuden,/aber manchmal auch Leiden.« Und Michele antwortet: »Und manchmal ein Verbrechen!/Komm unter meinen Mantel!« Und öffnet ihn, und Luigis Leichnam fällt ihr vor die Füße. Da bleibt nur noch ein »Ah!« und der Vorhang ohne solches.

HITS
Bitte geben Sie dem kleinen Orchestervorspiel eine Chance, indem Sie sich schon eine Minute vor Beginn des Stücks ein bisschen auf Seine, Paris, Schleppkähne und alles in eher dunklen Farben einstimmen. Es lohnt sich. Solo-Cello, Bratschen, Geigen, Klarinetten und Bassklarinette beginnen über den Pizziccati von Celli und Kontrabässen eine Melodie zu spielen, die voller melancholisch-resignativer Sehnsucht ist: Es dreht einem das Herz um vom ersten Takt an. Wenn ich mir die drei schönsten Stellen von Puccini aussuchen müsste, wären diese ersten 14 Takte dabei. Und wenn man definieren müsste, was denn *mestizia toscana* (die toskanische Wehmut, man könnte auch Schwermut sagen) wirklich bedeutet, muss man diese Stelle vorspielen. Auf alles, was Giorgetta dann zu singen hat, legt sich diese Wehmut wie ein Schleier. Dadurch gewinnt ihre ganze Partie eine traurige Schönheit. Dann Wein und der Drehorgelspieler – und was dem Puccini auf die Walze komponiert hat,

ist genial. Die »Drehorgel« hat der Meister verstimmt. Die Melodie läuft in Oktaven, doch die Oktaven sind keine; es sind Septimen, d.h., der obere Ton ist einen halben Ton tiefer, als er sein müsste – du stirbst vor Sehnsucht. Was für eine Melodie – dieser Walzer ist das zweite Stück Puccini, das ich auf die berühmte einsame Insel mitnähme (und dort fühlte ich mich bestimmt auch genauso). Die ›verstimmte‹ Melodie spielen die beiden Flöten, die beiden Klarinetten begleiten, peu à peu kommen dazu: ein zartes Glockenspiel, die Triangel, die Bratschen und die zweiten Geigen mit einer Aufwärtsfigur, als würde ein Akkordeonspieler von den Tasten rutschen, dann die Celesta, schließlich der Rest der Geigen. Dann ruft Talpa: »Kinder, der Chef kommt!«, und der ganze Spuk verschwindet. Das ist eine der zauberhaftesten Stellen des ganzen »Trittico«. Sagte ich schon? Ach so, na gut. Dann sagte ich es eben schon. Diese kleine Stelle packt mich halt immer.

Während Giorgetta und Michele sich über den Geschäftsalltag unterhalten, hört man immer wieder im Hintergrund den Liederverkäufer seinen neuesten Hit anpreisen – und ansingen tut er ihn auch: ein hübscher Kontrast zur Desolatheit im Vordergrund. Er sagt zu ihr, er habe ihr nie Szenen gemacht, sie bestätigt, ja, und geprügelt habe er sie auch nie, sagte sie. Was?, fragt er, ob sie das denn wolle? Manchmal, meint sie, wäre ihr das lieber als sein Schweigen – und darüber singt der Liederverkäufer: »Frühling, Frühling, sucht das Liebespaar nicht mehr dort in den Schatten, die der Abend wirft« – ist das nicht ein großartiger Einfall? Und der Liederverkäufer krönt das Ganze mit einem Satz, der für Puccini ein großes Credo ist – zumindest seine Frauenfiguren betreffend: »Chi ha vissuto per amore, per amore si morì« (Wer für die Liebe gelebt hat, ist auch wegen der Liebe gestorben!). Und er setzt dazu: »È la storia di Mimì« (So erging es auch Mimì!). Nun kommt tatsächlich das Mimi-Zitat aus der »Bohème« – wen es da nicht umhaut, der soll lieber ins nächste Drive-in fahren. Mutig ist es auf jeden Fall (für die damalige Zeit) auch, was er Luigi als sozialpolitisches Fazit singen lässt: »Welchen Wert hat denn das Leben noch für unsereinen, wo jede Freude sich in Leid verkehrt? Den Sack ins Genick und runter mit dem Kopf! Wenn du hochschaust, achte auf die Peitsche. Dein Brot verdienst du im Schweiße deines Angesichts, und die Stunde der Liebe musst du dir in Angst und Nöten zusammenklauen, so, dass du dann schon gar keine Lust mehr hast ... Unser Tag ist schon dunkel, bevor er angefangen hat.« Von da ist es nicht mehr weit zu Bert Brecht. Nur war Puccini ein feiner Herr und Kind des 19. Jahrhunderts – und seine Fans auch: Da haben sie sicher geschluckt! Diese (kleine) Arie von

Luigi ist damit ein zentrales Stück des italienischen Verismo (und ehrlicher als der »Bajazzo«).

Der Traum vom Häuschen (Frugola) und der anschließende Traum Giorgettas und Luigis von Belleville sind schönster, typischer Puccini. Und wenn sie dann das c''' zu singen hat auf das Wort »nostalgia«, dann sagt der Hesse: »Ei wie wedd mer dann, ich glaab, ich muss mich setze!« Das Liebesduett, das folgt, als Michele endlich gegangen ist, ist zwar kurz, aber intensiv. Der Eifersuchtsmonolog »Chi? Chi?« (Wer? Wer?) würde auch in einer der »großen« Opern Puccinis guten Eindruck machen, nicht nur wegen der großen Musik, sondern auch aufgrund des großen Satzes, mit dem er aufhört: »La pace è nella morte« (Der Frieden ist im Tod!), auf dem g'! Der wuchtige Schluss nach dem Drama!

FLOPS
Kein einziger.

OBACHT
Nix Spezielles. Denn seit es auch hinter der Bühne Monitore gibt, auf denen man den Dirigenten sehen kann, tuten auch die Schiffssirenen (am Anfang) genau dann, wenn es in der Partitur steht!

DER KLEINE OPERNTÄUSCHER
Sie können in der Pause brillieren, wenn Sie ein Thema anschneiden, auf das bei »Il tabarro« mit seiner Düsternis so schnell keiner kommt: die Operette. Wie bitte? Jawoll, und zwar: Franz Lehár. Das war so: Im Oktober 1920 fuhr Puccini nach Wien. Die Volksoper brachte »La rondine« heraus, die Staatsoper (!) den »Trittico«. Puccini erlebte ein kühles Publikum in der Volksoper, er gab die Schuld der Inszenierung, vielleicht zu Recht, ich war damals nicht dabei. Puccini hatte die große Maria Jeritza, die Königin der Staatsoper, dazu überreden können, zugunsten der Giorgetta im »Tabarro« andere Verpflichtungen abzusagen. Sie tat dies, weil sie schon 1912 die Minnie in der »Fanciulla del West« Puccinis in der deutschen Erstaufführung mit großem Erfolg gesungen hatte und überhaupt Puccinis Musik sehr verbunden war. Sie gab später an der Met eine Jahrhundert-Turandot, wie sie ja überhaupt eine Jahrhundertstimme war. Er lernte auch Lotte Lehmann kennen (er schrieb über sie: »Eine erstklassige Sängerin, obwohl sie eine Deutsche ist«) und

freute sich darüber, dass die Lehmann die »Suor Angelica« zum großen Triumph des Abends werden ließ. Der »Trittico« an der Wiener Staatsoper war also ein voller Erfolg. Während dieses Wien-Aufenthaltes lernte Puccini Franz Lehár kennen. Puccini war immer schon ein Fan dieses Operettenmelodikers gewesen, es gab jedoch noch eine weitere Verbindung: Puccini wurde oft vorgeworfen, er sei seichter als Verdi und neige zu operettenhafter Sentimentalität und Rührseligkeit. Tito Ricordi verstieg sich bei der Ablehnung der Partitur von »La Rondine« sogar zu der Äußerung, diese Oper sei »schlechter Lehár«: Ein Teil der Öffentlichkeit sah also durchaus eine Beziehung zwischen den beiden Komponisten. Was Wunder also, dass sich die beiden, als sie einander persönlich kennenlernten, sympathisch waren. Bewundert hat jeder den anderen ohnehin. Der Neffe Lehárs schreibt darüber:

»Seit seiner Dienstzeit in Pola [dort hatte Lehár die Musikabteilung des Matrosenkorps übernommen, eine Kapelle mit 76 bis 110 Mann, gab aber 1896 diese Position auf] sprach Franz ziemlich gut Italienisch. Auch ich konnte es ein wenig, Puccini konnte so gut wie überhaupt kein Deutsch. Aber es gab keine Verständigungsschwierigkeiten, denn während des Essens bestritten die beiden die Unterhaltung fast ausschließlich mit dem Zitieren aus ihren Werken. Leise singend deuteten sie die Melodien an. Dann setzten sie sich beide ans Klavier und spielten: Puccini mit der rechten Hand, Lehár mit der Linken ... Lehár benutzte die Gelegenheit, Puccini von seinem Wunsch zu erzählen, eine tragische Oper zu schreiben. Der Maestro schüttelte den Kopf. Er erinnerte an sein eigenes, ziemlich misslungenes Experiment mit der Operette [»La Rondine«] und sagte: »Chi vuol far l'altrui mestiere, fa la zuppa nel paniere.« Und das heißt wörtlich übersetzt: »Wer des anderen Beruf ausüben will, kocht die Suppe im Korb« – Schuster, bleib bei deinem Leisten, sagen wir Deutschen dazu seit Hans Sachs.

BEWERTUNGEN

Magie	🎉🎉🎉🎉🎉	Schon im ersten Takt die ersten drei punktierten Viertel – und du bist mittendrin.
Erotik	👠👠👠	Es dreht sich zwar alles darum, aber es ist halt alles ein bisschen düster.

Fazzoletto 👂👂   Die brauche ich, wenn der Walzer losgeht ...

Gewalt 🔗🔗🔗   Diese Oper ist nicht sehr gewalttätig. Nur einer wird erdolcht, und mit der Frau geht der Ehemann auch nicht gerade nett um, aber sonst ...

Gähn —   Wo denn? Wann denn? Die Stunde ist doch schnell vorbei!

Moral —   Es tut dem Michele ja noch nicht mal leid!

Ewigkeit ☀   Der Walzer.

Gourmet —   Das ist doch kein Pfannkuchenboot, oder?!

GESAMTWERTUNG
🕶🕶🕶

Unglaublich dichtes Drama mit einer extrem intensiven, düsteren, melancholischen Musik, kurz und massiv auf den Punkt gebracht.

II. Suor Angelica
SCHWESTER ANGELIKA
Opera in un atto
Text: Giovacchino Forzano

Giovacchino Forzano: geboren am 19. November 1884 in Borgo San Lorenzo bei Florenz, gestorben mit fast 86 Jahren am 18. Oktober 1970 in Rom. Nach dem Medizinstudium fing er eine Baritonkarriere an, studierte dann aber Jura (und zwar zu Ende). Er war Herausgeber einer Reihe von Zeitungen, unter anderem auch von »La nazione« (Florenz). Als Bühnenchef der Scala brachte er »Nerone« von Arrigo Boito heraus und »Turandot« von Puccini. Als Librettist schrieb er »Suor Angelica« und »Gianni Schicchi«.

PERSONEN

Schwester Angelica:	Sopran
Die Fürstin, Angelicas Tante:	Alt
Die Äbtissin:	Mezzosopran
Die Schwester Eiferin:	Mezzosopran
Die Novizenmeisterin:	Mezzosopran
Schwester Genovieffa:	Sopran
Schwester Osmina:	Sopran
Schwester Dolcina:	Sopran
Die Schwester Pflegerin:	Mezzosopran
2 Bettelschwestern:	Sopran
2 Novizen:	Sopran
	Mezzosopran
2 Laienschwestern:	Sopran
	Mezzosopran

Stumme Rollen: Schwester Lucilla, Schwester Vorratsverwalterin, Schwester Clavaria (die Königin des Trostes), Schwester Angelicas Kind

Chor: Schwestern, Novizen, Stimmen der Engel

ORCHESTERBESETZUNG
Wie »Il tabarro«

BESONDERHEITEN
Bühnenmusik
Auf der Bühne: Bronzeglöckchen

Hinter der Bühne: Pikkolo
                    3 Trompeten
                    Glocken in c', d', e', f', g', a'
                    Becken
                    Holzbrettchen
                    2 Klaviere
                    Orgel

DAUER
ca. 1 Stunde

HANDLUNG

In einem Kloster. Ende des 17. Jahrhunderts

Abendandacht. Man hat sich versammelt, um die kleinen Sünden zu bestrafen. Wer zu spät zum Chor kommt: Boden küssen. Die eine hat beim Gebet die Mitschwestern zum Lachen verführt, eine hat gar zwei Rosen im Ärmel gehabt etc. pp. Alles sehr meditativ, alles voller *sorority*, alles so, dass man es selbst ab und zu haben möchte. Dann sind die Wünsche dran: seit fünf Jahren kein Lämmlein gesehen – kann der Wunsch, endlich eines zu sehen, Sünde sein? Und Schwester Dolcina, die Süße, möchte gerne naschen. Aber Ihr, Schwester Angelica, habt Ihr keinen Wunsch? »Nein, hab keinen Wunsch« – was keine glaubt, mehr noch, sie sagen, sie lüge. Nach einem Intermezzo mit zwei Almosenbittstellerinnen kommt plötzlich die Nachricht, eine Kutsche sei gekommen, eine feine, vornehme. Für wen? Für wen? Für wen? Äbtissin: »Schwester Angelica!« Wer kommt? Die Fürstin, Angelicas Tante. Diese teilt ihr relativ unterkühlt mit, sie habe sich um das Erbe zu kümmern gehabt und dass jetzt, wo die jüngere Schwester Angelicas sich verheirate – ach, mein Schwesterlein? Heiraten? Das ist aber schön! – Ja, und zwar deshalb, weil ihr Bräutigam aus Liebe zu seiner Braut über die Schmach wegsehe, die sie, Schwester Angelica, über die Familie gebracht habe ...

Da erklärt die mannhafte Nonne: Alles könne man ihr nehmen, nicht aber die Erinnerung an ihr Kind, dessentwegen man sie ins Kloster gesteckt habe. Was denn mit ihm sei, und wie es aussehe und welche Farbe seine Augen hätten ... Sie erfährt, dass ihr Kind

vor zwei Jahren gestorben ist. Schreiend stürzt sie zu Boden, die Tante rauscht ab. Angelica singt nun eine *der* italienischsten Arien überhaupt – einer der Momente, für die Italienerinnen in der Oper sterben, könnten sie es denn: »Senza mamma,/o bimbo, sei morto« (Ohne Mutter, bist du, Kind, gestorben!«). Im Garten nimmt sie, die Kräuterkundige, einen tödlichen Trank zu sich. Dann erst wird ihr klar, welche Sünde sie begangen hat. Verzweifelt fleht sie die Gottesmutter um Rettung an, und siehe (es ist eine Oper, und Puccini war Italiener!), das Wunder geschieht: Maria erscheint inmitten einer illustren Engelschar und schickt ihr das Kind. Angelica umarmt es und stirbt.
Da möchte man auch Vorhang sein und gleich formvollendet fallen ...

HITS
Ein erster schöner Ausbruch ist Schwester Angelica vorbehalten, wenn sie singt: »La morte è vita bella« (Der Tod ist ein schöneres Leben) mit großem Orchester, g''. Schön. Hübsch die kleinen Aufregungen: Wie sich die Schwestern das, Verzeihung, Maul über Angelica zerreißen und wie die Schwester Pflegerin aufgeregt von den Wespenstichen erzählt, wie die Almosenschwestern mit dem Öl und den Haselnüssen kommen, von Puccini wie Stürme im Wasserglas (was sie ja auch sind) vertont: ein bisschen aufgeregt, aber auch nicht mehr. Kleinigkeiten, die den ruhenden See des klösterlichen Lebens sanft kräuseln. Dann aber erscheint die böse Fürstin und mit ihr auch das richtige Opernfeeling. Wunderbar diese Eiseskälte, diese Härte, diese Unerbittlichkeit! Entsprechend wächst an ihr auch die Figur der Schwester Angelica: »Mio figlio« (Mein Sohn), das ist ein großer Hit! Wie überhaupt die Begegnung der Fürstin mit Schwester Angelica eine ungeheure Spannung trägt. Da hat Puccini auf dem obersten Niveau seiner Fähigkeiten komponiert. Die Szene ist ein Meisterwerk. Dann natürlich: »Senza mamma, o bimbo, tu sei morto« (Ohne Mutter bist du, Kind, gestorben!) – was will man da noch sagen! Können Sie sich vorstellen, wie das geklungen haben muss, als die junge Lotte Lehmann das sang ... Ganz großer Puccini wird's ab dem Punkt, als sie realisiert, was sie gemacht hat (nachdem sie das Gift getrunken hat): Da macht unser Meister keine Scherze mehr!

FLOPS

Haben Sie das gehört? Gleich am Anfang? Über dem Chor der Nonnen mit ihrem Ave Maria? Da zuckert doch plötzlich eine Pikkolo-Flöte aber so was von einem Waldvogel darüber, also Herr Puccini, wat is dat denn? So was kenn ich von ganz, ganz schlechten Kirchenorganisten, wenn die über die Kommunion so Süßholztönchen im Zuckerbäckerregister klingeln. Das geht nun wirklich zu weit! Und dann: Wie sich das zieht! Furchtbar! Nach einer geschlagenen Dreiviertelstunde kommt erst die Nachricht, dass das Kind gestorben ist! Solche Einwürfe wären als Flops in Ordnung, wenn nicht auch klar wäre: Das hier spielt im Kloster. Da laufen die Uhren anders, das sind Inseln in der Zeit, und das hat Puccini doch genauestens, schon beinah veristisch, umgesetzt! Ein Flop ist auch das Ende: Wenn da schon die Muttergottes einschwebt, dann muss auch etwas mehr passieren als zwei Klaviere hinter der Bühne, die himmlische Arpeggi spielen und ein bisschen C-Dur dabei! Da ist dem Meister wirklich nix eingefallen. Vielleicht weil er, wie Richard Specht in seiner Puccini-Biographie schreibt, wohl gesehen haben mag, »dass die Kirche sich vor ihm öffnete, aber niemals der Himmel«.

OBACHT

Die Schwester Angelica halt: ein hohes C''' nach dem anderen, eine große Rolle, die nicht jede Sängerin bewältigen kann. Gut, Isolde ist schwerer. Aber das hier ist ein kontemplatives Kammerspiel mit dramatischen Einsprengseln, die Handlung lappt ins Überirdische rüber, da muss auch der Sopran passen!

DER KLEINE OPERNTÄUSCHER

Puccini hat seine Schwester im Kloster oft besucht. Besonders oft in der Zeit, als er am »Trittico« arbeitete. Er hat seiner Schwester und den Nonnen die Partitur vorgesungen und gespielt, und er dachte, es würde die Nonnen verlegen machen, wenn er davon erzählt, dass Suor Angelica ein Kind hat. Die Nonnen aber reagierten anders: Mit Tränen in den Augen baten sie ihn um die Rettung Angelicas! Entsprechend einfühlsam hat er die Szenen bis zum Wunder dann gestaltet ...

Vielleicht hat ihn aber auch ein anderes Erlebnis bei dieser Komposition beeinflusst. Denn im Jahr 1909 gab es einen Riesenskandal bei Puccinis, der ganz Italien, nein: die Welt! aufregte. Puccini ließ ja, das wusste man damals auch schon, nichts anbrennen. Nun verdächtigte Elvira Puccini, seine Frau, die mit ihm wenig mehr teilen konnte als den Namen, die Haushaltshilfe Doria Manfredi, sie habe sich an ihren Mann herangemacht und mit ihm ein Verhältnis. Wie eine Furie warf sie die »Verruchte« hinaus, sodass sich das arme Mädchen mit Gift das Leben nahm. Es kam zum Prozess. Puccini litt furchtbar. Die Autopsie ergab schließlich, dass das Mädchen als Jungfrau gestorben war, Elvira Puccini wurde wegen übler Nachrede zu fünf Monaten Zuchthaus verurteilt, was – nach Intervention Puccinis – in die Zahlung von 20 000 Lire (und da war die Lire noch was wert!) an die Familie der Toten umgewandelt wurde. Tatsächlich warf dieses Ereignis unseren Puccini eine Zeit lang völlig aus der Bahn. Alle Biographen sind sich darin einig, dass die rührende Figur der Sklavin Liù in der »Turandot« das Denkmal ist, das er Doria setzte. Und die Suor Angelica und ihr Selbstmord, der seine Apotheose im Wunder findet, spricht sicher auch davon.

BEWERTUNGEN

Magie 🧙 bis 🧙🧙🧙🧙🧙 — Je nachdem, ob einer schon mal im Kloster war und das kennt oder nicht. Hildegard-von-Bingen-Fans übrigens sind alle auch Suor-Angelica-Fans!

Erotik 👠👠👠👠👠 — Handlung, Musik, Szenario triefen vor Erotik. Für diese Maxi-Erotik braucht man auch keine Heels mehr, da sind schon die Pantoffeln high.

Fazzoletto 💧💧 — »Senza mamma, o bimbo, tu sei morto!«

Gewalt ⛓️⛓️⛓️⛓️⛓️ — Nicht unbedingt direkt sichtbar, aber da: Wie die Novizenmeisterin mit den Nönnchen umgeht, der Ton, in dem die Äbtissin mit Angelica spricht, schließlich die Fürstin! Da hat man eine Mutter ins Kloster gezwungen, da enthält man ihr das Kind vor, da sagt man ihr erst zwei Jahre später,

Gähn —

Moral ◯◯◯◯◯

Ewigkeit 😇 😇
　　　+ 😇 extra

Gourmet —

GESAMTWERTUNG
🕶️🕶️

dass das Kind gestorben ist – und dann soll sie auch noch den Verzicht aufs Erbe unterschreiben. Das wird ja wohl reichen!

Die sind alle ausgeschlafen in dem Kloster!

Allein schon das Wunder!

Die große Arie der Angelica ist schon ewiges Repertoire und so eine Figur wie die Fürstin auch. Dass es aber im Himmel Klaviere, ganz normale, blöde Klaviere gibt, die auf Wolke sieben herumarpeggieren, das ist sensationell und bekommt einen Heiligenschein extra!

Die Kräuter sind giftig, und vom Manna weiß man nicht, wie es schmeckt. Nein, nix Genüsslerisches!

Ich würde gerne drei geben, aber dazu ist die Aufführung zu sehr von nur einer Stimme abhängig: der Sängerin der Angelica. Wenn das natürlich eine Lotte Lehmann ist: fünf Gläser! Ansonsten ist der Kontrast des dramatischen Konflikts mit der Heiterkeit der Schwesternschaft und der klösterlichen Welt eine Spitzenidee und große Oper. Schade, dass wir die Vorgeschichte von Angelica nur en passant hören – das macht es doch ein bisschen schwer, die Dramatik des Selbstmordes nachzufühlen.

III. Gianni Schicchi
Opera in un atto
Text: Giovacchino Forzano
Nach einer Episode aus dem 30. Gesang des Inferno aus
»La divina commedia« von Dante Alighieri (1321)

»Mi disse: ›Quel folletto è Gianni Schicchi,
e va rabbioso altrui così conciando‹ ...
Per guadagnar la donna della torma,
Falsificare in sè Buoso Donati,
Testando e dando al testamento norma.‹«
»Und sagte: ›Der Tolle dort ist Gianni Schicchi;
In seiner Tollwut plagt er so die andern. ...
Der einst des besten Stücks der Herde wegen
Buoso Donatis Stelle eingenommen,
Sein Testament verfasst und unterschrieben.‹«
*(Dante, Inferno, 30. Gesang, Vers 32–33 und 45–48,
Übersetzung von Hermann Gmelin)*

PERSONEN

Gianni Schicchi (50):	Bariton
Lauretta (21):	Sopran
Zita, genannt »Die Alte«:	
Buosos Cousine (60):	Alt
Rinuccio Zitas Neffe (24):	Tenor
Gheraldo, Buosos Neffe (40):	Tenor
Nella, seine Frau (34):	Sopran
Gheraldino, deren Sohn (7):	Alt
Betto di Signa, Buosos Schwager, arm und schlecht gekleidet, unbestimmten Alters:	Bass
Simone, Buosos Cousin (70):	Bass
Marco, sein Sohn (45):	Bariton
Die Ciesca, Marcos Frau (38):	Mezzosopran
Meister Spinelloccio, Arzt:	Bass
Messer Amantio di Nicolao, Notar:	Bariton
Pinellino, Schuster:	Bass
Guccio, Färber:	Bass

ORCHESTERBESETZUNG
Wie »Il tabarro«

BESONDERHEITEN
Bühnenmusik: Hinter der Bühne: große Glocke in Fis

DAUER
ca. 1 Stunde

HANDLUNG

Florenz, 1299

Der reiche Buoso Donati ist tot. Die Verwandten belagern sein Totenbett. Man klagt, man weint, man hält die Etikette ein, bis sich das Gerücht herumspricht, er habe sein ganzes Vermögen irgendwelchen Mönchlein vermacht. Alle durchsuchen jetzt jeden Winkel nach dem Testament, Rinuccio findet es. Man liest – es ist wahr: alles den Klosterbrüdern. Die Empörung ist überwältigend. Man überlegt. Klar ist: Nur einer kann helfen: Gianni Schicchi! Und da kommt er schon, gerufen von Rinuccio. Natürlich ist nicht jeder für ihn, im Gegenteil, es gibt heftige Animositäten. Nachdem sich aber der Nebel gelichtet hat, schreitet man zur Aktion: Schicchi guckt sich das Testament an und hat eine Idee: Weiß noch keiner, dass Buoso tot ist? Nein, noch keiner. Dann ist Hoffnung. Tragt den Toten nach nebenan und macht das Bett. Es geschieht. Es klopft. Der Arzt, der Buoso visitieren will. Nein, nicht jetzt, rufen alle, und Schicchi beteuert, dass es ihm besser geht, dank der Medizin des Doktors. Der geht mit der tiefen Überzeugung: »Mir ist noch nie ein Patient gestorben!« zufrieden seiner Wege. Man schickt – das Unrecht muss ja den Rechtsweg finden – zum Notar. Er wolle als falscher Buoso Donati ein echtes, neues Testament machen. Natürlich machen die Verwandten konstruktive Vorschläge, wie man das Erbe aufteilen soll, gerecht, aber zu eigenen Gunsten. Schicchi kleidet sich nun wie der Verblichene und erinnert die Verwandtschaft nochmal an das florentinische Gesetz: »Dem Fälscher, der an Stelle eines anderen diktiert/Vermächtnisse und Testamente,/droht samt seinen Helfern,/der Verlust der rechten Hand/und Verbannung!« Deshalb: Maul halten und abwarten.

Der Rechtsapparat tritt ein: Notar und Helfer. Erst mal widerruft der falsche Sterbende alle möglichen existierenden Testamente, dann kommt er zur Sache: Zwei Gulden und nicht mehr für das bescheidene Begräbnis, fünf Lire für die Mönche von Sancta Reparata, die kleineren Güter an die Verwandten, dann aber: Das Haus in Florenz, die Mühlen in Signa und das Maultier, das dreihundert Gulden wert ist, meinem treu ergebenen Freunde Gianni Schicchi. Man fällt – kaum dass der Rechtsapparat aus dem Hause ist – über ihn her. Er aber fegt die buckelige Verwandtschaft aus seinem neuen Eigentum und bittet das Publikum – nachdem er gesehen hat, wie Rinuccio und Lauretta auf dem Balkon ihre frische Liebe pflegen – um mildernde Umstände. Er weiß ja, wohin ihn Dante geschickt hat. Der Vorhang ist der Erste, der ihm mildernde Umstände zuerkennt – er fällt.

HITS

Hits über Hits und das Ganze ist selbst der Megahit! Es geht los mit der ein bisschen tragischen Geigenfigur ab dem 8. Takt: Alles schwankt zwischen Dur und Moll hin und her, man könnte sagen: Seufzen, Trauer der Verwandten, aber klammheimliche Freude wegen des Testaments und der erhofften Erbschaft, also alles ein bisschen gespielt, Fake-Trauer sozusagen. In der Musik ist von Anfang an vorhanden, was die Handlung erst peu à peu preisgibt: dass hier gelogen und betrogen wird, was das Zeug hält! Nichts, was man hört, kann man glauben. Eine Wendung, und plötzlich ist alles anders. *Genial*! Unsicherheit entsteht: »Che dicono a Signa?« (Was sagt man in Signa?) – das Gerücht, dass er alles einem Kloster vermacht habe, verdichtet sich. Wie das aber musikalisch gemacht ist: Zuerst als dünnes Gerüchtestimmchen, man wispert einander ins Ohr, Klarinette, Fagott, Bratsche und Cello spielen die tragische Figur vom Anfang (nennen wir es das Fake-Motiv!). Das Gerücht verdichtet sich, die Partitur auch, alles endet in einem kurzen Tutti-Ausbruch »Lo dicono a Signa« (Das sagen sie in Signa!) – ein Takt nur reicht. Nächster Hit – neben kleineren für Gourmets zwischendurch, etwa die Stelle, als alle das Testament suchen und die Geigen punktiert die schwindende Hoffnung, es zu finden, streichen: Das klingt wie Mahler und Ravel zusammen, nur schöner! – ist Rinuccio, der das Testament gefunden hat und hofft, nun seine Lauretta heiraten zu können. Das ist eines jener Puccini'schen Melodiefragmente, die uns nach mehr lechzen lassen. Nun purzeln die Sechzehntel von den Geigen runter in den Kontrabass, und der streicht ein ewig langes tiefes E, die Verwandten zischeln darüber: Das Testament wird gelesen. Weil die Seelen brennen, spielen die Geigen jetzt am Steg, was einen brennenden, fahlen Klang erzeugt.

Nun lässt sich Puccini Zeit: Er zeigt, wie die Empörung über das Testament Raum greift: Simone fängt an, »Dunque è vero« (Also ist es wahr), bis sich nach einer grandiosen Steigerung alle vorstellen, wie die Mönche die Donatis auslachen, die dachten, etwas erben zu können. Toll! Nun folgt der Satz aller Sätze in diesem Stück! Und es spricht ihn die Keifigste von allen, die alte Zita: »Wer hätte je gedacht, dass wir, wenn Buoso zum Friedhof getragen wird, hier tatsächlich echte Tränen weinen werden!« Nächster Hit ist Rinuccio, der die Verwandtschaft von Schicchi überzeugen will: »Avete torto!« (Ihr täuscht euch!). Jetzt darf der Tenor zeigen, was er kann! Schmelz mitten im Getümmel – was für ein Kontrast! Er muss sich bis zum b' hinaufsteigern, und das gleich fünfmal! Nächster Hit: Lauretta: »O mio babbino caro« (Väterchen, teures, höre) – ist das nicht herzzerreißend? Wenn sie mich so bittet, darf meine Tochter heiraten, wen immer sie will – meinen Segen hat sie. Weiter: »Si corre dal notaio« (Man laufe zum Notar), singt Schicchi, und in angedeutetem Foxtrott mit Klängen, wie sie sonst nur Ravel gezaubert hat (in »La Valse« zum Beispiel), wird nun der Betrug geplant. Erst mal explodiert der Verwandtenhaufen, dann versucht jeder, Schicchi zu bestechen, das ist »Scherz, Satire, Ironie und tiefere Bedeutung« in einem. Der nächste Hit ist »Addio Firenze«, ironisch gemeint natürlich, nachdem Schicchi die Risiken geschildert hat, die er eingeht, wenn er so tut, als ob er der Erblasser wäre. Wundervoll. Und natürlich die brillante Szene des tatsächlichen Testamentbetrugs. Am Schluss schließlich der Schritt vors Publikum mit der Bitte um mildernde Umstände! Ein geniales Libretto – eine meisterhafte musikalische Umsetzung.

FLOPS
Keine einzige Note. Das hier ist Puccinis kleines Meisterwerk.

OBACHT
Nix Spezielles, einfach nur alles.

DER KLEINE OPERNTÄUSCHER
Die Geschichte um den doppelten Betrug – Schicchi führt ihn im Auftrag der Verwandtschaft aus, betrügt die aber dann auch noch zu eigenen Gunsten – ist eine der raffiniertesten Kompositionen Pucci-

nis. In keinem anderen Werk ist er dem 20. Jahrhundert und seiner Musik näher als in diesem. Ulrich Schreiber dazu in seinem äußerst lesenswerten »Opernführer für Fortgeschrittene«: »Das Material für die Exposition bis zum Auftritt Schicchis wird im synkopierten Vorspiel bereitgestellt. Zuerst hören wir ein ostinates Motiv in fallenden Achteln [von mir »Fake-Motiv« genannt] zwischen B-Dur und b-Moll, das – unterstützt von leisen Trauermarsch-Schlägen auf der kleinen Trommel – als Klageseufzer der versammelten Familie des gerade verstorbenen Buoso Donati zu verstehen ist und im Schwanken des Tongeschlechts Heuchelei offenbart. Diesem Motiv überlagert sich vom 16. Takt an ein sprunghaft leichtes und schnelleres zweites im Parlando-Stil der Buffo-Tradition. Das erste bleibt in seiner Gestalt fast unverändert und wechselt lediglich durch Tempobeschleunigung vom trauernden Ausdruck in einen aggressiven. Diese Methode steht, worauf René Leibowitz [Komponist und Dirigent] als Erster hinwies, nicht nur im Gegensatz zu Wagners Leitmotivtechnik. Der Kunstgriff Puccinis, unterschiedlichen Ausdruckscharakteren eine strukturelle Identität zu geben, weist schon auf die serielle Praxis hin, eine Folge intervallischer Verhältnisse thematisch einzusetzen.« Heißt: Puccini zeigt hier, wie avantgardistisch er war, er zeigt im »Gianni Schicchi«, wie weit er sich von der italienischen Oper hin zu europäischer Neuer Musik entwickelt hat. Das müssen die Interpreten noch herausholen. Dann ist auch die »Butterfly« eine Bombe!

BEWERTUNGEN

Magie 🎩🎩🎩🎩🎩   Dieser Geschichte kann sich keiner entziehen – zumal sie jedem passieren kann!

Erotik —   Hier geht's um Geld und Besitz. Erotik kommt erst danach.

Fazzoletto —   Höchstens 1 Fake-Taschentuch. Die Taschentücher, die da vollgeschnäuzt werden (auf der Bühne), sind genau die, die unten nicht gebraucht werden.

Gewalt —   Das ist doch sanfte, gewaltfreie Besitzübernahme, oder?

Gähn —	Tote gähnen nicht, und gefakte Tote haben keine Zeit dazu!
Moral ◯ bis ◯◯◯◯◯	Nähme man den realen Menschen in seiner Wirklichkeit als Richtschnur moralischer Leitsätze: fünf Mützen, denn: »Menschen gibt's wenig, aber Leut gibt's viel« (Nestroy). Nimmt man das, was wir kennen, als Richtschnur: null Mützen!
Ewigkeit ☉ ☉ ☉	Weil hier der Mensch gnadenlos in seiner Gier geschildert wird, drei Heiligenscheine: So ist es.
Gourmet ✯ ✯ ✯ ✯	Viele Feinheiten zwischendrin, sowohl im Libretto als auch in der Musik. Wunderbar.

GESAMTWERTUNG

🎆 🎆 🎆 🎆   Der beste Puccini, den es gibt, ein Juwel.

UND DER »TRITTICO« INSGESAMT

🎆 🎆 🎆 🎆   Die Wirkung des »Trittico« ist größer als die Wirkung seiner einzelnen Teile. Nach dem Abend fügen sich der Verismo, das Mysterium und die Komödie zu einem phantastischen Ganzen, das noch lange vorhält und nachhallt. Eine große Schöpfung eines – wie sich hier mehr als anderswo zeigt – großen Komponisten.

CD-Tipps von Wolfram Goertz

Gluck: »Orfeo ed Euridice«
Nach etlichen eher breit angelegten Fahrten in die Unterwelt ist hier Riccardo Muti ein geradezu feuriger Kapitän: Endlich hört man Glucks Modernität. Mutis Mut zu philharmonischer Fülle imponiert. Und von wegen Hölle: Dank Baltsa, Gruberova und Marshall spielt diese Oper zugleich im Himmel.
Agnes Baltsa (Orfeo), Edita Gruberova (Amor), Margaret Marshall (Euridice), Ambrosian Opera Chorus, Philharmonia Orchestra London, Riccardo Muti (EMI)

Weber: »Der Freischütz«
Um es nicht ohne Trauer zu sagen: Carlos Kleiber hat uns ein viel zu schmales Opus an Opernaufnahmen hinterlassen. Seine Sorgfalt, die stürmische Erhitzung und kostbare Empfindung zugleich möglich machte, adelt auch Webers Werk. Die Staatskapelle Dresden zauberha(r)ft, dass es eine Wonne ist. Die Janowitz ist gewiss die erlesenste Agathe, die es je gab. Und Theo Adam spendet die teuflischen Töne der Dämonie.
Gundula Janowitz (Agathe), Edith Mathis (Ännchen), Peter Schreier (Max), Theo Adam (Kaspar), Bernd Weikl (Ottokar), Franz Crass (Eremit), Rundfunkchor Leipzig, Staatskapelle Dresden, Carlos Kleiber (DGG)

Donizetti: »Lucia di Lammermoor«
Dass ein Live-Erlebnis der Studio-Neutralität manchmal überlegen ist, bewahrheitet sich bei dieser erregenden Aufnahme in jeder Faser. Es gibt kleine Pannen, aber es gibt eben auch eine Impulsivität sängerischer und orchestraler Qualität, die jeden Einwand zunichte macht: Callas, di Stefano und Karajan 1955 in Berlin – das war ein unwiederbringlicher Abend.
Maria Callas (Lucia), Giuseppe di Stefano (Edgardo), Rolando Panerai (Enrico), Nicola Zaccaria (Raimondo), Chor der Mailänder Scala, RIAS-Symphonie-Orchester Berlin, Herbert von Karajan (EMI)

Donizetti: »Don Pasquale«
Ein sehr kompaktes und hochrangiges Team schart sich hier im Jahr 1982 um einen Riccardo Muti, der Dampf macht und doch Behaglichkeit nicht verhindert. Dass er das Werk damals zum dritten Mal aufnahm, war ein Vorteil. Herrlich wieder die Freni, von überreicher Rollenerfahrung strömt Bruscantini – und Winbergh wirkt gar nicht deplaciert.
Mirella Freni (Norina), Gösta Winbergh (Ernesto), Leo Nucci (Malatesta), Sesto Bruscantini (Don Pasquale), Ambrosian Opera Chorus, Philharmonia Orchestra London, Riccardo Muti (EMI)

Lortzing: »Zar und Zimmermann«
Diese Aufnahme ist so herrlich einheitlich, so pfiffig-schwungvoll und liebevoll-kompetent, dass man glauben könnte, die Sänger seien für sie überhaupt auf die Welt gekommen. Lortzings draller Feinsinn wird nicht unterspielt, sondern mit Schmiss realisiert. Heger überwacht das musikalische Geschehen wie ein gütiger Pater familias.
Hermann Prey (Peter I.), Peter Schreier (Peter Iwanow), Gottlob Frick (Van Bett), Erika Köth (Marie), Annelies Burmeister (Witwe Brown), Nicolai Gedda (Marquis von Chateauneuf), Rundfunkchor Leipzig, Staatskapelle Dresden, Robert Heger (EMI)

Wagner: »Der fliegende Holländer«
Sinopolis Berliner Studio-Aufnahme entwickelt eine wildromantische Atmosphäre, in der sich zwischen Studers Senta und Weikls Holländer abgründige Spannung ergibt. Domingo schlägt sich als Eifersuchtsbolzen Erik auch in der Deklamation besser als erwartet.
Cheryl Studer (Senta), Uta Priew (Mary), Bernd Weikl (Holländer), Hans Sotin (Daland), Placido Domingo (Erik), Peter Seiffert (Steuermann), Chor und Orchester der Deutschen Oper, Giuseppe Sinopoli (DGG)

Wagner: »Tristan und Isolde«
Trotz hochrangiger Vergleichsaufnahmen erscheint diejenige unter Carlos Kleiber von 1982 wohl als die bedeutendste. Kleiber entfesselt den »Tristan« zum fiebrigen Rausch, und die Staatskapelle Dresden ist ihm ein für alle Neurosen und Stürme der Musik idealer Partner. Margaret Price und René Kollo sind Kleibers Fixsterne an seinem glühenden Wagnerhimmel. Eine phänomenale Einspielung.
Margaret Price (Isolde), René Kollo (Tristan), Kurt Moll (König Marke), Dietrich Fischer-Dieskau (Kurwenal), Brigitte Fassbaender (Brangäne), Anton Dermota (Meloz), Rundfunkchor Leipzig, Staatskapelle Dresden, Carlos Kleiber (DGG)

Wagner: »Die Meistersinger von Nürnberg«
Nicht nur die modernste, sondern auch die rundeste Aufnahme. Bernd Weikl als Sachs in seiner Paraderolle, ein strahlender Ben Heppner als Stolzing, die anrührende Cheryl Studer als Eva und Siegfried Lorenz als scharf charakterisierter Beckmesser stehen einem höchst präsenten Ensemble vor. Sawallisch ist mit einem meisterlichen Orchester liebend und feinsinnig auf der Höhe des Werkes. Das Pathos des Finales explodiert nicht ins Peinliche.
Bernd Weikl (Hans Sachs), Ben Heppner (Walther von Stolzing), Cheryl Studer (Eva), Kurt Moll (Veit Pogner), Deon van der Walt (David), Cornelia Kallisch (Magdalena), Siegfried Lorenz (Sixtus Beckmesser) u. a., Chor und Orchester der Bayerischen Staatsoper, Wolfgang Sawallisch (EMI)

Wagner: »Der Ring des Nibelungen«
Gesamtaufnahme
Georg Solti war im Überblick aller Gesamtaufnahmen sicher der konstanteste aller »Ring«-Dirigenten. Seine Koordinationsgabe, seine vehemente Sicht auf formale Prozesse und sein unbestechlicher Sinn für klangliche Staffelung sind bis heute nicht erreicht. Das hochrangige Ensemble lässt sich von dieser Suggestivkraft sicher leiten.
George London, Hans Hotter (Wotan, Wanderer), Wolfgang Windgassen (Siegfried), James King (Siegmund), Régine Crespin (Sieglinde), Gottlob Frick (Hunding), Kirsten Flagstad, Christa Ludwig (Fricka), Gustav Neidlinger (Alberich), Gottlob Frick (Hagen) u. a., Wiener Philharmoniker, Georg Solti (Decca)

»Das Rheingold«
Pierre Boulez war als Wagner-Dirigent eigenwillig. Bisweilen scheint es, als fühle er sich fürs Orchestrale zuständiger als fürs Sängerische. Im »Rheingold« stört das kaum, weil seine Neigung, symphonische Abläufe herauszuarbeiten, im gedrängten Gestus des Werkes wenig Widerstand erzeugt. Das Kammerspiel im »Ring« profitiert sogar von dieser Lesart. Auffallend die Eloquenz der beiden Tenöre Zednik und Pampuch, einheitlich und scharf skizzierend das übrige Ensemble. Übrigens ist es kaum zu vermeiden, dass man vor dem inneren Auge Patrice Chéreaus Bayreuther Jahrhundert-Inszenierung hat. Das ist nicht verkehrt.
Donald McIntyre (Wotan), Martin Egel (Donner), Siegfried Jerusalem (Froh), Heinz Zednik (Loge), Hermann Becht (Alberich), Helmut Pampuch (Mime), Matti Salminen (Fafner), Fritz Uhl (Fasolt), Hanna Schwarz (Fricka), Ortrun Wenkel (Erda), Carmen

Reppel (Freia), Orchester der Bayreuther Festspiele, Pierre Boulez (Philips)

»Die Walküre«
Im Gegensatz zu Hans Hotter, bei dem Größe und Ausdruck manchmal durch Intonationstrübungen erkauft sind, ist George London ein Wotan aus dem Lehrbuch. Göttliche Würde und kleinliches Ehegefecht gehen mit imponierender vokaler Souveränität einher. Die Nilsson, hier in ihrer ersten »Ring«-Aufnahme, bringt jugendliche Strahlkraft und Menschlichkeit zusammen. Leinsdorf beherrscht das Stück nicht nur, er entflammt es.
George London (Wotan), Jon Vickers (Siegmund), Gré Brouwenstijn (Sieglinde), David Ward (Hunding), Rita Gorr (Fricka), Birgit Nilsson (Brünnhilde), London Symphony Orchestra, Erich Leinsdorf (Decca)

»Siegfried«
Den ersten digitalen »Ring« brachte Marek Janowski mit der Staatskapelle Dresden zustande. »Siegfried« war gewiss der stärkste Abend des Dirigenten, zu dem ein imponierender René Kollo, ein gewandter Peter Schreier, Jeannine Altmeyers humane Brünnhilde und Theo Adams wunderbarer Wanderer Entscheidendes beitragen.
René Kollo (Siegfried), Peter Schreier (Mime), Theo Adam (Wanderer), Siegmund Nismgern (Alberich), Matti Salminen (Fafner), Ortrun Wenkel (Erda), Jeannine Altmeyer (Brünnhilde), Norma Sharp (Waldvogel), Staatskapelle Dresden, Marek Janowski (RCA)

»Götterdämmerung«
Martha Mödl in ihrer anstrengendsten, aber auch besonders ergreifend gelungenen Partie: Sie gestaltet ihre Brünnhilde als psychologische Innenschau, verzehrend in der Hingabe, hinreißend am Ende. Um sie herum sind Ludwig Suthaus' Siegfried, Josef Greindls gefährlicher Hagen und Alfred Poells ahnungsloser Gunther exzellente Mittäter in einem Thriller, den Furtwängler mit größter Ruhe gestaltet.
Martha Mödl (Brünnhilde), Ludwig Suthaus (Siegfried), Alfred Poell (Gunther), Alois Pernerstorfer (Alberich), Josef Greindl (Hagen), Sena Jurinac (Gutrune), Margarete Klose (Waltraute), Chor und Orchester von RAI Rom, Wilhelm Furtwängler (EMI)

Wagner: »Parsifal«
Hans Knappertsbusch ist der exemplarische »Parsifal«-Dirigent im Nachkriegs-Bayreuth gewesen. Unter Kennern wird seit je zwischen

den fünf existierenden Mitschnitten gestritten. Hier sei dem allerersten von 1951 der Vorzug gegeben: ein jugendlicher Windgassen, Londons passionsstarker Amfortas – und natürlich Martha Mödls hingebungsvolle Kundry. »Kna« ist übrigens gar nicht so lastend heroisch, wie man es ihm immer nachsagte. Ein gut gepflegtes Gerücht.
Wolfgang Windgassen (Parsifal), George London (Amfortas), Arnold van Mill (Titurel), Ludwig Weber (Gurnemanz), Hermann Uhde (Klingsor), Martha Mödl (Kundry), Chor und Orchester der Bayreuther Festspiele, Hans Knappertsbusch (Naxos)

Bizet: »Carmen«
Die »Carmen« als eine der populärsten Opern überhaupt hat zahllose Dirigenten ins Studio gezwungen. Sie hätten es sich schenken können: Sir Thomas Beechams Aufnahme von 1959 ist unübertrefflich. Sie hat Brio und französische Delikatesse, Rasse und sogar Traurigkeit. Und Victoria de los Angeles und Nicolai Gedda sind wahrhaft ein Dream Team.
Victoria de los Angeles (Carmen), Janine Micheau (Micaela), Nicolai Gedda (José), Ernest Blanc (Escamillo), ORTF Paris Chor und Orchester, Sir Thomas Beecham (EMI)

Mussorgsky: »Boris Godunow«
Wer sich einmal mit den verzerrenden Eingriffen vertraut gemacht, die Rimsky-Korsakow in Mussorgskys Partitur veranstaltet hat, wird nicht umhinkommen, hier die Originalfassung zu bevorzugen. Deren schroffe Klanggestik wird in einer hervorragenden polnischen Rundfunk-Produktion meisterlich eingefangen.
Martti Talvela (Boris), Bohdan Paprocki (Schuiskij), Leonard Mróz (Pimen), Nicolai Gedda (Grigorij Otrepjew), Bózena Kinasz (Marina Mnischek), Andrzej Hiolski (Rangoni), Aage Haugland (Warlaam), Chor und Symphonieorchester des Polnischen Rundfunks Kattowitz, Jerzy Semkow (EMI)

Dvořák: »Rusalka«
Auch nicht mehr blutjung und doch bis heute unverwelkt ist die stimmungsvolle, märchenhafte, auch lyrisch entflammte 1962er-Einspielung mit besten tschechischen Sängern unter Zdenek Chalabala.
Ivo Zidek (Prinz), Alena Miková (Fürstin), Milada Subrtová (Rusalka), Eduard Haken (Wassermann), Chor und Orchester des Prager Nationaltheaters, Zdenek Chalabala (Supraphon)

Boito: »Mefistofele«
Der taufrische Domingo und die gar nicht divaeske Caballé: zwei Spanier in Leipzig. Das funktioniert überraschend gut. Treigle mischt kompetent mit. Rudel gelingt eine Art Großartigkeit mit italienischem Gestus.
Norman Treigle (Mefistofele), Placido Domingo (Faust), Montserrat Caballé (Margherita), Ambrosian Opera Chorus, London Symphony Orchestra, Julius Rudel (EMI)

Janáček: »Jenůfa«
Hier braucht man zwei Spitzentenöre, eine glutvoll-hysterische alte Frau und ein empfindsames Mädchen. Mackerras, der große Janáček-Experte, hat sie hier um sich und die mit trefflichem Kolorit spielenden Wiener Philharmoniker versammelt.
Elisabeth Söderström (Jenůfa), Eva Randová (Küsterin), Wieslav Ochman (Laca), Peter Dvorsky (Števa), Wiener Staatsopernchor, Wiener Philharmoniker, Charles Mackerras (Decca)

Humperdinck: »Hänsel und Gretel«
Cluytens zeigt, dass in der oft abgebürsteten Partitur etliche impressionistische Ahnungen stecken. Das gibt dem Werk eine überraschend einleuchtende Dimension. Schön und niemals vornehm geziert das Ensemble.
Irmgard Seefried (Hänsel), Anneliese Rothenberger (Gretel), Walter Berry (Peter), Grace Hoffman (Gertrud), Elisabeth Höngen (Knusperhexe), Lieselotte Maikl (Sandmännchen), Wiener Sängerknaben, Wiener Philharmoniker, André Cluytens (EMI)

Puccini: »La Bohème«
Freni, Pavarotti, Karajan: Das ist hier unschlagbar in Ausdruck, Brillanz, Geschmeidigkeit und Innigkeit. Eine der singulären Aufnahmen der Schallplattengeschichte.
Mirella Freni (Mimì), Luciano Pavarotti (Rodolfo), Elizabeth Harwood (Musetta), Rolando Panerai (Marcello), Nicolai Ghiaurov (Colline), Gianni Maffeo (Schaunard), Chor der Deutschen Oper Berlin, Berliner Philharmoniker, Herbert von Karajan (Decca)

Puccini: »Tosca«
Victor de Sabatas »Tosca« gilt als furioses Integral von vokaler Entäußerung und scharfsinnigem Brio. Im zweiten Akt ist die animalische Wildheit des Musizierens schier körperlich zu spüren. Callas und Gobbi: ein Kräftemessen von unerhörter Schlagkraft und lauernder Brutalität.

Maria Callas (Tosca), Giuseppe di Stefano (Cavaradossi), Tito Gobbi (Scarpia), Chor und Orchester des Teatro alla Scala, Victor de Sabata (EMI)

Puccini: »Madama Butterfly«
Abermals sind Freni, Pavarotti und Karajan für Puccini – diesmal nicht in Paris, sondern in Japan – eine rundum beeindruckende Liaison eingegangen. Karajan gelingt es sogar, ein ganz sanftes fernöstliches Flair einzuweben.
Mirella Freni (Cio-Cio-San), Christa Ludwig (Suzuki), Luciano Pavarotti (Pinkerton), Robert Kerns (Sharpless), Wiener Staatsopernchor, Wiener Philharmoniker, Herbert von Karajan (Decca)

Puccini: »Il trittico« (»Il tabarro«/»Suor Angelica«/»Gianni Schicchi«)
»Il tabarro«
Erich Leinsdorf als Operndirigent gewährt stets eine Mischung aus Kalkül und Leidenschaft. Hier weist er nach, dass Puccini seinen Debussy gut studiert hat, ohne ihn zu kopieren. Das Trio Milnes – Domingo – Price macht Eifersucht als vokalen Teilchenbeschleuniger fabelhaft kenntlich.
Sherill Milnes (Michele), Placido Domingo (Luigi), Leonytne Price (Giorgetta), John Alldis Choir, New Philharmonia Orchestra London, Erich Leinsdorf (RCA)

»Suor Angelica«
Für einen der finstersten Dialoge der Operngeschichte braucht man zwei Gigantinnen, die nicht nur Heroinen sind, sondern auch Menschen. Hier hören wir Renata Scotto in der Titelpartie und Marilyn Horne als Fürstin, die glaubhaft machen, dass ein Kloster Abgründe haben kann. Lorin Maazel am Pult hält das Ganze von jeder Sentimentalität frei.
Renata Scotto (Angelica), Marilyn Horne (Principessa), Ileana Cotrubas (Genovieffa), Ambrosian Opera Chorus, Philharmonia Orchestra London, Lorin Maazel (Sony)

»Gianni Schicchi«
Wer das Werk bloß in der komischen, in der Buffo-Ecke wähnt, wird hier eines Besseren belehrt. Tito Gobbi gibt den Titelhelden eben auch als aggressiven Kämpfer gegen Bigotterie und Heuchelei an. Neben diesen hörenswerten Stacheln wirkt die elegische Tönung, die Victoria de los Angeles der Lauretta einhaucht, besonders zu Herzen gehend. Santini am Pult ist nicht unbedingt schnell, aber würzig.

Tito Gobbi (Gianni Schicchi), Victoria de los Angeles (Lauretta), Carlo del Monte (Rinuccio), Chor und Orchester des Opernhauses Rom, Gabriele Santini (EMI)

OPERNFESTSPIELE (ÜBERSICHT)

Für den Fall, dass Sie mal im Urlaub sind und sich dort die oft gehörte Frage stellen: »Sach mal, Schatz, gibt's hier irgendwo vielleicht Opernfestspiele?«, habe ich Ihnen hier eine kleine (nicht vollständige) Liste dieser wunderschönen Ereignisse zusammengestellt.

BAD HERSFELD
Bad Hersfelder Festspielkonzerte – Oper in der Stiftsruine
Internationale Hersfelder Bach-Tage
Arbeitskreis f. Musik
Nachtigallenstr. 7, 36251 Bad Hersfeld
T: (06621) 5067-0, Tfax: (06621) 64355
PROGR: Literatur aller Gattungen u. Epochen. Internat. Zusammenarbeit mit Rundfunk-Orchestern u. Chören. Förderung v. jungen Künstlerinnen u. Künstlern in Oper, Oratorium u. Konzert.

BAD WILDBAD
Rossini in Wildbad
Jochen Schönleber
Büro: Neckarhalde 38, 72070 Tübingen
T: (07071) 49040, Tfax: (07071) 49085
PROGR: Aufführung unbekannter Werke der Belcanto-Zeit, insbesondere Gioacchino Rossinis. Italienische Opern deutscher Komponisten, neue Werke von Gegenwartskomponisten, Musik anderer Kulturen. Förderung u. Fortbildung junger Künstlerinnen u. Künstler.

BADEN-BADEN
Internationale Festspiele Baden-Baden
Festspielhaus Baden-Baden
Beim Alten Bahnhof 2, 76530 Baden-Baden
T: (07221) 3013-0, Tfax: (07221) 3013211
PROGR: Mehrteilige Musikfestspiele mit Schwerpunkt auf Oper u. Konzert. Inszenierungen des Festspielhauses Baden-Baden sowie Gastspiele internat. Bühnen, Ensembles u. Solisten. Ballett-Festival

als Auftakt u. anschließend weitere thematisch gebundene Festspielphasen. Im Mittelpunkt stehen die Herbert-von-Karajan-Pfingstfestspiele im Juni u. die Mariinsky-Opernfestspiele im Juli.

BAYREUTH
Bayreuther Osterfestival
Pf: 101139, Bayreuth
T: (0921) 84321, Tfax: (0921) 853761
PROGR: Orchester- u. Kammermusik, Strauss-Ensembles u. Jazz im Markgräflichen Opernhaus u. anderen historischen Orten Bayreuths.

BAYREUTH
Canto Bayreuth
New European Festival GmbH
Hohenheimer Str. 84, 70184 Stuttgart
T: (0711) 6409357, Tfax: (0711) 6409774
TURNUS: Jl. Ende Mai/Anfang Juni
PROGR: Belcanto-Opern u. Konzerte.

BAYREUTH
Fränkische Festwoche Bayreuth
Stadt Bayreuth, Kulturreferat
Pf: 101052, Bayreuth
T: (0921) 251502
PROGR: Oper, Ballett.

BAYREUTH
Musica Bayreuth
Ludwigstr. 26, 95444 Bayreuth
T: (0921) 67367, Tfax: (0921) 67367
PROGR: Orchester- u. Chormusik, Oper, Kammermusik, Vorträge.

BERLIN
Festtage der Staatsoper Unter den Linden
Unter den Linden 5–7, 10117; Pf: 354, 10117 Berlin
T: (030) 20354-0, Tfax: (030) 20354206
PROGR: Musikfest mit internat. renommierten Künstlern u. Orchestern. Premiere einer Wagner-Oper sowie Konzerte u. wiss. Symposium mit Bezug auf die jeweilige Opernpremiere.

BERLIN
Festtage der Staatsoper Unter den Linden

Deutsche Staatsoper Berlin
Unter den Linden 5–7, 10117; Pf: 354, 10117 Berlin
T: (030) 20354-0, Tfax: (030) 20354206
PROGR: Präsentation v. Opern eines Themenschwerpunktes sowie eines begleitenden Konzertprogr. (2002: Zyklisch-chronologische Aufführung der Werke Richard Wagners) unter Mitwirkung v. internat. bekannten Solisten, Dirigenten u. Orchestern. Veranstaltung eines internat. Symposiums mit thematischem Bezug zum Programm.

CHEMNITZ
Sächsisches Mozartfest
Sächsische Mozart-Gesellschaft
Hartmannstr. 7c, 09111 Chemnitz
T: (0371) 6949444, Tfax: (0371) 6949443
PROGR: Sinfonie-, Kammer- u. Chorkonzerte, Ballett, Oper sowie Veranstaltungen genreübergreifenden Charakters unter jl. wechselnder thematischer Schwerpunktsetzung.

DONAU
Sommerkonzerte zwischen Donau und Altmühl
AUDI AG, Karl-Heinz Rumpf
Ingolstadt
T: (0841) 8933000, Tfax: (0841) 8931148
PROGR: Symphoniekonzerte, Kammermusik, Oper, Lieder- u. Chansonabende, Kinderkonzerte, Jazz- u. Popkonzerte; Auftragskompositionen; begleitende Vorträge zu den Konzertprogrammen.

DRESDEN
Dresdner Opernfestspiele
Theaterplatz 2, 01067 Dresden
T: (0351) 4911-0, Tfax: (0351) 4911700
PROGR: Inszenierungen der Sächsischen Staatsoper Dresden. Jl. wechselnde Themenschwerpunkte.

EUTIN
Eutiner Festspiele
Pf: 112, Eutin
T: (04521) 80010, Tfax: (04521) 3001
PROGR: Opern des deutschen, italienischen u. französischen Repertoires mit Schwerpunkt auf den Opern Carl Maria v. Webers sowie Operetten im Eutiner Schlossgarten.

FRANKFURT/ODER
Frankfurter Festtage der Musik
Lebuser Mauerstr. 4, 15230 Frankfurt/Oder
T: (0335) 663880, Tfax: (0335) 6638877
PROGR: Pflege des nationalen u. internat. Musikerbes unter besonderer Berücksichtigung des Werkes v. C. Ph. E. Bach sowie osteuropäischer Komponisten u. Interpreten. Jl. wechselnde Themenstellungen. Wissenschaftliche Symposien u. begleitende Austellungen. Kooperation mit den Internat. Musikbegegnungen »Ost-West« Zielona Góra in Polen.

GARMISCH-PARTENKIRCHEN
Richard-Strauss-Tage Garmisch-Partenkirchen
Richard-Strauss-Festspiele
Wessobrunner Str. 4, 82131 Gauting
T: (089) 89340894, Tfax: (089) 89340860
PROGR: Aufführung der Werke v. Richard Strauss. Orchesterkonzerte, Liederabende, Kammerkonzerte, Opernaufführungen, Lesungen. Rahmenprogramm mit Symposien, begleitenden Vorträgen, Werkeinführungen, Filmvorführungen u. Ausstellungen.

HALFING
Internationales Musikfestival im Chiemgau Gut Immling
Gut Immling, 83128 Halfing
T: (08055) 904980, Tfax: (08055) 904981
PROGR: Aufführung v. Opern in zeitgenöss. Inszenierungen junger Regisseure. Förderung des Nachwuchses in den Fächern Gesang u. Regie; Auftritte junger Rollendebütanten sowie etablierter Künstler. Konzerte u. Liederabende sowie Rahmenprogramm (Familientage, musikal. Kinderprogramm).

HEIDELBERG
Schlossfestspiele Heidelberg
Theater der Stadt Heidelberg
Friedrichstr. 5, 69117 Heidelberg
T: (06221) 583561, Tfax: (06221) 583599
PROGR: Oper, Operette, Tanztheater, Schauspiel.

HEIDENHEIM/BRENZ
Opernfestspiele Heidenheim
Pf: 1146, Heidenheim/Brenz
T: (07321) 327387, Tfax: (07321) 327688
PROGR: Freilichtoper (eigene Produktionen).

HERRENHAUSEN
Festwochen Herrenhausen
Landeshauptstadt Hannover, Kulturamt
Friedrichswall 15, 30159; Pf: 125, 30159 Hannover
T: (0511) 16846356, Tfax: (0511) 16845073
PROGR: Konzerte u. Schauspiel sowie Opernaufführungen, vor allem Werke des Barock u. der Klassik.

KARLSRUHE
Händel-Festspiele des Badischen Staatstheaters Karlsruhe
Badisches Staatstheater Karlsruhe
Baumeisterstr. 11, 76137 Karlsruhe
T: (0721) 3557-0, Tfax: (0721) 373223
PROGR: Aufführungen Händel'scher Opernwerke, Oratorien, Orchesterkonzerte u. Kammerkonzerte. Symposien, Ausstellungen, Vorträge. Festspiel-Orchester: Deutsche Händel-Solisten.

LÜBECK
Theater Sommer Lübeck
Lübecker Sommeroperette
Rathenaustr. 21, 23568 Lübeck
T: (0451) 32796, Tfax: (0451) 32796
PROGR: Festival mit Schwerpunkt auf der Operette an verschiedenen historischen Aufführungsorten in der Hansestadt Lübeck (Freilichtbühnen, Schifffahrten zu historischen Spielorten). Förderung junger Nachwuchskünstler durch Ermöglichung eines Auftritts sowie durch in das Festival integrierte Kurse f. Operette u. Tonfilmschlager.

LUDWIGSBURG
Ludwigsburger Festspiele – Internationale Festspiele Baden-Württemberg
Pf: 1022, Ludwigsburg
T: (07141) 9396-0, Tfax: (07141) 939677 od. 939666
PROGR: Orchester- u. Kammerkonzerte, Oper, Tanz, Schauspiel, Liederabende, Literatur, Bildende Kunst, Open Air, Weltmusik.

MAGDEBURG
Magdeburger Telemann-Festtage
Telemann-Zentrum im Kulturamt
Schönebecker Str. 129, 39104 Magdeburg
T: (0391) 5406755, Tfax: (0391) 5406798
PROGR: Aufführung der Werke G. Ph. Telemanns, insbesondere

der großdimensionierten Vokalwerke u. Opern. Begleitend musikwissenschaftliche Konferenzen mit neueren Ergebnissen der Telemann-Forschung. Telemann-Akademien f. Musikstudierende u. junge Musiker; Ausstellungen; Veranstaltungsprojekte »Telemann f. Schüler«.

MÜNCHEN
Münchner Opern-Festspiele
Bayerische Staatsoper München
Max-Joseph-Platz 2, 80539; Pf: 100148, 80539 München
T: (089) 2185-0, Tfax: (089) 21851133

POTSDAM
Musikfestspiele Potsdam Sanssouci
Wilhelm-Staab-Str. 10–11, 14467 Potsdam
T: (0331) 28888-0, Tfax: (0331) 2888829
PROGR: Jl. wechselnde Themen mit Schwerpunkt im Bereich der brandenburgischen Kulturgeschichte. Kammermusik, Kammeroper/-ballett, Singspiel, Sinfonik.

RHEINSBERG
Kammeroper Schloss Rheinsberg
Internationales Festival zur Förderung junger Sänger
Kavalierhaus der Schlossanlage
Rheinsberg
T: (033931) 725-0, Tfax: (033931) 72515
PROGR: Opernfestival zur Förderung junger Sängerinnen u. Sänger. Opernaufführungen, Konzerte, Meisterkurse f. Gesang, Komponistenwerkstatt.

RUHRGEBIET
Ruhr-Triennale Kultur Ruhr GmbH
Leithestr. 35, 45886 Gelsenkirchen
T: (0209) 167-1700, Tfax: (0209) 167173
PROGR: Veranstaltung v. spartenübergreifenden Kunstfesten (Oper, Neue u. Experimentelle Musik, Schauspiel, Musiktheater, Tanz, Film, Bildende Kunst) an zahlreichen Spielstätten im Ruhrgebiet (Industriedenkmäler, Konzert- u. Festspielhäuser). Den Höhepunkt der Triennale soll jeweils das mittlere Jahr bilden.

SCHWERIN
Festspiele Mecklenburg-Vorpommern
Graf-Schack-Allee 11, 19053 Schwerin

T: (0385) 59185-0, Tfax: (0385) 591851
PROGR: Konzerte, Kammermusik u. Liederabende, Oratorien u. Opernaufführungen an traditionsreichen Spielstätten in Mecklenburg-Vorpommern.

SCHWETZINGEN
Schwetzinger Festspiele
Pf: 106040, Stuttgart
PROGR: Oper, Schauspiel, Ballett, Konzerte.

SCHWETZINGEN
Schwetzinger Mozartfest
Kantstr. 40, 68723 Oftersheim
T: (06202) 56606, Tfax: (06202) 56606
PROGR: Orchester- u. Kammerkonzerte sowie Opernaufführungen mit Schwerpunkt auf den Werken W. A. Mozarts.

TECKLENBURG
Freilichtspiele Tecklenburg e.V.
Schlossstr. 7, 49545; Pf: 1143, 49545 Tecklenburg
T: (05482) 220 od. 227, Tfax: (05482) 1269
PROGR: Präsentation v. Opern, Operetten, Musicals sowie Kindermusicals.

WERNIGERODE
Wernigeröder Schlossfestspiele
Am Schloss 1, 38855 Wernigerode
T: (03943) 553040, Tfax: (03943) 553055
PROGR: Veranstaltungsprogramm mit jl. wechselndem thematischen Schwerpunkt. Freilichtinszenierung einer Oper im Innenhof des Schlosses zu Wernigerode. Breites Konzertprogramm des Philharmonischen Kammerorchesters Wernigerode mit jungen Nachwuchskünstlern. Kinonächte im Schlossinnenhof.

WIESBADEN
Internationale Maifestspiele Wiesbaden
Hessisches Staatstheater Wiesbaden
Christian-Zais-Str. 3, 65189; Pf: 3247, 65189 Wiesbaden
T: (0611) 1321, Tfax: (0611) 132337
PROGR: Gastspiele ausländischer u. deutscher Opern-, Ballett- u. Schauspielensembles; Kindertheater; Kleinkunst. Jl. wechselnde Eigenbeiträge im Opern- u. Kammermusikbereich.

WITTENBERGE
Elblandfestspiele Wittenberge
Das Internationale Festival für Operette und heitere Bühnenkunst
Kultur- und Festspielhaus Wittenberge
Am Paul-Lincke-Platz, 19322 Wittenberge
T: (03877) 564503, Tfax: (030) 56450
PROGR: Förderung der Kunstgattung Operette durch Verbindung v. Tradition u. moderner Aufführungspraxis. Durchführung des Internat. Gesangswettbewerbes f. Operette »Jan Kiepura« im Rahmen der Festspiele.

WUNSIEDEL
Luisenburg-Festspiele Wunsiedel
Verkehrs- und Kulturamt
Jean-Paul-Str. 5, 95632 Wunsiedel
T: (09232) 602162, Tfax: (09232) 602169
PROGR: Festival auf der historischen Luisenburg (Naturbühne mit überdachtem Zuschauerraum). Aufführung v. Theaterstücken sowie jeweils einer Oper u. einer Operette. Betreuung v. Besuchergruppen (auch Schulklassen).

ZWINGENBERG
Schlossfestspiele Zwingenberg am Neckar
Rathaus Zwingenberg
Zwingenberg
T: (06263) 771, Tfax: (06263) 772
PROGR: Pflege der romantischen Oper; Matineen, unbekannte Opern.

Bibliographie

Pipers Enzyklopädie des Musiktheaters: Oper, Operette, Musical, Ballett, hrsg. von Carl Dahlhaus u. dem Forschungsinstitut für Musiktheater der Universität Bayreuth, München 1986–1997
Musik in Geschichte und Gegenwart: allgemeine Enzyklopädie der Musik, begr. von Friedrich Blume, 2. neubearb. Ausg./hrsg. von Ludwig Finscher, Kassel 1994 ff.
New Grove Dictionary of Music and Musicians, hrsg. von Stanley Sadie, London 1980/2. neubearb. Auflage 2000 (online: http://www.grovemusic.com)

Abraham, Gerald: Slavonic and Romantic Music, London 1968
Ashbrook, William/Gerardo Guccini: Mefistofele di Arrigo Boito, Mailand 1998
Aulenti, Gae/Marco Vallora (Hrsg.): Quartetto della maledizione. Materiali per Rigoletto, Cavalleria e Pagliacci, Fanciulla, Mailand 1985
Beaumont, Antony: Busoni the Composer, London 1985
Becker, Heinz/Gudrun Becker: Giacomo Meyerbeer. Ein Leben in Briefen, Wilhelmshaven 1983
Beethoven, Ludwig van: Briefwechsel, Gesamtausgabe; Bd. 1 (1783–1807), hrsg. von Sieghard Brandenburg, München 1996
Bermbach, Udo/Wulf Konold (Hrsg.): Gesungene Welten. Aspekte der Oper – Oper als Spiegel gesellschaftlicher Veränderungen (= Hamburger Beiträge zur öffentlichen Wissenschaft, 10), Berlin 1992
Bie, Oskar: Die Oper, Berlin 1919
Brandstetter, Gabriel (Hrsg.): Jacques Offenbachs Hoffmanns Erzählungen. Konzeption, Rezeption, Dokumentation (= Thurnauer Schriften zum Musiktheater, 9), Laaber 1988
Carter, Tim: Monteverdi and his Contemporaries, Aldershot 2000
Clapham, John: Antonín Dvořák. Musician and Craftsman, London 1966
Claudio Monteverdi. Briefe 1601–1643, hrsg. und kommentiert von Denis Stevens, München 1989

Claudio Monteverdi. Um die Geburt der Oper (= Musik-Konzepte, 88), München 1995

Crosten, William L.: French Grand Opera. An Art and a Business, New York 1948

Csampai, Attila/Dietmar Holland (Hrsg.): Modest Mussorgskij. Boris Godunow – Texte Materialien, Kommentare, München 1984

Csampai, Attila/Dietmar Holland (Hrsg.): Wolfgang Amadeus Mozart, Die Hochzeit des Figaro. Texte, Materialien, Kommentare, Hamburg 1987

Csampai, Attila: Sarastros stille Liebe, Salzburg und Wien, 2001

Csobádi, Peter u. a. (Hrsg.): Das Phänomen Mozart im 20. Jahrhundert. Wirkung, Verarbeitung und Vermarktung in Literatur, Bildender Kunst und in den Medien, gesammelte Vorträge des Salzburger Symposions 1990, Salzburg 1991

Csobádi, Peter u. a. (Hrsg.): Fidelio/Leonore. Annäherungen an ein zentrales Werk des Musiktheaters, Vorträge und Materialien des Salzburger Symposions 1996, Salzburg 1998

Curtis, A.: »›La Poppea impasticciata‹ or Who Wrote the Music to ›L'incoronazione‹ (1643)?«, in: JAMS 42 (1989), S. 23–54

Dahlhaus, Carl/Norbert Miller: Europäische Romantik in der Musik. Oper und symphonischer Stil 1770–1820, Bd. 1, Stuttgart 1999

»›Den Raum für das Experiment öffnen‹. Gavin Bryars, Thomas Adès und Mark-Anthony Turnage über den Zustand der Institution Oper und ihre Zukunft«, in: NZfM 4 (1997), S. 26–29

DiGaetani, John Louis: Puccini the Thinker. The Composer's Intellectual and Dramatic Development, New York 1987

Döhring, Sieghart/Arnold Jacobshagen (Hrsg.): Meyerbeer und das europäische Musiktheater (= Thurnauer Schriften zum Musiktheater, 16), Laaber 1998

Dömling, Wolfgang/Theo Hirsbrunner: Über Strawinsky. Studien zu Ästhetik und Kompositionstechnik, Laaber 1985

Eckert, Nora: Von der Oper zum Musiktheater. Wegbereiter und Regisseure, Berlin 1995

Ewans, Michel: Janáčeks Opern, Stuttgart 1981

Finscher, Ludwig: Joseph Haydn und seine Zeit, Laaber 2000

Fischer, Erik: Zur Problematik der Opernstruktur. Das künstlerische System und seine Krisis im 20. Jahrhundert (= Beihefte zum Archiv für Musikwissenschaft, 20), Wiesbaden 1982

Gerhartz, Leo Karl: Oper. Aspekte der Gattung, Laaber 1983

Giacomo Meyerbeer – Weltbürger der Musik. Eine Ausstellung der Musikabteilung der Staatsbibliothek Preußischer Kulturbesitz Berlin, Wiesbaden 1991

Gier, Albert: Das Libretto. Theorie und Geschichte einer musikliterarischen Gattung, Darmstadt 1988
Girardi, Michele: Puccini. His International Art, Chicago 2000
Greenfeld, Howard: Puccini. Sein Leben und seine Welt, Königstein/Ts. 1982
Gregor-Dellin, Martin: Richard Wagner. Sein Leben. Sein Werk. Sein Jahrhundert. München 1980
Hammerstein, Reinhold: Die Stimme aus der anderen Welt. Über die Darstellung des Numinosen in der Oper von Monteverdi bis Mozart, Tutzing 1998
Hanslick, Eduard: »Die Bohème«, in: ders., Am Ende des Jahrhunderts [1895–1899] (Der »Modernen Oper« VIII. Theil). Musikalische Kritiken und Schilderungen, Berlin 1899, S. 75–85
Hanslick, Eduard: »›Hoffmann's Erzählungen‹. Phantastische Oper von Offenbach«, in: ders., Musikalische Schriften (Der »Modernen Oper« II. Theil), Berlin 1901, S. 81–90
Hanslick, Eduard: »Die verkaufte Braut. Komische Oper von Friedrich Smetana«, in: ders., Am Ende des Jahrhunderts [1895–1899] (Der »Modernen Oper« VIII. Theil). Musikalische Kritiken und Schilderungen, Berlin 1899, S. 40–48
Hanslick, Eduard: »›Mephistopheles‹. Oper von Arrigo Boito«, in: ders., Musikalische Schriften (Der »Modernen Oper« II. Theil), Berlin 1901, S. 3–21
Harnoncourt, Nikolaus: Der musikalische Dialog. Gedanken zu Monteverdi, Bach und Mozart, Salzburg 1984
Hess, Willy: Das Fidelio-Buch. Beethovens Oper Fidelio, ihre Geschichte und ihre drei Fassungen, Winterthur 1986
Honolka, Kurt: Leoš Janáček. Sein Leben, sein Werk, seine Zeit, Stuttgart 1982
Huebner, Steven: French Opera at the Fin de Siècle, Oxford 1999
Humperdinck, Wolfram: Engelbert Humperdinck. Das Leben meines Vaters, Frankfurt am Main 1965
Irmen, Hans-Josef: Hänsel und Gretel. Studien und Dokumente zu Engelbert Humperdincks Märchenoper, Mainz 1989
Kapp, Julius: Meyerbeer, Stuttgart 1924
Karásek, Bohumil: Bedřich Smetana, Prag 1967
Kloiber, Rudolf: Handbuch der Oper, Regensburg 1961
Kneif, Tibor: Die Bühnenwerke von Leoš Janáček, Wien 1974
Kracauer, Siegfried: Jacques Offenbach und das Paris seiner Zeit, Frankfurt am Main 1976
Krause, Ernst: Puccini. Beschreibung eines Welterfolges, Leipzig 1985
Kunze, Stefan (Hrsg.): Ludwig van Beethoven. Die Werke im Spiegel

seiner Zeit – Gesammelte Konzertberichte und Rezensionen bis 1830, Laaber 1987
Kunze, Stefan: Mozarts Opern, Stuttgart 1984
Küster, Konrad: W. A. Mozart und seine Zeit, Laaber 2001
Leopold, Silke: Claudio Monteverdi und seine Zeit, Laaber 1982
Lippmann, Friedrich: Vincenzo Bellini und die italienische Opera Seria seiner Zeit. Studien über Libretto, Arienform und Melodik, Köln 1969
Maehder, Jürgen: »Giacomo Puccinis Schaffensprozess im Spiegel seiner Skizzen für Libretto und Komposition«, in: H. Danuser/ G. Katzenberger (Hrsg.): Vom Einfall zum Kunstwerk. Der Kompositionsprozess in der Musik des 20. Jahrhunderts, Laaber 1993, S. 35–64
Marggraf, Wolfgang: Giacomo Puccini, Wilhelmshaven 1979
Meier, Andreas: Faustlibretti. Geschichte des Fauststoffs auf der europäischen Musikbühne nebst einer lexikalischen Bibliographie der Faustvertonungen, Frankfurt am Main 1990
Modest Mussorgskij. Aspekte des Opernwerks (= Musik-Konzepte, 21), München 1981
Morelli, Giovanni (Hrsg.): Arrigo Boito, Venedig 1994
Mosch, Ulrich: »Neues Altes – altes Neues. Gedankensplitter zu einem weiterhin aktuellen Thema«, in: Positionen 24 (1995), S. 2–4
Mozart. Die Da-Ponte-Opern (= Musik-Konzepte, Sonderband), München 1991
Müller, Ulrich/Peter Wapnewski (Hrsg.): Richard-Wagner-Handbuch, Stuttgart 1986
O'Grady, Deirdre: Piave, Boito, Pirandello – From Romantic Realism to Modernism, Lewiston 2000
Oehlmann, Werner: Vincenzo Bellini, Zürich 1974
Paumgartner, Bernhard: Mozart, Freiburg i. Br., 1967
Protz, Albert: Die Entführung aus dem Serail von W. A. Mozart (= Die Oper. Schriftenreihe über musikalische Bühnenwerke), Berlin 1957
Radiciotti, Guiseppe: Giovanni Battista Pergolesi. Leben und Werk, Stuttgart 1954
Rosenberg, Alfons: Don Giovanni. Mozarts Oper und Don Juans Gestalt, München 1968
Ruf, Wolfgang: Die Rezeption von Mozarts »Le nozze di Figaro« bei den Zeitgenossen, Wiesbaden 1977
Russel, Mark/James Young: Filmkünste: Filmmusik, Reinbeck 2001
Sanders, Ernest: »Oberon and Zar und Zimmermann«, in: The Musical Quaterly, Vol. XL, No. 4 (Oktober 1954), S. 521–532

Schiedermair, Ludwig F.: Sternstunden der Oper im Spiegel ihrer Zeit. Premieren von Monteverdi bis Henze, München 1976
Schiedermair, Ludwig: Die Deutsche Oper. Grundzüge ihres Werdens und Wesens, Bonn 1943
Schläder, Jürgen: »Märchenoper oder symbolistisches Musikdrama? Zum Interpretationsrahmen der Titelrolle in Dvořáks ›Rusalka‹«, in: Mf 34 (1981), S. 25–39
Schläder, Jürgen: Undine auf dem Musiktheater. Zur Entwicklungsgeschichte der deutschen Spieloper (= orpheus-Schriftenreihe zu Grundfragen der Musik, 28), Bonn 1979
Schreiber, Ulrich: Opernführer für Fortgeschrittene, Kassel 1991
Stegemann, Michael: Camille Saint-Saëns mit Selbstzeugnissen und Bilddokumenten, Hamburg 1988
Strawinsky, Igor/Robert Craft: Erinnerungen und Gespräche, Frankfurt am Main 1972
Ströbel, Dietmar: Motiv und Figur in den Kompositionen der Jenůfa-Werkgruppe Leoš Janáčeks. Untersuchungen zum Prozess der kompositorischen Individuation bei Janáček (= Freiburger Schriften zur Musikwissenschaft, 6), München 1975
Strohm, Reinhard: Die italienische Oper im 18. Jahrhundert, Heinrichshofen 1979
Studd, Stephen: Saint-Saëns. A Critical Biography, London 1999
Subotnik, Rose Rosengard: »Lortzing and the German Romantics: A Dialectical Assessment«, in: The Musical Quaterly, Vol. LXII, No. 2 (April 1976), S. 241–264
Thomas, Günter: »Vorwort«, in: [Gesamtausgabe] Joseph Haydn: Il Mondo Della Luna, 1. Teilbd., München 1979, S. VIII–XII
Thomas, Günter: Zu »Il mondo della luna« und »La fedeltà premiata«. Fassungen und Pasticcios, in: Haydn-Studien, Band II, März 1969, Heft 1, hrsg. von Georg Feder, Duisburg 1969, S. 122–131
Tintori, Giampiero (Hrsg.): Arrigo Boito. Musicista e letterato, o. O. 1986
Vogel, Jaroslav: Leoš Janáček. Leben und Werk, Prag 1958
Voss, Egon: »Verismo in der Oper«, in: Mf 31 (1978), S. 303–313
Walch-Moser, Hanna: Zar und Zimmermann von Albert Lortzing (= Die Oper. Schriftenreihe über musikalische Bühnenwerke), Berlin 1961
Weinstock, Herbert: Vincenzo Bellini. His Life and his Operas, New York 1971
Wessling, Berndt W.: Meyerbeer. Wagners Beute – Heines Geisel, Düsseldorf 1984
Wolff, Hellmuth Christian: Die Venezianische Oper in der zweiten Hälfte des 17. Jahrhunderts. Ein Beitrag zur Geschichte der Musik

und des Theaters im Zeitalter des Barock (= Theater und Drama, 7), Berlin 1937

Wunderlich, Werner: Mozarts Così fan tutte. Wahlverwandtschaften und Liebesspiele (= Facetten der Literatur, 6), Bern 1996

Zimmermann, Reiner: Giacomo Meyerbeer. Eine Biographie nach Dokumenten, Berlin 1991

Inhalt

Gluck: Orfeo ed Euridice
9

Weber: Der Freischütz
24

Donizetti: Lucia di Lammermoor
42

Donizetti: Don Pasquale
56

Lortzing: Zar und Zimmermann
69

Wagner: Der fliegende Holländer
82

Wagner: Tristan und Isolde
97

Wagner: Die Meistersinger von Nürnberg
115

Wagner: Der Ring des Nibelungen
134

Das Rheingold
139

Die Walküre
153

Siegfried
163

Götterdämmerung
174

Wagner: Parsifal
187

Bizet: Carmen
201

Mussorgsky: Boris Godunow
216

Dvořák: Rusalka
233

Boito: Mefistofele
245

Janáček: Jenůfa (Její Pastorkyňa)
257

Humperdinck: Hänsel und Gretel
272

Puccini: La Bohème
284

Puccini: Tosca
301

Puccini: Madame Butterfly
314

Puccini: Il trittico
329

Il tabarro
332

Suor Angelica
339

Gianni Schicchi
346

CD-Tipps von Wolfram Goertz
352

Opernfestspiele (Übersicht)
360

Bibliographie
368

Register
377

Register

A
abdriften 135
Abreibung 84
abseitige Erotik 188
abtropfen 142
Achilleus 135
Adornofan 213
Affenschande 312
Akademiker-Komponisten 226
Algerienministerium 203
Alltag in Frauenklöstern 331
Alter Friedhof 98
ältester Gag der Wagnerliteratur 146
ältester Trick aus der Märchenkiste 145
Amazonentreiben 158
Ambosse 141, 144, 146, 149
Anatomieunterricht 171
anbrennen 342
andächtig 50, 130
Angelo Neumanns Tourneetheater 184
Anweisungen, erotische 5
Arielle 234, 237, 240
Attentäter 303
Auftragswerk 13

B
Bad Honnef 142
Bad Lippspringe 111
Basalt-Gesellschaft 142
Bayern 49, 171
Beamter 198

Beethovens Mutter 98
Beiersdorf 191
Bernhard Heinrich Martin Fürst von Bülow 149
Bierbuden 125
Bilderbogen 226, 288
Bloch, Ernst 128
blonde Musik 196
Boden küssen 340
Bohème-Klub 284
Bohlen, Dieter 78, 80, 121
Bombe 303, 349
Bonbonrosa 323
Bonn 52, 98, 150, 274, 331
Bösewicht schlechthin 176
Breitwandformat 142
Broken-hearts-Cappuccino 214
Buddhismus 190
byoubu 319, 323

C
Capuchon 293 f.
Casanova 98, 143
Casanova, Giacomo 10
Cava 211
chinesische Marionetten 324 f.
Christentum 190
Chuzpe 109
Cigarrenstummel 299
Colastände 125
Commendatore 246
Cornelius, Peter 116
Crème Bavaroise 37

D
Dada 128
das übelste Publikum 204
das Weib der Zukunft 94
Debussysmus 329 f.
der Hesse 336
Deutscher Beamtenbund 129
Devisenmakler 35
die »Kuh fliegen lassen« 65
Disney, Walt 237, 240, 278
Doppeldominant-Septakkordes 112
doppeltes Geld 306
Drachentöter 171 f.
Drecksack 176, 248
Dürkheim 171
Düsseldorf 230

E
Eastwood, Clint 194
Eber 180
Ehebruch erster Güte 156
Einstein, Albert 192
Eintagsfliege 289
ekelhaftes Künstlerfest 188
Enterich 223
entspannte »Danach«-Musik 108
Erzengel Michael 171
Extremsport 229

F
Fagott-Soufflée 214
Fake-Trauer 347
Fernostexperte 327
Ferrero 230
Feuerwehr 94, 126, 297
Fleischergeselle 233
Fleischeslust 241
Folterkammermusik 312
Franziskaner 250 f.
frauenfeindlich 200
Frauen überhaupt 286

Friedrich Barbarossa 135 f.
Fritzdorf 142, 150
Frühlingswetter 187

G
Gameboy-Wahnsinn 19
ganz blödes Missverständnis 198
Gardejunkerschule 217
Garten Eden 247
Gefahr der Süßlichkeit 331
gehrenswert 179, 182
geizig 59, 179, 182
Geliebter 97
Gerichtsmedizin 151, 157
Gerüche eines Gartens 216
geselliges Beisammensein 261
Getümmel 122, 214, 348
Ghibellini 135
Glassbrenner, Adolf 77
Glocken von St. Peter 303
Golgatha 83, 190 f.
Gollum 143
Gott, Karel 242
Granaten 16
Grisi, Giulia 56 ff.
großer Zeh 89
größter Erotiker aller Zeiten 83
Grunzen 314
Guadagni, Kastrat Gaetano 12
Gummi arabicum 195
Gurgel-Paganini 50
gute Stube 34
Gute Zeiten, schlechte Zeiten 147

H
Habitué 66, 68
Hagebutten 277
Harmonie-Savarin 214
Harpfm 49
Heilbalsam aus Arabien 191
Heimatfilme, schlechte 92

heiße Mädchen 206
Hell's Angels 148
Hintertreppenromane 301
Hitchcock-Effekt 109
Holzköpfe 285
Hungerjahre 285

I
Idisi 161
IG-Metall-Hit 147
Illicasillabi 287
in einem Buche lesend 61, 65
isometrische Übungen 130
Italiener und Englisch 315

J
Jesus von Nazareth 135
Justizvollzugsdienst 309

K
Kalbsstelze 233
Kampai! 321
Karel Komzák 234
Karthäuser 253
Kasino-Humor 76
Kassenräuber 83
Kennerpublikum 69
Kimono 314
Kindergeschmeid 164
Kino 89, 237
Kirchenflirts 118
Kirchenorganisten 342
Klassiker des phallischen
   Märchens 281
Kleiber, Carlos 34f., 38
Kleinmütigkeit 183
Knapp daneben! 252
Knastklamotten 305
knaupeln 24
Kohldampf 91
Kölner Karneval 230f.
Kolonien der Liebe 333
Kommunion 342

Kompositionstechnik 27
König Niff 150
Königswinter 182
Korallenhalsband 293
Korinthenkacker 127
Krawatte 156
kreative Explosion 258
Kurzvortrag 129

L
»Leitmotiv« 34f., 112, 138, 143,
   147f., 170, 348
Lablache, Luigi 56ff.
Labskaus 96
Landjägermeister 33
La Roche 191
La Spezia 137, 148
Lehmann, Lotte 336f., 341, 344
Leipziger Heavy-Metal-Game-
   lan-Sound 144
Leuchtende Liebe, lachender
   Tod! 168
Lobkowitz, Fürsten 10
Lossegeln 87
Lotterieunternehmen 10
Lustmaiden 161
Luzifer 190

M
›Mittelgut‹ 69
Maeterlinck, Maurice 302
Mailänder Kritiker 289
Mandolinenorchester Oberkas-
   sel 229
Manfredi, Doria 343
Männel 24
Männervereinsmeierei 200
Mansardenzimmer 288
Maria Magdalena 195
Marienbad 187
Mario, Giovanni 58, 65
Marshmellow-Kugeln 278
Massenkeilerei 123

Maultrommel 10
Menschenblut 239, 241
Menschheitstraum 166
Merseburger Zaubersprüche 136
mestizia toscana 286, 334
Miauen 314
Millenniums-Song 129
Miniaturmaler 246
minnige Maid 102
Motörhead 148

N
»Nibelungentreue« 150
nackte, prosaische Liederlichkeit 298
Nadelstiche 130
national anthem 323
Nee, wat für Zustände! 99
Neffel 150
Nero 33, 37
Neue Musik 99
Neufundländer 83, 89
nicht der beste Wegweiser 188
Nivea 191
Novembersoirée 19

O
Ommmmmm-Musik 107
Operette 76 f., 129, 295, 326, 336 f.
Operngarderoben 19
Orgel 93, 118, 249, 305, 340
Originalsprache 263, 268

P
Pálmadóttir 52
Papagei 224, 227, 292
Paraffin-Lampe 259
Parma 297
pazifistische Gardinenpredigt 192
Petroleumlampe 285

Petroni, Leo 5
Pfannkuchenboot 338
Pfistermeister 97
pflag 103, 107, 110
Phimosenoperation 25
Picknickkörbe 88
Pikkolo-Paté 214
Poker-Gesichter 284
Polizeispitzel 303
Poppelsdorf 274
porco inglese 316
Postleitzahl 190
potenter Freiberufler 154
Prager Schinken auf Sauerkraut 240
Präsident des Festkomitees 230
Premierendesaster 248
Preminger, Otto 130
Preußen 210
Prinzengarde 230
Prix de Rome 202
Pro 7 313
Protestantenhimmel 20

R
Raab, Stefan 68
Radio der 50er Jahre 111
Rauchverbot am Arbeitsplatz 206
Rauschen der Hormone 252
Ravello 188
Raver-Disco 251
reisige Maid 137, 156
Relativitätstheorie 192
Respektlosigkeit 293
Ries, Franz Anton 98
Riesenpause 137
Riesenwerk 135, 218
Ritter der Ehrenlegion 204
Rohr 30
Rotkehlchen 321
RTL II 313

Rübe 167
Rückblenden 136, 183
Ruffo, Titta 330
rumchillen 148

S
Salieri 53
Salpetersäure 24
Sammy Davis jr. 190
Sankt-Johannes-Sprüchlein 123
Sat.1 313
Scapigliatura 246 f.
Scary-Arie 171
Scary Movies 32
Schatzhüterdrachen 171
Schierling 292
Schiffspfeife 90
Schiffszimmermannsmeister 71
Schinken 65, 240, 291
Schloss Neuburg 25
Schloss Runkelstein 98
Schmetter-Abteilung 17
Schnäppchen 320
Schopenhauer 190
schreiende Krawatten 298
Schubert, Julius 67
schuldlose Ursache 322
Schumann, Clara und Robert 69, 98
schwache Mägen 284
schwanger 12, 157, 263, 314
Schwefelwasserstoff 318
Schweiz 99, 136, 171, 288, 304
segelnde Leichen 88
Seidentapeten-Musik 107
Seil des Schicksals 175
Seitenspringer 83
Selbstentmannung 196
Sens, Bischof Lupus von 171
Serenadenmann 307
Shakespeare 175, 347
Siegburg 198, 273, 279

Siegfrieds Finger 178, 180
Siegfrieds Hand 180
Skagerrak 84
slow-motion-Oper 191, 197
Socke, arme 92, 242
Sokrates 292
solfèges 201
Speichellecker 273
Spitzen-Waldesweben 169
Stadtbildpfleger 150
Stehplatz 130
Steifes Herumgeröhre 126
Streifenkarte 213
Stück Brot 53
Studentenbude 288
Stunksitzung 231
Šubert, František 234
Süßholztönchen 342

T
Tamburini, Antonio 57 f., 60, 206
Tantris 101, 102
Taumännchen 276, 278
Taxer, Hedwig 274
Tee 277, 324
Testament 183, 345 ff.,
teuflisch holde Frauen 192
Tiber 302
Tiefgarage 311
todo lujo 191
Toilettenbeschmutzen 318
Tories 49
Tournee-Theater 184
Tralalalalalalala 211
Trappist 253
Trinitas 286, 302, 316
Tristan-Akkord 97, 100, 107, 112, 128

U
Ü-30-Party 298
unaufführbar 99

Ungebundenheit 284
unsichtbare Orchester 188
Unterdominante mit ›Sixte ajoutée‹ 112
Unterwäsche 5
Untoten-Soufflée 96

V
Vacallo 288
Verbrennungsprozess 254
Vergewaltigungsmusik 182
Verschwörungstheorie 317
Vicopelago 330
Viertel 132
Villa Rufolo 188
Volkshochschulvorlesung 253
Vorhalt, tragischer 65
Vorleser 83

W
»Wonnegarten« 191
Wagner-Lehrsatz 111
Wagner klaut bei sich selbst 183
Waiblingen 135
Waldgevögel 32
Walkyrjen 161
Wandernde Wagner-Theater 184
Wasserköpfe 76

Weichei 242
Weiheatem 190
Weißwurst-und-Brezel-Stimmung 195
Wellness-Ouvertüre 146
Werbekampagnen 247
Werben um Fricka 136
Wesendonck, Otto und Mathilde 98 f.
westliche »Verlogenheit« 227
Whigs 49
Wibelungen 135
Wiegenlied der Welt 137
Wieland der Schmied 135 f.
Wohnzimmer 86
Womanizer 39
Wurlitzer 317
Würstchen 108, 183

X
Xylophon 266, 268, 276, 291

Z
zerknüllte Filzhüte 299
Zola, Émile 302
Zuckerbäckerregister 342
Zuckerguss 281
zullendes Kind 170
Zweideutigkeiten 104

KONRAD BEIKIRCHER

arbeitet seit 1986 als Autor, Kabarettist und Musiker. Er stammt aus Südtirol und lebt seit vier Jahrzehnten in seiner rheinischen Wahlheimat Bonn. Nach einer Ausbildung als Violinist in Wien und nachfolgendem Psychologiestudium arbeitete er viele Jahre als Diplom-Psychologe im Justizvollzugsdienst (JVA Siegburg), zuletzt als Oberregierungsrat. Mit zunehmendem Erfolg als Kabarettist, vor allem in seiner Rolle als intelligenter und kritischer Kommentator rheinischen Lebens und Sprechens, hängte er die Beamtenlaufbahn an den Nagel und konzentrierte sich ganz auf seine künstlerische Tätigkeit. Er hat fünf Kinder und ist in dritter Ehe glücklich verheiratet.

Im Rheinland wurde Konrad Beikircher berühmt mit seiner »Rheinischen Trilogie«, die mittlerweile ihren achten Teil erreicht hat. Darin kommentiert er fortlaufend kenntnisreich und mit kabarettistischem Witz die Eigenheiten der rheinischen Sprache – vom Wemmsing-Genitiv über das Simelieren bis zu den Höhen rheinischer Superlative, den »allereinzigsten üvverhaupts«. Aus der Beschäftigung mit dem rheinischen Universum ist das Handbuch »Ett kütt wie't kütt. Das rheinische Grundgesetz« (KIWI Köln 2001) entstanden, ein Bestseller, dessen messerscharfe Beobachtungen längst ihrerseits auf das rheinische kollektive Unbewusste einwirken.

Darüber hinaus hat Konrad Beikircher im Verlag Kiepenheuer & Witsch bislang vier ebenso unterhaltsame wie informative Konzert- und Opernführer veröffentlicht, die als Vademecum für jedermann schon jetzt zu den Klassikern ihrer Art gehören. In »Andante Spumante« (2001) und »Scherzo furioso« (2002) werden Konzerte und Symphonien von Bach bis Ravel und von Vivaldi bis Prokofjew vorgestellt, in »Palazzo Bajazzo« (2004) und »Bohème Supreme« (2007) große Opern von Monteverdi bis Leoncavallo und von Gluck bis Puccini. In diesen Musikbüchern verbinden sich aufs Glücklichste die Talente und Kenntnisse Konrad Beikirchers: Seine fundierte Musikerausbildung kommt der genauen Beschreibung der Partituren zugute, seine Psychologentätigkeit der kenntnisreichen Beleuchtung menschlich-allzumenschlicher Entstehungshintergründe aller Musikstücke und sein kabarettistischer Witz schließlich der ebenso intelligenten wie ungewöhnlich unterhaltsamen Darstellungsweise. Daneben hat Konrad Beikircher ein Kochbuch (Und? Schmecket? Eine kulinarische Reise durch das Rheinland. KIWI Köln 2003) sowie zahlreiche Musik-, Sprach-, Sprech-CDs und Hörbücher veröffentlicht, u. a. Kaffeehausgeschichten (2005), An den Rhein. Ein lyrisch-musikalischer Reiseführer (2004), Pinoccio (2002), Mussorgskys Bilder einer Ausstellung (2002), Ovids Liebeskunst (2001), Loreley und Schinderhannes (2001), Raymond Queneaus Stilübungen (2000) und zuletzt Don Camillo und Peppone (2006) sowie Hermann Harry Schmitz' Grotesken (2007).

Konrad Beikircher
Palazzo Bajazzo

Ein Opernführer
Gebunden

Nach dem großen Erfolg seiner beiden Konzertführer »Andante Spumante« und »Scherzo furioso« ist dies der erste Band von Beikirchers ultimativem Opernführer, in dem er auf unnachahmliche Weise höchste Fachkompetenz mit einem kabarettistischen Blick auf die großen Opern verbindet. So werden in »Palazzo Bajazzo« zahlreiche große Opern von Monteverdi bis Smetana, von Mozart bis Verdi vorgestellt. Treffende Einordnungen nach klaren Gesichtspunkten sind garantiert, wichtige Kriterien: Gähnwert, Ewigkeitsfaktor, Genusshöhe und Tränenreichtum.

»Auch Opernverächtern als Lektüre wärmstens empfohlen.«
Die Zeit

Die Konzert- und Opernführer auf CD!
Gelesen von Konrad Beikircher, mit umfangreichen Musikbeispielen.

NEU! Bohème Suprême
Der Opernführer zu Meisterwerken wie
La Bohème, Orpheus und Euridike, Der Freischütz,
Tristan und Isolde, Carmen, Tosca u.v.a.
5 CDs im Schuber
ISBN 978-3-938781-39-5 · CD-Fachhandel: edel

Palazzo Bajazzo
Der Opernführer zu den unsterblich Werken
von Verdi, Bellini, Beethoven, Mozart, Offenbach,
Smetana, Saint-Saens und Leoncavello.
5 CDs im Schuber
ISBN 978-3-936186-74-1 · CD-Fachhandel: edel

Andante Spumante
Der erfolgreiche Konzertführer mit Musik von
Bach, Haydn, Mozart, Schumann, Beethoven, Dvořák,
Ravel, Mendelssohn Bartholdy, Schubert, Rossini u.a.
5 CDs im Schuber
ISBN 978-3-936186-10-9 · CD-Fachhandel: edel

Scherzo Furioso
Der neueste Konzertführer zu Werken von Vivaldi,
Chopin, Bruckner, Brahms, Tschaikowsky, Debussy,
Prokowjew u.a.
5 CDs im Schuber
ISBN 978-3-936186-38-3 · CD-Fachhandel: edel

Weitere Beikircher Produktionen bei tacheles!/ Roof Music

Himmel Un Ääd DVD
Konrad Beikircher erstmalig auf DVD.
Gesamtspielzeit über 4 Stunden, u.a. mit einem
Live-Mitschnitt von Himmel un Ääd, dem ersten Teil
der Rheinischen Trilogie. 1 DVD
ISBN 978-3-938781-18-0 · DVD-Fachhandel: Alive

Die Rheinische Neunte
Im neunten Teil der Rheinischen Trilogie geht es
auch um die Frage, wie es denn der Rheinländer
so hat mit Oper und Konzert. Wunderbar erheiternde
Geschichten! Ab April 2007 im Handel! 2 CDs
ISBN 978-3-938781-40-1 · CD-Fachhandel: Indigo

Weitere Infos unter: **www.roofmusic.de**
tacheles!/Roof Music · Prinz-Regent-Str. 50-60 · 44795 Bochum
Tel.: 0234-29878-0 · Fax: 0234-29878-10 · mail@roofmusic.de